Amanecer contigo

Amanecer contigo

Noelia Amarillo

TERCIOPELO

© Noelia Amarillo, 2014

Primera edición en este formato: noviembre de 2015

© de esta edición: Roca Editorial de Libros, S.L.
Av. Marquès de l'Argentera 17, pral.
08003 Barcelona
info@rocabolsillo.com
www.rocabolsillo.com

© del diseño de cubierta: Sophie Guët
© de la imagen de portada: Ultramarinfoto

Impreso por LIBERDÚPLEX, S.L.U.
Crta. BV-2249, km 7,4, Pol. Ind. Torrentfondo
Sant Llorenç d'Hortons (Barcelona)

ISBN: 978-84-15952-62-6
Depósito legal: B. 18.200-2015
Código IBIC: FRD

RT52626

Todos los seres humanos tienen recuerdos
que solo contarían a sus mejores amigos;
tienen otros que solo se contarían a sí mismos
en el mayor de los secretos. Pero además, hay cosas
que uno ni siquiera se atreve a contarse a sí mismo.

FIÓDOR MIJÁILOVICH DOSTOYEVSKI,
Memorias del subsuelo

Prólogo

Febrero, 1916

Oriol abrió los ojos lentamente y estudió la habitación en la que se encontraba, la costosa lámpara del techo, cromada y con bombillas, le indicó que estaba de nuevo en *casa*. Los cuadros de las paredes, el buró de caoba, las sillas tapizadas en seda y la lujosa cama en la que agonizaba daban muestra de la riqueza del dueño de aquella mansión.

Su padre. El honorable y aburrido capitán Agramunt.

Una sonrisa perversa se dibujó en su rostro demacrado de profundas ojeras y pómulos hundidos. Un rostro teñido con la palidez cadavérica que precede a la muerte y en el que se reflejaba el profundo odio que sentía ante quienes le acompañaban en sus últimas horas.

Biel Agramunt, su *amantísimo* padre, dueño de una de las navieras más importantes de Barcelona, la Compañía Marítima Agramunt. Sus fuertes y envejecidas manos apoyadas en el respaldo de una silla, el recio cuerpo de antiguo marino inclinado cual buitre que espera la muerte de su presa para darse el ansiado festín. Las cejas canas fruncidas en un gesto de desapasionada espera.

Jana, la joven esposa del viejo, una puta de cabellos rubios y cuerpo frágil que esperaba silente tras el anciano, acariciándole la espalda con una de sus perfectas y delgadas manos. ¿Dándole consuelo? No, solazándose con él de su pronta muerte.

Un poco más allá, Alicia, la hija de la puta, una lisiada de rostro angelical y cuerpo inútil que le miraba con fingida tristeza. Seguro que estaba impaciente por hacerse con una buena tajada de la herencia que solo le debería haber correspondido a él. Y junto a ella, de pie ante la puertaventana que daba al corredor exterior, protegiéndola como siempre hacía, Enoc, el hombre al que su padre confiaba todos sus secretos, su mano derecha. La persona que probablemente habría encontrado el tugurio en el que había pasado las últimas semanas y le había llevado a la mansión.

Todos ellos le miraban impacientes y hastiados. Tras años esperando a que la última gota de sangre de Montserrat Bassols, de su madre, se desvaneciera convertida en polvo en el panteón familiar, creían que ya había llegado el momento de su liberación.

Ilusos.

Aún tendrían que esperar muchos años más para verse libres del estigma que tanto aborrecían.

Biel Agramunt se irguió al ver la malévola sonrisa de su hijo. Hacía cuarenta años que lo había tenido en sus brazos por primera vez. Cuarenta años tapando sus excesos, pagando sus deudas, escondiendo sus maldades. Cuarenta años viendo esa misma sonrisa y sabiendo que tras ella vendría un nuevo disgusto. Negó con la cabeza. ¿Qué más podía hacer ya? Oriol estaba en su lecho de muerte, no disponía del tiempo necesario para procurarle más daño. Doc, el médico que le había visitado minutos antes, había declarado que le quedaban apenas unas horas de vida. Su cuerpo, destrozado por la mala vida que se había empeñado en llevar, no aguantaba más. La bebida, el opio y cualquier otra droga que pudiera pagar, o hacer que él le pagara, habían terminado con él.

¡Maldito fuera por ocultarse de él!

¡Maldito por matarse lentamente!

¡Maldito por no aceptar sus consejos!

¡Maldita una y mil veces la sangre de Montserrat que había convertido a su único hijo en un depravado!

—¿Crees que todo termina conmigo, padre? —susurró Oriol sibilante, complacido al ver la desesperación y el arrepentimiento en el rostro del anciano—. ¿Crees que la basura con la que te he salpicado todos estos años acaba aquí y ahora? Ah, lo estás deseando. Esperas con ese gesto de pena en la cara, pero yo sé que esperas impaciente mi muerte. Estás deseando enterrarme muy profundamente y olvidarte de mí. —Una maliciosa sonrisa crispó su semblante moribundo—. Casi puedo escuchar lo que pasa por tu cabeza. Adiós a la sordidez y a las murmuraciones. Adiós a la sangre maldita. Por fin podrás olvidarte de que alguna vez existí, de que mamá existió. Antes de que acabe la noche tus amigos te darán palmaditas en la espalda y te consolarán diciendo que has sido un buen padre, que no fue tu culpa que yo me torciera. Y tú te regodearás pensando que esa inútil lisiada que no lleva ni una gota de tu sangre en las venas, esa insulsa a la que has moldeado a tu imagen y semejanza, se prometerá con Marc y será tu heredera. Reconócelo, estás deseando que muera para librarte del estigma de mamá.

—Nunca he deseado tu muerte, hijo, ni la de tu madre —replicó Biel, apretando los puños para no montar en cólera ante el insulto dedicado a su pupila.

—¿No? Qué lástima, me he esforzado mucho porque así fuera. Creo que como mínimo deberías odiarme, pero claro, siempre has sido excesivamente decente y perfecto en los asuntos familiares. Dime al menos que me aborreces, me encantaría escucharlo, estoy muriéndome, ¿no puedes siquiera hacerme esa concesión?

—No te odio, Oriol, nunca lo he hecho. Siempre he tratado de…

—Ya, ya. No me des sermones, no tengo tiempo para oírlos, y además me los sé de memoria: nunca es tarde para alejarse de los vicios, eres un buen hombre aunque no lo sepas, no tienes la culpa de haber caído en la depravación, nunca debería haberte dejado solo con tu madre… bla, bla, bla. ¿No te cansas de justificarme? —le preguntó con una sonrisa zaina que truncó un ataque de tos. Biel se apresuró a acercarse a él y pasarle un paño húmedo por la frente—. No hagas eso. Me aburres con tu fingida compasión, lo que quiero es tu odio, no tu bondad. Quiero que me detestes de la misma manera en que detestabas a mamá, de la misma manera en que te detesto yo. Pero mis esperanzas son vanas, mi muerte se acerca y con ella tu descanso. Ya no quedará nada que pueda mortificarte.

—Todo podría haber sido diferente entre nosotros si ella no… —El anciano se interrumpió negando con la cabeza, de nada servía repetir las palabras tantas veces dichas.

—¡No culpes a mamá! Ella era perfecta. Ojalá hubieras muerto tú en su lugar.

—No digas eso, Oriol —susurró Alicia, incapaz de mantenerse callada ante semejante atrocidad—. No debes desear la muerte de nadie.

—¿No? Te complaceré. —La miró malicioso—. No te deseo la muerte, me basta con que continúes lisiada el resto de tu vida.

—¡Oriol! —gritó el anciano, aterrado por la crueldad que mostraba su hijo.

—No hay más descendientes. Conmigo desaparece el último vestigio de mamá, nada podrá herirte ya —farfulló Oriol, volviendo al único tema que le importaba. Una nueva andanada de tos le hizo callar. Cuando habló de nuevo la sangre manchaba sus labios—. Su estirpe se extinguirá y eso te satisface. Aunque quizá exista una manera de solucionarlo. No me apetece verte feliz.

El capitán Agramunt negó con la cabeza, agotado de intentar ver en Oriol una humanidad que nunca tendría. Su único hijo estaba tan maldito como su difunta esposa.

—¿Qué harías si te dijera que no soy el último, que tienes un nieto?

Biel levantó la mirada, aturdido, y observó al moribundo. Este sonrió.

—No, no estoy mintiendo. Hace tiempo engendré un niño con la puta más asquerosa que pude encontrar.

—¿Qué ha sido de él? —preguntó el anciano con los dientes apretados.

No necesitaba preguntar si lo que acababa de escuchar era verdad. El único pecado que nunca había cometido Oriol era la mentira. Adoraba demasiado mortificarlo con sus envilecidas hazañas como para ocultárselas.

—¿De verdad quieres saberlo? Piénsalo bien, padre. Si callo no sabrás nunca si ese niño vive o está muerto. Serás libre para dejar toda tu fortuna a Marc y a la lisiada, ellos seguro que hacen realidad tu sueño de tener un heredero adecuado. Pero si sigo hablando… ¿Serás capaz de ignorar lo que te cuente? ¿O buscarás a tu último descendiente a pesar de que tal vez sea aún peor que yo?

—¿Dónde puedo encontrarlo? —susurró Biel con determinación.

—Oh, eres increíble, ni siquiera te planteas que pueda estar muerto —se burló.

—Si lo estuviera, tu cara no manifestaría la felicidad que muestra.

—No te equivocas. Está vivo. Lo dejé al cuidado de la puta en la que lo engendré… y ella lo ha convertido en mi digno sucesor.

—¿Dónde puedo encontrarlo? —reiteró Biel.

—Es un muchacho muy guapo, idéntico a mamá, tiene sus mismas facciones delicadas, sus manos de dedos largos y delgados, sus ojos azules, claros como el cielo en un día de verano —dijo rememorando los rasgos de la única persona a la que había amado nunca: Montserrat Bassols, su madre.

—Dime dónde está —demandó el anciano, sus manos apretadas en puños.

—Antes dime lo que quiero oír —exigió Oriol con una despiadada sonrisa.

—No puedo odiarte, eres mi hijo…

—Eso puedo solucionarlo —siseó Oriol divertido al anticipar su última perversidad, la más cruel, la más aviesa, la que más daño podía hacer—. Tu nieto se llama Lucas y la última vez que lo vi estaba en Las Tres Sirenas. No te será difícil encontrarlo, tiene cara de ángel y boca de puta, o al menos eso afirman los que la han disfrutado.

—Eres un monstruo —afirmó Biel dando un paso hacia atrás. Se giró y caminó hacia la puerta dando tumbos. La mujer que había permanecido a su lado se acercó presurosa hasta él, y, abrazándole, le prestó su apoyo. Ambos abandonaron la estancia sin mirar atrás.

El silencio de la oscura habitación fue roto por la risa satisfecha del moribundo.

—Vayámonos, señorita Alicia, él no merece su compasión —indicó el hombre que quedaba en el dormitorio a la angelical muchacha que negaba tristemente con la cabeza.

—No tiene mi compasión —afirmó Alicia—. Pero sí mi compañía. Nadie merece morir solo —sentenció acercándose a la cama y tomando la mano del monstruo. Este se apresuró a zafarse de ella.

—Ni siquiera un ángel puede hacer cambiar a un demonio —suspiró Enoc sentándose.

—Pero sí puede hacerle sus últimas horas menos dolorosas —aseveró ella.

1

¿Qué cual es mi nombre? Llamadme capitán.

ROBERT LOUIS STEVENSON, *La isla del tesoro*

30 de marzo de 1916. A media tarde.

—Lo he encontrado, capitán —anunció Enoc entrando en el despacho de Biel Agramunt.

—¡Por fin! Enséñeme al zagal. —El viejo marino observó expectante a su antiguo oficial.

—No lo he traído conmigo, patrón.

—¿No? —Biel frunció el ceño en una mueca que habría espantado a hombres menos avezados que Enoc—. ¿Por qué no lo ha traído, señor Abad? ¿A qué demonios está esperando? —tronó con la potente voz con la que antaño daba órdenes desde la cabina de mando de sus barcos.

—No es un niño, sino un hombre.

—¿Un hombre?

—Debe rondar los veinte años.

—¿Está seguro?

—Lo he visto con mis propios ojos.

—Un hombre… —El anciano negó abatido—. La historia vuelve a repetirse. Un hombre, no un niño. Ya estará echado a perder. No podré hacer nada. —Se aferró al borde de la mesa hasta que los nudillos se tornaron blancos—. Está equivocado, señor Abad, tiene que ser un niño —exigió en un susurro.

Durante toda su vida había dirigido con puño de hierro sus negocios, a veces desde esa misma estancia, en otras ocasiones desde la cabina de sus propios barcos. Y todos los logros que había conseguido no valían nada. No eran nada. Toda su vida luchando por conseguir más. Más barcos, más beneficios, más poder, más prestigio que legar a sus herederos… Y cuando por fin creyó haber logrado todos sus objetivos y regresó a tierra dispuesto a quedarse, descubrió que en su enorme mansión lo único que le esperaba era la amargura.

La amargura de comprobar que su esposa gastaba ingentes sumas de dinero en fiestas desvergonzadas en las que retozaba con cualquier hombre que se pusiera a su alcance.

La amargura de descubrir en su único heredero a un adolescente malcriado, vanidoso, egoísta y cruel. Un déspota lascivo y disoluto, a imagen y semejanza de su maldita madre.

Estuvo tentado de volver a la mar e ignorar el corrompido ambiente que reinaba en su casa. Permitir a Montserrat hacer su voluntad y olvidarse de todo, al fin y al cabo había sido culpa suya por dejarla durante tantos años a su libre albedrío. Pero no lo hizo. Pensó que aún podría hacer que las cosas cambiaran, que su hijo se convirtiera en un hombre de provecho, más aún cuando su esposa murió acabando con su perniciosa influencia sobre Oriol.

Decidido a recuperarle y transformarle en la persona que debería haber sido, tomó con voluntad implacable el mando de la casa e instauró normas inflexibles que Oriol debería cumplir y que le convertirían en un buen hombre.

Tal vez no fue la mejor de las ideas.

La férrea disciplina marina que intentó imponer solo sirvió para que el joven se alejara más de él. Hasta su mayoría de edad Oriol se divirtió incumpliendo cada una de sus reglas, y después… Después fue todavía peor.

Había tardado años en aprender a perdonarse a sí mismo por su fallida labor de padre. Los mismos años que tardó en encontrar a aquella que sería el amor de su vida. Su ancla contra las tempestades. Jana. Ella y su hija le habían dado lo que siempre había deseado, una familia. Y él, había decidido ignorar las crueles perversiones de Oriol, pagar a sus acreedores cuando llamaban a la puerta y vigilarle desde la distancia asegurándose que no le faltara un médico cuando la enfermedad hacía presa en él.

Y ahora, cuando parecía que había encontrado mar calmado en la senectud de su vida, Oriol volvía a destrozarle con sus garras emponzoñadas, dándole la esperanza de un nieto al que poder educar como no había podido hacer con su hijo. Había esperado encontrar a un niño atrapado en un oscuro burdel. Había fantaseado con rescatarlo y cuidarlo. Con ganarse su respeto y cariño salvándolo del infierno. Un niño al que guiar y del que sentirse orgulloso.

Y Oriol se había vuelto a burlar de él.

No era un niño sino un hombre. Un hombre con sabe Dios qué corrompidos principios. Un hombre que, si Oriol no había mentido, y estaba seguro de que no lo había hecho, llevaba sangre Agramunt y Bassols. Un hombre educado a imagen y semejanza de Oriol.

—¿Capitán? —La voz de Enoc le sacó de sus tenebrosos pensamientos.

—¿Dónde lo encontró?

Sabía que Enoc había recorrido todos los burdeles buscando a su nieto y que en ninguno había podido encontrar ninguna pista sobre él, ni siquiera en Las Tres Sirenas.

—Tuve un golpe de suerte, capitán, me lo encontré de cara esta madrugada —musitó el antiguo marino frotándose las uñas contra la tela de los pantalones.

—¿De cara? Explíquese.

—Trabaja para usted. Lo encontré en la dársena de la industria, frente a los tinglados.

—¿Lo encontró? —musitó furioso—. ¿Apareció de repente y se le presentó como mi nieto perdido? ¡Qué sencillo! ¿Cómo no lo habíamos pensado? —tronó Biel poniéndose en pie y tomando su bastón—. Probablemente el rumor de que buscamos al hijo de Oriol ya se ha corrido por todas las tabernas del puerto y algún jovenzuelo avispado habrá visto en nuestra búsqueda la oportunidad de su vida. Señor Abad, pensaba que era más inteligente que todo eso.

—Capitán…

—No es él. No sea iluso. Déjese de pamplinas y busque a mi nieto, ¡un niño! —rugió con voz potente golpeando la mesa con la empuñadura de plata del bastón. Aún tenían una oportunidad. Su nieto era un niño, tenía que serlo.

—¡Capitán! No dude de mi palabra —replicó orgulloso Enoc.

El viejo alzó una ceja y miró con ferocidad al hombre que había recogido de niño en las calles y dado el puesto de grumete en su primer barco. Con el paso de los años Enoc se había convertido en su primer oficial y, cuando Biel abandonó el mar, le había seguido para ser su mano derecha en tierra. Tras tantos años juntos sabía que no le daría información que no fuera cierta. Se mesó el leonado cabello blanco intentando serenarse y, cuando lo consiguió, volvió a sentarse a la vez que lanzaba un sonoro gruñido, indicándole que continuara.

—Lo encontré frente a la puerta de los tinglados esta madrugada, esperando a que el capataz distribuyera el trabajo. No se presentó a mí, ni siquiera se acercó a donde yo estaba —explicó—. Me llamó la atención su parecido con Oriol y por eso lo observé con atención y le pedí al oficial los datos que constaran sobre él en el listado del día. —El viejo alzó una ceja—. No fue difícil obtenerlos, el administrativo me aseguró que acude cada madrugada al puerto, aunque con la huelga de la construcción, no siempre consigue trabajo.

—Su nombre —exigió Biel, remiso a dar por ciertas las palabras de Enoc.

—Lucas Bassols.

—Pura casualidad —gruñó Biel, encolerizado al escuchar el apellido de su difunta esposa. Sin poder contenerse, barrió con el bastón lo que había sobre la mesa.

—Es la viva imagen de Oriol, capitán.

—Eso habrá que verlo. ¿Averiguó dónde vive? —Enoc asintió con la cabeza—. Bien, no perdamos más tiempo. Estoy impaciente por desenmascarar a ese impostor.

2

Era un viejo recio, macizo, alto, con el color de
bronce viejo que los océanos dejan en la piel.
ROBERT LOUIS STEVENSON, *La isla del tesoro*

30 de marzo de 1916. Antes del anochecer.

Lucas se quitó la sudada camiseta e, inclinándose sobre la pila de
los aseos para trabajadores del puerto, se lavó frotándose con fuerza
con la pastilla de jabón. Se secó con la camiseta y después la usó para
limpiar el polvo de las botas. Se irguió despacio y movió los hombros a la vez que apretaba los labios para no dejar escapar el gruñido
de dolor que pugnaba por abandonar su garganta. Se peinó con los
dedos el liso cabello castaño, largo hasta los hombros y, con una
ufana sonrisa, se puso la camisa que había guardado esa madrugada
al obtener el trabajo.

Había sido un buen día.

Tras un mes complicado debido a la huelga de la construcción que
había cortado el suministro de materiales a muchos de los barcos
que fondeaban en el puerto, había tenido un golpe de suerte. Aunque
había conseguido el trabajo más por perspicacia que por azar. Nada
más llegar al puerto se había percatado de que un vapor había arri-
bado durante la noche. Era un barco de los nuevos, de los que surcaban el mar como una flecha. Y él, en vez de dirigirse a los depósitos
con la esperanza de que ese día hubiera algo que cargar, se dirigió a los
tinglados de perecederos. Un barco tan rápido como ese no se utilizaría para llevar sulfatos, ladrillos o carbón. Y así había sido. La bodega
del vapor estaba preparada para llevar grano. Y aunque su espalda se
quejara por el trato recibido al cargar los sacos, él estaba satisfecho.
El navío pertenecía a la compañía Agramunt, ya había trabajado antes para ellos, no hacían trampas con las cuentas y los capataces no pedían comisión por permitir realizar el trabajo. Todo un milagro para
los tejemanejes que normalmente se daban en el puerto.

Esperó la cola en las oficinas de la compañía y, cuando llegó su
turno, comprobó el jornal y se lo guardó en el bolsillo del pantalón,

más gris que negro, que vestía. Abandonó el puerto con paso apresurado, deseando llegar a casa, pero en el momento en que pisó la calle sosegó el ritmo y se permitió sentir el cansancio que lacraba su cuerpo. La jornada había sido agotadora, desde antes del amanecer hasta el anochecer, pero había merecido la pena, y además, era lo normal. Acarició las monedas que guardaba en el bolsillo y sonrió para luego fruncir el ceño. Sí, tras unos días de incertidumbre había conseguido algo de dinero, pero no tanto como necesitaba.

Ni por asomo.

El plazo para pagar la deuda se le agotaba, de hecho hacía una semana que había expirado. Disfrutaba de un tiempo prestado. Pronto vendrían a buscarle y entonces tendría que hacer frente al pago conforme a lo acordado.

Aunque se le retorcieran las entrañas.

Apretó los puños mientras esquivaba las redes extendidas en el suelo que las mujeres de los pescadores zurcían con esmero. Giró a la izquierda en vez de a la derecha al llegar a la Concordia, desviándose de la dirección que debía tomar para llegar a su casa y volvió a alterar la ruta poco después. El instinto y la experiencia le decían que cuanto más imprevisibles fueran sus movimientos, más difícil sería que le atraparan. Al llegar al barrio saludó, más por costumbre que por amistad, a unos hombres que fumaban frente a la tasca y estos le devolvieron el saludo, más por respeto a Anna que por aceptación a él. Se detuvo poco después al ver a un grupo de pescadores observando algo con evidente interés.

—¡Lucas! ¡Hay un bólido aparcado frente a tu casa! —gritó un pequeño acercándose a él.

Antes de que llegara a tocarle, la madre del mozalbete agarró con brusquedad al crío y lo alejó de él, regañándole por hablar con quien no debía.

Lucas sonrió a la mujer, enigmático y a la vez mordaz.

La mujer elevó la barbilla y bufó sonoramente.

Lucas le guiñó un ojo con desenfado y ella abrió mucho los ojos, dio un nuevo tirón al crío y se dio la vuelta sin dejar de soltar improperios sobre indeseables viviendo junto a personas decentes. Las comisuras de la boca de Lucas se alzaron en un gesto que pretendía ser de burla, y lo hubiera sido, de no ser por el dolor que se reflejaba en sus ojos azules.

Anna le había dicho cientos de veces que él era un hombre honesto y decente, y que por tanto debía comportarse como tal. Pero sus buenos consejos se le olvidaban en cuanto alguien le juzgaba sin haberse molestado en conocerlo antes, entonces su maldito carácter salía al exterior y se mostraba tal y como los demás deseaban verle. De todas maneras, ahora que ella ya no estaba a su lado le importaba bien poco lo que pensaran o dejaran de pensar de él. Se encogió de hombros con fingida indiferencia y se acercó al grupo que colapsaba la calle. Intentó meterse entre ellos y, al no conseguirlo, se alzó sobre las puntas de sus pies para ver qué era lo que causaba tal expectación.

Un Hispano-Suiza limousine Landaulet estaba detenido frente a su casa.

Jadeó asombrado y, sin pensárselo dos veces, se abrió paso a codazos entre el gentío.

Era un automóvil último modelo y tenía la apariencia de un landó tirado por caballos, solo que mucho más grande, mucho más lujoso y sin caballos. La caja trasera, carrozada en maderas nobles, contaba incluso con farolillos dorados y, aunque la delantera estaba abierta, un enorme cristal enmarcado en nogal protegía al conductor que en esos momentos fumaba un cigarro tras el volante.

Sin pensar en lo que hacía estiró su ajada camisa blanca e irguiendo la espalda caminó decidido hacia el flamante automóvil. Al fin y al cabo estaba aparcado frente a su casa, no era curiosidad lo que sentía, solo ganas de llegar y descansar un poco. Según se acercaba, podía ver más y más detalles. El volante de madera, los mullidos asientos tapizados en reluciente piel, la trompetilla de comunicación con el interior… ¡Incluso los tiradores de las puertas eran de marfil! Fascinado, extendió el brazo hacia el impresionante vehículo que de seguro corría más rápido que el viento.

Un carraspeo le hizo detenerse. El conductor, un hombre delgado y nervudo, con los ojos y el pelo tan negros como la noche, le miró con una ceja arqueada, entre divertido y prepotente, a la vez que se apeaba. Vestía un traje azul marino y una reluciente gorra con visera rígida, dejando claro que su jefe era un ricachón de primera. Sonrió a Lucas y abrió la puerta trasera. Sentado en el lujoso interior había un hombre que rondaría los setenta años.

Era un viejo recio, macizo, alto, con el color de bronce viejo que los océanos dejan en la piel. Gozaba de una abundante cabellera gris que peinaba hacia atrás, dejando al descubierto su ancha frente surcada de arrugas. Sus pobladas cejas blancas enmarcaban unos ojos tan negros como el carbón, y, bajo ellos, la fiera nariz se torcía en el puente, como si se la hubieran roto en más de una ocasión. Sus labios, finos y apretados, apenas podían distinguirse bajo el canoso mostacho que caía por la comisura de su boca para acabar juntándose con las enormes patillas que tan de moda habían estado a finales del siglo anterior.

El viejo se apeó, aferrando en su mano derecha un bastón con empuñadura de plata que daba la impresión de usar más como arma que por verdadera necesidad. Se irguió en toda su espléndida estatura y observó al joven, de altura similar a la suya, que le hacía frente con arrogancia. En su rostro de profundas arrugas asomó un gesto de sorpresa y desdén.

Lucas sintió en cada centímetro de su piel la mirada de repulsa que le dirigió el viejo. Alzó una ceja, sonrió irónico y, sin variar un ápice la dirección de sus pasos, siguió su camino.

—Capitalista de mierda, ¿acaso ha pensado que iba a babear sobre su puñetero bólido? —musitó al pasar junto a él.

—Sin duda, ha sido amor a primera vista —comentó socarrón Enoc cuando el joven entró en la casa.

—Señor Abad, nadie le ha pedido su opinión.

Lucas se quitó la camisa y la colgó del viejo timón anclado a la pared que había encontrado hacia años. Lo hizo con cuidado, tal y como le había enseñado Anna, para que no se arrugara y al día siguiente pudiera ir impecable a buscar trabajo. Tras quitarse las botas, llenó un abollado cubo con agua y metió en este los calcetines y la camiseta sucia para lavarlos más tarde. Sin ganas ni fuerzas para nada más ignoró los rugidos de su estómago, apartó la mesa ubicada en el centro de la estancia y extendió en su lugar el jergón que estaba enrollado en una esquina. Se tumbó de espaldas con un gruñido, pasó las manos bajo su cabeza a modo de almohada y miró a su alrededor con semblante triste. Ahora que Anna no estaba, la casa parecía más pequeña y fría que de costumbre. Aunque quizá fuera un poco ingenuo llamar casa a cuatro paredes mal puestas, porque eso era realmente su hogar, un cuchitril alquilado que contenía una vieja cocina de carbón que jamás funcionaba bien, un mueble destartalado que hacía las veces de alacena, una mesa coja, dos sillas y el jergón en el que dormían abrazados durante las noches más frías. Ojalá volviera pronto. Anna transformaba el frío en calidez y ahuyentaba sus pesadillas con su sola presencia. Echaba de menos sus risas casi tanto como sus regañinas. Sonrió soñador antes de apretar los labios en una mueca feroz que hizo que le palpitaran los músculos de las mejillas. Anna se recuperaría, regresaría con él y todo volvería a ser como antes.

Costara lo que costara.

Anna se merecía cualquier sacrificio, aunque si alguna vez llegara a enterarse de lo que iba a tener que hacer para pagar la deuda, lo perseguiría con una sartén por toda Barcelona. Una feliz sonrisa se dibujó en sus labios ante este último pensamiento. Una sonrisa que duró hasta que unos golpes en la puerta le hicieron saltar alerta. Todo su cuerpo se puso en tensión mientras buscaba con la mirada el cuchillo que siempre estaba sobre la mesa.

—No seas estúpido —murmuró para sí—, los hombres de Marcel no llamarán a la puerta cuando vengan a buscarte.

Se obligó a relajarse, lo más probable era que fuera el casero, aún no había pagado el alquiler de ese mes, ni pensaba hacerlo. Necesitaba todo el dinero que pudiera reunir para resolver problemas más acuciantes. Los golpes volvieron a sonar, esta vez más fuertes, más seguidos. Quién estuviera fuera se estaba impacientando. Inspiró profundamente y se deslizó sigiloso por la estancia.

Estaba cerca de la única ventana cuando volvieron a oírse, tan fuerte que las endebles bisagras que sujetaban la puerta se tambalearon. Pegó la espalda a la pared, descorrió apenas el trapo que hacía de cortina y observó el exterior a través del cristal manchado por la brisa marina. Estrechó los ojos, más intrigado que sorprendido, y acto seguido abrió la puerta. Frente a él estaban el viejo y su chófer lameculos, y parecían enfadados, por lo visto a los ricachones no les gustaba que les hicieran esperar. «Que lástima», pensó irónico a la vez que se cruzaba de brazos y se apoyaba en el dintel, impidiéndoles el paso.

Enoc esperó en silencio a que el arrogante joven les invitara a entrar, y cuando se hizo evidente que eso no iba a suceder miró por el rabillo del ojo a su patrón. El viejo lobo de mar parecía a punto de echar humo por las orejas. El muchacho haría bien en mostrar algo de respeto si no quería dar con sus huesos en el suelo.

—El capitán quiere hablar contigo —dijo rompiendo el silencio. Lucas enarcó una ceja y acto seguido asintió con la cabeza, pero no cambió de posición—. Lejos de oídos indiscretos —apuntó Enoc señalando con la cabeza a la gente que, reunida en torno al coche, los observaba.

Una sonrisa torcida se dibujó en la boca de Lucas mientras miraba desdeñoso al viejo.

—Dile a tu jefe que desembuche de una vez —exigió sin apartarse de la puerta.

—No solo eres grosero, sino que también eres descarado y no tienes educación —tronó Biel. Pasó junto a Enoc, empujando con inusitada fuerza a Lucas para a continuación entrar en la pequeña estancia. ¡Él era el capitán Agra y no iba a permitir que ningún mocoso le hiciera esperar como si fuera un mendigo!

Se detuvo en mitad de la habitación y observó al mequetrefe que según Enoc era su nieto.

Su hombre de confianza no se había equivocado en sus apreciaciones.

El muchacho era idéntico a su recién fallecido hijo y a su difunta esposa, y por lo visto, adolecía de la misma falta de educación y firmeza moral que ellos, tal y como había quedado demostrado con su deplorable actitud. No solo era un perezoso que había tardado demasiado en abrirles, sino que además era un maleducado que no sabía dirigirse a sus mayores.

—¡Largo de mi casa, viejo! —exclamó Lucas estupefacto. Jamás había visto tal prepotencia en un hombre, aunque lo cierto era que no solía juntarse con los pudientes.

—Te dirigirás a mí con el respeto que merezco —siseó el anciano golpeándose el zapato con el bastón.

Lucas parpadeó sorprendido por la fría ira que emanaba del hombre. Sonrió cáustico.

—Como desee —dijo inclinando la cabeza en un saludo que parecía respetuoso pero no lo era—. Por favor, váyase a la mierda.

—Cuidado, muchacho —susurró Enoc en tono peligroso.

—Dígale a su perro faldero que tenga cuidado él, soy yo quien muerde —contraatacó Lucas dirigiéndose al viejo sin molestarse en mirar al chófer.

—Conténgase, señor Abad. —Biel alzó el bastón cuando este hizo intención de replicar y luego se encaró con el desagradable jovenzuelo—. Me temo que hemos empezado con mal pie. —Respiró profundamente y continuó hablando en tono calmo sin dejar de observar a su supuesto nieto—. He hecho un largo viaje para hablar contigo y creo que deberías comportarte como una persona razonable —alzó el tono conforme la furia se iba apoderando de él—, en vez de como un mocoso malcriado, soez e impertinente —sentenció marcando cada palabra con un fuerte golpe de bastón contra el suelo.

—Si cree que por ser un viejo le voy a permitir… —se envaró Lucas.

—¡Cierra la boca cuando habla el capitán, marinero de agua dulce! —rugió Biel, el límite de su paciencia rebasado—. No pienses que tu juventud disoluta puede vencerme, tengo más fuerza, valor y mañas en mi dedo meñique que tú en todo el cuerpo —estalló acercándose al joven hasta que sus caras quedaron a escasos centímetros—. He capeado tempestades, tifones y huracanes sin que uno solo de mis cabellos se moviera de su sitio —bramó golpeando el suelo en cada palabra—. He vencido a piratas, amotinados y borrachos con solo levantar una ceja, y cuando eso no ha surtido efecto, los he molido a puñetazos. ¿Y tú quieres enfrentarte a mí? ¡Ni lo sueñes, polizón! —finalizó su perorata con un contundente golpe de bastón.

Lucas arqueó las cejas, asombrado. El anciano no carecía de redaños. Observó el bastón firmemente asentado en el suelo y el recuerdo de Anna caminando despacio mientras se apoyaba en su tosca muleta se coló en su mente. Suspiró pesaroso. Seguro que ella se enfadaría mucho si viera cómo se estaba comportando con el viejo. Siempre le recriminaba su talante huraño y le instaba a comportarse con educación… Quizá había llegado la hora de hacer caso a sus consejos. No perdía nada por escucharle, y eso por no mencionar que parecía tener pasta a espuertas y él estaba muy necesitado de eso. Irguió la espalda y respiró despacio antes de cerrar con un portazo.

—Disculpe si no le ofrezco un asiento de su categoría, si hubiera mandado a sus lacayos avisando que vendría habría conseguido un trono para que aposentara su trasero, viejo —dijo sarcástico señalando la espartana estancia.

Biel apretó los labios decidido a no replicar como se merecía al descarado jovenzuelo. Estaba resuelto a mantener una conversación educada, y si para eso era necesario recurrir a toda su limitada paciencia, por Dios que lo haría. Escrutó lo que le rodeaba con los ojos entornados. Tal y como había esperado la vivienda era un verdadero antro. Diminuto, sin luz eléctrica y sin comida a la vista, solo que no estaba revuelto sino ordenado y limpio. Tal vez *La Moreneta* hubiera tenido a bien compadecerse de él y darle un sucesor un poco mejor que su hijo, aunque sinceramente, lo dudaba. Se volvió para encarar al rufián que sin lugar a dudas era su nieto, todo en él lo proclamaba: los ojos azules y el cabello castaño, tan distintos de los suyos y similares a los de Montserrat; el cuerpo alto y esbelto, idéntico al de Oriol. La sangre de Bassols corría fuerte por sus venas, se notaba en su arrogante manera de mirar, en su postura desafiante, en su desdeñosa actitud, en cada gesto que hacía y en cada palabra que abandonaba su boca.

—¿Y bien? ¿No tenía algo importante que decirme? Pues hágalo y no me haga perder más tiempo —le instó Lucas, incómodo por el escrutinio del viejo.

—Eres igual que tu padre —gruñó Biel asqueado.

Lucas irguió la espalda y juntó con fuerza los labios a la vez que elevaba la barbilla.

—No tengo padre —siseó entre dientes.

—Por supuesto que sí —bramó el capitán—, y eres su viva imagen, tal y como él me advirtió —bajó la voz hasta convertirla en un murmullo sibilante, sus labios fruncidos en un mohín reprobatorio—. Estáis cortados por el mismo patrón.

—¿Conoce a Oriol? —inquirió Lucas, la cabeza ligeramente girada y los párpados entornados. Las piernas separadas y las manos cerradas en puños que temblaban apretados junto a sus muslos.

Enoc entrecerró los ojos y se colocó junto al capitán; no le había pasado inadvertido el gesto del muchacho. A Biel tampoco. Observó a su nieto, consciente de la tensión que brotaba de él. Era más que probable que Oriol, haciendo gala de la crueldad que le caracterizaba, no le hubiera dicho de qué familia provenía y, por ende, el muchacho estaría nervioso al intuir que su apellido le iba a ser desvelado.

Apoyó ambas manos en la empuñadura de plata del bastón decidido a tranquilizarse y ser, hasta cierto punto, delicado.

—Fue Oriol quien me habló de ti, emplazándome a buscarte —explicó con el tono más suave y amable que pudo entonar habida cuenta de la gravedad y fuerza de su voz.

—No me importa un carajo lo que le haya dicho ese bastardo, ¡la respuesta es no! ¡Largo de mi casa! —exclamó Lucas abalanzándose contra Biel y empujándole contra la puerta.

La reacción de Enoc no se hizo esperar, hundió el puño en el estómago del joven antes de agarrarle del pelo y lanzarle de cara contra la pared.

—Halacabuyas[1] insolente, cómo te atreves —siseó sin soltar el cabello que aferraba con la mano izquierda mientras rodeaba el cuello del joven con el antebrazo derecho—. Es la hora de tu lección de modales.

—Adelante, matón, enséñame —le desafió Lucas hincando el codo en el costado del hombre a la vez que echaba hacia atrás la cabeza y le golpeaba en la nariz.

Enoc se tambaleó, soltando al muchacho y retrocediendo unos pasos, oportunidad que este aprovechó para correr hasta la mesa y tomar el cuchillo que allí había.

—Vamos, perro, sigo esperando tu lección —le provocó Lucas empuñando el arma.

Enoc sacudió la cabeza a la vez que gruñía enfadado.

—Mocoso rastrero, no eres hombre para pelear con los puños y tienes que usar mondadientes —se burló metiendo la mano en el bolsillo interior de la chaqueta.

—Contenga su genio, señor Abad —rugió Biel golpeándose las botas con el bastón—. No se agarra el puerto luchando contra la tem-

---

1. En jerga marinera, principiante que solo sirve para halar de los cabos.

pestad sino siendo más listo que ella. —Enoc apartó la mano de la chaqueta y dio un paso atrás mostrando su descontento con un gruñido. Lucas sonrió despectivo pero no cambió su postura amenazante—. Creo que estamos ante un malentendido —prosiguió en tono apaciguador, lo último que necesitaba era que Enoc hiriera a su nieto.

—No hay malentendido. Largo de mi casa. —Lucas señaló la puerta con el cuchillo.

—Deberías escucharme…

—¡Largo!

—Está bien. Volveremos cuando estés más tranquilo.

—No lo haga, viejo, si le vuelvo a ver, le mataré.

—Eso habrá que verlo. —Biel alzó de repente el bastón, golpeándole en los nudillos.

Lucas jadeó de dolor y el cuchillo cayó de su mano; y en ese mismo instante el bastón impactó con fuerza contra el envés de su rodilla, la cual se dobló haciéndole caer al suelo. Un nuevo golpe en el estómago, esta vez con la punta a modo de estoque, le dejó tumbado de espaldas.

—La próxima vez que quieras amenazar a alguien, cuídate de tener el arma apropiada —declaró Biel con frialdad señalando la garganta del joven con el bastón a la vez que pulsaba un botón oculto bajo la empuñadura. El fino estilete que emergió de la punta quedó a escasos centímetros de la nuez de Lucas—. Volveré a visitarte en un par de semanas, asegúrate de haber aprendido modales para entonces —le advirtió—. Hemos terminado aquí, señor Abad.

Enoc asintió, se recolocó la gorra y tras esperar a que el capitán saliera se dirigió al joven que yacía en el suelo sujetándose la mano.

—No gimas tanto, nenaza, no está rota. Métela en agua fría con sal, suele ayudar —le aconsejó antes de abandonar la estancia.

Cuando salió a la calle se dirigió al Landaulet, donde Biel le esperaba con la pipa en la boca mientras se palpaba la chaqueta. Enoc sacó un encendedor de plata del bolsillo y se lo ofreció.

—¿Ha vuelto a robármelo, señor Abad?

—Para no perder la costumbre ni la maña, capitán —replicó arrancando una carcajada al viejo que pronto se vio truncada por un gesto de preocupación.

—¿Qué ha pasado ahí dentro? —Biel señaló la puerta del cuchitril en el que vivía su nieto.

—Que el zagal tiene su genio, capitán. Lo que no sé es por qué se le ha despertado.

—El zagal no tiene nada mío —gruñó antes de encender la pipa.

Ambos hombres se mantuvieron en silencio. Biel chupando su pipa mientras meditaba sobre el siguiente paso a dar y Enoc apoyado indolente sobre el capó, esperando la siguiente orden. Pasado un rato se quitó la gorra y, elevando los ojos al cielo, chasqueó los dientes y tamborileó con los dedos sobre la carrocería.

—Estoy pensando, señor Abad, haga el favor de no interrumpir.

—He creído entender que le había dado al chico dos semanas para mejorar sus modales. ¿No estará pensando en volver ahí dentro ahora, verdad?

—¿Cree que le he golpeado demasiado fuerte? No me gustaría ser el responsable de que no pudiera trabajar mañana. —Biel cambió de tema mirando la pipa con exagerada atención.

—¡Esta sí que es buena! El despiadado e inflexible capitán Agra preocupado por un mocoso insolente. ¡Ver para creer! —se burló Enoc. Casi toda la vida junto al capitán le había dado una perspectiva del carácter de este muy diferente a la que tenía el resto de la gente.

—No sobrepase sus límites, señor Abad —le recriminó con la mirada fija en la casa.

—No le ha hecho nada, patrón, no le ha pegado tan fuerte como tiene por costumbre —afirmó divertido, volviéndose a colocar la gorra—. Probablemente le duela la mano durante un par de días, quizá se le hinche, pero nada más. En cuanto a la rodilla y la tripa, mañana estará como nuevo, a no ser que sea un endeble.

—Es mi nieto, no hay un solo gramo de debilidad en todo su cuerpo —gruñó Biel con fiereza.

Enoc sonrió, el muchacho había impresionado al viejo, y eso era algo muy difícil de conseguir. Puede que no le gustaran sus modales ni su recibimiento, pero el capitán respetaba la entereza y el talante batallador, y el chico tenía de eso para dar y tomar.

Biel apagó la pipa y se encaró al hombre que le miraba burlón por debajo de la rígida visera de la gorra.

—Mañana irá al puerto y se asegurará de… —se detuvo al escuchar el chirrido de la puerta al abrirse.

Lucas observó a los dos hombres que le miraban como buitres junto al carísimo automóvil. Apretó los dientes, cerró la puerta con fingida tranquilidad y, sin molestarse en esquivarles o apresurarse, pasó junto a ellos dedicándoles un frío y desdeñoso saludo.

—No hay duda de que los tiene bien puestos —comentó Enoc sin desviar la mirada hasta que dobló la esquina y lo perdió de vista.

—Sígalo, señor Abad, le esperaré en el Hispano.

Enoc asintió en silencio y se apresuró a cumplir la orden del capitán.

Apenas tardó una hora en regresar.

—¿Y bien? —le preguntó Biel desde el interior del vehículo.

—Se echó al mar, capitán, aunque antes se desfogó con un árbol.
—El anciano arqueó una ceja, indicando que la somera explicación
no era de su agrado—. Fue directo al primer árbol que encontró en
su camino y lo golpeó con fuerza, luego se dirigió a la playa y al llegar a la orilla se desnudó y se lanzó al agua. He esperado más de media hora a que regresara, pero sabe nadar bien, tiene fuertes brazos
y, según me ha parecido, ninguna intención de tocar tierra, al menos
por el momento.

Biel asintió con la cabeza sin decir palabra.

—Ya se lo había dicho, patrón, tiene su mismo genio. Y por lo
visto lo controla de igual manera.

—¿A qué se refiere, señor Abad?

—Con el mayor de los respetos, capitán, he cambiado suficientes puertas en los barcos que usted pilotaba como para saber que
cuando el genio le coge fuerte, lo libera contra ellas.

—Mejor madera que cabezas.

—Mejor sería no golpear nada —suspiró Enoc—. Mañana le va
a costar encontrar trabajo tal y como tendrá la mano.

El viejo asintió con la cabeza, mirando sin ver las casas que conformaban el sencillo barrio de pescadores. Los hombres seguían
arremolinándose alrededor del Hispano-Suiza, mientras que las
mujeres aprovechaban la caída del sol para sacar las sillas a la calle y
relajarse con sus vecinas tras el duro día de trabajo. No era un mal
barrio. Al menos las personas que allí vivían parecían decentes, no
como al otro lado del puerto donde las tabernas de mala muerte y
las putas atraían a los marineros deseosos de gastar la paga. Allí era
donde habían empezado a buscar a Lucas.

Sonrió al pensar que al menos ese lugar era una mejoría con respecto al que había imaginado que viviría su nieto.

—Asegúrese de que encuentra trabajo si acude mañana al
puerto, pero que no sea una faena sencilla, sino que le haga sudar. El
sudor convierte a los niños en hombres —afirmó saliendo del coche
y mirando a su alrededor con el ceño fruncido—. Un duro a quien
me prepare un plato de comida —dijo en voz alta, sacando una mo-
neda del bolsillo.

Una mujer mayor se levantó de su silla dispuesta a ganarse el
duro.

—Encárguese de que Lucas tenga una cena decente que llevarse
a la boca cuando regrese —ordenó Biel entregándole el dinero. La
mujer asintió mostrando su desdentada sonrisa.

Y sin esperar más montó en el Hispano-Suiza, disgustado por ser el centro de atención de aquella gente, pues no le permitía hablar con su oficial como deseaba. Enoc se colocó tras el volante y esperó paciente las indicaciones de su jefe y, cuando este se las dio, arrancó sin mostrar la estupefacción que sentía. De todos los lugares a los que podían ir, el que había elegido era el más improbable.

Poco después, Biel observaba la escultura que decoraba la entrada al panteón de la familia de su difunta esposa. Un hermoso ángel recostado guardaba el descanso eterno de sus suegros, su mujer y su hijo. Apenas cubría su desnudez una tela que le tapaba las caderas y las piernas y tenía las alas inclinadas en actitud protectora. Biel estaba seguro de que la escultura representaba al mismísimo ángel caído que guardaba con celo el alma maldita de la mujer con la que se había desposado. Él no sería enterrado allí. No descansaría por toda la eternidad junto a Montserrat ni Oriol. No quería dormir el sueño eterno en la misma tumba que ellos. Dio media vuelta y caminó con paso firme hasta que sus ojos pudieron ver el mar. Sintió más que oyó a Enoc siguiéndole.

—¿Qué se le ha pasado por la cabeza a mi nieto esta tarde? —musitó.

—No lo sé, capitán.

—Se ha mostrado arrogante y altanero, pero cuando por fin ha accedido a escucharme parecía más molesto que irritado, al menos hasta que he mencionado a Oriol, entonces se ha vuelto loco de rabia. Lo cierto es que me esperaba otra actitud —negó con la cabeza—. Esperaba que sonriera servilmente cuando me viera aparecer con el Hispano, que me siguiera el juego para conseguir sacar la mayor tajada posible de la situación. Y en lugar de eso…

—Su nieto no se deja amedrentar ni deslumbrar —afirmó Enoc con una sonrisa sesgada.

—Y eso le gusta, señor Abad —replicó Biel mirando al hombre al que consideraba más que un amigo. Enoc asintió—. A mí también me ha sorprendido gratamente.

—Eso me ha parecido, patrón.

Biel se golpeó repetidas veces las botas con el bastón mientras meditaba qué hacer a continuación. Olvidarse del asunto sería lo más fácil, no quería bregar con otro Oriol. Los años se le agotaban, quería disfrutar lo que le quedara de vida en la tranquilidad que le daban Jana y Alicia. Lucas sería una piedra en su zapato. Una piedra de su propia sangre.

—Conviértase en su sombra. Quiero saber cada paso que dé,

cada pensamiento que tenga, cuantas veces achica[2] al día, lo que sueña… —Enoc asintió con la cabeza—. El sol está sobre la verga del trinquete[3] —musitó contemplando el mar—. Acompáñeme, señor Abad, después llevará a cabo la tarea que le he encomendado.

Lucas flotó de espaldas contemplando el escenario que le rodeaba. El Sol era una línea anaranjada, rota por la silueta de las altas chimeneas de La Maquinista mientras que la Luna, blanca y serena, se reflejaba en las calmadas aguas desde su trono estrellado. Unas pocas gaviotas surcaban el cielo y en la playa algunos obreros se reunían en los viejos merenderos para cenar. Todo estaba tranquilo a su alrededor. Todo, menos él. Tomó aire y se sumergió hasta tocar con los dedos la fina arena y mantuvo los ojos abiertos a pesar del picor de la sal que los torturaba. Esperó hasta que los pulmones comenzaron a arderle y entonces plantó con firmeza los pies en el fondo y se impulsó para ascender los metros que le separaban de la superficie. La fría brisa nocturna le acarició la cara mientras el sabor a sal inundaba su paladar en cada respiración jadeante. Esperó hasta que los latidos de su corazón se normalizaron y retomó su posición inicial, flotando bocarriba con los brazos extendidos en cruz y la mirada fija en la apacible esfera que coronaba el cielo.

—Oriol ha vuelto, y sabe dónde encontrarme. ¿Por qué le ha hablado a ese viejo de mí? ¿Qué quiere conseguir? —susurró cerrando los ojos.

El ronroneo de las olas le adormeció trayendo consigo recuerdos de su infancia. Se vio a sí mismo huyendo por los estrechos callejones aledaños a Las Tres Sirenas, ocultándose entre las enormes grúas del puerto y cayendo a las oleaginosas aguas al ser empujado. Volvió a sentir las manos del hombre sin dientes aferrándose a sus tobillos, impidiéndole nadar, obligándole a permanecer bajo el agua…

Emergió a la superficie jadeando aterrorizado, el corazón latiéndole a un ritmo endiablado mientras las manos y las piernas permanecían rígidas. Sacudió la cabeza con fuerza, recriminándose por haberse dormido estando en el mar, donde el dolor de los recuerdos se hacía más vívido, más real. Ojalá Anna estuviera a su lado, abrazándole como siempre hacía cuando tenía una pesadilla, atemperando su carácter cuando se enfadaba, haciendo desaparecer las dudas y los problemas mientras le aconsejaba y apoyaba. Pero no estaba, y era

2. En jerga marinera, orinar.
3. En jerga marinera, ha llegado la hora de beber.

mejor así. Si se enteraba de la situación en la que estaba metido se preocuparía y eso no era bueno para ella.

Apretó los puños ante ese pensamiento, o al menos lo intentó. La mano con la que había golpeado el árbol le indicó hasta qué punto estaba lastimada negándose a cerrarse y lanzando dardos de dolor que le recorrieron el brazo. ¡Maldito fuera su carácter irascible! Si ya era difícil conseguir trabajo con las fábricas paradas por la huelga, todavía sería más complicado cuando los capataces le vieran aparecer con la mano hinchada. Cerró los ojos y dejó que el agua volviera a mecer su delgado cuerpo mientras se recriminaba por ser tan estúpido. Debería haber contenido su genio, seguirle la corriente al ricachón, sacarle todo el dinero que pudiera y luego largarle con viento fresco. Hubiera sido la solución a sus problemas, solo que utilizar a la gente era una cualidad de su madre que no había heredado, en cambio sí había heredado la furia incontenible del cabrón que lo había engendrado. De todas maneras, intuía que el viejo no se dejaría utilizar, era demasiado listo para eso, más aún, le molería a palos si mostraba cualquier tipo de debilidad, algo que ya había hecho, recordó frunciendo los labios.

—Ha dicho que volverá en dos semanas, dudo de que vuelva a verlo, para entonces ya me habrán encontrado… —musitó. Todo su cuerpo se estremeció, y no fue debido al frío.

Hundió la cabeza de nuevo e ignorando el picor en los ojos observó el borroso cielo a través del agua salada. El mar, gélido en esa noche de principios de marzo, se alzó bajo él, elevándole sobre la cresta de una tímida ola que fue a estrellarse contra el espigón del Dique Este. Y él permaneció allí, luchando con sus demonios en el mismo lugar que le había aterrorizado de niño. Que aún seguía aterrorizándole cada noche.

Cuando regresó a su casa estaba empapado y aterido por el frío. Buscó en la oscuridad el candil y lo encendió; un instante después, alguien llamó a la puerta. Echó un vistazo por la ventana, era una de las viudas del barrio y traía algo en las manos. La cena, le dijo cuando la recibió. Asombrado, tomó el plato y asintió cuando la mujer le explicó que se lo había encargado, y pagado, el ricachón. Se despidió de ella, asegurándole que se lo devolvería limpio a la mañana siguiente. Comió impaciente, sin dejar de pensar que era extraño que el viejo se hubiera molestado en pagar para que tuviera algo que llevarse al estómago.

—Si estás intentando camelarme, vas listo —masculló tumbándose en el jergón—. Cuando Marcel acabe conmigo no tendrás nada de lo que disfrutar…

3

Ah… Perro Negro —dijo él—. Es un tipo de cuidado,
pero aún son peores los que lo enviaron.
ROBERT LOUIS STEVENSON, *La isla del tesoro*

5 de abril de 1916. Antes de anochecer.

*T*ras abandonar el depósito de los muelles de la Muralla, Lucas se
quitó la chaqueta, colgándosela del codo. En solo una semana el
clima había cambiado, y el helador tramontana[4] había dado paso a
un húmedo y bochornoso xaloc[5]. Alzó la mirada hacia el cielo, de un
azul intenso que no presagiaba tormentas, y la bajó hacia las altas y
cortas olas que se estrellaban contra el espigón, el viento podía hacerlas cambiar. Un escalofrío le recorrió la espalda al recordar lo que
era ser lanzado contra aquellas rocas.

Un cosquilleo en la nuca, seguido por el fuerte aguijonazo del
miedo, hizo que se olvidara de antiguos temores y se irguiera para
enfrentarse a los nuevos. Giró sobre los talones buscando el origen
de la persistente sensación y se encontró con su cada día menos
inesperado perseguidor a pocos metros de él. Dejó escapar un suspiro, por un momento su instinto le había hecho pensar que eran los
hombres de Marcel quienes le observaban. Pero no, era el chófer del
viejo quien, apoyado en relajada postura contra una de las paredes
del depósito, le vigilaba fumando un cigarrillo.

Enoc se llevó la mano a la visera de su gorra, burlón, cuando el
muchacho le vio. Tras llevar casi una semana convertido en su sombra, ya no se molestaba en ocultarse. El nieto del capitán tenía la
vista y el olfato de un albatros, los reflejos de un pez vela y el instinto de un tiburón, nada se escapaba a su percepción.

Lucas le saludó con un gesto a la vez que una maliciosa sonrisa
se dibujaba en su rostro. Metió las manos en los bolsillos del panta-

4. Tramontana: viento procedente del norte.
5. Xaloc: viento procedente del Sáhara.

lón y echó a andar hacia el paseo de Colón mientras cavilaba la manera de dar esquinazo al tenaz hombre.

Enoc tiró el cigarrillo al suelo y se apresuró a seguirle. Estaba impaciente por ver qué truco intentaría esa tarde. Casi podía decirse que estaban empatados. El joven había conseguido burlarle dos veces, y él había logrado seguirle hasta la casa, sin perderle de vista, otras tres. Esos momentos de persecución eran lo más divertido de todo el día, ya que el díscolo muchacho ocupaba la jornada en ir al puerto, realizar su trabajo —un trabajo que Enoc se encargaba de que encontrara sin problemas— y regresar a casa. El antiguo marinero frunció el ceño al ver que su presa caminaba en dirección contraria a la Barceloneta. ¡Maldito fuera!, pensó sonriente, el chaval ya estaba haciendo de las suyas.

Lucas cambió de rumbo al llegar al cuartel de Atarazanas, adentrándose en las retorcidas callejuelas que cruzaban el Raval. Sin dejar de echar vistazos a su espalda se camufló entre la multitud de inmigrantes y obreros que rondaban frente a las tabernas y burdeles y, cuando estuvo seguro de haber perdido a su rastreador, se dirigió de nuevo al puerto con la intención de bajar desde allí a su distrito.

—Estás hoy muy juguetón —escuchó una voz sibilante tras él.

Lucas se detuvo en seco, la sonrisa borrada de su rostro, la espalda tensa y los puños cerrados junto a sus muslos. Se giró lentamente hasta quedar cara a cara con el dueño de la voz. El hombre, vestido con un traje que, de tan elegante que quería ser, resultaba ridículo, le miró por debajo del ala de su sombrero mostrando una aterradora sonrisa.

—El jefe quiere verte.

—Dile a Marcel que mañana iré al Lobo Tuerto —replicó Lucas dando un paso atrás.

—Creo que no me has entendido. El jefe quiere verte ahora. Lleva muchos años esperándote, no quiere postergarlo más.

Lucas asintió complaciente, dio un paso hacia él y, de improviso, giró sobre sí mismo y echó a correr tan rápido como pudo en dirección contraria. La gorra que llevaba salió volando mientras todos los músculos de su cuerpo vibraban alcanzando su máxima tensión.

No le sirvió de nada.

Una pared humana salió a su encuentro deteniéndole con un fortísimo puñetazo en el estómago que le hizo caer de rodillas. Se levantó veloz, dispuesto a dar media vuelta y emprender la huida, pero otro golpe, esta vez una patada en la espalda, le hizo caer de nuevo. Alzó la mirada para ver quién le atacaba, y gruñó enfadado por ser tan imbécil de no hacer caso a su instinto cuando este le había advertido en el puerto.

Ernest, el lugarteniente de Marcel, no estaba solo. Lo acompañaban dos montañas humanas, demasiado malolientes y sonrientes para su gusto.

Levantó las manos en un gesto de rendición.

—Marcel está muy enfadado. Hiciste un trato y no lo has cumplido —comentó Ernest.

—Pensaba ir a verle, he tardado más de lo que pensaba en reunir el dinero, pero ya lo tengo —mintió Lucas.

—El jefe se va a llevar una decepción. ¿Estás seguro de que lo tienes todo? Por lo que sabemos, no has conseguido reunir ni una cuarta parte.

—Sí, mañana lo tendré todo —volvió a mentir Lucas mirando a su alrededor, buscando una vía de escape.

—¡Ah, bueno! ¡Habéis oído eso, chicos? No lo tendrá hasta mañana —afirmó burlón Ernest—. El jefe lo quiere hoy, no mañana.

—Estoy seguro de que le dará igual un día antes que un día después. —Lucas dio un paso atrás que le hizo chocar con uno de los matones.

—Yo estoy seguro de que no. Además, llámalo intuición si quieres, pero creo que el jefe prefiere que no le pagues en dinero —comentó Ernest con una sonrisa taimada.

Lucas se concentró en los dos matones que lo rodeaban, tragó saliva y sin pensarlo dos veces se dejó caer al suelo, rodó entre las piernas de ambos y, poniéndose en pie con rapidez, echó a correr. Le volvieron a atrapar un instante después. Uno de ellos le sujetó por el brazo y tomando impulso lo lanzó contra una pared. El tremendo golpe unido al dolor que sintió en el rostro, le dejaron aturdido durante unos segundos, los necesarios para que lo inmovilizaran, prendiéndole cada uno por un brazo.

—¡No, no, no! —bramó Ernest enfurecido al ver la sangre que manchaba la faz de su presa—. ¡Marcel no quiere que le toquemos la cara!

—Lo siento, jefe, se me fue la mano…

—¡Que no se te vuelva a ir!

Lucas sacudió la cabeza intentando salir de la confusión en la que se encontraba inmerso. La sangre que brotaba de la brecha en su frente le caía sobre los ojos, impidiéndole ver bien. El sabor metálico que colmaba su boca le indicó que también sangraba profusamente por la nariz. Se tocó los dientes con la lengua, probando su firmeza, y suspiró agradecido al ver que estaban todos en su sitio a pesar del brutal golpe. Escupió asqueado y levantó la cabeza solo para encontrarse frente a la complacida mirada de Ernest.

—Marcel nos ha pedido que te suavicemos un poco, espero que no te lo tomes como algo personal —comentó antes de golpearle.

Y mientras Ernest se ensañaba con ferocidad no exenta de control en el estómago y las costillas, Lucas contuvo como pudo los gemidos de dolor que pugnaban por escapar de sus labios. Le conocía lo suficiente como para saber lo peligroso que era quejarse ante él.

—¿No gritas, Lucas? No pasa nada porque te quejes un poco, nadie espera que te comportes como un héroe —sugirió con tono aburrido acariciándole la cara.

Un segundo después le clavó el puño bajo el plexo solar, dejándole sin respiración. Sonrió al verle boquear en busca de aire mientras sus hombres le sujetaban, más para impedir que cayera al suelo que porque temieran que escapara.

—¡Estupendo! Por fin reaccionas como debes —se congratuló.

Caminó lentamente hasta colocarse a su espalda y le propinó una nueva tanda de golpes a la altura de los riñones. En esta ocasión logró su propósito: deleitarse con sus gritos.

—Parece que te vas suavizando. ¿Qué hago, continúo con la paliza o ya tienes bastante?

—Suficiente —barbotó Lucas.

—Eso pensaba yo —coincidió Ernest—. Ponedlo de rodillas, pero no le soltéis, no quiero que se caiga mientras me ocupo de una última cosa —ordenó a sus hombres y acto seguido le golpeó con todas sus fuerzas con la palma de la mano en la oreja izquierda.

Un dolor atroz e imposible de soportar estalló en la cabeza de Lucas. Las náuseas acompañaron al mareo que siguió al golpe, el suelo pareció subir hasta su cabeza mientras que todo a su alrededor parecía adoptar la consistencia del humo. Solo los matones que lo sujetaban impidieron que diera de bruces contra el suelo.

—No sabes cuánto me ha molestado tu empecinamiento en escapar de nosotros. No deberías haberte portado tan mal —musitó Ernest dándole una patada en la entrepierna.

Lucas gritó tan alto como su alterada respiración le permitió.

—Ya está domado. Soltadle —ordenó el jefecillo a los matones.

Lucas cayó al suelo, pero antes de poder acurrucarse en posición fetal, Ernest, aferrándole por el pelo, le elevó hasta que quedó de rodillas, el delgado hilo de sangre que resbalaba por su oído izquierdo uniéndose al que se secaba sobre su pómulo y su boca.

—Ahora vas a ser un buen chico y vas a acompañarme sin quejarte —le advirtió.

—¡Dejad tranquilo al muchacho! —gritó alguien tras ellos.

Lucas maldijo para sus adentros al reconocer al propietario de la voz. Bastante complicada era su situación como para tener que preocuparse de que el chófer del viejo intentara ayudarle y acabara molido a palos. Esperaba por su bien que se diera cuenta y se largara. El hombre le caía bien, no quería que acabara con los huesos rotos por su culpa.

—Ve a dar una vuelta, amigo, esto no es de tu incumbencia —replicó Ernest sin girarse para mirar a quien tan inoportunamente le interrumpía.

—Mucho me temo que eso no es posible…, *amigo* —respondió Enoc con el rostro oculto por las sombras entre las que se encontraba. El clic que siguió a sus palabras consiguió que Ernest se girara hacia él y le tomara en serio.

Lucas parpadeó aturdido, incapaz de creer lo que sus ojos veían. El hombre con quien había jugado al gato y al ratón durante toda la semana empuñaba con inusitada destreza una mataduques[6].

—Baje la pistola, hombre, no hay nada que no se pueda solucionar hablando —sugirió Ernest con afabilidad a la vez que llevaba la mano con disimulo al costado.

—Aleje las manos de la chaqueta y dígale a sus hombres que no se metan. No querrá que mi *amiga* se ponga nerviosa —le espetó Enoc apuntándole.

El rufián alejó las manos de su cuerpo alzándolas ligeramente e hizo un gesto con la cabeza para que los matones hicieran lo mismo.

—Aléjense del muchacho —ordenó Enoc sin variar su postura.

—Se está precipitando. Estos son asuntos que no le conciernen y si se mete, puede salir perjudicado —le advirtió Ernest obedeciendo renuente a la vez que hacía un gesto a sus hombres para que se apartaran.

—Todo lo que concierna al chico es asunto mío —replicó Enoc con inusitada ferocidad—. Lucas, ven aquí.

Lucas miró a aquel al que había creído inofensivo, tragó saliva y haciendo acopio de sus últimas fuerzas echó a andar hacia él, con cuidado de no interponerse en la trayectoria de la pistola.

Enoc lo miró de reojo sin dejar de observar a los hombres que te-

6. FN Browning M1900, pistola semiautomática, llamada así erróneamente al creerse que fue el arma con la que asesinaron al archiduque Francisco Fernando (1914). Este hecho fue el desencadenante de la Primera Guerra Mundial.

nía enfrente. Apretó los dientes al ver los pasos erráticos del muchacho y la sangre que recorría su cara.

—¿Estás bien? —le preguntó cuando llegó a su altura. Lucas afirmó con la cabeza e irguió la espalda, intentando recobrar el orgullo perdido—. Deje las manos quietas o le descerrajo un tiro en mitad de la frente —le advirtió a Ernest con voz neutra al ver que volvía a llevar la mano hacia el interior de la chaqueta.

—Ya tiene al muchacho, pero… Mírele bien, no puede ni tenerse en pie. ¿Qué va a hacer ahora? ¿De verdad cree que puede escapar? En el momento en que él caiga y usted baje la pistola para recogerlo, estarán muertos —le amenazó Ernest, alzando las manos—. Lucas tiene asuntos pendientes con mi jefe, y yo soy el encargado de llevarlo ante él. No se meta en medio, amigo, puede ser contraproducente para usted.

Enoc enarcó una ceja y apretó ligeramente el gatillo de la mataduques haciendo que los bribones recularan.

—¿Tienes cuentas pendientes con el jefe de este hombre? —le preguntó a Lucas. Este no dijo nada, ni siquiera parpadeó—. Entiendo. ¿Cuánto y a quién? —inquirió dirigiendo la mirada hacia Ernest con frialdad.

—No podrá pagarlo.

—Eso lo decidirá el capitán Agra. ¿Cuánto y a quién? —reiteró.

—¡Agramunt! —exclamó Lucas apenas sin resuello. ¿Qué pintaba el dueño de una de las navieras más importantes de Barcelona en esa historia? Y, ¿de qué lo conocía el chófer?

—¿El capitán Agra? ¿Qué demonios tiene que ver el viejo lobo con esto? —Ernest entornó los ojos, suspicaz—. Muéstreme el rostro —solicitó con un respeto que no había manifestado antes.

Enoc sonrió enigmático, dio un paso a un lado para alejarse de la oscuridad que le había cubierto hasta ese instante y se quitó con la mano libre la gorra.

—¡Señor Abad! —jadeó asombrado el bellaco al reconocer a la sombra del malhumorado capitán.

—¿Tengo que volver a repetir la pregunta, Ernest? —inquirió Enoc, dando nombre al rufián y demostrando así que sabía desde el principio con quién se las estaba viendo.

—Cuánto, no lo puedo decir. A quién, a Marcel.

—En la madrugada iré al Lobo Tuerto a arreglar cuentas. Comuníqueselo a su jefe.

—Señor Abad, sigo pensando que se está precipitando. El capitán Agra no se mostrará muy contento cuando sepa que se ha inmiscuido en los asuntos de Marcel, y menos por una cuestión tan insignificante como esta. El capitán tiene sus trapicheos, y no tienen nada que ver con los de Marcel —afirmó Ernest conciliador.

Conocía bien la reputación del viejo lobo; sobornaba a los mandamases del puerto, compraba favores a los políticos, manejaba a su antojo a la guardia y tenía amigos influyentes, pero sus gustos no incluían a hermosos jovencitos.

—Lárguese, Ernest —ordenó Enoc, y acto seguido disparó al cielo.

Lucas lo miró estupefacto, ¿qué estaba haciendo? Iba a echarse a la guardia encima.

—Quedan seis balas, deberían largar velas —advirtió Enoc a los matones.

No fue necesario más. Los dos gorilas echaron a correr como alma que lleva el diablo a la vez que maldecían a voz en grito a los locos que disparaban en mitad de la calle llamando la atención de quien nada tenía que ver en sus asuntos.

—Se arrepentirá de esto —siseó Ernest sin decidirse a abandonar el lugar.

—En absoluto. Será usted quien se arrepienta, dudo de que al capitán Agra le entusiasme saber que ha atacado a su... —Enoc se detuvo antes de decir quién era realmente Lucas. El capitán no reconocería públicamente a su nieto hasta conocerlo mejor y saber si merecía o no ese título—. A alguien por quien profesa cierto interés —finalizó la frase. No estaba de más avisar a ese bribón, y por ende a su jefe, de que Lucas contaba con la protección del capitán.

—¿Interés, por esa escoria?

Enoc no respondió, simplemente apuntó a la cabeza de Ernest y disparó.

Un pedazo de la oreja del hombre salió volando por los aires a la vez que un reguero de sangre manchaba el inmaculado y ridículo traje.

—Tenga cuidado con lo que dice, puede resultar perjudicial para su salud.

—¡Vámonos! —jadeó Lucas al ver la mirada de odio que les dirigía el secuaz de Marcel antes de salir huyendo—. La guardia puede aparecer en cualquier momento.

—No se molestarán, es tarde, y aunque lo hicieran, no habría ningún problema —repuso Enoc guardando la pistola. Tras esto, se colocó al lado de Lucas y le pasó el brazo por los hombros para sostenerle—. La próxima vez que te estén dando una paliza, grita alto —indicó con seriedad—. Ha faltado poco para que no te encontrara. —Sacó de la cinturilla del pantalón la gorra que minutos atrás se le había caído al joven y se la encasquetó en la cabeza—. Arregla tus ropas y límpiate la cara. —Le tendió un pañuelo, y sin esperar un segundo más, le instó a caminar—. Silencio ahora —exigió Enoc al ver que Lucas abría la boca para replicar—. No pierdas aliento hablando.

Lucas cerró la boca, no porque no tuviera miles de preguntas que hacerle, que las tenía, sino porque el pulso en su oído se había convertido en un dolor punzante que, unido a los lamentos agónicos de su maltratado cuerpo, le producía tal mareo que apenas podía mantenerse erguido. Necesitaba hacer uso de toda su concentración para conseguir dar un paso tras otro.

—Aguanta un poco más. Pronto llegaremos —le susurró Enoc.

Lucas asintió aturdido. Apenas estaba consciente cuando entraron en uno de los almacenes propiedad de la Compañía Marítima Agramunt, aunque sí parpadeó asombrado al ver el hermoso *Alfonso XIII* [7] guardado en él. Enoc le instó a ocupar el asiento del acompañante del caro deportivo para después sentarse tras el volante y arrancar.

—Lléveme a casa, por favor —susurró Lucas dejando que sus ojos se cerraran al fin.

—No lo dudes. Vamos a casa.

---

7. Automóvil de lujo, deportivo y descapotable de la firma Hispano-Suiza lanzado en 1911 y llamado así en honor al rey Alfonso XIII.

4

5 de abril de 1916. Cerca de la medianoche.

*E*l ronroneo del motor se convirtió en un fiero rugido que consiguió que Lucas abriera los ojos y tomara consciencia de lo que le rodeaba. Ante su mirada desenfocada apareció una ancha avenida cercada por estilizados árboles. Parpadeó desorientado hasta que comprendió que el motor hacía tanto ruido porque estaban subiendo una cuesta. Satisfecho por haber hallado la solución al acertijo se removió hasta encontrar una postura en la que sus doloridas costillas dejaran de quejarse y cerró los ojos. Los volvió a abrir un segundo después, alarmado. Había algo que no iba bien. Algo que faltaba. Frunció el ceño, y el súbito pinchazo que sintió en la frente trajo consigo el recuerdo y con este, el despertar de la consciencia. Acababa de darse cuenta de qué era lo que faltaba: el ruido de la ciudad.

No oía nada salvo el motor del coche. Los sonidos de la urbe habían dado paso a una extraña paz. Extraña, porque Barcelona jamás dormía, ni siquiera de noche. Faltaban las voces de las fulanas del puerto, el sonido de los cascos de los caballos chocando contra el pavimento, el bullicio marrullero que salía de las tascas... ¿Acaso se había quedado sordo? Asustado, se tocó la oreja, y el dolor estalló.

—Ese cabrón te dio un buen golpe —escuchó la voz del chófer—. Pero no creo que sea demasiado grave... al menos ese. Los de los riñones sí pueden ser peligrosos. Vuelve a dormirte. Cuando lleguemos llamaré a Doc para que te eche un ojo.

Lucas asintió sin prestar atención a sus palabras. Podía oírle y eso era lo único que le importaba. Observó en la penumbra sus dedos, no podía verlos bien, mas estaba seguro de que el líquido denso que los manchaba era sangre que manaba de su oído. Pero no estaba sordo. ¿Entonces por qué solo escuchaba el rugido del motor? ¿Por qué no las peleas de borrachos? ¿Por qué no el sonido de las bocinas de los barcos entrando a puerto o el estruendo de las fábricas que jamás cerraban? Se irguió en el asiento y observó con atención lo que le rodeaba.

—¿Dónde estamos? —preguntó perplejo mientras contemplaba las casas y palacetes que se levantaban a ambos lados de la carretera apenas iluminada por las farolas.

—En la avenida del Tibidabo.

—¡Estamos al otro lado de la ciudad! Tenías que llevarme a la Barceloneta.

—No. Dije que te llevaría a casa y tu casa está justo delante de ti —afirmó Enoc deteniéndose frente a unas altas puertas ancladas a un muro de recias verjas de hierro. Tras este, imponente y amenazadora, se alzaba una elegante mansión.

—¿Ah, sí? ¿Desde cuándo vivo en un palacio? —Lucas abrió la puerta del coche, decidido a apearse antes de que se abrieran las rejas. Lo último que necesitaba esa *maravillosa* noche era que la guardia le detuviera por entrar en la casa de un ricachón.

—¿Adónde crees que vas? —Enoc le retuvo con una mano mientras que con la otra tocaba insistentemente la bocina.

—Lejos de aquí —replicó Lucas soltándose para acto seguido encararse a él—. Estoy en deuda con usted por salvarme de esos tipos, y es una deuda que pienso pagar… pero por nada del mundo voy a entrar ahí —aseveró señalando la mansión.

—Ya lo creo que vas a entrar.

El chirrido de las puertas al girar sobre sus goznes hizo que Lucas se sobresaltara y girara la cabeza con violencia. Todo pareció dar vueltas, haciéndole tambalear.

—No hagas movimientos bruscos si no quieres marearte, me temo que ese malnacido te ha roto el tímpano —masculló Enoc observándole con atención.

Lucas echó la cabeza hacia atrás, deseando que se le pasara el vértigo y el coche se puso de nuevo en marcha. Las sacudidas de las ruedas le indicaron que el camino sobre el que transitaban había cambiado, ya no era macadam sino adoquines. Tras él quedó la fugaz luz de un farolillo de mano junto a la verja de nuevo cerrada. Se obligó a respirar lentamente para sobreponerse al mareo mientras examinaba la casa que se revelaba ante él. Era un palacete de dos plantas con un torreón alzándose en cada esquina y una ornamentada entrada a la que se ascendía por unas escaleras señoriales. Las paredes estaban conformadas por ladrillos ambarinos con extraños relieves y cada una de las altas ventanas estaba enmarcada por estilizadas columnas, de un tono más oscuro, que parecían emerger de la pared.

—¿Quién es el dueño de esta casa? —preguntó cuando el coche se detuvo frente a unas anchas puertas situadas en una edificación anexa.

—El capitán Agra. —Enoc observó por el rabillo del ojo a su remiso acompañante mientras apagaba el motor. Ya se ocuparía más tarde de meter el *Alfonso XIII* en el garaje.

—¡Qué ilusión! Dele saludos de mi parte —ironizó Lucas apeándose del coche, decidido a regresar a la Barceloneta aunque fuera arrastrándose.

No llegó a dar un solo paso. En el momento en el que se puso en pie, todo comenzó a girar a su alrededor.

Enoc saltó del vehículo. Apenas le dio tiempo de sujetarle antes de que su dura cabeza de chorlito se golpeara contra el suelo.

—¡Pero qué te pasa! ¿Acaso no me has oído cuando te he dicho que no hicieras movimientos bruscos? —le regañó a la vez que le ayudaba a incorporarse.

—¿Algún problema, señor Abad? —preguntó un hombre situado tras ellos.

—Ninguno, Etor —respondió sin dejar de mirar a Lucas—. ¿Te vas a portar bien, chico?

Lucas divisó por el rabillo del ojo al dueño de la voz, una silueta en sombras a pesar de la luz del farolillo; seguramente era aquel que había abierto y cerrado las verjas, un simple mayordomo. Bufó enfadado, ojalá no diera la voz de alarma. Al menos hasta que tuviera las piernas firmes para escapar.

—Suéltame —siseó cuando todo dejó de dar vueltas a su alrededor.

—¿Quieres dar con tus huesos en el suelo otra vez? —Enoc disimuló el orgullo que le producía la actitud belicosa del joven.

—Lo que quiero es largarme de aquí —masculló Lucas, dándole un empujón.

—Eso no va a ser posible —le advirtió, indiferente a su mirada airada—. Estoy seguro de que el capitán querrá hablar contigo sobre lo que ha pasado esta noche.

—Seguro que el capitán no tiene otra cosa mejor que hacer —ironizó Lucas, echando una mirada furtiva al palacete. La luz del porche acababa de encenderse y la puerta comenzaba a abrirse—. Déjese de sandeces y olvídeme —escupió enfadado dando media vuelta para dirigirse a la verja que circundaba la propiedad.

Estaban haciendo demasiado ruido y pronto saldría alguien a investigar qué pasaba. Y eso era algo que no le convenía en absoluto. Bastantes problemas tenía ya como para encima llamar la atención del capitán Agra. Había oído hablar de él a los marinos, a los capataces del puerto e incluso a los pescadores en los merenderos. Su reputación de hombre fiero y decidido era por todos conocida, también sus contactos con las altas esferas y sus numerosos sobornos para hacerse con las mejores dársenas de atraque y con la mirada baja de los aduaneros. Un hombre con tanto poder seguro que tendría gustos extraños. Y ya tenía suficientes complicaciones como para además tener que esquivar al capitán.

—Ni lo intentes, marinero de agua dulce —le exhortó Enoc agarrándole de nuevo—. Yergue la espalda y afronta la tempestad, estoy seguro de que las has capeado peores.

—Seguro que es mucho más divertido ahogarme que entrar ahí —se resistió dando un tirón—. No conozco al capitán y pretendo seguir así, hará mi vida mucho más fácil.

—Claro que lo conoces. —¿Tan mala memoria tenía el chico?—. Has hablado con él hace menos de una semana, en tu covacha.

—¿En mi casa? —Lucas entornó los ojos, pensativo—. ¿El viejo? —Enoc asintió divertido al ver su desconcierto—. ¿Y qué puñetas quiere de mí?

—Imagino que lo que querría cualquier abuelo: ocuparse de su nieto.

—¡Vaya manera de decirlo! —Lucas negó con la cabeza, asqueado—. Tú y yo sabemos que no soy su nieto.

—Tú no sabes nada. Yo sé que eres el hijo de Oriol, y como este lo era del capitán, no te queda otro remedio que sumar dos más dos y aceptar que eres su nieto.

Lucas inspiró bruscamente. Rígido su cuerpo. Pálido su rostro. Con miedo en sus ojos.

—¿Qué te pasa muchacho? —inquirió Enoc al percatarse de su repentina lividez.

—Nada —siseó dirigiendo la mirada hacia la residencia, donde una mujer esperaba inmóvil junto a la puerta abierta. Después giró despacio y observó el muro que rodeaba la propiedad. La oscura silueta del mayordomo aguardaba junto a la verja; el farolillo, olvidado en el suelo, solo iluminaba unas recias botas negras.

Enoc no perdió detalle de los movimientos del joven. No sabía qué diablos le había pasado, pero estaba seguro de que no era nada bueno. Su talante desafiante había dado paso a una actitud tensa, a la defensiva.

—Señor Abad, ¿van a entrar en casa? —indagó la mujer que estaba junto a la puerta.

—Ahora mismo, señora Muriel. Por favor, avise al capitán de que he traído a su nieto —contestó Enoc antes de dirigirse al supuesto mayordomo—. Etor, meta el coche en el garaje.

Lucas abrió los ojos como platos cuando el aludido comenzó a caminar oscilante hacia ellos y la luz del porche le iluminó. *Eso* no podía ser un mayordomo. ¡Era grande como una montaña! El hombre más alto y ancho que había visto nunca. Era calvo y tenía el cráneo tatuado, al igual que los gruesos brazos; sus enormes manos parecían tenazas; sus piernas, robustos troncos; y su cuello, el mástil de un navío.

—Vamos, muchacho —le instó Enoc al ver que se quedaba paralizado.

Lucas miró al coloso, a la casa y, de repente, empujó a Enoc para a continuación dirigirse con paso inseguro a las altas puertas de hierro forjado. Si el viejo era su abuelo y esa era la casa familiar, seguro que Oriol estaría allí. ¡Por nada del mundo se dejaría atrapar!

—¡Etor, deténgale! —gritó Enoc levantándose.

El gigante abrió los brazos en cruz y comenzó a trotar.

Lucas observó al inmenso hombre que se abalanzaba sobre él, parecía bastante torpe, como si no supiera andar sobre tierra firme. No sería difícil darle esquinazo. Apretó los dientes y apresuró el paso ignorando a fuerza de voluntad el dolor y el mareo que le hacían tambalear. Al llegar junto al gigantón hizo un quiebro para esquivarle, y este, con una velocidad tan inesperada como inusitada, giró sobre sí mismo y le hundió el puño en la tripa.

Lucas cayó de rodillas jadeante, abrazándose el estómago con ambas manos.

—¡Maldita sea, Etor, le dije que lo detuviera, no que lo matara!

—No está muerto, jefe —objetó el gigante—, solo lo he golpeado un poquito para que no corriera tanto. Ya sabe que no se me da bien correr. No, señor —indicó rascándose la calva.

—Llévele a la casa, luego hablaremos de cómo se debe detener a alguien —le ordenó Enoc enfadado—. ¡Es un hombre, no un fardo! Tenga más cuidado —bufó al ver como Etor se lo echaba al hombro.

—Si quiere que haga las cosas bien, debería dar las órdenes adecuadas, sí, señor, porque sin órdenes adecuadas las cosas no se hacen bien, y a mí me ha dicho que le lleve a casa, pero no cómo debía llevarle. No, señor, no me lo ha dicho —rezongó el gigante a la vez que recolocaba al joven para llevarlo en brazos cual bebé.

Lucas se dejó transportar mientras intentaba recuperar la respiración; no podía negar que Etor tenía un derechazo contundente… y muy poco cuidado con lo que se traía entre manos. Soportó estoicamente los pinchazos en las costillas que le provocó el ascenso por la escalinata y estuvo a punto de conseguir una nueva brecha en la frente cuando el hombretón traspasó la puerta y su cabeza rozó el dintel. Intentó bajar de sus brazos en ese momento, pero este se limitó a apretar con saña sus hercúleos dedos, por lo que no le quedó más remedio que quedarse quietecito y observar atónito lo que le rodeaba.

Atravesaron un elegante vestíbulo de cuyo techo colgaba una lámpara formada por cientos de cristales y en el que se abrían cuatro puertas, una en cada pared. Cruzaron la más ancha, con forma de arco, accediendo a un salón. Era un amplio espacio desde el que se podía ver la galería abierta del segundo piso, pues no tenía techo, sino que este era la bóveda acristalada que coronaba el tejado. En la estancia se abrían varias puertas y en donde debería estar la pared este, se elevaba una elegante escalera que giraba sobre sí misma hasta llegar a la planta superior. Consolas de mármol y cristal coronadas por costosos espejos y cuadros se ubicaban en cada pared junto a lujosas butacas tapizadas en tafetán rojo. En el centro de la estancia, destacando sobre todo lo demás, había un enorme sofá circular de terciopelo rojo. Y justo ahí fue donde le dejó caer Etor. Sin ningún cuidado, por cierto.

Lucas no pudo evitar el gemido que escapó de sus labios al estrellarse contra el duro asiento que cualquiera hubiera pensado que era mullido dada su apariencia.

—Etor, tenga más cuidado, está herido —le regañó Enoc al ver el gesto del joven.

—Sí que es blandito el chaval —bufó el hombretón lanzando una inquietante mirada a Lucas—. Ni que fuera a romperse.

—Por supuesto que no voy a romperme —replicó Lucas furioso, sentándose erguido. O al menos intentándolo. El respaldo era tan bajo que apenas si le sujetaba la mitad de la espalda. «Muy bonito, muy lujoso, muy caro y puñeteramente incómodo», pensó.

Se frotó con disimulo el estómago mientras observaba con atención a quienes le rodeaban, buscando a la única persona en el mundo a la que no quería ver. La mujer que había abierto la puerta estaba junto a la escalera, mirándole con curiosidad. Por su indumentaria debía de ser una sirvienta, vestido negro, delantal blanco con una puntilla en el borde y una cofia del mismo color recogiéndole el pelo. Oculta tras ella había otra fémina más joven vestida de idéntica manera que le miraba asustada. Estuvo tentado de soltar un aterrador «Bu» para ver con cuánta fuerza era capaz de gritar. El gigantón estaba apoyado en una pared, concentrado en abrillantar sus botas frotándolas contra las perneras de los pantalones. Enoc, de pie frente al sofá circular, mantenía la mirada fija en las escaleras.

Lucas se giró lentamente, casi con temor, hasta quedar enfrentado a estas. Suspiró aliviado al ver quiénes bajaban por ellas: el viejo que se había presentado en su casa hacía menos de una semana y una mujer de mediana edad, rubia, vestida con una falda negra de varias capas que ensalzaba su estrecha cintura y una blusa blanca con cuello marinero. No había nadie más tras ellos. Tragó el nudo que tenía en la garganta y desvió la mirada a las múltiples puertas que daban a la estancia. Todas estaban abiertas. Se inclinó intentando averiguar qué había tras ellas, pero apenas si atisbó a ver retazos. Una mesa de billar, tras una; lo que parecía ser un montón de plantas, tras otra; y una enorme mesa de comedor, en la última. Nada más. Las salas eran demasiado grandes para poder abarcarlas por completo con una simple mirada. Oriol podría estar oculto en cualquiera de ellas, esperando su oportunidad.

Un espasmo nervioso le contrajo el estómago.

Biel acabó de bajar las escaleras sin dejar de observar a su nieto, quien con su característica desvergüenza no le prestaba la más mínima atención. Parecía más interesado en escrutar el interior de las salas. Debía reconocer que el muchacho no parecía asombrado por la riqueza y el lujo que le rodeaba, y si lo estaba, lo disimulaba muy bien. Y eso le gustó. Contempló inquisidor su rostro magullado cuando se giró para observar el comedor, y entornó los ojos al comprobar que se abrazaba con ambas manos el estómago. Dirigió la mirada a Enoc y enarcó una ceja.

—¿En qué lío se ha metido ahora mi nieto? —le preguntó con voz atronadora.

—En ninguno que le interese, viejo —espetó Lucas al instante, poniéndose en pie sobre sus inestables piernas.

—¡Halacabuyas insolente, siéntate y no abras la boca hasta que se te pregunte! —siseó Biel mirándole con aversión.

—¿Y si no quiero? —le desafió.

—¿Le hago sentar, capitán? —inquirió Etor, dirigiéndose oscilante al sillón circular.

—No será necesario, Etor, estoy seguro de que Lucas prefiere ceder a montar una pelea en la que sabe que tiene todas las de perder, ¿verdad? —intervino Enoc, mirando al belicoso muchacho con una ceja arqueada.

Lucas bufó con fuerza y se cruzó de brazos en actitud beligerante, negándose a sentarse. Enoc no pudo evitar esbozar una ladina sonrisa. El chico era tan terco como su abuelo.

Biel se golpeó los botines con la punta del bastón mientras observaba a su apaleado nieto. Apenas si podía mantenerse en pie, mucho menos enfrentarse a Etor, y aun así seguía mostrándose desafiante. No sabía si le complacía su valiente testarudez o si aborrecía la estupidez supina de que hacía gala.

—Señor Abad, ¿qué ha ocurrido para que Lucas se encuentre en tan lamentable estado?

—No creo que sea adecuado de escuchar por los sensibles oídos femeninos —respondió este, señalando a las mujeres.

Lucas no pudo evitar poner los ojos en blanco al oírle. ¿Sensibles, las mujeres? ¿Desde cuándo? Que él supiera eran todas unas arpías. Todas menos Anna.

—Señoras, discúlpennos por favor —solicitó Biel, observando enfadado el impertinente gesto del muchacho. Las criadas se fueron, pero la mujer que le había acompañado hizo caso omiso a su orden—. Jana, por favor.

—No. Sabes de sobra que mis oídos no son nada sensibles —respondió afable pero categórica. El capitán suspiró y asintió con la cabeza. Ella le dedicó una encantadora sonrisa antes de girarse hacia la puerta por la que habían desaparecido las sirvientas—. Señora Muriel, tenga la amabilidad de llamar al doctor del Closs. Cristina, prepare agua timolada y paños, por favor.

—Jana… —comenzó a gruñir el viejo.

—¿Pretendes que me quede con los brazos cruzados mientras esperamos a Doc? —replicó ella enarcando una ceja.

—Sería lo más conveniente, es como un perro rabioso, no sabemos cómo reaccionará.

—Hágale caso al viejo, señora. De vez en cuando, muerdo —masculló Lucas ofendido. ¿Cómo se atrevían a hablar de él como si no estuviera presente? Aunque, claro, eran ricachones, ¿qué otra cosa podía esperar?

—Mientras estés en mi casa te comportarás con educación, aunque tenga que molerte a palos para conseguirlo —exclamó Biel furioso, levantando el bastón. ¡Nadie osaba responder así a Jana y vivía para contarlo!

Lucas descruzó los brazos, todo su cuerpo tenso, preparado para el próximo golpe. Un golpe al que pensaba responder.

—Capitán, estoy segura de que nuestro invitado solo pretendía dar veracidad a tus palabras —le retuvo Jana con fina ironía, po-

sando su grácil mano sobre el brazo del anciano—. Lucas, ¿verdad?
—Este asintió mirándola perspicaz—. Hace tiempo que oigo hablar de ti, estoy encantada de que hayas decidido visitarnos —dijo con afabilidad no exenta de desafío.

—No ha sido una decisión voluntaria —replicó Lucas aceptando el reto—. Preferiría estar en las cloacas que aquí.

—No cabe duda de que muerdes —musitó Jana divertida a la vez que clavaba sus dedos con fuerza en el brazo del capitán, indicándole mediante este gesto que la dejara hablar a ella. Biel tenía muchas virtudes, pero paciencia y sutileza no se contaban entre ellas.

Lucas centró la mirada en el viejo, dispuesto a contraatacar si este se abalanzaba sobre él con su maldito bastón. No le volvería a pillar por sorpresa otra vez. El ruido de una puerta al abrirse le sobresaltó. Giró la cabeza con brusquedad y contuvo el aliento, seguro de que se encontraría cara a cara con Oriol. El vértigo le atacó de nuevo, haciéndole tambalearse, pero aun así su mirada permaneció fija en la puerta… por la que salió una de las sirvientas. Cerró los ojos aliviado. Ojalá la habitación dejara de dar vueltas y el suelo se mantuviera quieto.

Ni a Jana ni al resto de los reunidos en el salón les pasó por alto la repentina palidez del muchacho ni el miedo reflejado en su cara.

Muriel caminó con ligereza hasta la señora para comentarle en voz queda que el médico llegaría en breve, y para preguntarle dónde debían llevar el agua timolada. No era conveniente limpiar las heridas del joven en el sofá, pues era muy difícil limpiar la sangre del terciopelo.

Lucas ignoró la llegada de la mujer y miró a su alrededor mientras se esforzaba por mantener el equilibrio. No lo veía por ninguna parte, pero eso no significaba que no estuviera observándole escondido. Era propio de Oriol jugar al gato y al ratón. Se obligó a tranquilizarse, o al menos lo intentó hasta que captó por el rabillo del ojo un movimiento en la galería del segundo piso. Alzó la mirada, pero solo llegó a ver una sombra ocultándose tras una columna. Se movió hacia un lado, intentando captar algo más, aunque no era necesario. Sabía de sobra quién le vigilaba. Tenía que irse de allí sin perder un instante.

Estudió el salón, las puertas que daban al vestíbulo, al viejo y a las mujeres hablando frente a las escaleras, a Etor cerca de lo que parecía ser el comedor y, por último, su mirada recayó en una sala en la que se abrían unas puertaventanas que probablemente darían al jardín. Dio un paso en esa dirección.

—Ni lo intentes —le advirtió Enoc, acercándose a él. Le había estado observando y había leído sus intenciones tan claramente como leía una carta de navegación.

Lucas puso los ojos en blanco, volvió a cruzarse de brazos y, tras bufar enfurruñado, se dejó caer en el sofá.

Enoc asintió satisfecho, ya era hora de que el muchacho se rindiera, de hecho, no sabía cómo había conseguido aguantar en pie tanto tiempo. Retrocedió hasta una de las butacas y se sentó. El sofá circular era muy bonito, pero también muy incómodo. Echó una mirada al chaval, quien por fin parecía estar relajado, y aprovechó para liarse un cigarro que no se fumaría aún, pues la señora Jana aborrecía el humo. Y, en el mismo momento en que enrollaba el papelillo, el avispado muchacho echó a correr.

—¡Maldito sea! —gruñó tirando el cigarrillo.

Lucas atravesó el salón, entró en la sala y se dirigió a las puertaventanas con Enoc pisándole los talones. Unos metros más y sería libre. La oscuridad reinaba en el exterior, tras las puertas abiertas. No le sería difícil esconderse.

Una sombra gigantesca se abalanzó sobre él, lanzándole contra la pared y dejándole sin respiración.

—Esta vez no le he pegado —afirmó Etor agarrándole por el cuello. Había entrado allí por una de las múltiples puertas que daban a cada estancia.

Lucas se revolvió contra el gigante al comprobar que Enoc y el viejo caminaban hacia él. Clavó los dedos en las férreas manazas de Etor y lanzó una patada que esperaba le diera en sus, seguramente inmensas, joyas de la familia. El coloso se limitó a hacerse a un lado, estaba demasiado acostumbrado a peleas de taberna como para caer en ese truco.

—Capitán, se revuelve como una anguila, se me va a escapar, y a mí se me da muy mal correr —le advirtió Etor intentando contener al joven que se agitaba desesperado contra él.

—No deje que se le escape, Etor —exigió Biel acercándose a ellos tras Enoc.

—Como ordene, capitán —asintió golpeándole en el estómago. Lucas exhaló un trémulo lamento antes de derrumbarse. Solo los dedos del gigantón envolviendo su pescuezo impidieron que se diera de bruces contra el suelo—. Se ha desmayado, que poco aguante tiene —musitó mirándole perplejo a la vez que lo volvía a coger en brazos.

—No me he desmayado —musitó Lucas luchando por sobreponerse a las náuseas y la debilidad que le instaban a cerrar los ojos.

—¡Etor, qué le he dicho antes sobre tener cuidado! —gritó Enoc furioso.

—El capitán me dijo que lo detuviera —se defendió entrando de nuevo en el salón.

—Está bien, Etor, no se preocupe —intercedió Biel observando los ojos casi cerrados de su nieto. No tardaría en perder la conciencia—. Llévelo a uno de los dormitorios del servicio, en el desván y átelo a la cama. Veremos si así consigue tranquilizarse un poco.

—¡No! —gritó una joven desde la galería abierta de la planta superior.

La misma palabra «No» que había escapado en un susurro apenas audible de los labios de Lucas. Giró la cabeza e intentó enfocar la mirada, pero solo vio una difusa silueta blanca.

—Alicia, deberías estar en tu cuarto —la reprendió Biel—. Este asunto no es adecuado para una señorita como tú.

—¿Acaso no te das cuenta de que está aterrorizado? —inquirió ella ignorando la regañina—. No puedes atarlo a la cama, sería inhumano.

—No estoy aterrorizado —farfulló Lucas cerrando los ojos mientras pensaba que si los ángeles hablaran, lo harían con una voz tan pura como la de esa muchacha que parecía querer ayudarle.

—Pequeña, no lo entiendes. Es el hijo de Oriol, no nos podemos fiar de él —explicó Biel.

—Lo entiende mejor que tú, capitán —rebatió Jana acercándose a Etor—. Llévelo al dormitorio de Oriol, y no lo ate.

—¡Señora! —jadeó Biel, enfadado al ver que contradecía su orden.

—¿Capitán? —La mujer arqueó una de sus elegantes cejas y se cruzó de brazos.

—Haga lo que dice mi esposa, Etor, pero manténganse junto a la cama y cierre la puerta con llave, no la abrirá a nadie excepto a mí. Y si se despierta e intenta levantarse —señaló a Lucas—, vuelva a dormirle. —El gigante asintió dirigiéndose a las escaleras—. En cuanto a ti, Jana, no quiero que entres en el dormitorio de Oriol, Lucas podría ser peligroso —la advirtió severo. Ella respondió con una ladina sonrisa antes de retirarse a la cocina—. Y ahora, señor Abad, cuénteme qué ha pasado —exigió Biel encaminándose a la sala de fumar, donde estaba seguro que nadie, y en ese nadie incluía explícitamente a su esposa, entraría.

Υ

Jana esperó hasta que los hombres desaparecieron del salón y luego le indicó a la señora Muriel que llevara lo que necesitaban a la habitación de Oriol. No, de Lucas. No iba a permitir que el muchacho recibiera al doctor con la cara ensangrentada. Subió las escaleras y recorrió la galería, donde se encontró con su hija, Alicia, quien tal y como había supuesto, estaba esperándola. Entraron juntas en el dormitorio, y juntas ignoraron la airada mirada que Etor les dirigió al imaginar lo que pensaban hacer.

—El capitán se va a enfadar mucho, sí, señor —musitó el gigante sentándose en una silla.

—Perro ladrador poco mordedor —recitó Jana arqueando una estilizada ceja.

Etor se limitó a encogerse de hombros. La señora Aloss y su hija siempre conseguían lo que se proponían, ni siquiera el capitán podría impedírselo, mucho menos él.

Muriel entró poco después con una bandeja que contenía paños de algodón y una palangana de agua timolada, llenando el aire con los tranquilizadores efluvios del tomillo y el orégano. La dejó sobre la mesilla y tras el gesto de Jana abandonó la estancia.

Mientras su madre se ocupaba de desabrocharle la chaqueta y quitarle las botas y los calcetines al muchacho, Alicia le observó con atención. No cabía duda de que era el hijo de Oriol. Pero no tenía su mirada cruel y tampoco se comportaba como él. Puede que fuera insolente y desafiante, pero no desprendía la perversa maldad que siempre había emanado del sádico hijo del capitán. Sus rasgos eran apacibles, su nariz estaba torcida, quizás debido a alguna pelea, y sus labios, algo más gruesos que los de su difunto padre, carecían del rictus avieso de Oriol. El cabello, largo para la moda imperante, caía revuelto sobre su frente, dulcificando su rostro y haciéndole parecer un niño travieso.

—¿Vas a estar mirándolo toda la noche o piensas ayudarme? —preguntó divertida Jana.

Alicia, notando el intenso rubor que coloreaba sus mejillas, asintió en silencio y hundió uno de los paños en la palangana.

Lucas sintió una tenue caricia sobre la frente. Arrugó el ceño y sacudió la cabeza, intentando despertarse. Pero cuando la caricia se repitió, fue tan suave, tan etérea, que en lugar de asustarle, le tranquilizó. Un instante después escuchó una afectuosa voz femenina. Abrió los ojos e intentó enfocar la mirada, pero un quedo susurro le instó a volver a cerrarlos. Se durmió arrullado por sus murmullos.

Υ

—…Y le arranqué media oreja a Ernest de un tiro —finalizó Enoc el relato.

—Bien hecho, señor Abad. —Biel se quedó pensativo antes de volver a hablar—. Vaya al Lobo Tuerto esta noche. Llévese a algunos tripulantes del *Estrella del Mar*. Pague la deuda de mi nieto y averigüe por qué motivo la ha contraído. Luego ya veremos qué hacemos.

Enoc asintió conforme, no esperaba otra actuación del capitán.

Biel miró la hora en el reloj de pared y esbozó una ladina sonrisa.

—Ha pasado casi media hora, tiempo suficiente para que mi esposa se haya ocupado de ese pillastre… Espero que haya tenido la buena cabeza de regresar al salón, no me apetece regañarla —«y ganarme una de sus broncas»—. Esperaremos a Doc en la habitación de Oriol.

Pero no fue necesario. Apenas acababan de entrar en el salón, y de descubrir que Jana y Alicia continuaban en la planta superior, cuando unos golpes en la puerta les advirtieron de la llegada del galeno. Le saludaron con la efusividad amistosa que solo se da en los hombres que han pasado muchos años, y muchas correrías, juntos.

—Mi nieto está arriba. Me gustaría que le echaras un vistazo.

—Así que el muchacho ha entrado en razón y ha decidido mostrarse dócil —comentó Doc, sorprendido. Había desayunado hacía poco con Biel y este se había mostrado desalentado con respecto a su rebelde nieto.

—No exactamente. Han sido los puños de un rufián, y posteriormente los de Etor, los que lo han conseguido —murmuró exasperado Biel. Doc frunció el ceño ante la incompleta aclaración de su amigo y este se apresuró a referirle las circunstancias mientras subían a la planta superior.

Al entrar en el dormitorio se encontraron a Etor observando enfurruñado a las mujeres mientras estas vaciaban el armario hablando en quedos murmullos.

—¿Se puede saber qué estáis haciendo aquí? —inquirió Biel enfadado. O al menos fingiéndose enfadado. Sabía de sobra que las encontraría allí, pero eso no significaba que fuera a mostrarse conforme con su rebeldía.

—Calla, lo vas a despertar —le reprendió Alicia dirigiendo la mirada hacia el durmiente, quien al escuchar la voz del capitán había empezado a removerse en la cama—. Shh, no pasa nada. Duérmete otra vez —le ordenó con dulzura.

Biel arqueó una ceja al comprobar que los rasgos del joven se relajaban y sus manos se quedaban quietas de nuevo sobre las pulcras sábanas. Alicia tenía ese efecto sobre todo ser vivo. Bastaba oír su voz para que los perros dejaran de ladrar, los hombres de discutir y las mujeres de gritar. Era una de las cualidades que más admiraba en la hija de su esposa. Su capacidad de mostrarse serena y dulce en cualquier circunstancia y de trasmitir esa plácida entereza a quienes la rodeaban. Sonrió a su pupila desarmado, como siempre, y dirigió la mirada a su mujer.

—Señora mía, creí haber dejado claro que nadie debía entrar aquí en mi ausencia.

—Capitán, creí haber dejado claro que no iba a consentir que Lucas continuara teniendo la cara ensangrentada —replicó ella tomando las prendas que habían sacado del armario y colocándolas sobre el regazo de su hija—. Fernando, gracias por acudir con tanta premura. Eres un buen amigo —saludó al doctor con visible cariño.

—Siempre a su disposición, señora.

—Más tarde hablaremos sobre tu tendencia a ignorar mis órdenes —masculló Biel observando los tejemanejes de su mujer—. ¿Qué estás haciendo con eso?

—Voy a aventarla. Lucas va a necesitar ropa y hasta que esté recuperado para que el sastre le tome medidas, bien puede usar la de Oriol —explicó dirigiéndose a la puerta con Alicia tras ella—. Por cierto, más tarde hablaremos sobre tu tendencia a darme órdenes que no pienso cumplir —apuntó con una radiante sonrisa antes de salir.

—Biel, viejo lobo, no sabes hasta qué punto te envidio —comentó Doc, inclinando la cabeza ante Jana y Alicia a modo de despedida—. Fuiste listo al llevarla al altar con tanta premura. Yo mismo la hubiera secuestrado si me hubieras dado tiempo.

—Te hubiera costado la vida —replicó Biel sonriendo orgulloso.

—Un pequeño precio a pagar por el placer de su compañía —sentenció Doc, acercándose a la cama—. Así que este es el famoso Lucas. No hay duda de que es hijo de Oriol —comentó observándole con atención—. Esa brecha necesitará algunos puntos. ¿Es el oído izquierdo el que le golpearon? —inquirió al percatarse de que el muchacho había pegado dicha oreja a la almohada, síntoma de que buscaba calor, y con este, alivio.

—Sí —indicó Enoc—. Cuando llegué hasta él estaba recibiendo una buena tunda en los riñones, apenas tuve tiempo de sacar la mataduques cuando vi que Ernest le golpeaba en la cabeza. No sé dónde le habrá golpeado antes de que yo llegara. También debe tener en cuenta que Etor le asestó un par de puñetazos en el estómago.

—Le aticé flojito. No tengo la culpa de que sea un blanducho, no, señor —se defendió el gigantón.

—Entiendo —murmuró Doc inclinándose sobre el joven. A pesar de que este había empezado a removerse de nuevo al escuchar sus voces, ahora estaba inusitadamente quieto y su respiración había dejado de ser pausada, clara indicación de que estaba despierto y alerta—. Etor, colóquese junto a la cama, mucho me temo que está a punto de anunciarnos que ha recuperado la conciencia y no creo que lo haga dócilmente. —«No, si es digno nieto del capitán»—. Lucas, voy a reconocerte. Tienes dos opciones: seguir fingiéndote dormido, lo que hará la tarea mucho más fácil para todos, o pelear, lo que complicará las cosas, sobre todo para ti —anunció antes de comenzar a desabrocharle la camisa.

Lucas eligió la segunda opción, tal y como el galeno había supuesto.

En el momento en que sintió las manos del hombre sobre su pecho se incorporó e intentó asestarle un puñetazo. Por supuesto no lo consiguió. La manaza de Etor alrededor de su cuello, apretando sin ninguna consideración a su respiración, o más bien a su falta de ella, se ocupó de dejarle pegado al lecho.

—Este juego comienza a cansarme —musitó Enoc, observando sus esfuerzos por respirar—. Afloje un poco, Etor.

—No estoy apretando apenas, jefe —murmuró este aturullado—. Si aflojo se removerá como antes, se escapará y entonces le pegaré y usted se enfadará. —Miró indeciso al capitán, esperando sus indicaciones.

—¿Te vas a portar correctamente, polizón? —inquirió Biel acercándose a la cama.

Lucas miró a su abuelo, apretó los dientes y siguió forcejeando, cada vez más débil, para liberarse de la presa del gigantón.

Biel golpeó con el bastón el suelo, contando los segundos, esperando una respuesta que no llegaba. Su nieto parecía preferir morir asfixiado antes que dar su brazo a torcer. Y eso le complació.

—Átelo a la cama, señor Abad —ordenó.

Lucas se quedó inmóvil y una repentina palidez privó de todo color a su rostro. Dejó de luchar y posó ambas manos sobre la sábana a la vez que susurraba algo.

—Flaquee un poco en su agarre, Etor —exigió Biel satisfecho al verle ceder—. Adelante, Lucas, te escucho —le instó, observándole con atención. No le había pasado desapercibida la inesperada reacción del joven, y daría su brazo derecho por saber cuál había sido el motivo de esta. No debería asustarse tanto por una simple amenaza.

—No será necesario que me aten —consiguió decir Lucas al cabo de unas cuantas toses.

—Procedamos pues, antes de que se te ocurra rebelarte otra vez y tenga que reconocer a un cadáver en vez de a un herido —masculló Doc enfadado, mirando alternativamente a Etor y Biel antes de acercarse para quitarle la ropa.

—Tampoco es necesario que me desnuden, puedo hacerlo yo solo —bufó Lucas, apartándole de un manotazo e incorporándose para quitarse la chaqueta y la camisa. En cuanto acabó de hacerlo pegó la espalda al elaborado cabecero de caoba.

—Tienes mucho trabajo por delante, Biel, tu nieto adolece de tu mismo carácter —afirmó Doc jocoso, sacando el otoscopio del maletín. Biel se limitó a golpear el bastón contra su pie, pensativo—. Vamos a empezar por mirar ese oído —indicó inclinándose sobre Lucas.

Este apretó los labios e intentó quedarse muy quieto, pero en el momento en el que la redondeada punta de metal penetró en su oreja, no pudo evitar dar un respingo.

—Tranquilo, sé que te duele, pero necesito verlo para hacerme una idea de la lesión —intentó apaciguarle posando una mano sobre su hombro desnudo.

—No me toque —le advirtió Lucas apartándose.

—Va a ser complicado no hacerlo. Si no estás dispuesto a cooperar dilo ahora, prefiero atarte antes de que te provoques más daños con un movimiento inesperado —le espetó con total frialdad, usando lo único que el chico parecía temer.

Lucas le miró furioso un instante antes de asentir.

Fernando cabeceó satisfecho y volvió a la tarea, teniendo, eso sí, sumo cuidado. El muchacho era un polvorín a punto de explotar, intentaría no ser la mecha que lo encendiera.

—Tienes el tímpano perforado, debes impedir que te entre agua en el oído durante un par de semanas. Le daré una fórmula a la señora Muriel para que la tomes tras las comidas, ayudará a evitar la infección y, si todo va bien, el vértigo y el dolor desaparecerán en unos días y el tímpano se recuperará en no más de un mes. Veamos ahora el resto.

Lucas bufó indignado cuando comenzó a auscultarle el pecho, ganándose un furioso carraspeo del doctor. A su corazón no le pasaba nada y a su cuerpo tampoco. Solo le habían dado unos cuantos golpes, en cuanto le dejaran irse a su casa y dormir tranquilo en su cama se le pasaría el malestar. Estaba seguro.

—Tus latidos son fuertes y regulares. Correctos.

—Qué descubrimiento… —ironizó Lucas tensándose cuando sintió las manos del médico sobre sus hombros, instándole a inclinarse hacia delante.

—Relájate —le indicó con amabilidad no exenta de firmeza—. No voy a hacerte daño.

—¿Está seguro? Debe de ser el único hombre de esta puñetera casa que no pretende hacérmelo. —Separó enfurruñado la espalda del cabecero mientras Biel, frente a la cama, le dirigía una furiosa mirada acompañada del rítmico golpeteo del bastón contra el suelo.

Fernando no pudo evitar esbozar una sonrisa. No cabía duda de que el nieto del capitán tenía redaños. Se colocó tras él para continuar su reconocimiento y en ese mismo instante su sonrisa murió y sus manos se detuvieron en el aire.

Biel y Enoc, atentos a cada gesto del doctor, adelantaron un paso al percatarse de la furiosa perplejidad dibujada en su rostro. Fernando negó con la cabeza, indicándoles que se mantuvieran frente a la cama y, cuando comprobó que obedecían su silenciosa petición, procedió al examen. Palpó con cuidado la zona lumbar, avizor a los sonidos que pudiera emitir el muchacho, pero este mantuvo la boca cerrada, solo los estremecimientos que le recorrían le indicaron cuán dolorido estaba.

Lucas aguantó con entereza la exploración, el maldito doctor parecía empeñado en arrancarle algún jadeo de dolor. Pues iba listo. Después de la noche que había pasado, sus fricciones no eran más que bruscas caricias. Se tumbó remiso bocarriba cuando así se lo indicó, y colocó las manos a ambos lados de sus caderas… como se le ocurriera ir a donde no debía, le rompería la nariz. Aunque luego el gigante le asfixiara. Al menos se llevaría esa satisfacción al otro barrio.

Fernando se percató de la súbita tensión que emanaba del joven y decidió explicarle en todo momento lo que hacía, esperando de esta manera no sobresaltarle. Resiguió cada costilla con las yemas de los dedos a la vez que le ordenaba respirar con más o menos fuerza, atento a cualquier indicio que le indicara que algo no estaba bien, y mientras, Lucas obedecía a regañadientes a la vez que le lanzaba furiosas miradas que asustarían a un hombre menos curtido que él. Igual que haría su abuelo.

Lucas suspiró aliviado cuando el doctor se apartó por fin. Estaba harto de jadear como un perro o inspirar hasta reventarse los pulmones mientras le manoseaba. Era humillante. Giró la cabeza hacia la derecha, deseoso de dejar de sentir sobre su expuesto cuerpo la mirada de su abuelo y del chófer, y en ese momento descubrió que, al igual que en el resto de la casa, en esa habitación también había más de una puerta. ¿Para qué demonios querían los ricachones tantas? ¿Acaso no sabían entrar y salir por la misma? Las dos puertas se abrían en paredes enfrentadas. Una de ellas daba a la galería interior. La otra, oculta tras cortinas, se abría a una terraza. Un escalofrío le recorrió. Cualquiera podría ocultarse allí. Oriol podría estar acechándole sin que se diera cuenta.

—Posees un cuerpo delgado pero fibroso. Has tenido suerte de tener los músculos del abdomen y la espalda tonificados, ya que han limitado en parte el impacto de los golpes…

Fernando detuvo su perorata al percatarse de que Lucas miraba con fijeza las puertaventanas que daban al corredor exterior, ignorándole. Indignado, carraspeó para llamar su atención. Cosa que consiguió, aunque no de la manera que pretendía. El muchacho se estremeció, incorporándose con brusquedad a la vez que miraba a su alrededor aterrorizado.

No fue el único de los presentes que se percató de su extraña reacción.

Enoc entornó los ojos, pensativo, mientras que Biel se limitó a enarcar una ceja y acercase a la cama.

—¿Estás bien? —le preguntó preocupado. Prefería con mucho al Lucas desafiante y maleducado que al muchacho asustado que era en ese instante.

—¿Por qué no iba a estarlo? Esta noche solo me han apaleado, intentado asfixiar, obligado a desnudarme y manoseado —replicó con desdén antes de tumbarse de nuevo. Un sonoro golpe del bastón en el suelo le indicó que su contestación no había sido bien recibida.

—Como iba diciendo —se apresuró a continuar Fernando para evitar el previsible estallido de Biel—, no pareces tener ninguna costilla rota, aunque eso solo lo podrá determinar una visita al departamento de radiología de la universidad. —Desvió la mirada hacia el capitán y este negó con la cabeza. Doc nunca se había equivocado en sus diagnósticos, no iba a empezar a hacerlo ahora. Además, no se fiaba de esas máquinas infernales—. Con respecto a los riñones, no parecen lesionados, no obstante y como medida cautelar, guardarás reposo una semana y durante los próximos tres días evacuarás en una botella esterilizada que le daré a la señora Muriel, así podré comprobar que tu orina no contiene sangre ni sedimentos.

Lucas le miró como si hubiera perdido el juicio a la vez que negaba con la cabeza.

—Claro, sin problemas. No tengo otra cosa mejor que hacer que estar aquí una semana, meando en una botella. ¿Puede ser de vino o prefiere algún licor más acorde a sus circunstancias? ¿Coñac, tal vez? Estoy seguro de que se ha pegado varios lingotazos antes de entrar aquí —ironizó poniendo los ojos en blanco.

—¡Lucas! —bramó el capitán enfurecido—. Aprenderás a contener tu lengua.

—Tranquilo, Biel. Creo que Lucas no me ha entendido, déjame que se lo explique de manera que pueda comprenderlo —le contuvo Fernando inclinándose sobre Lucas con una afable sonrisa—. Guardarás reposo una semana, lo quieras o no, y si te niegas a utilizar la botella, haré que te aten a la cama y yo mismo me encargaré de meterte una goma por la polla cada dos horas y sacarte toda la orina. Y te aseguro que no te va a resultar agradable —afirmó en tono suave y a la vez severo—. Quizá quieras replantear tu decisión…

Lucas miró asombrado al galeno. Este había hablado sin alzar la voz y con extrema amabilidad, pero su amenaza era indiscutible. Puñeta, era aún peor que el viejo.

Doc enarcó una ceja, expectante. Y al ver que no respondía en menos de diez segundos, un tiempo que estimó suficiente, se giró hacia Etor.

—Átelo a la cama —ordenó.

—No —jadeó Lucas, desviando la mirada hacia las puertas que daban a la terraza.

—¿Vas a cooperar?

—Por ahora —masculló aferrando las sábanas con fuerza entre sus dedos agarrotados.

Fernando hubo de hacer un esfuerzo para no sonreír ante su actitud desafiante. Incluso acorralado continuaba revolviéndose. Cruzó la mirada con Enoc, quien no se molestaba en ocultar su sonrisa. No así el capitán, que miraba a su nieto pensativo.

—Con eso me basta —aceptó el galeno dirigiéndose hacia la puerta—. Voy a lavarme las manos, luego te coseré la brecha de la frente —indicó—. Señor Abad, ¿podría prestarle un pijama?

—Lucas abrió la boca para negarse, pero la firme mirada de Doc le hizo volver a cerrarla. Enoc asintió abandonando la habitación—. Bajaré a la cocina para informar a la señora Muriel de lo que necesito. Etor, procure que no se maten mutuamente —comentó mirando alternativamente a Biel y Lucas.

El gigante se rascó la calva sentándose en una silla. Si el capitán quería matar a su nieto lo impediría. Pero si era el nieto el que atacaba al capitán, le golpearía… y si era tan blandengue que se moría, peor para él.

Un denso silencio dominó el ambiente cuando nieto y abuelo enfrentaron sus miradas. Ninguno de los dos habló. Se estudiaron el uno al otro durante varios minutos, intentando descubrir los secretos del contrario a través de los iris negros del anciano y los azules del joven. Se desafiaron en silencio y aceptaron de idéntica manera el desafío lanzado.

—No voy a quedarme aquí —siseó Lucas sin apartar la vista del que decía ser su abuelo—. Estaré muy lejos antes de que amanezca.

—Inténtalo, mocoso insolente, y te las verás conmigo.

—Estoy deseándolo.

—Capitán, la señora me envía con los mandados del doctor —musitó Cristina, la sirvienta más joven, amedrentada. Había entrado tras llamar a la puerta un par de veces, y se había encontrado con la mirada furiosa del capitán, y la no menos peligrosa del joven. No sabía cuál de las dos le daba más miedo.

—Déjelo sobre el escritorio.

La mujer obedeció de inmediato y abandonó la estancia con premura. Un instante después entró Enoc con un pijama en los brazos, y tras él, Fernando, portando una botella.

—Ya sabes lo que tienes que hacer —dijo dejándola sobre el escritorio, junto al pijama—. Etor, salga al corredor y colóquese junto a la puerta. Nosotros esperaremos en la galería interior —afirmó mirando a Lucas—. Tienes diez minutos, aprovéchalos.

Y tras ese tiempo volvieron a entrar. Lucas les esperaba en la cama, vestido con el pijama. La botella, utilizada como le había sido requerido, estaba en el suelo, a los pies de la cama.

—Bien hecho —aprobó Fernando—. Tómate esto y después te coseré la herida. —Le acercó una taza de fina porcelana de la cual emanaba un extraño olor.

—¿Qué es? —Lo olisqueó, reconociendo el clavo y la canela, no así el resto de aromas.

—Un preparado que te hará sentir mejor. Tómatelo. —Cansado de luchar, Lucas se lo bebió de un trago—. Muy bien, ahora túmbate.

Lucas esperó inmóvil mientras el doctor hilvanaba el hilo en la aguja, pedía a Etor que le acercara una silla y luego se sentaba mirándole con atención. ¿Por qué no le cosía de una puñetera vez? Sintió como sus párpados se cerraban y parpadeó repetidas veces solo para comprobar que era incapaz de enfocar la mirada.

—¿Qué me pasa? —preguntó aturdido.

—Es el láudano, ya está haciendo efecto. Déjate llevar.

—¿Me ha dado láudano? —jadeó intentando fijar la mirada en

las puertas del corredor exterior—. No puedo dormirme. Él está ahí —musitó antes de que sus ojos se cerraran.

—¿A quién se referirá? —comentó Enoc extrañado—. No es la primera vez que mira hacia allí asustado…

Biel no se molestó en contestar. Caminó con rapidez hacia las puertas y las abrió de golpe. Salió fuera y, tras pulsar el interruptor que encendía la luz, observó con atención el corredor. Por supuesto, no había nadie. Al regresar al dormitorio se encontró con la sonrisa burlona de Enoc, la cual ignoró. Esperó paciente a que Doc acabara de coser a su nieto, y luego ordenó a Etor que colocara la silla frente a las puertaventanas y permaneciera allí toda la noche, vigilando que Lucas no intentara escaparse. Por supuesto su ubicación no tenía nada que ver con los temores del muchacho, y así se apresuró a confirmárselo a sus suspicaces amigos.

—¿Y bien? —Biel, en la sala de fumar, vertió coñac en tres copas—. ¿Qué opinas de mi nieto? —le preguntó al doctor.

—¿Quieres sinceridad? —Doc acercó el puro a la lumbre que le tendía Enoc.

—La exijo.

—Entonces, opino que te complace sobremanera referirte a él como tu nieto —afirmó burlón, reclinándose en el sofá a la vez que posaba los pies sobre la banqueta a juego. Lo bueno de una habitación para fumadores era que las mujeres no entraban allí.

—No digas necedades, Doc —le espetó Biel antes de chupar de la pipa para darle tiro—. Y usted, señor Abad, borre esa risueña sonrisa de su cara. No me gusta.

—Mis disculpas, capitán —replicó Enoc—, pero Doc tiene razón. He perdido la cuenta de las veces que le ha llamado nieto.

—Majaderos —masculló Biel poniendo los pies sobre la mesita de madera labrada—. ¿Qué había en la espalda de mi… de Lucas? —Fijó la mirada en el médico.

—Cicatrices —musitó Doc repentinamente serio—. Multitud de ellas. De distinto tamaño y profundidad.

—¿Crees que lo han azotado? —inquirió el anciano abandonando su postura relajada para adoptar una furiosa rigidez.

—No solo eso. —Doc apretó los dientes—. Hay azotes, sí. Pero las laceraciones más numerosas provienen de algún objeto irregular y punzante. No sabría identificar cuál.

—¿Recientes?

—Antiguas. Tienen los bordes borrosos y están desdibujadas. La piel ha ido creciendo, estirándolas. Diría que las tiene desde niño.

—Entiendo.

—No, Biel. No creo que lo entiendas. —Doc apagó el puro en el cenicero de cobre y se levantó del sillón. Enoc y Biel le imitaron—. Es insolente y sumamente desconfiado, tiene la espalda llena de cicatrices y se muestra en todo momento a la defensiva… a no ser que se le amenace con atarlo, entonces se vuelve dócil, o todo lo dócil que puede ser un perro rabioso. Dime, viejo amigo, ¿qué vas a hacer con él una vez se haya recuperado? ¿Piensas legitimarlo?

—No lo sé, Doc. Lucas va a la deriva, necesito saber si está dispuesto a emprender rumbo a buen puerto antes de decidirme a llevarle en mi barco. Debo pensar en mi esposa y su hija. También en Marc…

El galeno asintió, comprendiendo el dilema al que se enfrentaba Biel. Había prometido a su difunto hermano legar parte de la compañía Agramunt al único hijo de este, su sobrino Marc, capitán del *Luz del Alba*. Al no contar con herederos directos que pudieran reclamar su herencia, el resto sería en usufructo para Jana y Alicia. Pero la repentina aparición de Lucas podía cambiarlo todo. Legitimarlo significaría convertirlo en heredero de Oriol, y como tal, a la muerte del capitán la legítima entraría en vigor y heredaría las dos terceras partes y Biel solo podría legar libremente una tercera, la que había prometido a Marc. Y, Fernando, conociéndolo como lo conocía, sabía que no faltaría a la palabra dada, dejando a Jana y Alicia a merced de Lucas. Mucho poder en manos de un muchacho al que apenas conocían, y que además provenía de una sangre tan maldita como la de Oriol y Montserrat. Pero aun así, todo cristiano merecía una oportunidad.

Observó con atención a su amigo, su semblante meditabundo y la forma en que aferraba el bastón, golpeándose los botines con él rítmicamente, le indicaban que pensaba darle a su nieto esa oportunidad… y también que no se mostraría clemente ni paciente. Lo cual podría ser contraproducente, más teniendo en cuenta el carácter explosivo de ambos.

—Permíteme unos consejos con respecto al chico —apuntó mirándole con confianza a la vez que apoyaba una mano en su hombro—. No dejes que la punta de tu bastón se despegue del suelo y usa adecuadamente esa voz de trueno que Dios en su infinita sabiduría te ha otorgado. Por dócil que sea el perro, siempre se revolverá ante un amo cruel… y tu perro no es exactamente dócil.

—Intentaré contener mi genio cuando no sea necesario meterlo en vereda —aceptó Biel. Habían navegado juntos muchos años, ambos sabían que la paciencia y la delicadeza no eran su fuerte.

—Eso espero Biel, si no, te enfrentarás a una tempestad de la que no te será fácil salir a flote —le advirtió palmeándole la espalda a modo de despedida—. Es tarde. Volveré mañana.

Enoc acompañó al galeno hasta el coche aparcado frente a la casa.

—Señor Abad, procure contener a nieto y abuelo, e intente que Biel no se exceda en sus arrebatos, puede llegar a ser en exceso inclemente.

—Llevo toda la vida a su lado —afirmó este por toda respuesta.

—Cierto. ¿Cuántos años tenía usted cuando le salvó la vida al capitán? ¿Doce? ¿Trece?

—Trece. Y él en recompensa me proporcionó una nueva.

—Tras algunos encontronazos, imagino.

—Tras muchos.

—Quiera Dios que Lucas tenga su suerte.

—La tendrá. No es Oriol.

—No puede serlo —replicó preocupado Fernando antes de montar en el coche.

Enoc se adelantó hasta las verjas para abrir las puertas y permitir la salida al doctor, y después regresó a la casa, donde recogió un abultado sobre que el capitán había dejado en la sala de fumar. Tras esto montó en el *Alfonso XIII*, aún tenía un trabajo pendiente. Era cerca de la medianoche, los marineros del *Estrella del Mar* estarían jugando a las cartas, algunos probablemente borrachos, otros simplemente animados. Esos últimos eran los que le interesaban como compañeros. Sonrió. Había llegado la hora de visitar a un malnacido.

5

¿Cuánto tiempo dijo el doctor que debía estar
en esta condenada litera?
ROBERT LOUIS STEVENSON, *La isla del tesoro*

6 de abril de 1916. Antes del amanecer.

*R*isas. Jadeos. Gemidos. Bullicio.

El humo del tabaco mezclándose con el hedor de la corrupción.

Putas y borrachos entrelazando sus cuerpos en un baile obsceno.

—Ten cuidado, Lucas, no querrás que se derrame una sola gota.
—La voz de su madre, su amenaza.

Asiente asustado.

La bandeja pesa demasiado.

Recorre las mesas con pasos cortos.

Las botellas oscilan inestables.

Esquiva borrachos y putas.

Esquiva manos, susurros y labios.

Esquiva peleas y caricias.

Pero no puede esquivar a su propio padre.

Escucha su voz por encima de las demás.

—Ven aquí, Lucas. Mi amigo quiere conocerte.

Un hombre enorme está junto a él, la sonrisa que se dibuja en su boca muestra los dientes que le faltan.

Tiembla ante su risa, ante su mirada, ante las palabras que no pronuncia.

La bandeja cae al suelo.

Las botellas se rompen.

El líquido se derrama.

Corre.

La puta en la cocina, el cuchillo en sus manos, la puerta que se abre.

Gatos en el callejón, ratas en la basura, barcos más allá de las callejuelas.

El puerto.
Le empuja y se ahoga.
Le mira y se ríe.

Alicia despertó sobresaltada. Desde que la enfermedad la había atacado, el más ínfimo ruido la despertaba, incapacitándola para dormirse de nuevo. Y lo que había escuchado no era un pequeño ruido. Era un jadeo estrangulado. Un grito de horror silenciado.

Se incorporó lentamente y escuchó con atención, intentando localizar el origen del sonido. Apenas un instante después escuchó un nuevo gemido.

Inclinó la cabeza, pensativa. Entre su habitación y la que ocupaban su madre y el capitán había una distancia considerable, además de su propio gabinete y la salita privada de Jana. Era imposible que los oyera, estaban en distintas alas de la casa. La única posibilidad era que el sonido proviniera del otro lado de la pared. Pero allí solo estaba el cuarto de baño. Y tras él, el dormitorio de Oriol. Miró la puertaventana que daba al corredor exterior que compartían su habitación y la de él. La había dejado abierta, pues la noche era calurosa y agradecía la suave brisa que pasaba por ella.

Otro jadeo.

¿Lo habría oído alguien más? Esperó inmóvil, pero no percibió ningún eco de pasos en la galería interior. Era imposible que nadie lo oyera, salvo ella. El resto de dormitorios estaban demasiado alejados, y apenas si había comenzado a amanecer. Se llevó las manos al pecho, dubitativa. No sería prudente abandonar su cuarto y acudir al de él… menos aún sola.

Un sollozo desgarrado.

Comprobó que tenía el camisón abrochado hasta el cuello e, inclinándose sobre la silla, bajó trabajosamente de la cama.

Etor elevó un párpado, adormilado, y miró a su alrededor hasta encontrar al culpable del alboroto. ¿Por qué demonios estaba gimoteando el muchacho? Lo observó aturullado sin saber qué hacer. Tenía las mejillas empapadas en lágrimas y se removía a un lado y a otro, enredándose en las sábanas. Frunció el ceño, pensando que quizá el zagal tenía calor y por eso estaba alterado. Mala noche de bochorno hacía, bien parecía que el demonio se divirtiera mandándoles el fuego del infierno.

Se levantó pesadamente y caminó oscilante hacia la cama, no sin antes comprobar que las puertaventanas que había abierto durante la noche continuaran así.

—Chico…

Lucas se removió con más ahínco.

Etor volvió a llamarle, y al ver que lo ignoraba, se rascó la calva. Un instante después, decidido a darle alivio cual buen samaritano, arrancó de un tirón las sábanas que le cubrían.

El joven se despertó empapado en sudor, con el corazón a punto de escapársele por la garganta y gritando.

—¿También tienes pesadillas? —le preguntó Etor. Su cara casi pegada a la de Lucas—. Qué chico más blando —musitó disgustado—. El capitán no va a estar contento con un nieto tan cobarde, no, señor —masculló regresando a su silla—. Vuelve a dormirte —le ordenó cerrando los ojos. Un instante después estaba roncando.

Lucas miró perplejo al gigante mientras intentaba recuperar la razón que la pesadilla le había arrebatado. No estaba en Las Tres Sirenas. Nadie le perseguía.

«Respira, piensa, razona. No te dejes llevar por el miedo», repitió las palabras de Anna en su mente una y otra vez hasta que los violentos latidos de su corazón se calmaron y pudo mirar a su alrededor sin ver fantasmas del pasado. La puerta que daba al interior de la casa estaba cerrada, probablemente con llave. La que daba a la terraza estaba abierta, y el gigantón dormido. Se incorporó lentamente, bajó los pies de la cama y… sonó una campanilla.

Etor abrió uno de sus penetrantes ojos.

—El señor Abad se enfadará si te pego, pero el capitán me ha dicho que no te deje escapar. Y yo siempre obedezco al capitán —le avisó.

Lucas se miró el tobillo, atado a este había un cascabel similar a los que ponían al cuello de los gatos. Movió el pie. El cascabel sonó. Etor gruñó sin dejar de mirarle. Volvió a meterse lentamente en la cama y, en el momento en que se tapó con las sábanas, el cascabeleo quedó amortiguado por estas.

—No intentes quitártelo. No soy muy listo, pero mis nudos son los mejores que ningún marinero puede hacer. Y tengo el oído muy fino —le advirtió Etor cerrando de nuevo el ojo.

Lucas tragó saliva y volvió a fijar la mirada en las puertas abiertas de la terraza. Las cortinas estaban corridas, pero aún así podía ver a través de ellas la tenue luz del nuevo amanecer… y también la silueta de una sombra. Alguien estaba observándole. Se incorporó de un salto, dispuesto a defenderse. Y en ese mismo instante, quien le acechaba desapareció sin hacer el menor ruido.

Y

Alicia entró en su dormitorio. Se subió a la cama con gran esfuerzo y, una vez allí, se llevó la mano al pecho para contener los latidos de su sobresaltado corazón. Lucas la había visto. Y ella a él. Había observado a través de los visillos como Etor le despertaba, como el joven gritaba aterrorizado, como se debatía entre el miedo y la agonía. Pobre muchacho. Tendría que hablar con Etor e intentar hacerle comprender que no podía despertar a las personas de esa manera, menos aún cuando estuvieran inmersas en una pesadilla.

—Mucho dinero es ese, señor Abad —murmuró pensativo Biel horas después, tras el regreso de Enoc y su relato—. ¿Para qué lo querría mi nieto? ¿Apuestas, putas, alcohol… opio? —«La historia se repite», pensó mientras enumeraba algunos de los vicios de Oriol.

—No pude averiguarlo, capitán. Y dudo que Marcel lo supiera o le interesara, se limitó a prestarle a Lucas lo que este le pidió.

—Y ese es el gran misterio de este asunto: ¿por qué un prestamista como Marcel, que lleva años ejerciendo su oficio, presta tal cantidad a un muchacho del cual sabe que no va a poder devolvérselo? Ni siquiera guardando su salario íntegro de estibador durante un año podría reunir semejante cifra. ¿En qué demonios estaría pensando mi nieto cuando acudió a ese zorro? ¿Cómo diablos pensaba pagarle? —Golpeó furioso el bastón contra el suelo.

—La desesperación impide cualquier pensamiento lógico —apuntó Enoc—. No sabemos los motivos que le llevaron a…

—¿Le ha visto alguna vez en algún tugurio de apuestas? —le interrumpió Biel. Enoc negó con la cabeza—. ¿Ebrio? ¿Con putas?

—No, capitán. El muchacho abandonaba su covacha para ir al puerto y cuando acababa su trabajo regresaba sin entretenerse en nada. Y ya vio su casa —señaló—, no había nada allí que pudiera indicar en qué se había gastado esa cantidad de dinero.

Biel asintió con la cabeza y comenzó a pasear en círculos por el despacho. Observó pensativo el mapamundi y las cartas de navegación que colgaban de las paredes, los libros de marinería que se agrupaban en la librería de caoba y las maquetas de barcos que decoraban las estanterías antes de detenerse frente a su antiguo oficial de a bordo.

—¿Y ahora qué? —musitó golpeándose los pies con el bastón—. Sea sincero, señor Abad, ¿ve alguna esperanza en él?

—Las veo todas, capitán. El muchacho no se parece en nada a Oriol —afirmó callando lo que de verdad quería decir, que intuía que poseía el mismo carácter que Biel Agramunt.

—Quiera Dios que no esté equivocado.

Se sentó frente al escritorio, descolgó el único teléfono que había en la casa y giró la manivela que había en uno de sus laterales. Esperó impaciente unos instantes hasta que la operadora respondió y luego unos minutos más hasta que le conectaron con su interlocutor. Colgó tras una breve conversación que consiguió que Enoc arqueara las cejas más de una vez.

—No puedo creer que le pidiera al juez Pastrana que averiguara si Oriol había inscrito algún matrimonio en el registro —musitó Enoc perplejo.

—¿Quién mejor que un juez para los asuntos legales? —replicó Biel con una sonrisa satisfecha.

El juez le había garantizado que al no haber ningún registro de matrimonio a nombre de Oriol Agramunt Bassols, no había posibilidad de que Lucas intentará obtener su legitimación. De hecho, eso solo lo podía conseguir él mismo, pidiendo algunos favores a Pastrana.

Tomó del escritorio el recibí manuscrito que daba por zanjada la deuda de Lucas y abandonó el despacho con Enoc a la zaga. Recorrieron el pasillo de la galería interior hasta la antigua habitación de Oriol y, tras insertar la llave en la cerradura, abrió la puerta.

Avisado por el ruido de las bisagras, Etor elevó uno de sus párpados y al comprobar que se trataba del capitán y el señor Abad, se sentó erguido en la silla.

—Etor, no recuerdo haberle dado permiso para dormir —señaló Biel observando a Lucas, quien estaba sentado en la cama en vez de tumbado que era lo que se le había ordenado. Frunció el ceño, disgustado por la rebeldía del joven.

—Me dijo que vigilara al chico, capitán, y eso he hecho, no dijo nada de no dormir. Además, le he puesto un cascabel en el tobillo, como a los gatos, no puede escaparse sin que le oiga —comentó el gigantón, orgulloso de su idea. Lucas bufó poniendo los ojos en blanco.

—Puede retirarse a desayunar. Regrese cuando acabe y continúe vigilándolo, despierto a poder ser —le ordenó con ironía. Etor asintió, abandonando con premura el dormitorio.

Biel apretó con fuerza el papel que llevaba en la mano y se dirigió hacia Lucas, que lo miraba desafiante. Había llegado la hora de enseñarle un poco de disciplina al muchacho. La desobediencia no era tolerada en sus barcos ni en su casa.

—Túmbate en la cama tal y como se te ordenó ayer —exigió con su voz de mando.

—¿Dónde está él? —inquirió Lucas desobedeciendo la orden e irguiéndose más todavía, decidido a no dejarse intimidar.

—¿Quién? —Biel entornó los ojos, confuso.

—Su hijo.

—Tu padre —replicó Biel en el acto.

El cuerpo del muchacho tembló durante un instante tan breve que Biel y Enoc dudarían después sobre si lo habían visto de verdad o si solo lo habían imaginado. Sus hombros se tensaron inmóviles, las venas de su cuello se dilataron y su respiración se detuvo durante un segundo para después convertirse en un gruñido amenazador.

—Oriol no es mi padre.

—Por supuesto que lo es, para mayor desgracia mía. No creas que me agrada tenerte por nieto —añadió Biel con desprecio.

—No lo es —aseveró Lucas de nuevo, enfadado por las palabras del viejo—, y quién sabe, quizá ni siquiera es su hijo habida cuenta de la cantidad de hombres con los que según los rumores se acostó su esposa.

—No eres más que un perro sarnoso —siseó Biel abalanzándose sobre él. Enoc sujetó su brazo, instándole a contenerse; Lucas no estaba en condiciones de soportar ningún golpe más—. Ojalá no fuera tu padre, no hay nada que desee más que olvidarme de ti, patético engendro de estercolero. Mas Dios en su infinita sabiduría ha decidido hacerte idéntico a Oriol, que en paz descanse, para hacerme pagar todos mis pecados —bramó perdiendo la paciencia ante la insolencia del joven. Era un perro que mordía la mano que le daba de comer. Desagradecido, ingrato, maleducado—. Un pago excesivo, sin duda. Nadie merece tener por nieto a una escoria como tú.

—¿Está muerto? —preguntó Lucas con el alivio reflejado en su semblante. Un alivio que no escapó a la penetrante mirada de Enoc.

—Nos dejó hace dos meses, las últimas palabras que pronunció fueron para darme a conocer la existencia de su bastardo, tú. Fueron su postrimera maldición —afirmó Biel observándole con desdén.

—No sabe cuánto me alegro —siseó Lucas dudando entre reír jubiloso o maldecir furioso. El maldito cabrón bien podía haberse muerto unos cuantos años antes, ¡y en silencio! Pero no, siempre actuaba de la manera que más daño podía hacer—. Espero que se retorciera de dolor durante mucho tiempo antes de morir —musitó recostando la espalda en el cabecero.

—¡Cómo te atreves! —tronó Biel colérico abalanzándose sobre Lucas y agarrándole del cuello de la camisa del pijama.

—¿Por qué no se larga a hacerle compañía al perro de su hijo? —escupió Lucas apartándole las manos bruscamente para acto seguido saltar de la cama y encararse a él.

La reacción de Biel no se hizo esperar, asestó un fuerte puñetazo a su nieto que le dejó de nuevo tumbado en el lecho, y tras esto, cabeceó orgulloso por su propia contención. No había despegado del suelo la punta del bastón.

—Señor Abad, aguarde aquí hasta que regrese Etor y si el polizón intenta escapar… impídalo —ordenó dando media vuelta para abandonar la estancia.

—¡No puede retenerme aquí! —Lucas volvió a levantarse e intentó enfocar su enturbiada mirada ignorando el mareo que se había apoderado de él. Estaba harto de que le trataran como a un saco de boxeo. Si el viejo quería gresca, la iba a tener.

—Sí puedo. —Biel se giró lentamente hacia su nieto mientras abría el puño con el que le había golpeado, el mismo en el que aún sostenía el recibí—. He saldado tu deuda. —Y le tiró a la cara el arrugado papel—. Me perteneces hasta que puedas pagármela.

Lucas cogió el documento y lo miró con los ojos entornados, como si estuviera intentando descifrar un jeroglífico ininteligible, para al instante siguiente dejarlo caer al suelo.

Biel arqueó una ceja y miró a Enoc, quien se encogió de hombros. Por lo visto su nieto no solo era maleducado, agresivo e insolente. También adolecía del horrible defecto de ser analfabeto.

—Me da igual lo que diga en ese papel. No le pertenezco a nadie —aseveró Lucas, su semblante pálido.

—Te quedarás aquí los próximos seis meses —decidió el anciano en ese mismo momento. ¡Cómo osaba ese mocoso insolente llevarle la contraria!—. Durante ese tiempo trabajarás en lo que se te indique y te comportarás adecuadamente. Cuando cumpla ese plazo daré por satisfecha tu deuda y podrás marcharte… si así lo decido.

—¿No me ha escuchado, viejo loco? No le pertenezco —gruñó Lucas acercándose a él.

Enoc le plantó la mano abierta en el centro del pecho y de un somero empujón lo volvió a tumbar en la cama.

—No te lo aconsejo —le advirtió cuando hizo intención de volver a levantarse—. Estás débil como un gorrioncillo… y yo no pego tan suave como el capitán.

Lucas apretó los labios enfadado e, ignorando la advertencia, abandonó la cama.

—No me quedaré aquí —siseó con determinación—. No puede obligarme a nada.

—Puedo, y lo haré.

—Me escaparé —señaló fingiendo una indiferencia que no sentía. No podía estar allí tanto tiempo. Anna saldría en poco menos de cuatro meses.

—Y yo mandaré tras de ti a la guardia. ¿Crees que podrás zafarte de ellos? Ofreceré una recompensa tan alta por ti que cada guardia, detective y matón de Barcelona te buscará hasta en las cloacas. Te darán caza cada vez que te escapes, y si me encuentro de mal talante, quizá les sugiera que te encierren y se diviertan un poco contigo, solo para que aprendas la lección.

—No puede hacer eso —musitó Lucas lívido, sentándose en la cama. Sabía que el capitán Agra no exageraba, tenía poder y dinero para hacer eso, y más.

—¿No? Señor Abad, ¿cuánto tiempo cree que le meterán en la cárcel si se lo insinúo a alguno de mis conocidos?

—Depende del oído al que se dirija —contestó Enoc frotándose las uñas en la camisa—, puede que un par de meses. Para siempre si se lo sugiere al juez Pastrana.

Lucas observó perplejo a ambos hombres. ¡Hablaban totalmente en serio!

—Y, tampoco debes olvidar que solo encontrarás trabajo si yo así lo decido.

—Sus hilos no son tan largos —musitó sintiéndose cada vez más acorralado.

—Conozco a cada capitán, a cada guarda de aduanas, a cada persona que es alguien en el puerto. ¿Por qué crees que has conseguido trabajo tan fácilmente esta semana? —inquirió señalando a Enoc, el cual saludó a Lucas llevándose un dedo a la frente.

—¿Qué quiere de mí? —farfulló derrotado.

—Respeto y obediencia. Te dirigirás a mí y a mi familia con la educación debida, te comportarás con humildad y obedecerás cada instrucción que se te dé.

Lucas sacudió la cabeza, abatido. El viejo quería convertirle en un perro faldero.

Biel le observó con una ceja enarcada, ¿ya había cejado en su lucha? ¿Unas pocas amenazas y se rendía como un cobarde? Esperaba un poco más de carácter en su único nieto. Una maliciosa sonrisa se esbozó apenas en sus labios.

—Si juras que no intentarás escapar, quizá sea generoso y te deje cierta libertad para pasear por la casa, si no, Etor te vigilará y no abandonarás el dormitorio —le desafío artero.

—No voy a jurarle eso —rechazó Lucas, recuperando su temperamento beligerante—. Usted no es Dios, si decido irme no podrá encontrarme —afirmó altivo.

Biel asintió satisfecho con la cabeza y abandonó el dormitorio.

Minutos después, Etor regresó y Enoc, liberado de la vigilancia, fue en busca del capitán. Lo encontró en el despacho.

—Mi nieto no ha jurado —comentó Biel con orgullo.

—No. No lo ha hecho.

—Hubiera sido más fácil para él claudicar y, una vez libre de Etor, romper su promesa y escaparse —señaló ufano expulsando una lenta bocanada de humo.

—Su nieto parece tener cierto sentido del honor. —Enoc miró al anciano mientras se liaba un cigarrillo. Por su semblante orgulloso intuía que le había gustado la respuesta del chico, y también que no sabía qué pensar de él—. No hace promesas que no piensa cumplir.

—¿Cree que eso implica firmeza de carácter? —Biel dejó la pipa en el velador.

—Creo que eso implica que el chico no tiene el carácter de Oriol. Lo cual ya es un punto a su favor.

—¿Un punto a su favor? ¡Paparruchas! Mi nieto es tonto de capirote. Si tanto desea escaparse, debería utilizar cualquier oportunidad que se le presente y dejarse de honrosos prejuicios que de nada sirven. No. Le falta inteligencia. Ya lo ha visto, ¡ni siquiera sabe leer! Es arrogante, maleducado, insolente y, por si eso no fuera suficiente, también analfabeto.

—Muy pocas personas de su clase social tienen la posibilidad de aprender a leer.

—No merece la pena intentar convertirlo en un hombre de provecho —afirmó Biel sirviéndose una copa de coñac—, no tiene ni las más básicas nociones de educación.

—Cierto —coincidió Enoc, esforzándose por no sonreír—. Sería una pérdida de tiempo intentar inculcarle los conocimientos necesarios para llegar a buen puerto.

—No tiene modales y se enfrenta a mí constantemente. —Biel comenzó a pasear por el despacho—. Es incapaz de cumplir una orden tan sencilla como quedarse tumbado en la cama, mucho menos obedecerá cualquier indicación que se le dé para obtener una cultura acorde a la posición social que le corresponde por derecho. Es rebelde y en exceso orgulloso.

—Y más terco que una mula —apuntó Enoc con cierta burla en la voz—. Nadie diría que pertenece a su estirpe.

—Sería una vergüenza para el apellido Agramunt. ¡Un hombre que ni siquiera sabe leer!

—Un hombre que mira desafiante a cualquiera que intente domarle, que no se achanta ante sus superiores, que no se muerde la lengua y que lucha aunque la derrota sea cierta. No, no merece la pena intentar meterle en vereda, los tipos como él nunca cambian —sentenció centrando su mirada en el anciano—. Déjele ir, será lo mejor para todos.

Biel detuvo su deambular y observó a su antiguo oficial con el ceño fruncido.

—¿Eso que veo en su cara es una sonrisa, señor Abad? Bórrela.

Enoc se limitó a encender su cigarrillo y expeler el humo en perfectos círculos.

Biel negó con la cabeza, golpeó el suelo con el bastón un par de veces, y, a la postre, abrió la puerta que comunicaba con la biblioteca y entró en esta. Cuando regresó llevaba entre las manos un viejo atlas de hojas amarillentas y carcomidas.

—Encontré este libro tirado entre un montón de porquerías —musitó abriéndolo con sumo cuidado—. No había cumplido los seis años y cada noche miraba sus páginas a la luz de la farola que se derramaba por la ventana del antro en el que vivía. —Enoc asintió, conocía esa historia, el capitán se la había contado por primera vez cuando lo sacó de las calles—. No entendía las extrañas letras que había en él, pero seguía con el dedo cada mapa, cada ininteligible palabra, y me imaginaba visitando con mi propio barco todos esos sitios. Poco después embarqué de grumete y me llevé el atlas conmigo. Viajé y aprendí los nombres de los océanos, de los países, de las ciudades. Todas las noches trasladaba al mapa los lugares en los que había estado y memorizaba las letras de sus nombres. Aprendí a leer con este atlas y, cuando gané mi primer jornal, hice que le cosieran todas las páginas que se le habían caído a lo largo de los años —acarició con ternura las tapas gastadas—. Tesón sin límites, fuerza de voluntad y firmeza de carácter es todo lo que se necesita para cumplir un sueño.

Observó al hombre que, como él, se había forjado a sí mismo desde niño. Su rostro reflejaba el cansancio de la noche que había pasado en vela, pero no daba muestras de impaciencia por tomar su merecido descanso. Tesón, voluntad y carácter.

—Váyase a dormir, señor Abad, seguiremos hablando cuando haya descansado.

Enoc asintió, levantándose de la cómoda butaca. Apenas había alcanzado a asir el pomo de la puerta cuando el capitán habló de nuevo.

—¿Recuerda al hombre del que nos habló Doc durante la fiesta de cumpleaños de Marc?

Enoc se giró con el ceño fruncido. El galeno tenía la costumbre de hablar sin parar durante las partidas de cartas, quizá pretendiendo despistarles con sus chismorreos, cosa que casi siempre conseguía.

—No podría decirle, capitán. Departió sobre muchas personas.

Biel asintió pensativo y Enoc giró el boliche abriendo la puerta.

—Mencionó a un joven decidido que acababa de terminar sus estudios de magisterio.

Enoc intuyó por fin a quién se refería y sonrió girándose de nuevo hacia el anciano.

—¿El maestro? Creo recordar que dijo que era uno de sus múltiples sobrinos.

—Eso pensaba yo, pero no estaba seguro —musitó Biel sonriendo conspirador—. Retírese a descansar, señor Abad, no demore más su merecido sueño.

6

Quince hombres en el cofre del muerto…
¡Ja! ¡Ja! ¡Ja! ¡Y una botella de ron!
ROBERT LOUIS STEVENSON, *La isla del tesoro*

6 de abril de 1916. Por la tarde.

«Soy un idiota. Un imbécil. Un puñetero estúpido.»

Lucas miró de refilón el reloj de bolsillo que Enoc le había dado hacía unos minutos, cerró los dedos sobre él y contuvo a duras penas las ganas de estrellarlo contra la pared. En lugar de eso se giró en la cama hasta quedar tumbado de espaldas a la puertaventana.

Quizá así pudiera ignorar la tentación.

Porque, si de algo estaba seguro, era de que el mezquino señor Abad la había dejado abierta para provocarle… Y que, en cuanto la traspasara rompiendo su promesa, correría a decírselo al maldito capitán. Y no es que le importara demasiado la opinión que el viejo tuviera sobre él, pero no estaba dispuesto a quedar como un mentiroso.

—¡Vas listo, viejo! No pienso caer en tu trampa —rugió airado dando un puñetazo a la almohada. En poco menos de dos horas se vería libre de su promesa, y por Dios que iba a cumplir con cada maldito segundo. Aunque le costara la cordura.

Exhaló un suave gruñido, recostó la cabeza en la almohada e ignoró a fuerza de voluntad la necesidad de girarse y mirar la puerta abierta que daba al exterior. A la libertad.

Debería estar contento en vez de furioso, esa misma mañana había recibido la noticia de que Oriol estaba muerto. No volvería a ver su asquerosa cara nunca más. Pero aunque el día había empezado mejor de lo que podía esperar, había continuado mal… e iba a acabar peor.

El gigantón había permanecido durante horas en el dormitorio, hablando sin parar, quejándose por tener que hacer de niñera, mareándole con sus «sí, señor» y «no, señor». Poco después de las diez había regresado el médico, y con él, el capitán. Le habían mirado como si estuvieran tramando algo y habían asentido en silencio, poniéndole los nervios de punta. Luego, el matasanos le había tendido la maldita botella mientras le miraba con una ceja arqueada. Y, habida cuenta de que no le permitían abandonar la estancia y de que además tenía necesidades que no podía soslayar por más tiempo, no le había quedado otro remedio que hacer uso de dicho recipiente. Al menos habían tenido la deferencia de permitirle cinco minutos de intimidad. Después, el doctor había dispuesto varias botellas sobre el escritorio y dado instrucciones de que evacuara cada tres horas. Instrucciones que por supuesto no pensaba cumplir. Instrucciones que se vio obligado a cumplir cuando Etor decidió que habían pasado las tres horas. ¡Era imposible discutir con el gigante! No atendía a razones, se limitaba a soltar un extenso discurso sobre las instrucciones recibidas mientras hacía crujir sus nudillos. Y tenía unas manos enormes... y a él, para qué negarlo, le dolía todo el cuerpo. Prefería dejar pasar un par de días más antes de recibir una nueva paliza.

Poco después del mediodía Enoc había aparecido con una bandeja de comida, relevando a Etor de su vigilancia. Lucas casi se alegró al verle, al menos constituía un cambio en la decoración del dormitorio. Dejó la bandeja sobre la mesilla y tras describirle lo que le pasaría si no se lo comía todo, acercó una silla a los pies de la enorme cama, sacó una baraja de cartas del bolsillo y comenzó a hacer solitarios sobre las sábanas.

Lucas comió aliviado al comprobar que su guardián se limitaba a hacer un solitario tras otro, dejándole tranquilo. Prefería con mucho la callada indiferencia de Enoc a la parlanchina vigilancia de Etor. Cuando terminó, se propuso hacer algo, cualquier cosa, que le liberara de la monotonía. Si pasaba un solo segundo más tumbado, se volvería loco.

—No debes abandonar el lecho —le advirtió Enoc cuando se incorporó en la cama.

Lucas ignoró su orden y se levantó. Al instante siguiente volvía a estar tumbado, con el fornido antebrazo de su guardián presionándole la tráquea.

—No digas que no te lo advertí —musitó Enoc burlón—. ¿Te vas a portar bien? —Esperó a que el joven afirmara y luego le soltó para retomar su pasatiempo favorito: hacer solitarios.

Lucas bufó airado y buscó algún entretenimiento. No lo encontró. ¿Qué puede hacer un hombre enfadado que está clavado en la cama? Nada. Excepto mirar como otro hombre hace un solitario tras otro.

A media tarde, cuando regresó Etor, estaba tan hastiado del silencio, del siseo de las cartas y de no hacer nada que lo recibió con un atisbo de esperanza. Podría hacerle enfadar y de esa manera escuchar uno de sus monólogos, al menos eso le entretendría un rato. Pero en contra de lo que había supuesto, Enoc no abandonó la habitación, sino que retiró la silla dejando un espacio libre junto a la cama. Espacio que el gigantón aprovechó para colocar una butaca y sentarse. Enoc repartió una mano y comenzaron a jugar al póquer. Y Lucas no pudo evitar prestar atención. Los observó, al principio entre aburrido e intrigado, y poco después, con una sonrisa ladina. ¡Eran unos inútiles! Etor era incapaz de mantenerse quieto mientras jugaba y en unas pocas manos Lucas había aprendido a interpretar sus expresiones y averiguar así su jugada. Se frotaba las manos cuando estaba impaciente, se tocaba la oreja si tenía una mala jugada, se estiraba cuando llevaba buenas cartas y se rascaba la calva cuando dudaba. ¡Era un libro abierto! Un libro que Enoc no sabía leer, pues cometía un error tras otro.

—Me pone nervioso con tanto mirarme y sonreír. —Etor tiró las cartas observando enfadado a Lucas—. Así no puedo jugar bien, no, señor. Me mira y sonríe, y eso no está bien.

—No creo que pretenda ponerle nervioso, tal vez solo se aburre y por eso mira, para aprender a jugar —replicó Enoc mientras barajaba.

—No necesito aprender, sé jugar de sobra —masculló Lucas arrogante.

—¡Pues juega y deja de mirarme! —exclamó Etor enfurruñado.

Enoc esbozó una sonrisa ladina y repartió cartas para tres jugadores. Lucas cogió las suyas, las miró, jugó y ganó. Y volvió a ganar dos manos consecutivas. Perdió la cuarta y la quinta, por culpa de unas cartas malísimas, y ganó de nuevo la sexta.

—Gana porque no apuesta, sí, señor. Y eso no es justo, no, señor, no lo es —masculló Etor ofendido. Su suerte se había esfumado en el momento en que el chaval había entrado en la partida.

—¿Qué tendrán que ver las apuestas con la maña? —replicó Lucas enfadado. Nadie ponía en duda su juego, y menos que nadie el torpe gigantón.

—Como no te juegas nada, no te importa arriesgarte a perder. Apuéstate algo y verás cómo no ganas tanto ni eres tan listo, no señor.

—No tengo nada con lo que apostar —escupió Lucas herido en su orgullo, lanzando las cartas sobre la cama.

—Claro que lo tienes —rebatió Enoc con una peligrosa sonrisa en los labios—. Tienes todo el tiempo del mundo. Juégatelo.

—¿Qué?

—Es muy fácil —dijo acercándose hasta el buró, de donde cogió una cajita. La abrió, volcando su contenido sobre la cama—. Cada ficha valdrá diez minutos.

—Qué tontería —protestó Lucas mirando pensativo las fichas de colores.

—Si ganas, Etor y yo nos comprometemos a abandonar la habitación y mantenernos alejados de ti tantos minutos como fichas tengas.

—¿Y si pierdo? —inquirió sagaz.

—Abandonaremos la habitación dejándote solo tantos minutos como fichas pierdas… —Lucas arqueó una ceja. Era el mismo trato que si ganaba—. Con la diferencia de que te comprometerás a no abandonar el dormitorio. En definitiva, si ganas, tendrás tiempo para intentar escapar. Si pierdes, tendrás que ser capaz de mantener tu promesa a pesar de que te sabrás libre para intentar huir —explicó mirándole desafiante—. ¿Aceptas?

Lucas frunció el ceño, miró las cartas, las fichas, y por último, las puertaventanas.

—De acuerdo —dijo tomando las cartas para repartir.

—Antes jura que no te escaparás si pierdes —le detuvo Enoc.

—Juro que no me escaparé durante tanto tiempo como haya perdido, ni un instante más —siseó Lucas entre dientes. Enoc asintió, soltándole la mano—. Ahora jurad vosotros que no moveréis un dedo si perdéis —exigió.

Enoc sonrió e, ignorando el semblante perplejo de Etor, juró.

Media hora después, Lucas fue consciente de que le habían engañado como a un niño de teta. Etor seguía siendo un libro abierto, pero Enoc sabía leerlo… y utilizarlo en su provecho.

Alicia se detuvo frente a la biblioteca y escuchó pensativa el inquieto pasear del capitán. No cabía duda de que había algo que lo atormentaba. Quizá no fuera el mejor momento para hacer lo que pensaba hacer, pero el pobre muchacho llevaba encerrado todo el día, ¡con Etor!, estaría a punto de perder la cordura. Además, el capitán no tenía por qué saber que iba a contradecir sus órdenes. Inspiró profundamente para armarse de valor y abrió la puerta.

Biel detuvo su deambular en el mismo momento en que el pomo giró. Aferró el bastón con fuerza, esperando encontrarse con Enoc, pero fue Alicia quien entró en la estancia. Sonrió y se acercó a ella, inclinándose para recibir su beso en la mejilla. ¿Podía existir una mujer tan apacible y cariñosa como su dulce niña? Conocer a Jana y a su hija le había devuelto a la vida. Eran dos mujeres excepcionales, dos luchadoras que habían puesto la felicidad al alcance de su mano. Acarició con ternura el pelo corto de Alicia. Su frágil niña, su tesoro más inesperado. Ella y su madre se habían convertido en la razón de su existencia. No permitiría que nada ni nadie las hiciera daño. Y en ese nadie, incluiría a su propia sangre sin dudarlo un instante.

—He acabado el último libro que me regalaste —dijo la muchacha—. He disfrutado mucho leyéndolo, acertaste con él.

—Tuve suerte —musitó Biel, tomando nota mental de acudir a la librería para comprar uno nuevo. Ese era uno de sus mayores placeres, recorrer las estanterías en busca de un título que pudiera gustarle a Alicia, y luego, al entregárselo, ver la sonrisa en sus ojos. No había suerte en que acertara con los libros, sino empeño y paciencia en revisar cada nuevo tomo.

—Y, como iba de piratas, he sentido la necesidad de leer otra vez *La isla del tesoro* —comentó Alicia con cierto nerviosismo—. ¿Recuerdas dónde lo colocamos la última vez?

Biel negó con la cabeza y al ver que Alicia se dirigía al extremo oeste de la biblioteca, decidió revisar las estanterías de la zona este. Y mientras lo hacía, echó furtivas miradas al reloj de pared. Había pasado poco menos de media hora desde que Enoc y Etor habían salido del dormitorio de Lucas. Media hora en la que había escuchado el silencio, atento a ruidos de pasos, voces airadas, golpes... cualquier sonido que le indicara que su nieto no había cumplido la promesa de permanecer en su cuarto, dando como consecuencia que Enoc incumpliera la suya de no darle caza. Pero la ausencia de ecos indicaba que, una vez más, había errado en sus suposiciones. Por lo visto su nieto pensaba cumplir con su apuesta. Al menos por el momento.

Cuando Enoc le expuso su idea de tentarle con las cartas le pareció una buena manera de probar la supuesta honorabilidad de Lucas. Esa que tanto se esforzaba Enoc en defender y en la que él tan poco se atrevía a confiar. Volvió a mirar el reloj. En poco más de una hora sabría de qué pasta estaba hecho el hijo de Oriol.

—Capitán —le llamó Alicia—, lo he encontrado, pero no puedo alcanzarlo.

Biel sacudió la cabeza, liberándose de sus inquietos pensamientos y se acercó hasta ella para coger el libro. A cambio recibió una dulce sonrisa de agradecimiento antes de que la muchacha abandonara la estancia, dejándolo de nuevo a solas con su inquietud.

Alicia cerró la puerta de la biblioteca y se abrazó a una de las columnas que se alzaban tras la barandilla que rodeaba la galería interior. Miró hacia arriba, a la bóveda acristalada que dotaba de luz al salón de la planta baja mientras intentaba tranquilizar su conciencia. No estaba bien mentir al capitán, pero, al fin y al cabo ella no le había mentido, solo había omitido cierto detalle. No era tan grave. Y si el capitán supiera lo que pensaba hacer, se lo prohibiría, igual que había hecho con su madre. Y no estaba dispuesta. Irguió la espalda, y recorrió el enorme cuadrado que era la galería interior hasta la habitación de Lucas. Pero no se detuvo allí tal y como había previsto. No lo hizo porque Etor estaba sentado frente a la puerta en lugar de en el dormitorio volviendo loco al joven con sus «sí, señor» y «no, señor». Enarcó una ceja y el gigante le respondió llevándose un dedo a los labios, instándola a guardar silencio. Alicia se encogió de hombros y continuó hasta su propio dormitorio. Antes de entrar, volvió la mirada hacia Etor, quien parecía absorto en sus pensamientos.

¿Qué estaba ocurriendo? ¿Por qué Etor no se encontraba junto al nieto del capitán? Aunque, pensándolo bien, eso haría más factible su empresa. Era más fácil conseguir la adhesión de Enoc que la de Etor.

Atravesó su alcoba y abrió con mano trémula la puertaventana que daba al exterior y, antes de salir, se llevó el libro al pecho e inspiró profundamente. ¿Qué se reflejaría en la cara del muchacho cuando la viera por primera vez? ¿Repugnancia? ¿Lástima? Fuera cual fuera su reacción, no sería distinta a todas las que ya había visto reflejadas en el rostro de los demás. Mejor enfrentarse a ello pronto que tarde. Al fin y al cabo, su situación no tenía visos de cambiar, y ella no pensaba mantenerse oculta para no despertar su aversión o, Dios no lo quisiera, su compasión.

Salió al exterior decidida a no dejarse vencer por la cobardía. Esa misma mañana su madre y la señora Muriel le habían comentado que Lucas se quedaría unos meses y todas ellas se habían propuesto hacer que su estancia fuera lo más agradable posible. El capitán había dado al traste con sus buenos propósitos al prohibirles visitarle. Ni siquiera Jana había conseguido hacerle cambiar de opinión, lo que no le había dejado a ella otro remedio que mentir. No. Que omitir ciertos detalles. Suspiró, su madre también se enfadaría cuando descubriera que había estado sola con él en la habitación. Pero no iba a permitir por más tiempo que él se sintiera como un paria en la casa.

Se deslizó por el corredor exterior hasta que se percató de que Enoc estaba escondido tras un tupido conjunto de jazmines, muy cerca de la puerta abierta que daba a la habitación de Lucas. Le miró intrigada, y él se limitó a llevarse un dedo a los labios pidiéndole silencio al igual había hecho Etor.

Alicia frunció el ceño, extrañada, antes de asentir con la cabeza y entrar en el dormitorio prohibido.

Enoc abrió los ojos como platos y fue tras ella pero se detuvo antes de cruzar el umbral, en contra de lo que opinaba el capitán, él no estaba tan seguro de que el aislamiento al que sometían a Lucas fuera adecuado a sus planes. Y Alicia tenía ese efecto tranquilizador y apacible que el joven tanto necesitaba. Se metió las manos en los bolsillos y observó en silencio el interior de la habitación.

Lucas estaba tumbado de espaldas a la joven, fingiendo no percatarse de su presencia.

Alicia por su parte lo miraba remisa mientras recorría con los dedos las cubiertas del libro. La vio llevarse una mano al pecho e inspirar en silencio antes de abrir la novela.

No la oyó entrar. Ningún sonido anticipó su presencia, ningún susurro de pasos. Pero la sintió. Fue consciente de ella en el mismo instante en el que entró en la habitación. El aroma a cítricos y miel le rodeó, despertando sus sentidos con un abrazo de dulzura.

No se movió. Continuó tumbado dándole la espalda, con la parte inferior del cuerpo cubierto por la suave colcha y los ojos cerrados. Se mantuvo exánime, atento al más mínimo sonido de pasos, pero nada percibió. Se obligó a respirar lentamente, seguro de que el intruso sería alguna de las mujeres de la casa que había ido allí para reírse del perro domado. Apretó los labios, enfadado. Esperaría hasta que se acercara a él y luego le daría un susto de muerte. Sí, eso haría. Sería lo único divertido que le iba a suceder en todo el día.

—Capítulo 1: Y el viejo marino llegó a la posada del Almirante Benbow…

Lucas parpadeó atónito al escuchar su voz. La recordaba de la noche anterior cuando, en mitad de la locura que se desató, ella había sido la única que la había alzado para intentar defenderle. Y ahora estaba allí, sola con él, ¿leyéndole un cuento? ¡Qué demonios! Seguro que estaba allí sin el permiso del maldito capitán. ¡Solo le faltaba que también le abroncaran a él por eso! Se removió en la cama, decidido a encararse con ella y echarla. Ella paró su narración en cuanto lo sintió moverse. Y él supo que si se giraba y la asustaba se quedaría sin la única cosa buena que le había pasado en todo el día.

Se detuvo y volvió a retomar su postura de espaldas a ella. Tampoco pasaba nada porque escuchara su angelical voz unos minutos más.

Alicia observó sus movimientos y cuando comprendió que pensaba seguir calmado, carraspeó para aclararse la garganta, repentinamente cerrada, y continuó leyendo.

—«Quince hombres en el cofre del muerto... ¡Ja! ¡Ja! ¡Ja! ¡Y una botella de ron!»

Lucas sonrió al escucharla entonar la escabrosa canción. Había intentado enronquecer su voz y darle un tono gangoso, pero en lugar de parecer un pirata siniestro se asemejaba más a un ángel ebrio. Miró el reloj, quedaba poco más de una hora para que se cumpliera el plazo.

«Al menos estaré entretenido», pensó dejándose acariciar por la dulce voz que le contaba una historia de piratas y tesoros enterrados.

En el corredor, Enoc sonrió satisfecho al ver la escena que se desarrollaba en el dormitorio. No cabía duda de que Lucas había caído bajo el embrujo de Alicia. Reculó en silencio hasta los jazmines tras los que se había ocultado y se sentó con las piernas estiradas y los tobillos cruzados, encantado de escuchar a Alicia mientras vigilaba.

—«Verlo allí tendido, muerto, hizo que las lágrimas inundaran mis ojos. Era la segunda muerte que veía, y el dolor de la primera estaba aún fresco en mi corazón.» Hemos llegado al final del tercer capítulo —señaló Alicia cerrando el libro—. Es tarde, debo marcharme.

Lucas abrió los ojos y sacudió la cabeza para salir de la ensoñación. La voz de la muchacha le había metido en la piel del joven Jim. Había vigilado junto a él la posada del Almirante Benbow, atento a la llegada de un marino con una sola pierna y había visto a Perro Negro, al mendigo ciego y la marca negra que este había puesto en la mano al capitán, quien acababa de morir en el capítulo. ¿Qué pasaría ahora con el misterioso cofre?

—No es tarde, aún no ha anochecido —murmuró con voz ronca. Y se odió a sí mismo al darse cuenta de su tono suplicante. ¿Cómo había podido embrujarle así con una simple historia de piratas?

—Sí lo es. Mañana retomaremos la historia por donde la hemos dejado —le aseguró afable.

Lucas apretó los dientes, enfadado. Se negaba a rebajarse pidiéndole que se quedara. No obstante, al no oír sus pasos abandonando la habitación se giró hacia la puertaventana, intrigado por conocer a la muchacha que le había trasladado a otro mundo solo con su voz. Pero ella ya no estaba. Se había ido de la misma manera que había entrado, en completo silencio. Frunció el ceño, su oído izquierdo tenía el tímpano roto, pero el derecho le funcionaba perfectamente, y estaba seguro de que ella no había dado ni un solo paso.

Y

Enoc se levantó cuando Alicia salió al corredor exterior. La saludó con un gesto y ella en respuesta arqueó una ceja y se llevó un dedo a los labios, pidiéndole silencio tal y como él había hecho antes. Enoc frunció el ceño, fingiendo pensárselo, y a la postre asintió con la cabeza. Guardaría en secreto su pequeña escapada. Ella se lo agradeció con una dulce sonrisa. La siguió con la vista hasta que desapareció en el interior de su habitación y luego miró el reloj. Parpadeó sorprendido, había pasado más de una hora. Y Lucas no había abandonado la estancia a pesar de que el plazo se había cumplido y estaba, supuestamente, sin vigilancia. Torció los labios en un gesto ladino y, asomándose al dormitorio, echó una mirada al joven, quien miraba aturdido a su alrededor. No pudo evitar sonreír, el belicoso muchacho no había abierto la boca durante el tiempo que Alicia había estado allí, salvo al final, para pedirle que se quedara. Sacudió la cabeza, satisfecho. Si había alguien capaz de domar al chico, esa era Alicia, al fin y al cabo también había domado a su abuelo.

Echó un nuevo vistazo a la habitación, y al ver que Lucas había vuelto a tumbarse decidió que por esa noche, el riesgo de fuga había pasado. Caminó hacia el extremo opuesto del largo corredor y entró en la casa a través del estudio que nadie usaba para a continuación dirigirse a la biblioteca, donde el capitán le esperaba.

Ambos hombres se miraron. Enoc asintió con la cabeza y Biel exhaló aliviado el aire que había retenido.

—Ocúpese de que le suban la cena a mi nieto, señor Abad —ordenó al salir de la estancia.

Lucas miró la hora por enésima vez y luego desvió la vista a la puertaventana. Estaba tentado de salir para sentir el aire fresco en la cara. No para escapar. No era tan idiota, sabía de sobra que había pasado el plazo y estarían acechándole, esperando a que intentara huir para darle caza y humillarle. Pues ya podían esperar a que las ranas criaran pelo, porque no les pensaba dar el gusto.

—Tal parece que sí eres capaz de cumplir una promesa —comentó Biel entrando en el dormitorio seguido por Etor.

—¿Ya le han ido con el cuento sus perros falderos? —inquirió Lucas con desdén.

Biel apretó los labios a la vez que daba golpecitos en el suelo con la punta del bastón.

Lucas, por su parte, lo miró desafiante a la vez que se sentaba erguido en la cama.

Y cuando la lucha de voluntades estaba a punto de explotar, alguien golpeó la puerta.

—Capitán, el señor Abad nos ha informado de que Etor y el joven señorito cenarán aquí —declaró un tanto arisca la señora Muriel, entrando sin esperar permiso.

—Así es —replicó Biel con su voz de capitán mientras la miraba con una ceja enarcada.

—Entiendo pues que solo —recalcó la palabra solo— cenarán en el comedor, como una familia —y volvió a recalcar la palabra familia—, la señora, la señorita, el señor Abad y usted.

—Efectivamente.

La señora Muriel asintió con mirada despectiva y, sin mediar más palabras, se dio la vuelta abandonando la estancia con un indignado revuelo de faldas.

Biel parpadeó perplejo. ¿A qué venía esa muestra de mal humor?

—Etor, pasará la noche con mi nieto —le dijo al gigante—. Intente no dormirse —indicó antes de irse.

Biel se anudó con flojedad el cinturón y tras dar un somero tirón a las solapas del batín abandonó el vestidor. Una vez en la habitación se sentó frente al escritorio de caoba y, mientras fingía revisar unas notas, miró de refilón la puerta de su baño privado. Jana se había encerrado allí nada más subir de cenar, y de eso hacía más de una hora. Un golpe proveniente de allí, uno más de tantos, le hizo acercarse. Golpeó la puerta con los nudillos y al no recibir respuesta, ya que un gruñido no se consideraba como tal, entró.

—¿Qué haces? —musitó al ver a su mujer arrodillada en el suelo, rodeada de todos los potingues, peines y espejos que deberían estar en el tocador, el armario y las estanterías.

—¿Acaso está ciego, capitán? —resopló trasladando un bote de un sitio a otro con un fuerte golpe—. Reordeno el tocador.

—¿No puedes hacerlo mañana?

—No, capitán, voy a hacerlo ahora —replicó ella con un gruñido.

—Te espero entonces en la cama.

—Puede esperarme sentado si así le place.

Biel frunció el ceño, alarmado. Cuando su esposa le hablaba así, significaba que estaba muy enfadada. Un nuevo golpe, esta vez del cepillo con mango de nácar, le indicó que no andaba desencaminado en sus suposiciones.

—¿Puedo saber el motivo de su enfado, señora, para así poder disculparme y de esa manera irnos a dormir de una buena vez? —inquirió con su voz de severo capitán de barco.

—No se atreva a ser condescendiente conmigo, capitán —le advirtió poniéndose en pie.

—Jana… —murmuró tendiendo la mano.

—No le has permitido comer ni cenar con nosotros —ignoró su oferta de paz.

Biel parpadeó un par de veces hasta que entendió a quién se refería.

—Doc ordenó que no se levantara de la cama —apuntó rotundo.

—Tampoco me has dejado verlo en todo el día.

—Creo haberte explicado que el señor Abad y yo teníamos un plan…

—Ah, sí… ¡Matarlo de aburrimiento! ¡Aislarlo como si fuera un paria! ¡Acorralarlo hasta que no pueda más! ¡Un plan maravilloso que solo se te podía haber ocurrido a ti, grandísimo botarate! —exclamó Jana elevando las manos al cielo.

—Eres una mujer, no puedes entenderlo —masculló Biel enfadado, no le gustaba que su dulce esposa usara ese lenguaje tan poco adecuado.

—No vayas por ese camino, capitán —le advirtió indignada cruzándose de brazos—. No podrás capear la tempestad si lo haces.

Biel bufó sonoramente, dio un fuerte golpe con el bastón en el suelo y abrió y cerró la boca como un pez antes de girarse y salir del baño echando pestes en voz casi inaudible. Jana, por supuesto, le siguió. No era cuestión de dejarle escapar ahora que le tenía sitiado.

—¿Cómo te sentirías si te encerraran entre cuatro paredes, vigilado por un bruto que hace crujir sus nudillos cada segundo? —Se encaró a él airada.

—Es necesario.

—No lo es. Es cruel. ¿Has pensado, siquiera por un instante, cómo tiene que sentirse? Le has dejado todo el día solo con Etor, y cuando por fin le releva alguien con la inteligencia suficiente como para entablar una conversación, ¡le tiende una trampa!

—Necesitábamos comprobar si podíamos fiarnos de su honorabilidad.

—¡Honorabilidad! ¡Paparruchas!

—¡Señora, ese vocabulario! —tronó Biel golpeando en el suelo con la punta del bastón.

—Capitán, ¡ese bastón!

Biel resopló como lo haría Moby Dick antes de embestir contra el barco del capitán Ahab y acto seguido lanzó el bastón contra el escritorio.

—No está siendo razonable, señora.

—Eres tú quien no lo eres. ¿Qué pretendes conseguir encerrándole?

—Está empeñado en escaparse —indicó Biel por toda respuesta.

—Apenas puede moverse.

—No te dejes engañar por los morados de su cara, es un muchacho fuerte e inteligente. Si le dejo sin vigilancia, huirá.

—¿Seguro? Las puertas están cerradas con llave, hay marineros recorriendo el perímetro de la finca… Y, digas lo que digas, no creo que esté en condiciones de escabullirse y escalar los muros. Si lo intenta no llegará lejos.

—Es un muchacho de recursos.

—Tú también. Si consigue escapar, cosa que dudo, manda a la guardia tras él. Pero hasta que lo haga, concédele un respiro, no lo acorrales.

—¡No lo estoy acorralando!

—Sí lo estás haciendo. Y no tienes ni idea de lo horrible que es sentirte acorralado, Biel —susurró mostrándole en su mirada toda la vulnerabilidad que ella una vez había sentido—. Hazme caso, si sigues por ese camino solo conseguirás que te odie.

—No puedo dejarle libre por la casa, no sabemos qué clase de hombre es.

—Ni lo sabrás nunca como sigas hostigándole —sentenció altiva.

—¿Quieres que le diga a Etor que abandone el cuarto y le deje sin vigilancia? —preguntó el viejo marino con voz muy, pero que muy suave.

—Sí, eso quiero.

—Bajo su conciencia caiga, señora —rugió Biel, sabiéndose vencido, antes de salir.

Lucas observó al gigante, tentado de taparse los oídos con las manos para no escucharle. De hecho, lo había intentado hacer un instante antes, y el dolor que había sentido en el tímpano le había hecho comprender que no tenía salida.

—No es normal que el señor Abad y tú me ganarais tantas veces a las cartas, porque yo siempre gano, sí, señor. Pero tú me traes mala suerte —masculló Etor rascándose la calva.

—¿Por qué no te duermes un rato? —masculló Lucas hastiado. No había parado de hablar desde que había entrado con la cena, y de eso hacía casi dos horas. ¿Por qué demonios le había ordenado el capitán que permaneciera despierto? ¿Era otra táctica para torturarle? Si lo era, no podía haber encontrado nada más espantoso que hacerle.

—El capitán ha dicho que no me duerma y no me voy a dormir, no, señor, porque cuando me dan órdenes las cumplo, sí, señor.

—¡Cállate! —exclamó Lucas a punto de perder la cordura.

Y el gigante, tras mirarle perplejo unos segundos, se calló. Lo cual daba buena cuenta de la sinceridad de su anterior afirmación.

Lucas lo miró pasmado y acto seguido se sentó en la cama. Con Etor callado el silencio de la noche se le antojaba denso, amenazador. Su mirada vagó hasta la puerta abierta que daba al corredor y, al ver que las cortinas ondeaban, un estremecimiento le recorrió. Sacudió la cabeza, enfadado por asustarse por un simple soplo de aire. Oriol estaba muerto y enterrado. Y allí iba a quedarse. Volvió a tumbarse con lentitud haciendo caso omiso del dolor. Se había metido en suficientes peleas como para saber que en un par de días estaría como nuevo.

Apoyó la cabeza en la almohada, con la vista fija en el exterior y poco a poco el cansancio le fue rindiendo y sus ojos al fin se cerraron.

El estruendoso ruido de la puerta chocando contra la pared sobresaltó a Etor e hizo que Lucas se despertara y mirara a su alrededor aterrado, para encontrarse con el furioso semblante de su abuelo. Este lo miró despectivo y acto seguido le lanzó una cuerda al gigante.

—Etor, átele un tobillo a la cama y luego vaya a su cuarto a dormir durante toda la noche. Y tú, polizón, mañana le darás las gracias a mi esposa por esta locura —ordenó furioso antes de abandonar el dormitorio.

—¿Qué? ¡No! —Lucas se encogió sobre la cama al ver al gigante levantarse de la silla y dirigirse a él con la cuerda en las manos—. El capitán bromeaba, Etor.

—El capitán nunca bromea —arguyó este apartando las sábanas que le cubrían.

—Vamos, hombre, somos amigos, no me hagas esto —murmuró Lucas al sentir las manazas del gigante asiendo su pie—. Si no me atas, mañana te dejaré ganar todas las partidas —propuso, seguro de que era mucho más fácil sobornarle que enfrentarse a él.

—No me gustan las trampas. No, señor, son de malnacidos.

Y Lucas hizo lo único que podía hacer: unió ambas manos formando un puño, tomó impulso y le golpeó con todas sus fuerzas en la espalda a la vez que alzaba las rodillas contra su cara. Etor se tambaleó un instante, y Lucas, sin pensarlo un segundo, saltó de la cama en dirección al corredor. No llegó muy lejos. Antes de que consiguiera siquiera acercarse a la puerta dos enormes manazas le aferraron por la camisa y le lanzaron de vuelta a la cama.

—No eres un buen amigo —bufó Etor—, un amigo no me pegaría por la espalda. No, señor.

—¡Un amigo tampoco me ataría! —jadeó Lucas al sentir que le tumbaba bocabajo y se sentaba sobre su espalda.

—Entonces no somos amigos, no, señor —replicó Etor con irreductible lógica mientras le enrollaba la cuerda al tobillo.

—Pero podemos serlo —apuntó Lucas—. Si tú no me atas, yo no te pego…

—El capitán ha ordenado que te ate, y yo siempre obedezco al capitán, sí, señor. —Ligó el extremo de la cuerda a la pata de la cama y abandonó la habitación.

—Espera… ¡No puedes dejarme así!

Pero sí podía, algo que quedó claro en cuanto cerró la puerta.

Lucas se sentó en la cama con las piernas encogidas y con dedos trémulos intentó deshacer el nudo mientras miraba una y otra vez a las puertaventanas. La brisa de la noche movía las cortinas mientras luchaba contra la áspera cuerda, arañándose las yemas de los dedos, hasta que por fin aceptó que era imposible desatar los nudos. Tiró de la cuerda para averiguar cuánto espacio tenía, y se dio cuenta de que lo había atado bien corto. Ni siquiera podía dar un paso más allá de la cama. Golpeó esta con los pies y las manos, intentando desarmarla, pero la maldita pieza era de madera maciza. Miró a su alrededor, buscando algo más contundente con lo que golpearla, pero no había nada a su alcance, por lo que, derrotado, se tumbó decidido a no dormir en toda la noche.

En el exterior, oculta tras el jazmín y cobijada por la oscuridad de la noche, Alicia observó la agonía del muchacho. Más de una vez estuvo tentada de entrar en el dormitorio e intentar calmarle, pero no se atrevió. Esperó hasta que dejó de moverse y su respiración se hizo regular y luego lenta. Y una vez convencida de que se había quedado dormido, regresó a su cuarto. Al día siguiente pensaba hablar muy seriamente con el capitán.

7

Así es como pasó, ¿no es verdad, Hawkins?
ROBERT LOUIS STEVENSON, *La isla del tesoro*

7 de abril de 1916. Antes del amanecer.

*P*aredes mohosas.

Las cucarachas trazan mapas sobre ellas.

Suelo húmedo. El sonido de las patas de las ratas sobre él.

Hedor a cloaca. A maldad. A corrupción.

Oscuridad. Le rodea. Le atrapa. Le ahoga.

Intenta escapar, una cuerda se lo impide.

Tira de ella. Dolor.

El cáñamo se hunde en su piel.

La sangre resbala por su tobillo.

Una puerta se abre. Luz, por fin.

El restallido de un cinturón cortando el aire.

Oriol en el umbral.

—Te das cuenta, hijo, de lo que me obligas a hacerte cada vez que te escapas…

El puerto.

Le empuja y se ahoga.

Le mira y se ríe.

Alicia no pudo soportarlo más, el último gemido de Lucas había sido desgarrador, y estaba segura de que solo ella lo había oído, pues había escuchado tiempo atrás los pasos de Etor retirándose a dormir. Se apoyó en la silla y bajó de la cama trabajosamente para acto seguido dirigirse a la puertaventana. Se deslizó presurosa por el corredor y, sin pararse a pensar en la inconveniencia de lo que estaba a punto de hacer, entró en el cuarto del joven.

Él no estaba.

Se acercó despacio a la cama, pero allí no había nadie, solo sábanas revueltas caídas en el suelo. Encendió la lamparita de la mesilla tras comprobar que las cortinas estuvieran corridas, ocultando cualquier resplandor a los hombres que vigilaban la casa, y se deslizó por la estancia, buscándolo. Pero no estaba. Ni siquiera le oía su respiración. Se dirigió a la puerta que daba al interior de la casa, sus gemidos habían sonado muy cercanos, si no estaba allí estaría en el cuarto de baño que separaba ambos dormitorios. En el momento en que asió el pomo oyó un estremecido sollozo, como si alguien, Lucas, estuviera mordiendo algo para no emitir sonido alguno. Se giró lentamente.

—Lucas, ¿dónde estás? —preguntó con voz suave. Nadie contestó—. No tengas miedo, estoy aquí —dijo, como si hablara con un niño pequeño y muy asustado.

—¿Anna?

La voz sonó desde algún punto junto a la cama y Alicia se dirigió hacia allí sin dejar de llamarle en tono cariñoso.

—Ha vuelto a atraparme —le escuchó musitar con un tono infantil que le llenó los ojos de lágrimas.

—Pero ahora estoy aquí, contigo. No tengas miedo —susurró despacio a la vez que apoyaba una mano en el colchón y se inclinaba hacia el suelo con sumo cuidado.

—¿Vas a quedarte, Anna? ¿Ya estás bien? ¿No te irás más? —escuchó su voz suplicante.

—No pienso irme a ningún sitio. Déjame ver dónde estás.

—Si salgo me encontrará.

—No le dejaré que te encuentre, conmigo estarás seguro.

—¿Le darás con la muleta? —inquirió él con un hilo de diversión en su voz infantil.

—Le daré tan fuerte que se le caerán todos los dientes —afirmó rotunda.

—¿Anna? —Había un deje de sospecha en su voz, como si la expresión utilizada por Alicia no fuera la respuesta esperada.

—Dame la mano, Lucas, no tengas miedo —susurró ella con ternura.

Él no respondió y Alicia, aferrándose con fuerza al lecho se inclinó un poco más, aún a riesgo de perder el equilibrio y caer. Y en ese momento una mano trémula abandonó su escondite deslizándose entre las sábanas arremolinadas en el suelo.

Alicia acercó su mano a la de él, esperando, dado su precario equilibrio, que no tirase de ella. Él le envolvió los dedos entre los suyos y un quedo sollozo se escuchó en la habitación.

—No te vayas.

—No lo haré —aseveró dándole un cariñoso apretón.

Y

Biel se giró por enésima vez en la cama, inquieto. Había algo que se le escapaba, lo sabía. Algo importante que había olvidado. Se volteó lentamente hasta quedar tumbado de lado, deseoso de abrazar a su esposa, pero Jana estaba en el otro extremo, lejos de él. Gruñó enfurruñado al recordar que había discutido con ella por culpa de su nieto. La señora no se había contentado con que hubiera cedido a sus exigencias, no. Seguía enfadada. ¡Mujeres!, ninguna era razonable, y ¡la suya menos que ninguna! Miró exacerbado al techo y, en ese momento, descubrió qué era lo que se le había pasado por alto.

Se sentó en la cama y buscó nervioso el interruptor de la lamparita de noche.

—¿Capitán, que pasa? —musitó Jana adormilada.

—Nada. Vuelve a dormirte —ordenó con brusquedad a la vez que se levantaba.

El tono usado la despertó por completo, haciendo que se apresurara a apartar las sábanas y seguir a su marido, quien en esos momentos caminaba con cuidado hasta el mueble en el que guardaba sus bastones para coger uno y dirigirse, ya con paso firme, a la puerta.

—Biel, cuéntame lo que sucede.

—He ordenado a Etor que atara a mi nieto… y le da miedo que le aten.

Alicia se soltó con sumo cuidado de la mano de Lucas. El joven por fin parecía haberse librado de la pesadilla, aunque no había abandonado su refugio bajo la cama. Se irguió lentamente, haciendo caso omiso del dolor que hacía crujir su espalda y esperó en silencio unos minutos, pues la última vez que había intentado alejarse, él había comenzado a removerse casi al instante, llamando asustado a Anna.

Al ver que continuaba dormido, apagó la luz y se dirigió al exterior y, en ese mismo momento, escuchó el frenético golpeteo de un bastón recorriendo el pasillo. Miró la terraza, la noche aún estaba oscura aunque cierta claridad bañaba el horizonte, si el capitán entraba en el dormitorio podría ocultarse allí. Pero ¿para qué iba a entrar él en el cuarto? Giró la cabeza hacia la cama. La mano de Lucas había desaparecido y pudo escuchar claramente su respiración agitada entre el sonido de los pasos, ahora claramente audibles. Suspiró dudosa y salió al corredor, si el capitán la encontraba allí montaría en cólera contra Lucas.

El golpeteo del bastón cesó y el pomo de la puerta comenzó a girar.

Alicia se apresuró a esconderse tras el tupido jazmín.

Biel abrió la puerta procurando no hacer ruido, sintiéndose avergonzado por su arrebato de inquietud. Seguro que su nieto estaba dormido plácidamente mientras él se comportaba como una asustada madre primeriza. Entró en silencio, seguido por Jana, que se había negado a volver a la cama, y dirigió la mirada a la cama. Pero su nieto no estaba allí.

—¡Lucas! —bramó furioso encendiendo la luz—. ¡Halacabuyas zafio y tramposo! ¿Dónde estás? ¡Cuándo te encuentre te vas a arrepentir de haber nacido! —gritó colérico dirigiéndose a la puertaventana con la intención de dar la alarma a los marinos que vigilaban la finca.

—Biel… —le llamó Jana en un susurro estremecido que le hizo detenerse al instante.

Se giró hacia ella como un rayo, y se percató de que señalaba un extremo de la cama a la vez que se llevaba la mano al pecho, como hacía su hija cuando estaba nerviosa.

Miró hacia donde le señalaba y vio en el suelo la cuerda que le había entregado a Etor unas horas atrás. Por lo visto el polizón había conseguido soltarse… solo que el nudo atado a la cama se movía, como si el otro extremo estuviera amarrado a algo que temblaba. Se acercó, enganchó la cuerda con la empuñadura del bastón y dio un fuerte tirón. Un grito desgarrado resonó en la estancia. El rugido de un animal herido. El chillido de un niño aterrorizado. Y aunque el grito cesó, la cuerda no dejó de moverse como si alguien intentara con desesperación soltarse de ella.

—¡Lucas, basta! —ordenó Biel utilizando la voz que usaba cuando los marineros aterrados se enfrentaban a una tempestad.

El movimiento de la cuerda cesó de inmediato.

—Sal de debajo de la cama —ordenó usando de nuevo la misma voz.

Pero en esta ocasión no surtió efecto. El joven empezó a patalear con fuerza, decidido a liberarse y escapar.

—Jana, ve a buscar al señor Abad. Dile que traiga su navaja —dijo observando la enfebrecida lucha—. Date prisa…

Jana no escuchó sus últimas palabras, pues ya estaba corriendo por la galería en dirección a la zona de servicio, donde Enoc tenía su dormitorio. Este despertó sobresaltado al escuchar los golpes en su puerta, abrió presuroso y se encontró con la señora de la casa.

—Coja su navaja y acompáñeme —le exigió perentoria echando a correr de nuevo.

Enoc no se lo pensó un instante, pues el rostro de Jana, siempre sereno, estaba lívido.

Biel respiró aliviado cuando lo vio entrar en el dormitorio con la navaja en la mano.

—Corte la cuerda.

El antiguo marino no necesitó más de cinco segundos para evaluar y entender la escena que se presentaba ante él.

—¡Lo ha atado! —exclamó arrodillándose.

—¡Córtela de una buena vez!

—¡No puedo, se mueve demasiado! —rugió intentando asir el pie del muchacho para mantener inmóvil la cuerda. Pero este no dejaba de patalear aterrado.

Alicia abandonó su refugio al escuchar el bullicio y, descorriendo apenas las cortinas, observó la escena. Su madre estaba junto a la puerta, asustada, mientras el capitán, de pie junto a la cama, frustrado al no poder arrodillarse por culpa de sus maltrechas rodillas, gritaba a Lucas que se mantuviera quieto y al señor Abad que cortara la cuerda. Y este lo intentaba. Vaya si lo hacía. Pero Lucas, todavía oculto bajo la alta cama, se defendía con una fuerza nacida de la desesperación. Cada vez que el marino tiraba del cáñamo para intentar cortarlo, Lucas arremetía contra él lanzándole patadas con el único pie que tenía libre. Y tenía una puntería excelente. Ya le había acertado una vez en la nariz, haciéndole sangrar, y su frenético ataque iba en aumento. Pronto se acabaría la paciencia del señor Abad y todo degeneraría en una batalla campal.

¿Acaso el capitán no se daba cuenta de que con sus imprecaciones lo único que conseguía era aterrorizarlo aún más? ¿Por qué Enoc no intuía que con sus tirones solo conseguía el efecto contrario al que pretendía? Ninguno de los dos hombres era capaz de entender que con Lucas nada valían los gritos ni la fuerza bruta, menos aún estando sumergido en esa pesadilla atroz. Negó con la cabeza y, sin pensar en las consecuencias de lo que iba a hacer, se deslizó al interior de la habitación.

—Lucas… —le llamó con una voz suave que debería haber pasado desapercibida, pero que hizo que los alaridos del joven se detuvieran—. Tranquilo, no pasa nada, estoy aquí, contigo. —Se acercó serena a la cama—. Tengo la muleta, no voy a permitir que nadie te haga daño —dijo, recordando el comentario casi jocoso de él a la vez que hacía gestos con las manos al capitán y a Enoc para que se mantuvieran quietos, ¡y calladitos!

Las patadas cesaron y todos los presentes, menos el inquilino de debajo de la cama, la miraron asombrados.

—Escúchame con atención —exigió perentoria—. Tengo un cuchillo, te voy a soltar, pero tienes que quedarte muy quieto. ¿Lo harás? —preguntó con una voz que no admitía réplica, obteniendo como respuesta la tensa inmovilidad de la cuerda que desaparecía bajo la cama.

Enoc, arrodillado en el suelo, miró asombrado a la jovencita que había conseguido someter a la bestia, ¡solo con palabras!, y, acto seguido, se apresuró a cortar la maldita cuerda.

—Ya estás libre, dame la mano… —Alicia se aproximó aún más, inclinándose.

—¡Alicia, aléjate ahora mismo! —tronó Biel saliendo de su estupor. ¡En qué demonios estaba pensando su pupila? ¿Acaso no se había percatado de lo peligroso que era su nieto?

Y, en el mismo instante en que se apagó el vozarrón del capitán, Lucas abandonó su refugio y se lanzó contra Enoc a la vez que gritaba desesperado, a quien creía Anna, que se fuera antes de que el hombre sin dientes la atrapara.

Enoc, aturdido por el inesperado giro de la situación se quedó paralizado, al menos hasta que recibió un nuevo golpe en la nariz que le hizo reaccionar. Paró con agilidad los erráticos puñetazos que el debilitado joven intentaba propinarle y, abalanzándose sobre él, le hizo caer al suelo de nuevo para a continuación envolverle con sus brazos y piernas, inmovilizándole. Y mientras esto acontecía, Jana empujó a su hija, contra la voluntad de esta, sacándola de la habitación para llevarla a su dormitorio, donde se encerró sin que ella dejara de protestar. Alicia no se sosegó hasta que su madre le aseguró que en cuanto estuvieran los ánimos calmados acudiría a ver al chico… y a poner los puntos sobre las íes a su marido.

—Tranquilo, Lucas, no vamos a hacerte nada —dijo Enoc con un tono de voz calmo pero severo, similar al que había usado Alicia, mientras sujetaba el tembloroso cuerpo de Lucas. Pero él no pareció reconocerle, por lo que le abrazó con más fuerza antes de volver a hablar—. Tranquilízate, no voy a hacerte nada…

Lucas respondió asestándole un cabezazo que le hizo sangrar el labio.

—¡Despierta de una vez, maldita sea! —bramó Biel dándole un bofetón.

Lucas continuó debatiéndose unos segundos más, cada vez con

menos brío hasta que por fin se quedó exánime y parpadeó varias veces como si intentara enfocar la mirada.

—¿Estás despierto? —le preguntó Enoc con suavidad, reteniéndole aún.

—Suéltame —bufó intentando zafarse de su agarre.

—No hasta que me asegures que estás calmado —exigió Enoc.

—Estoy tranquilo. —Enoc asintió y le soltó lentamente.

Lucas se sentó en el suelo y retrocedió sobre manos y pies, aturdido, hasta que su espalda chocó contra el armazón de la cama. Se quedó allí, inmóvil y con la respiración acelerada hasta que dejó de temblar. Bajó la cabeza, incapaz de hacer frente a la mirada que su abuelo y Enoc habían fijado en él, y en ese momento se percató del estado en que se encontraba. Tenía la camisa del pijama medio desabrochada y los pantalones se le habían arremangado en las pantorrillas, mostrando la fea abrasión que rodeaba su tobillo. Cerró los ojos y apretó los dientes, enfadado por mostrarse tan vulnerable ante ellos. ¡Parecía un niño de teta recién salido de una pelea! Una que además había perdido. Golpeó el suelo con los puños y se puso en pie. Su mirada vagó por la habitación, deteniéndose apenas en el rostro de los dos hombres que le flanqueaban para quedarse fija en la puertaventana. Sacudió la cabeza antes de conseguir apartar la vista de allí y centrarla en su abuelo.

—Has tenido una pesadilla —dijo este. No era una pregunta.

Lucas le miró desafiante e, ignorando los acelerados latidos de su corazón y el sudor frío que le perlaba la frente, se encogió de hombros fingiendo indiferencia.

—Estupendo, ¿os ha gustado el espectáculo? Espero que al menos os haya resultado divertido —dijo con desdén caminando hasta la cama con pasos temblorosos.

—Lucas…

—Aún no ha amanecido, déjenme dormir —escupió tumbándose de espaldas a ellos.

Biel abrió la boca para replicar, pero la cerró sin haber dicho nada cuando se percató de los estremecimientos que recorrían el cuerpo del joven.

—¡El circo se ha terminado, largaos! —exclamó Lucas tapándose la cara con un brazo, avergonzado al sentir la humedad que bañaba sus mejillas.

Biel apretó los labios e, indicando con un gesto a Enoc que le siguiera, salió.

—No debería haberle atado, capitán —le censuró este tras cerrar la puerta, ya en la galería.

—Hablaremos de esto más tarde, señor Abad.

—No. Lo hablaremos ahora —espetó Jana abandonando la habitación de Alicia con esta a la zaga—. ¡¡Estáis satisfechos con lo que habéis conseguido, grandísimos necios?!

—El señor Abad no tiene nada que ver con este desastre, deja que regrese a su cuarto —le indicó Biel dirigiéndose a la salita privada de su dormitorio, deshaciéndose así de la mirada dolida de su adorada pupila y del gesto desaprobatorio de su oficial más querido.

El tono abatido de su voz contuvo la ácida respuesta de Jana, quien se despidió de su hija con un beso y de Enoc con un gesto para a continuación reunirse con su marido.

—Ni se te ocurra decir que me lo advertiste —masculló Biel cuando ella entró en la sala.

—Está bien, no lo diré —aceptó ella sentándose a su lado en el sofá de terciopelo rojo—. ¿Qué vas a hacer ahora? —preguntó tomándole con cariño de la mano.

—Lo único que puede hacer un capitán cuando se ha equivocado de rumbo: hacer caso a su brújula y buscar vientos favorables antes de encontrarse con un motín a bordo —afirmó mirándola preocupado.

Apenas había amanecido cuando Biel regresó a la habitación de Lucas. Este estaba despierto, tumbado de espaldas sobre la cama, mirando el techo absorto.

—Lucas…

—Capitán… —respondió al saludo con desdén.

—Lleguemos a un acuerdo —masculló Biel apretando los labios para contener la réplica que merecía su tono de voz.

Lucas giró la cabeza y el capitán pudo ver que había intentado asearse la cara con la camisa del pijama.

—¿Ya ha comprobado que soy lo suficiente honorable como para que se atreva a fiarse de mí o ha sido mi infantil pesadilla lo que ha despertado su compasión? —inquirió hosco.

Había estado solo desde que despertó de la pesadilla, y si el viejo lo había consentido por lástima… No iba a tolerarlo. No quería la compasión de nadie, menos aún la del capitán. Pelearía con quien fuera antes de permitir que sintieran pena de él.

—No te has escapado —arguyó Biel golpeándose los zapatos con el bastón e ignorando su alusión a la compasión. Si su nieto se parecía en algo a él, ni la toleraría ni la buscaría.

—No, no lo he hecho —replicó aliviado a la vez que avergonzado, ya que tras librarse de ellos se había echado a llorar, asustado como un niño, en lugar de aprovechar su inesperada libertad para intentar escapar.

—Y eso te honra —apuntó el capitán con sinceridad.

—No, no me honra —bufó Lucas desdeñoso—. No se me ocurrió escaparme, estaba ocupado en… otras cosas.

Y muy a su pesar, Biel se sintió orgulloso de su insolente franqueza.

—Te quedarás aquí los próximos seis meses —indicó para a continuación apretar los dientes y escupir las palabras que no quería decir, pero que había prometido a Jana pronunciar—, y nadie te vigilará. Aunque no jures no escaparte.

—¿Eso que dice es un voto de confianza? —Lucas le miró burlón—. No se equivoque, viejo, escaparé a la menor oportunidad.

—Lo sé. No espero que seas lo suficientemente listo como para aprovechar la oportunidad que te doy de convertirte en un hombre de provecho —masculló Biel colérico.

—Ya soy un hombre de provecho —espetó sentándose erguido.

—Eres un simple estibador de puerto.

—Me basta y me sobra para vivir.

—No te sirvió para saldar tu deuda con Marcel. Ni te servirá para pagar la que has contraído conmigo.

—Le pagaré, no se preocupe —masculló Lucas enfadado. El viejo estaba podrido de dinero, pero no le perdonaría la deuda. Por eso era tan rico, porque era un avaro.

—¿Cómo piensas hacerlo? —Biel sonrió complacido, atrapado como estaba, su nieto seguía batallando—. Que yo sepa no tienes nada con lo que pagarme.

—Trabajaré.

—Eso es lo que quiero —aceptó golpeando el suelo con el bastón, ¡por fin comenzaban a entenderse!—. Trabajarás aquí, día y noche, haciendo lo que se te ordene hasta que dé por zanjada tu deuda.

—Cuando las ranas críen pelo.

—Debí imaginármelo, no tienes ninguna intención de pagar lo que debes, nunca la has tenido —siseó Biel—. No tienes honor, no tienes palabra, no tienes educación y no tienes cerebro. No eres más que un holgazán inútil que pide dinero prestado sin saber cómo demonios va a devolverlo. Eres una vergüenza para el apellido Agramunt.

—¡No llevo su maldito apellido! —replicó Lucas envarado, levantándose de la cama para encararse a su abuelo—. Tengo palabra, tengo educación y tengo cerebro —afirmó con los dientes apretados—. Sí, pedí un préstamo. ¡Lo necesitaba! —rugió ofendido—. Yo no soy un millonario al que le sale el dinero por las orejas. Tengo que deslomarme en el puerto cada día y ni aun así es suficiente. —Sacudió la cabeza a la vez que una silenciosa maldición escapaba de sus labios—. No se atreva a juzgarme, capitalista de mierda, porque no sabe nada, ¡nada!

—¡Sé que pides prestamos que no puedes pagar! —Biel golpeó el suelo con el bastón.

—¡Puedo pagarlos!

—No con dinero —apuntó Biel mirándole suspicaz.

Lucas empalideció al escuchar la cuestión implícita en las palabras del viejo. «¿Cómo pensabas pagar a Marcel?»

Biel arqueó una ceja, esperando respuesta a la pregunta no pronunciada. Y cuando esta llegó en forma de cadavérica lividez, apoyó ambas manos en la empuñadura del bastón para no levantarlo del suelo tal y como estaba tentado de hacer. ¿A qué clase de trato había llegado el estúpido mocoso con el prestamista?

—Me quedaré tres meses —susurró Lucas a la postre, rindiéndose—. Ni un día más.

—Cuatro, y harás todo lo que se te diga, al instante y sin quejarte.

Se miraron fijamente en un duelo de miradas que no tuvo ganador ni vencedor.

—Aceptaré tu silencio como un «sí» —masculló Biel tras unos minutos.

Lucas cerró los ojos y asintió con la cabeza. ¿Acaso tenía otra opción?

—La señora Muriel te traerá una muda limpia y, en vista de que no pareces necesitar guardar más reposo, te sugiero que uses el baño antes de que te visite el doctor, apestas —le indicó Biel dándose media vuelta.

—No tanto como usted y su puñetero dinero —siseó Lucas.

Biel se detuvo un instante y, aunque estuvo tentado de girarse y darle una lección, se contuvo y abandonó el dormitorio. Había prometido a Jana una tregua con el muchacho y, más o menos, la había conseguido.

La señora Muriel entró en el dormitorio, toda ella un revuelo de faldas y bulliciosa actividad. Bajita y rolliza, llevaba un sencillo vestido color crema y sobre este un delantal blanco con la pechera profusamente adornada de puntillas, lo que la hacía parecer una gallina.

Lucas, sobresaltado por la repentina interrupción, se sentó en la cama, teniendo buen cuidado de taparse con las sábanas mientras observaba atónito cómo la mujer recorría la estancia con pasos rápidos para abrir la puertaventana de par en par.

—No te quedes ahí parada, Cristina, tenemos mucho que hacer y muy poco tiempo —indicó Muriel a la sirvienta que se había quedado en el umbral, mirando al joven con inquietud—. Vamos, mujer, entra, el señorito no muerde. ¿Porque usted no muerde, verdad? —le preguntó a Lucas con una agradable sonrisa y este se apresuró a negar con la cabeza—. Lo ves, ya sabía yo que no nos iba a dar problemas —dejó un batín al pie de la cama y continuó recorriendo la habitación—. Tiene una muda limpia en el baño, es la puerta de la derecha —le indicó a Lucas a la vez que abría el armario y miraba el interior con el ceño fruncido—. Precisa una buena limpieza antes de meter la ropa, dejaremos que se vaya aireando mientras nos ocupamos de la cama —murmuró pensativa antes de girarse—. ¿Aún sigue aquí? Vamos, señorito, está hecho un zarrapastroso, no querrá que el buen doctor le vea así —inquirió arqueando las cejas a la vez que le tendía el batín y le señalaba las zapatillas que había junto a la cama—. Póngaselo —le ordenó con voz suave dándose la vuelta. Lucas, sin saber bien por qué, obedeció—. Cuando acabe de asearse vaya al estudio, es la puerta que queda a la izquierda de esta habitación, allí le está esperando su desayuno —le indicó revoloteando alrededor de él, guiándole sutilmente hacia la salida—. Tómese su tiempo, tenemos mucho trabajo que hacer aquí. —Cerró la puerta tras él.

Lucas se quedó parado en la galería interior, mientras pensaba aturullado que jamás le habían echado de un sitio con tanta consideración. Se cerró el batín, miró a izquierda y derecha, y al comprobar que nadie le vigilaba, se asomó a la inmensa abertura cercada por blancas barandillas desde la que se veía la planta inferior. ¡Cuánto espacio desaprovechado! Luego miró arriba, hacia la bóveda acristalada, ¿para qué querían una ventana en el techo? Se encogió de hombros y se dirigió al baño. ¿De verdad el viejo le había dejado libre para andar por la casa? Entró en el aseo y miró perplejo a su alrededor antes de volver a salir para comprobar que no se había equivocado de puerta. No, no se había equivocado. ¿Para qué querían los ricachones un baño tan grande? Era una estancia de paredes blancas con cuadros de paisajes, una alargada bañera de cobre, una banqueta y dos tocadores. Uno de nogal, con una pila redonda coronada por un espejo. En el otro había una jarra y una bacía de porcelana junto a un espejo basculante. Abrió uno de los cajones y encontró brochas, navajas y jabón. Se acarició la cara y esbozó una sonrisa.

Cuando un buen rato después abandonó el baño, no solo parecía otro hombre, también se sentía distinto. Ya no era un pordiosero con barba de tres días ni vestía un pijama, aunque se había tenido que calzar las enormes zapatillas. La ropa le quedaba bastante holgada, pero la camisa era blanca y los pantalones negros, ¡nada que ver con el pijama!

Regresó al dormitorio que había ocupado, con la ropa sucia en las manos, y fue recibido por la atareadísima mamá gallina y su asustada polluela.

—No tenía que haberse molestado, la próxima vez déjelas en el baño, nosotras nos ocuparemos de ellas —le regañó Muriel con cariño quitándole las prendas para luego tirarlas al suelo, sobre un montón de sábanas amontonadas—. Siga recto hasta la siguiente puerta, es el estudio, allí tiene su desayuno. No tenga prisa en regresar, aún nos queda mucho que hacer —le indicó usando el plumero a modo de bastón de mando, echándole de nuevo. De muy buenas maneras, eso sí.

Lucas se encogió de hombros y fue a dónde le habían ordenado. El estudio estaba en la esquina de la casa, en una de las torres redondas que se veían desde el exterior, y era enorme. Contaba con grandes ventanales por los que entraba la luz, bañando la estancia con la claridad del día. Además de la puerta por la que había entrado había otra en el extremo opuesto. ¿Qué diablos les pasaba a los ricos con las puertas? En el centro había una mesa de madera, seguro que de las caras, con varias sillas alrededor. Y sobre esta, una bandeja con platos tapados con paños de lino, un cafetera con café recién hecho, una jarra de zumo de naranja y dos vasos y tazas vacíos. Sin molestarse en sentarse, se sirvió el zumo y se lo tomó de un trago, luego levantó el paño de uno de los platos, cogió un par de galletas e, incapaz de contener su curiosidad, salió por la puerta que había frente a él. Esta daba a una larguísima terraza llena de plantas de todo tipo, con flores, sin flores, altas, bajas… En la otra punta del corredor había una mesa llena de tiestos con ¿árboles enanos?

Caminó hacia allí dejando atrás la puerta del estudio y de la habitación en la que había estado encerrado. Según se acercaba pudo comprobar que tras los raquíticos árboles había una muchacha, inmersa en hacerlos aún más diminutos. Poseía una discreta belleza que le dejó sin respiración. Quedó absorto en la placidez de su semblante, en su enigmática sonrisa, en sus ojos oscuros de mirada penetrante. Tenía el pelo rubio y rizado, cortado a la altura de la nuca, y con un largo flequillo que caía sobre sus ojos como una cortina cada vez que se inclinaba para tomar con cuidado un esqueje, momento en que fruncía los labios para retirárselo con un suave soplido.

Detuvo su deambular y se apoyó en la balaustrada que cercaba la terraza mientras la observaba en silencio. Vio sus labios moverse, como si estuviera susurrando a las plantas. Sus largos y estilizados dedos tomaban con cariño las minúsculas ramitas para cortar alguna hoja que no estuviera en su sitio. Sonrió burlón al comprobar que estaba sentada en una silla mientras se ocupaba de los anquilosados arbolitos. ¡Solo a un ricachón se le ocurriría subir las plantas a una mesa para podarlas! Cualquier mujer normal se hubiera arrodillado en el suelo para no manchar la mesa de tierra y hojas, pero claro, los ricos tenían un ejército de criados que limpiaban por ellos. Negó con la cabeza sin dejar de mirarla. Era una pena que una joven tan bonita fuera tan torpe, solo tenía que dejar de cortar las ramas a los pobres árboles y estos crecerían hasta alcanzar un buen tamaño, pero ¿qué se podía esperar de una niñata consentida que cuidaba de las plantas sentada en su trono de madera?

Tras ser echado sin contemplaciones del dormitorio de Lucas por la arisca señora Muriel, Enoc entró en el estudio, observó el vaso con restos de zumo y, tras servirse un café, salió al corredor en busca del esquivo muchacho. Lo encontró apoyado en la balaustrada, observando con atención a Alicia. Se llevó la taza a los labios, y, sin hacer ruido, se sentó en una de las sillas decidido a vigilar sin acosar, tal y como le había indicado la señora Jana esa misma mañana.

8

¿Y es una cabeza eso que llevas sobre los hombros? ¡Condenada vigota!

ROBERT LOUIS STEVENSON, *La isla del tesoro*

Alicia contempló satisfecha su obra, el bonsái no era perfecto, pero al menos seguía vivo y se asemejaba a una pequeña higuera. Lo apartó a un lado y tomó con cuidado el pequeño pino que se empeñaba en crecer demasiado rápido. Entrecerró los ojos mientras se imaginaba la forma que quería darle, y luego empuñó las diminutas tijeras de podar.

—Si lo cortas no crecerá.

Levantó la mirada al escuchar la voz de Lucas. Estaba a escasos metros de ella, ya no llevaba el pijama, sino que vestía de calle, y su rostro se mostraba sereno, libre de pesadillas.

—No debe crecer —replicó con una afable sonrisa en los labios.

—Qué estupidez ¿Para qué quieres un árbol raquítico? —inquirió él estrechando los ojos al reconocer la voz que le había leído la historia de piratas la tarde anterior.

—No está raquítico. —Alicia acarició con tristeza las hojas del reducido pino—. Es único, y ahí reside su belleza. Es perfecto en cada diminuta hoja y en cada torcida rama, en su tronco inclinado. No necesita alzarse erguido y tocar el cielo para ser hermoso —musitó las mismas palabras que le dijera el capitán cuando se lo regaló hacía casi un año.

—Si tú lo dices… —Lucas la miró como si estuviera loca—. Yo prefiero un árbol con el tronco recto y grandes ramas que den buena sombra —señaló con desdén el arbolito, cuyo tronco se retorcía e inclinaba hasta casi tocar la mesa para luego ascender en ángulo recto.

—Imagino que es cuestión de gustos. —Alicia apretó los labios antes de seguir hablando—. A mí me gusta ver cómo, aunque esté a punto de caer, logra superar sus trabas y alzarse vencedor —afirmó mirándole desafiante.

—Más le valdría morir que parecer un esperpento —sentenció Lucas incapaz de no decir la última palabra.

Alicia dio un respingo al escucharle. Bajó la cabeza para ocultarle los ojos con su largo flequillo y acarició con cariño el rugoso tronco del pino.

—No deberías estar levantado, Doc dijo que debías guardar reposo —murmuró cortante.

—Me importa un carajo lo que diga el matasanos —replicó airado. ¿Le estaba echando? Pues iba lista, ahora que había conseguido escapar de la prisión no pensaba regresar.

—El capitán se enfadará si se entera de que no estás en tu cuarto —dijo sin levantar la mirada del tiesto.

—¿Y quién va a decírselo? ¿Tú? —escupió provocador.

—No. Pero no deberías estar paseando, estás enfermo —comentó cortando una ramita.

—No estoy enfermo —rechazó Lucas cruzándose de brazos molesto. ¿No pensaba mirarle a la cara? Eso habría que verlo—. Me niego a pasar todo el día en la cama, no soy un vago como los de tu clase —espetó arrogante.

—¿Me estás llamando vaga? —No levantó la mirada del árbol.

—No soy yo quien está podando las plantas sentada en una silla, en vez de arrodillada en el suelo como lo haría cualquier mujer —afirmó ofensivo. Alicia se llevó ambas manos al pecho, herida—. No solo masacras el pobre pino, sino que además lo haces como si fueras una reina en su trono. Los ricachones sois capaces de cualquier cosa con tal de estar cómodos y no dar palo al agua.

Alicia levantó por fin la vista del arbolito, y Lucas deseó que no lo hubiera hecho. No había furia en su mirada, sino una inmensa tristeza empañada de resignación.

—Si me disculpas —musitó llevando las manos a dónde deberían estar las patas de la silla.

Lucas contempló atónito como la silla se deslizaba hacia atrás y giraba ciento ochenta grados, dándole la espalda. Las delicadas manos de la muchacha asían con fuerza dos grandes ruedas, impulsándola hacia la primera de las puertas que se abrían en la terraza.

Sacudió la cabeza enfadado consigo mismo por ser tan bocazas y, sin pararse a pensar lo que hacía, la siguió.

En ese mismo momento, sigiloso como una serpiente, Enoc caminó hacia él, dispuesto a enseñarle modales de la mejor manera posible: con un par de bofetadas bien dadas.

—Yo… no lo sabía —musitó Lucas abriendo la puerta tras la que se había encerrado Alicia. Era una sala redonda, al igual que el estudio; contenía un escritorio, una enorme librería que ocupaba toda una pared, un par de sillas, un mullido banco corrido bajo los amplios ventanales y unas extrañas barras paralelas frente a este.

La muchacha estaba junto a la librería, acariciando con languidez los lomos de los libros. Ignorándole.

—¿Has oído lo que he dicho? —preguntó enfadado.

—No deberías entrar sin permiso en las habitaciones, menos aún en la sala privada de una mujer —le recriminó sin volverse.

A pocos pasos de Lucas, Enoc se detuvo al escucharla y sonrió satisfecho. Decidió no entrometerse todavía. No cabía duda de que Alicia lo pondría en su sitio, y sin necesidad de usar la violencia.

—En realidad todavía no he traspasado el umbral —arguyó Lucas metiendo las manos en los bolsillos del pantalón, totalmente ignorante de la presencia del antiguo oficial.

—¿Ese «todavía» implica que vas a traspasarlo? —inquirió ella tomando un libro.

—No. A pesar de lo que puedas pensar tengo algo de educación. No mucha, pero sí la suficiente como para no entrar donde no se me ha invitado —espetó enfadado—. ¿Vas a aceptar mis disculpas?

—No he escuchado ninguna disculpa —replicó ella girándose y mirándole por fin.

—Cierto —aceptó Lucas cruzándose de brazos—. Lo siento. No sabía que… —se detuvo sin saber cómo continuar—. No pretendía ser grosero.

—Sí pretendías ser grosero —le corrigió ella mordaz—, pero ignorabas que estoy impedida, lo que convierte tu grosería en crueldad. Por tanto, ¿pides disculpas por no conocer mis circunstancias o por ser grosero cuando estabas decidido a serlo? —preguntó con frialdad.

Lucas inspiró con fuerza.

—Pido disculpas. Punto —afirmó enfurruñado al saberse atrapado.

—No las acepto. ¿Te importaría cerrar la puerta al salir? —le requirió, abriendo el libro que tenía en el regazo.

—¿No las aceptas? —farfulló asombrado. ¡Sí que se daba aires la señora!—. Claro… ¡Cómo va una dama a aceptar las disculpas de un simple plebeyo! —exclamó ofendido—. Imagino que para eso es necesario pertenecer a tu misma clase social.

Alicia levantó la cabeza de las páginas del libro y le miró enarcando una ceja.

—En absoluto. Das muchas cosas por sentadas, Lucas, y eso hace que tiendas a equivocarte. No acepto disculpas de nadie, ni siquiera del mismísimo rey Alfonso XIII —afirmó desafiante—. Hace casi un año que me cansé de aceptarlas. Me han pedido perdón cientos de veces, y yo he perdonado y olvidado, y al instante siguiente me han vuelto a hacer daño… Hasta que comprendí que es muy sencillo hablar sin pensar cuando se tiene por seguro que el dolor infligido va a ser excusado por una simple disculpa —explicó serena—. Desde entonces no acepto disculpas sino hechos.

Lucas la miró asintiendo, comprendía lo que quería decir. Se mesó el pelo y, poco a poco, una pícara sonrisa comenzó a esbozarse en sus labios.

—Si me golpeo la cabeza contra la puerta por ser tan imbécil… ¿Lo aceptarás como un hecho probado de que me arrepiento de haber sido grosero?

—Depende de la intensidad con la que te golpees.

—¿Sería suficiente con un pequeño chichón o es necesaria la sangre? —preguntó él, apoyando la frente contra el dintel.

—Tal y como tienes la cara, un simple chichón no se notaría en absoluto —sentenció ella divertida.

—Eres un tanto sanguinaria —comentó separando la cabeza del dintel.

—Se me ocurre otra manera de expiar tus faltas —se apresuró a decir al ver que tomaba impulso para golpearse. ¡No sería capaz!

Lucas se detuvo esbozando una ladina sonrisa.

—¿Menos dolorosa quizá?

—Tal vez —respondió enigmática—. Acompáñame a la terraza.

Lucas se apartó con premura, solo para encontrarse a Enoc sentado frente a los enfermizos arbolitos. Lo miró entre sorprendido y enfadado. ¿Qué hacía allí? Vigilarle sin ninguna duda. Por lo visto el viejo no era tan estúpido de dejarle en libertad por la casa.

—Ah, señor Abad, está aquí. —Alicia le miró con cariño—. He pensado en trasplantar el olivo. ¿Quiere ayudarnos?

Enoc se miró las uñas, limpias y recién cortadas, las frotó con mimo contra su camisa y acto seguido se levantó para alejarse unos metros, dejándoles la mesa libre.

—No he hecho nada por lo que deba ser castigado —apuntó liándose un cigarrillo.

—No le hagas caso, es un exagerado —comentó Alicia indicándole a Lucas que tomara asiento—. Estos no son árboles raquíticos, como te empeñas en pensar, son bonsáis. Me los trajo el capitán de China hace poco menos de un año y requieren muchos cuidados —comenzó a explicar—. Este de aquí es un olivo y necesita ser trasplantado. Te indicaré cómo hacerlo.

Y

—¡Maldito mocoso! Tenía órdenes de no moverse de su cuarto. Espera a que le eche el guante —masculló Biel al entrar en el estudio y comprobar que Lucas tampoco estaba allí.

—Yo tampoco me quedaría en una habitación invadida por la señora Muriel —comentó Doc divertido—. Quizá esté en el corredor, respirando un poco de aire fresco.

Biel miró de refilón a su amigo y se dirigió enfadado hacia la puerta que daba al exterior. Y se detuvo inmóvil en el mismo momento en que la traspasó. Efectivamente el polizón estaba en la terraza, pero no exactamente respirando aire puro. Estaba frente a la mesa y sostenía con cuidado uno de los bonsáis de Alicia mientras esta parecía darle instrucciones. Cerca de ellos, pero lo suficientemente apartado como para no mancharse, Enoc les vigilaba divertido.

—Ya está, esta era la última —comentó Alicia dejando las tijeras sobre la mesa mientras observaba con atención las raíces del diminuto olivo.

—¡Menos mal! Para ser tan renacuajo pesa bastante —masculló Lucas con los brazos temblorosos tras casi media hora sosteniendo a pulso el arbolito.

—No ha sido para tanto, quejica.

—¿No? Me recuerda a los castigos de Anna —refunfuñó señalando el tiesto—. ¿Puedo dejarlo ya en su sitio?

—Sí, pero hazlo con cuidado de no romper las raíces —le indicó ella mirándole con curiosidad—. ¿Anna te castigaba? —preguntó, esperando así averiguar algo de la misteriosa mujer por quien la había tomado durante su pesadilla.

—Cuando me portaba mal —comentó Lucas concentrado mientras introducía con cuidado el olivo en el tiesto—. Me ponía un rato de rodillas contra la pared con una olla de agua en las manos y no podía derramar ni una gota.

—Un castigo muy duro para un niño —apuntó observándole entristecida.

—No te creas, a la que se daba la vuelta dejaba la olla en el suelo y me sentaba sobre los talones. —La vio arquear mucho las cejas y sonrió con picardía—. Y Anna lo sabía, porque antes de girarse para mirarme carraspeaba un par de veces, avisándome. Entonces volvía a coger la olla y me colocaba bien. De todas maneras tampoco me castigó muchas veces, en seguida aprendí a portarme bien. No soportaba que me dijera que la había decepcionado —comentó melancólico.

—Parece una buena mujer.

—La mejor de todas.

—¿Es tu madre? —inquirió intrigada.

—No. Mi madre era una zorra —afirmó, todo rastro de diversión borrado de su semblante.

—No deberías hablar así de la mujer que te dio la vida —tronó Biel, enfadado porque usara esos términos delante de Alicia.

Lucas se giró sobresaltado, solo para encontrarse con la mirada indignada de su abuelo y la pesarosa del doctor. Esbozó una torcida sonrisa.

—Intentaré recordarlo la próxima vez que la visite en el burdel. Ah, no. No es posible, la palmó de sífilis hace unos años, ¿por qué sería? —replicó mirándolos con arrogancia.

—Polizón insolente y desagradecido —siseó Biel, furioso por su descaro—. Regresa a tu cuarto antes de que pierda la paciencia. Y aséate un poco, pareces un pordiosero.

—Escuche, viejo… —exclamó Lucas poniéndose en pie de un salto.

—Obedecerás todo lo que se te diga. ¿Tan pronto has olvidado tu promesa? —le advirtió Biel golpeando el suelo con el bastón.

Lucas apretó los dientes, asintió con un brusco gesto de cabeza en dirección a Alicia, y sin mediar palabra se dirigió a su habitación, cerrando la puerta con un sonoro golpe.

—Capitán… —le regañó Alicia.

—Mantente alejada de él.

—Por supuesto que no.

Biel abrió mucho los ojos ante la rebeldía de su pupila.

—Te prohíbo terminantemente que estés con él a solas.

—¿Acaso es eso posible? —inquirió ella señalando a Enoc con la mirada. Este se limitó a inclinar la cabeza, asintiendo a sus palabras.

—¡Eres igual de descarada que tu madre! —exclamó Biel enfurruñado.

—Y por eso me quieres tanto. —Alicia esbozó una dulce sonrisa, desarmándole.

—Te aprovechas de que solo soy un pobre viejo —musitó antes de besarla con cariño en la frente—. Cuídate mucho de él, no sabemos qué clase de hombre es.

—Abre los ojos y míralo, es un buen hombre.

—Ojalá estés en lo cierto, pero hasta que lo tenga por seguro, mantendrás las distancias con él… a no ser que el señor Abad esté presente —claudicó—. Y, sé que no hace falta que te lo diga, pero a partir de ahora dormirás con las puertas de tu habitación cerradas con llave —indicó dando media vuelta para dirigirse al comedor de planta con Doc y Enoc siguiéndole.

—¿Para esto me molesto en lavarle y plancharle la ropa? ¡Parece un zarrapastroso!—exclamó ofendida la señora Muriel cuando Lucas entró en el dormitorio. Este escondió las manos manchadas de tierra en los bolsillos y bajó la cabeza, momento en el que se dio cuenta de que sus uñas no eran lo único sucio. ¡La ropa que llevaba parecía haber sido rebozada en barro!—. El capitán y el doctor están buscándole, ¿qué van a pensar de mí cuando le vean aparecer así? Qué vergüenza, señor, que vergüenza —masculló enfadada a la vez que sacaba un pantalón y una camisa del armario—. Vaya al baño y cámbiese —le ordenó, empujándole fuera de la habitación con el plumero—. ¡Y procure mantenerse limpio hasta la noche!

Cuando salió del baño, de su aventura en la terraza solo quedaba un ligero rastro de polvo negro en las uñas. Intentó limpiárselas por enésima vez —al fin entendía por qué Enoc se había mostrado remiso a ayudarles— y entró en el dormitorio que le habían asignado. Allí se encontró con Biel, Enoc y el doctor; la señora Muriel y su polluela habían desaparecido, lástima, dudaba que el viejo se atreviera a mostrarse furioso con mamá gallina presente.

—Quítate la camisa, vamos a ver cómo estás —le indicó Doc.

—Estoy bien —siseó Lucas enfadado. Como se le ocurriera volver a ordenarle que guardara reposo, iban a tener un pequeño problema.

—Eso tendré que decidirlo yo, ¿no crees?

Lucas, obedeciendo a desgana, se quitó la camisa y se sentó en una silla, no pensaba tocar la cama en lo que quedaba de día. Un instante después sintió la mirada de su abuelo, y de todos los presentes, fija en su espalda. Apretó los dientes, decidido a ignorarlos, pero no pudo evitar removerse al sentir los dedos del médico recorriendo sus antiguas cicatrices.

—¿Cómo te las hiciste? —inquirió Doc, desviando la mirada hacia Biel a la vez que le señalaba las más irregulares.

—¿Y a usted qué puñetas le importa? —replicó Lucas al instante.

—Insolente deslenguado —rugió Biel enfadado—. Responderás con educación y respeto cuando se te pregunte —ordenó golpeando con fuerza el bastón contra la pata de la silla.

—Por supuesto. —Lucas esbozó una arrogante sonrisa—. Me picaba la espalda y me rasqué contra unas rocas.

Biel, incapaz de contenerse, empuñó el bastón a modo de estoque, posando la punta bajo la barbilla del joven, contra su garganta, obligándole a echar hacia atrás la cabeza.

—Hablarás. Con. Respeto —siseó entre dientes.

En respuesta, Lucas irguió la espalda y le enseñó los dientes.

—Capitán, señor Abad, ¿nos disculpan, por favor? —solicitó Fernando al ver que la cara de Biel se volvía roja por la rabia, un tono muy similar al que tenía la de su nieto en ese momento—. Estoy seguro de que puedo ocuparme de Lucas sin que la sangre manche la cubierta —musitó fijando una mirada cargada de paciencia en el viejo marino. Este asintió con un bruco gesto de cabeza antes de abandonar la estancia.

—Os esperaremos en el despacho.

—Cuida esos modales, polizón —le advirtió Enoc siguiendo a Biel.

—Odio que me llamen polizón —masculló Lucas frotándose el cuello.

—No te comportes como si lo fueras, actúa de manera correcta, gánate con tus actos el lugar que te pertenece por derecho y dejarán de llamártelo —le reprendió Doc colocándose frente a él. Lucas negó con la cabeza, esquivo—. Explícame cómo te hiciste esas cicatrices.

—Ya se lo he dicho.

—Como quieras, no te preguntaré más. Pero quiero que comprendas una cosa: no soy tu enemigo. Y el capitán tampoco lo es. Tal vez no te has dado cuenta, pero le hubiera resultado mucho más sencillo ignorar tu existencia que traerte a su casa y aceptarte en la familia, y, sin embargo, no ha dudado un momento en hacerlo.

—Yo no se lo he pedido.

—Por supuesto que no. Ha sido su corazón quien lo ha hecho. Tenlo presente e intenta mirar más allá de su carácter gruñón, tal vez te sorprendas con lo que encuentres. Y ahora, respira profundamente… —Y comenzó a auscultarle, sin dejarle responder.

Tiempo después, Lucas se puso la camisa, contento de que al fin el galeno le hubiera dado permiso para acabar con su forzado reposo. Tal y como él ya sabía, solo tenía algunas magulladuras de escasa importancia, nada que le obligara a guardar cama. Obedeciendo la sugerencia del médico, se puso una chaqueta que encontró en el armario. Por lo visto los ricos vestían de calle incluso en el interior de sus casas. De todas maneras, no alcanzaba a entender para qué demonios tenía que vestirse de domingo. En cuanto el

viejo supiera que ya podía moverse sin trabas le mandaría al sótano o al jardín para hacer cualquier trabajo que le quitara de su
vista, y con el que pudiera pagar la deuda contraída. Y, ciertamente, estaba deseándolo. Esa mansión tan grande e impoluta, con
sus habitaciones de mil puertas y sus muebles brillantes le ponía
nervioso. No pertenecía a ese sitio, era demasiado vulgar para una
casa tan majestuosa, seguro que rompía algo sin querer, y por
ende, su deuda ascendería. Prefería con mucho dedicarse a hacer
recados para mamá gallina u, ojalá tuviera suerte, ayudar a la joven con sus plantas. Seguro que le hacían falta un buen par de manos para cuidar del jardín y podar los árboles.

Se detuvo en mitad de la galería interior al pensar que quizá no
tuvieran jardín y por eso la muchacha se dedicaba a cuidar esos arbolitos raquíticos.

—Mi barco a cambio de saber lo que se te está pasando por la cabeza —comentó Doc, intrigado al ver por primera vez en el rostro
del joven una sonrisa verdadera.

—Solo estaba pensando en… —Se metió las manos en los
bolsillos, inseguro, antes de continuar—. ¿Tienen jardín aquí?
—inquirió. Había estado tan pendiente de ella durante su breve
estancia en la terraza que no se había molestado en mirar más
allá de la barandilla.

—Sí, claro. ¿Por qué lo preguntas?

—Antes he estado en la terraza, ayudando a una joven con unos
arbolitos raquíticos, y he pensado que quizá son tan pequeños porque no tiene un lugar donde ponerlos.

—Ah, no. Alicia siente adoración por los bonsáis —comentó divertido Doc.

—Pues son horribles —musitó Lucas, saboreando el nombre de
la muchacha. Alicia. Tan bonito como ella.

—No digas eso delante de ella —le aconsejó el médico muy
serio—. Se los regaló Biel cuando comenzó a recuperarse de su
enfermedad, no fue hasta que empezó a cuidarlos que volvió a
sonreír. Creo que en cierto modo se ve reflejada en ellos, si
siendo tan diminutos y retorcidos pueden ser hermosos… —se
calló antes de continuar.

—¿Qué le pasó? —Lucas asió el brazo del doctor con la preocupación reflejada en su mirada. La muchacha había sido agradable
con él, e incluso había conseguido que riera, olvidando sus problemas. No le gustaba nada saber que había estado enferma.

—Poliomielitis. —Doc le miró intrigado al percatarse de su de-
sasosiego—. Quizá la conozcas como parálisis infantil —apuntó.

Lucas asintió para luego negar enfadado con la cabeza.

—¿Por qué ella? No es justo —cabeceó abatido.

—La vida nunca suele serlo —replicó el galeno con pesar—. Hemos llegado. —Abrió la puerta frente a la que se había detenido.

—¿Y bien? —inquirió el capitán en el momento en que entraron en el despacho.

—Está fuerte como un roble —anunció Fernando sentándose en una butaca.

—¡Lo sabía! —exclamó Biel con evidente regocijo dando un manotazo en la mesa—. Ya os lo dije, no es ningún blandengue.

Lucas estrechó los ojos, sorprendido por la extraña reacción del capitán. Por lo visto el viejo estaba muy necesitado de brazos fuertes para trabajar en su casa, no había otra explicación para el júbilo que mostraba. Sin esperar a que se lo ordenaran, se repantigó en una silla que, a pesar de su aspecto caro y relamido, era bastante cómoda, y mientras el médico exponía sus recomendaciones, se dedicó a observar con atención lo que le rodeaba.

Era una sala eminentemente masculina llena de enormes mapas. En la pared enfrentada a la puerta se ubicaba un gran ventanal y flanqueándolo, una librería de puertas de cristal y una estantería con maquetas de barcos. Frente a estas, un imponente escritorio de caoba tras el que estaba sentado el viejo y en el que había un teléfono. Lucas lo miró casi anhelante, con esos trastos se podía hablar con otra persona, con Anna, sin importar la distancia que los separase. Sacudió la cabeza para evitar pensar en ello. Dudaba mucho que el viejo le dejara utilizarlo, y aunque pudiera esquivarle, tampoco sabía cómo hacerlo funcionar. Su mirada vagó del preciado teléfono a una mesita colapsada de cartas y periódicos. Varias butacas guarnecían las paredes laterales, y cómo no, había dos puertas más además de la principal. «Los ricachones y su manía con las puertas», pensó. Se apoltronó más aún y observó a quienes le acompañaban.

Enoc estaba en un sillón frente a la mesita. Doc seguía hablando en voz baja con Biel y, sentado en el extremo opuesto del despacho, un desconocido le examinaba con disimulo. Era un hombre joven, aunque su rígida postura y su aspecto atildado le hacían parecer mayor. Estaba muy delgado y se había peinado con una perfecta raya que dividía en dos mitades iguales su oscuro cabello. Vestía un impecable traje gris con una vuelta de dobladillo en el pantalón. Bajo la chaqueta asomaba una impoluta camisa blanca con el almidonado cuello encerrado por una severa corbata negra. Lucas tragó saliva, ¿cómo podía respirar con la corbata tan ajustada?, ni siquiera el capitán la llevaba puesta en casa.

—Lucas, es hora de que conozcas a tu profesor —señaló Biel al desconocido—. El señor del Closs se ocupará de instruirte.

—¿Instruirme en qué? —inquirió observando atónito al petimetre. ¿Qué clase de trabajo iba a darle el viejo para que ese mariposito tuviera que enseñarle?

—En todo. Tus carencias son ilimitadas —contestó Biel haciendo una mueca de resignación—. Empezaréis por lo más básico: leer y escribir, y a la vez pulirá tus modales. Y, si eres capaz de aprender, continuaréis con matemáticas, geografía, historia…

Lucas contempló atónito a su abuelo y luego dirigió la vista al hombre peripuesto que asentía a cada palabra del viejo. ¡¿Quería enseñarle a leer y escribir?!

—No necesito que me enseñe a leer y escribir para trabajar —replicó altanero.

—Te equivocas, polizón. Tu trabajo consistirá en formarte para convertirte en un hombre de provecho —dijo Biel con el ceño fruncido. Mocoso desagradecido, ponía el mundo al alcance de sus manos y él le correspondía mostrándose insolente—. Veremos si eres tan inteligente como crees —le desafió.

Lucas miró a su abuelo, cruzó las manos a la nuca, estiró las piernas y sonrió malicioso.

—¿Cuándo empezamos? —Si el viejo quería que se tocara los pies durante el tiempo que estuviera allí, lo haría con gusto. Es más, le iba a demostrar lo vago que podía llegar a ser.

Biel estrechó los ojos, desconfiando instintivamente de la rápida aceptación de su nieto, seguro que estaba tramando algo. Sonrió, estaba deseando vérselas con el astuto chaval.

—Señor Abad, enséñeles la casa para que el señor del Closs decida qué estancia conviene a nuestros intereses.

Ocuparon el resto de la mañana en esa tarea.

Recorrieron cada rincón de la planta baja, y Lucas no pudo evitar mostrarse asombrado ante la enormidad fastuosa de la mansión. El salón abierto en el que había estado el primer día era solo una pequeña parte de la casa y, a través de él se llegaba a todas las salas de esa planta. Lo cual tampoco era de extrañar, pues había cinco puertas en él, y eso sin contar la que estaba oculta por el recodo de las escaleras y que daba a la zona de servicio donde había otras escaleras que usaban los criados, evitando de esta manera transitar por las principales. ¡Dios librara a los richachones de mezclarse con el populacho!

Todas las salas de la planta trazaban un círculo cuadrado en torno al gran salón. Y cada una de las estancias tenía al menos dos puertas, si no eran más. Desde el vestíbulo se podía acceder, además de a la calle y al salón, a la sala de fumar a la derecha y la sala de día a la izquierda. La sala de día era una estancia semicircular equipada con sillones y sofás de terciopelo añil con bordados dorados. Desde esta, accedieron a la sala de estar, el lugar en el que Etor le había noqueado la primera noche, en ella se abrían ¡cuatro puertas! La que acababan de cruzar, otras dos, enfrentadas, que se abrían al salón y a una enorme terraza y la última, que les llevó al Jardín de Invierno.

Lucas miró asombrado a su alrededor, ¿para qué querían un jardín dentro de una casa?, porque eso, y no otra cosa, era el lugar en el que se encontraba. Contenía cientos de plantas que formaban un crisol de colores bajo los rayos de sol que entraban por los grandes ventanales. Allí, semioculta por un enorme helecho, encontró a Alicia. Estaba en su silla de ruedas, frente a una mesa con varias macetas, charlando amigablemente con Etor. Una sincera sonrisa se despertó en los labios de Lucas e hizo intención de acercarse a ella, pero Enoc le indicó que debían continuar. Se despidió pesaroso y caminó hacia la enésima puerta, pues, al igual que en el resto de la casa, allí también había demasiadas. La que habían atravesado, las que daban a la terraza y al salón y una última que les llevó al comedor.

¿Cuántas personas podrían comer allí?, se preguntó atónito al ver la enorme mesa. Cubierta por un mantel blanco, estaba dispuesta para comer, o al menos eso intuyó al ver la vajilla de porcelana colocada frente a siete de las dieciocho sillas que la rodeaban.

—Será mejor que nos demos prisa, la señora Muriel está a punto de llamar para comer y no tolera la impuntualidad —comentó Enoc obviando la puerta que daba al salón y tomando una más pequeña que les llevó a la zona de servicio.

Allí, ¡gracias al cielo!, cada estancia tenía una sola puerta. Atravesaron la despensa y la pulcra cocina y llegaron a un pequeño zaguán desde donde accedieron al salón. Desde allí se dirigieron a una sala en la que había una mesa de billar. Lucas negó asombrado, ¿quién en su sano juicio tenía un billar en casa? Los ricos, por supuesto. No tenían nada en lo que ocupar su tiempo, excepto en juegos. Desde allí pasaron a la sala de fumar. Era semicircular y totalmente masculina con sus sillones con barcos bordados y sus mesas ocupadas por cigarreras, ceniceros, fosforeras y cortadores de puros. Sobre una mesita había una extraña botella de cristal azul con un largo cuello encajado en un cuerpo metálico del que salían tres delgadas mangueras.

—Es un narguile —comentó Enoc al ver la estupefacción pintada en el rostro de Lucas—. Sirve para fumar. Lo compró el capitán en Turquía hace ya algunos años. Si quieres, únete a nosotros después de comer, y así lo pruebas. Es… interesante el sabor del tabaco turco.

Lucas miró atónito al hombre, ¿sus palabras encerraban una tregua? Aceptó con un gesto de cabeza.

Enoc sonrió complacido y acto seguido se dirigió a la puerta contraria a la que habían entrado, llegando al vestíbulo a través del que accedieron al salón.

Lucas giró sobre sus talones. Habían recorrido toda la planta de puerta en puerta, sin pisar el salón.

—¿No sería más fácil, y menos lioso, que cada sala tuviera una sola puerta, y entrar y salir siempre por ella? —No estaba seguro de no perderse si le dejaban solo allí.

—No es tan laberíntico como parece —murmuró Enoc divertido acercándose a él.

—Quizá debería hacerme con un mapa y una brújula —musitó negando con la cabeza. ¡Capitalistas, estaban locos!

En ese momento se escuchó una campanilla que, según le explicó Enoc, indicaba que la señora Muriel ya tenía lista la comida.

Lucas asintió y se dirigió a la zona de servicio. Apenas había desayunado nada y estaba muerto de hambre.

—¿Adónde se supone que vas? —le detuvo Enoc bajo la atenta mirada del maestro.

—A la cocina —respondió Lucas encogiéndose de hombros ¿Adónde iba a ir sino?

—¿Para qué? —le preguntó Isembard del Closs, rompiendo su silencio, pues desde que había abandonado el despacho se había limitado a seguir a Enoc y observar con suma atención al joven que el capitán le había informado era su nieto, eso sí tras jurar que guardaría silencio sobre su identidad.

—Para comer —contestó Lucas observándole curioso. Para ser un maestro no era muy listo. ¿Para qué demonios pensaba que iba a la cocina? ¿A limpiarse las orejas?

—No vas a comer en la cocina con los criados. Eres el nieto del capitán Agramunt y debes comer en el lugar que te corresponde: el comedor, acompañando a la familia —le exhortó, mostrando más carácter del que Lucas había pensado que tuviera.

Lucas bufó desdeñoso, ¿de verdad ese petimetre pensaba que el viejo le iba a permitir comer con su adorada familia? ¡Estaba loco! Miró a Enoc, con la esperanza de que este le aclarara al mariposito que se estaba equivocando de cabo a rabo, pero en lugar de eso, el fibroso hombre se limitó a sonreír y señalar el comedor con la cabeza.

Por lo que, aún en contra de lo que le gritaba su instinto, les acompañó, seguro eso sí, de que el viejo le echaría de allí de una patada en el culo, o más concretamente, de un bastonazo en el trasero.

No le echó.

Al contrario. Sentado a la cabecera de la mesa, Biel le señaló la silla que había a su derecha.

Lucas parpadeó perplejo al comprobar que iba a comer con la familia e invitados del capitán y, aturdido, se sentó en el que intuyó era uno de los sitios destacados. Enoc e Isembard ocuparon sus asientos junto a él, mientras que frente a ellos ya estaban sentados el doctor, la señora de la casa y Alicia.

La joven le sonrió, y Lucas, sin apenas darse cuenta de lo que hacía, sonrió a su vez. Luego, mientras la familia daba gracias al Señor con una sencilla oración, desvió la mirada a los platos y cubiertos que había frente a él, preocupado. Anna le había dicho en alguna ocasión que los ricos usaban multitud de chismes raros para comer, y no le apetecía en absoluto quedar como un idiota delante del viejo. Suspiró aliviado al comprobar que no había más cubiertos que los normales: cuchara, cuchillo, tenedor y cucharilla. Eso sí, había cuatro copas de distintos tamaños.

Al término de la oración la señora Muriel y su asustadiza polluela sirvieron vino y agua en dos de las copas, sacándole en parte de dudas. Cumpliendo la promesa que le hiciera en su día a Anna, ignoró el vino y puesto que solo pensaba beber agua, no se preocupó de más. Poco después la comida estuvo en la mesa. Una sencilla sopa y de segundo ternera asada con guarnición de patatas, algo que a Lucas se le antojó demasiado normal para una casa tan lujosa. Comenzó a comer lentamente mientras Isembard le observaba con suma atención, poniéndole tan nervioso que apenas disfrutó de las suculentas viandas. Frente a ellos, Jana y Alicia departían entusiasmadas sobre las últimas noticias aparecidas en la revista *La Esfera*.

Lucas escuchó a las mujeres, divertido por su entusiasmo y a la vez intrigado por lo que comentaban. Estuvo tentado de participar en la amena charla, pero tampoco sabía qué decir. Fue en ese momento cuando se dio cuenta de que quizá sí necesitara aprender algunas cosas. Por ejemplo, dónde se encontraba el Teide. Por lo visto había un volcán en España, y lo habían fotografiado.

Cuando terminaron, Jana se retiró a la sala de día mientras que Alicia llamó a Etor para que la subiera a su gabinete para descansar antes de la llegada de la enfermera. Lucas la miró preocupado y se acercó a ella, decidido a averiguar para qué necesitaba una enfermera, pero en ese momento los hombres se retiraron a la sala de fumar, instándole a acompañarlos, cosa que no le quedó más remedio que hacer. Una vez allí rechazó el licor que le ofrecían pero sí probó, mareándose, el tabaco turco. Era demasiado dulzón, demasiado intenso, demasiado… todo. A Dios gracias que la estancia en esa sala atufada por el denso aroma del tabaco fue corta, pues Enoc, que inteligentemente se había limitado a fumarse un cigarrillo liado, pronto les requirió para continuar recorriendo la casa, en esta ocasión la primera planta.

Tras explicarle que estaba destinada a las dependencias de la familia, comenzaron a recorrer la galería interior. La primera puerta que se encontraron era la única en la zona sur y pertenecía al dormitorio principal. Este ocupaba una cuarta parte de la planta, y, lógicamente, no le permitieron acceder a él. La siguiente puerta, ya en el lado oeste, correspondía al dormitorio de Alicia, que a la vez se dividía en la alcoba y su gabinete privado, a los que tampoco pudo acceder. En esa misma ala, se encontraban el cuarto de baño, el dormitorio que él mismo ocupaba y el estudio. En la parte norte estaba ubicada la biblioteca. Una estancia en la que las librerías ocupaban todas las paredes. En el centro, varios butacones junto a una mesita redonda. Y, cómo no, dos puertas. La que daba a la galería y la que se abría al despacho del capitán, desde el cual accedieron a la sala de mapas, que, gracias a Dios, solo tenía esa puerta. Más allá quedaba el ala este, destinada al servicio, a la que se llegaba a través de un estrecho pasillo en el que estaba el dormitorio de Enoc.

Cuando regresaron al despacho, Lucas estaba mareado, y mucho se temía que no era solo por el meloso tabaco turco, sino también por la cantidad de habitaciones y puertas de la casa. Allí solo vivían el capitán, su mujer y Alicia, ¿para qué demonios querían tanto espacio?

—¿Y bien? ¿Ha decidido ya cuál será el aula? —le preguntó Biel al maestro.

—¿Habría algún impedimento en usar el estudio? —inquirió Isembard por respuesta—. Es lo suficientemente amplio como para colocar los útiles necesarios y tiene una excelente iluminación gracias a su orientación y los grandes ventanales. Sería el lugar más indicado.

Biel asintió pensativo, había imaginado que el joven maestro elegiría la biblioteca, aunque bien era cierto que el estudio contaba con mejor luz que esta.

—Dígame qué necesita y el señor Abad se ocupará de que lo tenga mañana mismo.

—Un caballete, una pizarra, útiles de escritura y varios cuadernos —apuntó Isembard con decisión.

—¿Solo? ¿No va a necesitar libros?

—La biblioteca tiene un buen surtido —replicó categórico.

El anciano le había indicado que su nieto no sabía leer y no pensaba avergonzar al joven comentando ante los allí reunidos que comenzarían con el abecedario, una pizarra y libros infantiles. Ya se ocuparía él mismo de obtenerlos. Pero, antes de nada era necesario conocer mejor a Lucas, y que este a su vez le conociera a él. Miró a su alumno pensativo. Intuía que no era un hombre sumiso, por lo que tomó su primera decisión con respecto a él. No le daría más poder tratándole de usted, sino que equipararía posiciones.

—Si nos disculpan, Lucas y yo nos retiraremos al estudio —señaló despidiéndose con un leve gesto de cabeza.

Lucas se encogió de hombros y, metiéndose las manos en los bolsillos, acompañó al petimetre.

—No escondas las manos —le indicó este en voz baja al salir a la galería—. Es una mala costumbre.

Lucas le lanzó una mirada socarrona y acto seguido hundió más las manos en el pantalón. Isembard se limitó a ignorar su infantil rebeldía. Al menos hasta que entraron en el estudio y Lucas se sentó frente a la mesa.

—No te agrada mi presencia aquí, lo sé —le dijo, permaneciendo de pie, marcando su posición de poder y su autoridad—. Pero me es indiferente. Me han contratado para instruirte, y es lo que voy a hacer.

—Adelante —le desafió Lucas, repantigándose en la silla.

Isembard respiró profundamente al escuchar su insolente respuesta. Estaba claro que iba a ser una lucha de voluntades. Esperaba que el año que había pasado dando clases a los niños de la escuela del pueblo le ayudaran a bregar con el huraño joven.

Un par de horas después, Lucas abandonó el estudio con la cabeza a punto de reventar. El odioso maestrucho se había limitado a permanecer de pie frente a él y lanzarle una pregunta tras otra. Sin pausa. ¿Cuántos años tienes? ¿Dónde te has criado? ¿Con quién? ¿En qué lugares has estado? ¿En qué has trabajado? ¿Desde qué edad? ¿Cuál ha sido tu mayor reto? ¿Cuál tu mayor fracaso? ¿Cómo te sientes al estar aquí? ¿Por qué crees que tu abuelo te obliga a estudiar? ¿Entiendes sus motivos? ¿Crees que te va a merecer la pena el esfuerzo? ¿Cuál es tu color favorito? ¿Qué animal te gustaría ser? Y más y más y más. Y en cada pregunta que había intentado no responder, le había asediado hasta que lo había hecho, obligándole a explayarse al incorporar nuevas cuestiones, hasta el punto de que hubo un momento en que ni siquiera había sido consciente de lo que estaba respondiendo.

Solo hubo algo que Isembard no le preguntó: ¿sabes leer y escribir?

Y mientras recorría la galería interior en dirección al baño, necesitaba urgentemente lavarse la cara y aclararse las ideas, eso era lo único en lo que podía pensar. ¿Por qué demonios no le había preguntado si sabía leer o si había ido a la escuela? No es que pensara responderle, pero, ¿por qué no le interesaba saberlo al puñetero mariposito? El capitán le habría dicho que no sabía leer, pero aún así, ¿tan seguros estaban todos de que era un analfabeto? ¿No pensaban darle siquiera el beneficio de la duda?

Isembard se mantuvo inmóvil en la puerta del estudio hasta que Lucas entró en el aseo y, en ese mismo instante, se permitió un ligero suspiro y se encaminó hacia el despacho. El primer encuentro con su alumno no había sido fácil. El muchacho era un libro cerrado, se negaba a contar nada sobre sí mismo y eludía las preguntas con certera agudeza, lo que indicaba que poseía una inteligencia ágil y un genio vivo. Se detuvo pensativo frente a la puerta del despacho al percatarse de algo de lo que por lo visto nadie se había dado cuenta: Lucas no hablaba como lo haría alguien criado sin la más mínima educación. No acortaba las palabras, ordenaba cada frase correctamente, no se comía algunos artículos, preposiciones ni verbos, su acento era adecuado y, sobre todo, no usaba la jerga barriobajera de los habitantes de los barrios más desfavorecidos. Algo inesperado habida cuenta de lo que le había contado el capitán sobre él. Había esperado encontrarse con un ignorante incapaz de expresarse, y en lugar de eso, había topado con un joven que transmitía sin ambages ni dudas lo que pensaba. Debía meditar sobre ello, el vocabulario reflejaba el interior de la mente de las personas, y la de Lucas mostraba una lúcida inteligencia.

Tomó el pomo de la puerta y respiró profundamente. El capitán le había ordenado que le informara tras la clase, y mucho se temía que iba a ser complicado hacerle entender al viejo marino que creía que se había equivocado por completo al evaluar el carácter de su nieto.

—¿Y bien? —inquirió Biel cuando entró en el despacho.

—Lucas es un tanto peculiar. Tiene una personalidad muy marcada, es difícil saber lo que piensa, pero a la vez da muestras de gran inteligencia y una cierta rebeldía.

—En resumen, mi nieto se las ha hecho pasar canutas. —Biel esbozó una sonrisa.

Isembard miró al anciano, sorprendido por sus palabras. Esperaba que le llevara la contraria argumentando que el muchacho era un bruto simplón, al menos esa era la impresión que le había dado cuando le había referido sus circunstancias, pero en lugar de eso parecía… satisfecho.

—No se moleste en intentar disculpar a mi nieto, tiene un carácter endemoniado —afirmó Biel ufano—. Doc me ha asegurado que usted podría domarlo, espero que esté en lo cierto. Tiene mi permiso para utilizar el método que considere más oportuno para disciplinarle —le informó dedicándole una penetrante mirada.

Isembard abrió los ojos como platos al intuir a qué se refería el capitán. ¿Cualquier método? ¿Disciplinar? ¿Acaso se había pensado que Lucas era un niño? Dudaba de que el joven aceptara una colleja sin devolvérsela, y con creces. Y de todas maneras, él nunca había estado de acuerdo con las arcaicas técnicas utilizadas por sus compañeros de profesión, prefería seguir el método ideado por la italiana María Montessori: observar al alumno, adaptar el aprendizaje a sus capacidades y necesidades, y desarrollar su inteligencia mediante el trabajo.

—Lucas no necesita ser domado, sino guiado —replicó con los dientes apretados. No le extrañaba que el muchacho estuviera a la defensiva—. Y es lo que pretendo hacer —afirmó rotundo—. Con su permiso —se despidió. Tenía muchas cosas que pensar, muchos planes que trazar y mucho material que buscar. No podía perder el tiempo en charlas inútiles cuando acababa de encontrarse cara a cara con quien supondría uno de los mayores retos de su profesión.

Biel arqueó una ceja cuando el maestrillo se marchó. Quizá no le hubiera gustado cuando se lo había presentado Doc esa misma mañana. Quizá hubiera pensado que era demasiado blando para Lucas. Sonrió satisfecho. Quizá, solo quizá, se hubiera equivocado en sus anteriores percepciones.

Lucas salió del cuarto de baño y se encontró con su estirado profesor. Se saludaron con una inclinación de cabeza antes de que este se dirigiera a las escaleras con inusitada rapidez. Por lo visto el relamido hombrecillo tenía prisa por abandonar la casa. ¡Ojalá no regresara nunca! Se peinó el pelo con los dedos a la vez que se encaminaba a su habitación y, justo cuando estaba asiendo el pomo, el sonido de una puerta al cerrarse le hizo girarse.

Alicia acababa de salir de su dormitorio, acompañada por una guapísima morena un poco mayor que ella. Ambas iban vestidas con rectos vestidos en tonos pastel que aunque marcaban su feminidad, no se ceñían a sus cuerpos. Se despidieron con sendos besos en las mejillas y, cuando la desconocida enfiló en dirección a las escaleras, donde Isembard permanecía inmóvil, Alicia se giró hacia Lucas. Parecía agotada, casi derrotada. Sus ojos no contenían la alegría de la que siempre hacía gala.

Lucas se encaminó hacia ella, extrañamente preocupado.

—¿Estás bien? —Ella asintió con la cabeza—. Pareces cansada.

—El cumplimiento del deber a veces es desagradable —musitó frotándose distraída la pierna derecha antes de esbozar una tímida sonrisa—. ¿Te importaría empujarme hasta la biblioteca? Me da la impresión de que mis brazos son de gelatina.

Lucas asintió, colocándose tras la silla de ruedas. Un instante después entraron en la biblioteca, seguidos de cerca por Enoc, que al advertir la partida del maestro había subido a cumplir su cometido: vigilar a Lucas.

La colocó bajo una lamparita de pie que había junto a unos sillones y le acercó el libro que reposaba sobre la mesa tal y como ella le pidió.

—¿Recuerdas el capítulo en el que nos quedamos? —inquirió Alicia acariciando las tapas. Lucas la observó confundido—. La historia de piratas de ayer… ¿Recuerdas dónde la dejamos?

—Cuando se murió el pirata que estaba en la posada, creo que fue en el capítulo cuatro.

—Ah, estupendo. —Pasó las páginas rápidamente hasta detenerse en la que buscaba—. Capítulo cuatro: El cofre.

Y Lucas se sentó en una de las cómodas sillas para escucharla.

Y durante todo el tiempo que Alicia estuvo leyendo, él no pudo apartar la mirada de sus preciosos labios.

9

*Y en verdad, a pesar de su ropa deslucida y sus expresiones
indignas, no tenía el aire de un simple marinero,
sino el de un piloto o un patrón.*

ROBERT LOUIS STEVENSON, *La isla del tesoro*

8 de abril de 1916. De noche.

Anna.

Frente a él.

Sangre en sus labios.

Sangre en su rostro.

Sangre en sus manos.

—¿Dónde estás? ¿Por qué no vienes a verme? —le pregunta extendiendo la mano.

Él intenta asirla.

Ella se desvanece.

La busca a través de cientos de habitaciones en las que se abren miles de puertas.

Sigue su rastro de sangre en el suelo.

Escucha cada vez más lejos los sonidos de su opresiva tos.

Sabe que si no se da prisa la perderá.

Tras las puertas, más puertas. Todas cerradas. Todas abiertas.

No consigue encontrarla.

—Tranquilo, Lucas —musitó Alicia acariciándole el rostro.

El joven se removió en la cama, inquieto. La angustia reflejándose en sus labios tensos y el sudor que bañaba su frente.

—Es solo una pesadilla. Tienes que despertar —murmuró ella tomándole de la mano.

—¡Anna! —Abrió los ojos, jadeando aterrado—. Tengo que encontrarla, me está llamando y no estoy con ella —gimió apresando con ambas manos la de Alicia—. Está mal otra vez, no ha servido de nada. Tengo que… —Miró la habitación, confundido—. A casa, tengo que ir a casa. Si regresa y no me encuentra se va a asustar. Tengo que ir a casa y…

—Lucas, tranquilízate —le ordenó Alicia encendiendo la lamparita que había sobre la mesilla antes de acariciarle la mejilla con la mano libre—. Estás en casa.

—No, no estoy en casa —murmuró él parpadeando por culpa de la repentina claridad—. Esta no es mi casa. Tengo que regresar y…

—Esta sí es tu casa —le interrumpió ella aferrándole la cara con ambas manos—. Mírame, estoy aquí, contigo, en casa.

Y Lucas por fin la vio. Se sentó en la cama y enterró la cara entre sus manos a la vez que un sollozo escapaba de sus labios.

—Has tenido una pesadilla. Tranquilo, no pasa nada —musitó acariciándole la espalda.

—Sí pasa. —Bajó de la cama—. Tengo que asegurarme de que no la alquile —farfulló alterado dirigiéndose al armario—. ¿Por qué no lo pensé antes?

—¿Qué haces? —Alicia lo retuvo tomándolo de la mano.

—Tengo que regresar, han pasado cuatro días desde que estuve por última vez en mi casa, ¡y todavía debo un mes de alquiler! Si el casero piensa que me he ido sin pagar, venderá nuestras cosas y la alquilará a otra persona —explicó nervioso abriendo las puertas del armario.

—No puedes irte ahora.

—¡Claro que puedo! No lo entiendes, tengo que asegurarme de que Anna tenga un lugar al que regresar cuando se ponga bien.

—Eres tú quien no lo entiende —replicó Alicia descorriendo apenas las cortinas para mostrarle la oscuridad reinante tras estas—. Es noche cerrada, ¿Qué crees que hará tu casero si apareces en su casa a estas horas?

—Pegarme un tiro —musitó Lucas contemplando el oscuro exterior para luego desviar la mirada a la joven en silla de ruedas que iba vestida con un recatado camisón blanco.

Sacudió la cabeza, totalmente despierto al fin, y se tumbó en la cama, tapándose los ojos con el antebrazo. Tragó saliva varias veces mientras asimilaba que ella le había visto asustado como un niño, casi llorando, confundido… vulnerable.

—¿Estás bien? —le preguntó preocupada.

—¿Qué haces aquí? —escupió furioso a modo de respuesta—. No deberías entrar en las habitaciones de un hombre. Menos aún a estas horas —apuntó ofensivo.

—Ya ves… No hay nada que me guste más que despertarme a media noche por culpa de los gemidos asustados de un mentecato y recorrer la terraza para colarme en la habitación de un majadero. Si me disculpas —siseó, girando la silla con la intención de abandonar la alcoba.

—Espera. —Lucas saltó de la cama y la detuvo aferrando la empuñadura de la silla—. Lo siento.

—Si pensaras antes de hablar, no tendrías que disculparte tan a menudo —espetó enfadada.

—Si pensara antes de hablar, no sería yo —masculló él para acto seguido fruncir el ceño. Apoyó las manos en los reposabrazos de la silla y se inclinó sobre ella mirándola con atención—. No es la primera vez que vienes a verme cuando tengo una pesadilla —comentó de repente, recordando haber escuchado su suave voz al despertar de otras pesadillas.

Alicia asintió con la cabeza y él se dejó caer para sentarse en el suelo, con la espalda apoyada en la cama, las rodillas dobladas y los codos apoyados sobre estas.

—Puñeta.

—No es apropiado que uses ese lenguaje en mi presencia —le regañó Alicia.

—Tú acabas de llamarme majadero.

—Porque lo eres —aceptó ella, haciéndole sonreír.

—¿También soy un mentecato?

—Por supuesto. Mírate, sentado en el suelo cuando tienes un cómodo lecho a tu disposición —señaló divertida—. Vuelve a la cama y duérmete, aún queda noche por delante.

Lucas asintió y se sentó en la cama, en la misma posición que había tomado en el suelo.

—No vas a dormirte —comprendió Alicia. Él negó con la cabeza—. ¿Qué te preocupa?

Lucas volvió a negar en silencio.

—Dímelo —le instó a la vez que le tomaba la mano, envolviéndola con sus delicados dedos—. Tal vez pueda ayudarte.

—Lo dudo.

—Has vuelto a hablar antes de pensar —le recriminó. Lucas sonrió al escucharla.

—Tengo que regresar a mi casa e impedir que el casero vuelva a alquilarla.

—Vas a estar aquí cuatro meses —comentó ella confundida.

—No lo entiendes. No es fácil conseguir un alquiler en ese barrio y si lo pierdo… Cuando Anna regrese no tendrá donde vivir. Es mi responsabilidad cuidar de ella, no puedo perder su hogar —musitó desesperado, arrullando los dedos que envolvían su mano.

—Habla con el capitán.

—¿Para qué?

—Él puede ayudarte.

—¿El viejo? Seguro —afirmó irónico—. Puede ayudarme a poner una cuerda alrededor de mi cuello. Seguro que lo haría con gusto.

—No es como crees, de la misma manera que tú no eres como él cree. Estáis los dos muy equivocados —sentenció ella acariciándole la cara con la mano libre.

Lucas cerró los ojos ante la caricia.

—Duérmete, mañana lo verás todo con más claridad —la escuchó susurrar.

Consciente de que por su culpa ella se había despertado en mitad de la noche, se tumbó soltando su mano, decidido a fingirse dormido para que pudiera irse a descansar, bastante la había molestado ya.

Alicia esbozó una sonrisa al ver sus párpados fuertemente apretados. Apagó la luz y le volvió a tomar de la mano.

Lucas sonrió sin abrir los ojos, disfrutando de esa extraña comunión entre ambos. Cuando volvió a abrirlos la noche comenzaba a desvanecerse y Alicia continuaba a su lado, sentada en su silla de ruedas, dormida, sujetándole aún la mano.

Se soltó con cuidado de no despertarla y sin molestarse en vestirse de calle, empujó la silla por el corredor exterior hasta su habitación.

—¿Lucas? ¿Qué pasa? —le preguntó adormilada al sentir que la levantaba en brazos.

—Chis, duérmete, aún es pronto —musitó dejándola con cuidado en la cama.

Alicia le obedeció, acurrucándose entre las sábanas con un suspiro.

Lucas esperó hasta que su respiración pausada le indicó que estaba de nuevo dormida y regresó a su dormitorio. Una vez allí se sentó pensativo frente al buró y trazó cientos de planes que descartó un segundo después. Y, cuando poco después del amanecer escuchó el tenue sonido de un bastón golpeando el suelo, se levantó de un salto, se vistió presuroso y sin pararse a pensar, se dirigió al despacho del capitán.

Biel levantó la cabeza al oír que la puerta se abría y arqueó una ceja al comprobar que la persona que entraba era la más inesperada, y todavía más a esa temprana hora: su nieto.

—Necesito hablar con usted —dijo Lucas con inusitado respeto, deteniéndose frente al escritorio.

—Siéntate y desembucha —le indicó Biel observándole con atención. Parecía nervioso, remiso. No cabía duda de que, fuera lo que fuera lo que iba a exponerle, no le gustaba decirlo.

—No puedo permanecer todo el tiempo aquí encerrado, necesito un par de días libres a la semana —masculló incómodo el joven, desobedeciendo la orden de sentarse.

—¿Un par nada menos? ¿Para qué si puede saberse? —indagó intrigado.

—Para trabajar en el puerto.

Biel estrechó los ojos, esperando a que continuara. Una espera que se demostró inútil.

—¿Y para qué demonios quieres trabajar? —Tamborileó los dedos sobre la mesa, impaciente.

—Necesito… —Desvió la mirada, centrándola con anhelo en el teléfono antes de sacudir la cabeza y volver a fijarla en el viejo—. Tengo que pagar el alquiler de mi casa. —Biel arqueó una ceja, confundido—. La covacha de la Barceloneta —siseó Lucas, recordando como se había referido él a su hogar.

—Ya no vives allí.

—De momento —replicó desafiante.

Biel sonrió.

—¡No lo entiende! —exclamó Lucas ofendido porque no tomaba en serio sus palabras—. Dije que no me escaparía, y no lo haré… a no ser que me obligue. Necesito saber que mi casa va a estar ahí cuando An… cuando yo regrese —evitó mencionar a Anna. Si el puñetero viejo se enteraba de su existencia era capaz de utilizarla contra él—. Y eso no va a ser posible si no pago el maldito alquiler —afirmó golpeando la mesa con las palmas de las manos.

—¿Me estás amenazando, polizón? —preguntó Biel muy despacio, poniéndose en pie con el bastón fuertemente sujeto a su mano derecha.

—No. Le estoy advirtiendo.

—Meditaré sobre el asunto y te daré mi respuesta durante el desayuno, puedes retirarte —le indicó Biel sentándose de nuevo, secretamente complacido por su actitud.

Lucas se mantuvo inmóvil, los dientes tan apretados como los puños, hasta que aceptó que esa era una batalla que no podía ganar. Aún. Asintió malhumorado y abandonó el despacho. Un instante después Enoc entró en este a través de la sala de mapas.

—Su nieto es una caja de sorpresas, capitán —apuntó divertido—, no solo se presenta aquí al amanecer, sino que además lo hace exigiendo.

—Es buena señal que no se le peguen las sábanas. —Biel tomó su pipa y comenzó a llenarla de tabaco—. ¿Qué opina sobre lo que Lucas no ha dicho, señor Abad?

—¿Sobre lo que no ha dicho?

—Esperaba esta visita, aunque debo reconocer que no a horas tan tempranas —explicó prendiendo la cazoleta de la pipa—. Soy consciente de que mi nieto está aquí sin nada que le pertenezca, es lógico que quiera ir a su covacha y recuperar sus cosas. Al menos yo querría.

—Lucas no ha mencionado nada de eso —murmuró Enoc, entendiendo al fin.

—En efecto, no lo ha mencionado. Solo quiere saber que su hogar seguirá allí cuando regrese. Y parece muy empeñado en regresar, a pesar de todos los lujos que tiene aquí. O es tonto de remate o algo se nos escapa —masculló Biel dando una chupada—. Y mi nieto no tiene un pelo de tonto. ¿Sabe lo que pienso, señor Abad? —Este negó con la cabeza—. Pienso que lo que se nos escapa está muy relacionado con el dinero que le pidió a Marcel.

—Esa casucha no vale el dinero que le prestaron —rechazó Enoc liándose un cigarrillo.

—Desde luego que no. Pero una mujer… ¿Cuánto puede valer una mujer a los ojos de un hombre? —siseó furioso. Sabía de primera mano lo fácil que era caer en las redes de una furcia. Su primera esposa había sido una de las mejores.

—¿An… Anna? —recordó Enoc el momento en el que el chico se había interrumpido, uniéndolo al nombre que había gritado la noche de la pesadilla—. No. Lucas es más inteligente que eso.

—¿Acaso yo era un tonto? —replicó Biel levantándose de la silla—. No se moleste en contestar, señor Abad, yo mismo le daré la respuesta: tiran más dos tetas que dos carretas.

—No vi ningún indicio de que se viera con mujer alguna durante la semana que estuve siguiéndole —apuntó Enoc.

—Se le había acabado el dinero —explicó Biel encogiéndose de hombros—. Y así seguirá siendo. Tenemos que atarle bien corto —afirmó pensativo mirando el teléfono que tanto parecía fascinar a su nieto—. Continúe trazando las cartas de navegación, señor Abad, Marc regresó ayer y acudirá esta misma tarde para conocer su próxima ruta —le despidió.

Enoc asintió con la cabeza y se retiró a la sala de mapas, para regresar al despacho tiempo después, cuando Biel le llamó.

—Bajemos a desayunar, y después Etor y usted acompañarán a mi nieto a su covacha. Pagará el alquiler de cuatro meses a su casero, delante de él para que vea que no hay trampa ni cartón, y luego trasladarán sus pertenencias aquí.

—Puede que no le guste el apaño.

—Seguro que no le gustará —musitó Biel sonriendo.

Lucas apartó el plato, enfurruñado. Este mantenía intacto el pescado asado que contenía.

—Se va a quedar hecho un alfeñique si sigue comiendo como un pajarito —le regañó la señora Muriel al recogerlo.

La mandona criada, ama de llaves o lo que fuera, no tenía pelos en la lengua, y no le importaba demostrarlo delante de la familia al completo.

Lucas agachó la cabeza, azorado por la reprimenda, y apoyó los codos en la mesa. Un silencioso topetón en el pie le indicó que estaba haciendo algo mal. ¡Otra vez! Miró a su derecha donde, sentado tan recto como un palo, estaba Isembard, su puñetero profesor.

—Los codos —susurró al percibir que Lucas le miraba confundido.

Lucas bufó poniendo los ojos en blanco y retiró los codos. Un nuevo topetón le hizo saber que tampoco estaba bien visto hacer gestos en la mesa. ¡Malditos ricos, tenían normas para todo!

—No has comido nada. Tal vez el postre resulte más de tu agrado —le amonestó Jana con amabilidad cuando Muriel colocó en el centro de la mesa una bandeja llena de fruta.

—Lo siento —murmuró Lucas con tensa educación centrando la mirada en el blanco mantel—, lo cierto es que no tengo hambre.

De hecho, se le había quitado por la mañana al enterarse de que su maldito abuelo había decidido ignorar su petición y pagar el alquiler de su casa, aumentando así la deuda contraída. Y no contento con eso, había ordenado a sus dos perros falderos que le acompañaran para ayudarle a recoger sus cosas. ¡Ayudarle! ¡Puñetas! Le habían escoltado para entrometerse donde nadie les llamaba. Para husmear en cada rincón y tomar buena nota de cada una de sus escasas pertenencias. Y cuando habían tomado el camino de vuelta, el endemoniado Enoc había detenido el coche delante de cada pareja de guardias con la que se había encontrado para saludarlos. ¡Saludarlos! ¡Y él se chupaba el dedo! Había visto con sus propios ojos como los billetes cambiaban de unas manos a otras cuando Enoc le había presentado como un invitado especial del capitán Agra, haciendo que se fijaran demasiado en él. ¡Maldita fuera su estampa! Y, como no había tenido suficiente con pasar toda la mañana con los matones del capitán pegados a sus talones, al regresar había sido requerido en el despacho, donde su abuelo le había informado que durante los cuatro meses siguientes, estaría acompañado por el maestrucho, desde el desayuno hasta la merienda, aprendiendo modales y cultura.

Tragó saliva para deshacerse del nudo que se le había formado en la garganta. Era como si le hubieran puesto una cuerda alrededor del cuello de la que no pudiera escaparse y que cada vez apretaba más y más, asfixiándole. Levantó la mirada del mantel y se encontró con el ceño fruncido de su abuelo y la ceja arqueada de Enoc. Al menos Alicia y su madre se entretenían en fingir que conversaban. Echó la silla hacia atrás, necesitaba abandonar el ambiente opresivo del comedor y respirar aire fresco. El carraspeo de Isembard le indicó que había vuelto a meter la pata. Comprobó que no había puesto de nuevo los codos en la mesa, que tampoco estaba repantigado en la silla ni se había colgado al cuello la servilleta y, puesto que no había hecho ninguna mueca, le miró confuso.

—¿Y ahora qué? —siseó enfadado. Ciertamente le daban lo mismo las estúpidas reglas de los ricos y tampoco tenía ningún interés en comportarse correctamente, más bien al contrario, pero por alguna extraña razón, le molestaba mucho parecer un palurdo en presencia de Alicia.

—No se abandona la mesa hasta que todos los comensales han acabado —susurró Isembard, molesto por tener que saltarse la norma de no hablar en susurros.

Lucas abrió la boca para replicar, pero se lo pensó mejor y se limitó a resoplar, ganándose otro golpecito en el pie. Apretó los dientes, furioso. ¿De verdad iba a tener que aguantar a ese petimetre durante todo el día? No creía que pudiera soportarlo.

Esperó impaciente a que la señora Muriel y su polluela sirvieran los cafés, y a que todos se lo tomaran con desesperante parsimonia y cuando hubieron acabado se levantó de la mesa, ganándose un furioso carraspeo por no haber pedido permiso para hacerlo. Pero en eso no pensaba dar su brazo a torcer. ¡Hasta ahí podían llegar!

—Te espero en el estudio dentro de diez minutos —le informó Isembard antes de que abandonara el comedor. Lucas se giró con una réplica cortante en los labios pero, al percatarse de que Alicia le estaba observando, se tragó sus palabras y asintió con sequedad.

—Tiene mucho trabajo por delante, señor del Closs —masculló Biel, encantado con el genio de su nieto y lo mucho que le costaba contenerlo.

—No tanto como esperaba —replicó Isembard levantándose de la silla—, con su permiso.

Biel arqueó una ceja ante la inesperada y tajante respuesta del profesor.

—Parece que el maestrito tiene más temperamento del que pensábamos —musitó Enoc mordaz.

—Falta le va a hacer si quiere evitar las dentelladas de mi nieto —asintió Biel complacido.

—No hables así de Lucas, no es un perro —le regañó Jana con cariño no exento de severidad. Comenzaba a intuir que el muchacho, tal y como decía el refrán, ladraba mucho, pero no mordía—. ¿Quieres que esperemos a Addaia en la sala de día? —le preguntó a Alicia—. Así podríamos comentar con ella las últimas noticias de las sufragistas británicas.

—¡Esas locas! —exclamó Biel al escuchar a su mujer. Le había dicho cientos de veces que no quería que se mezclara en esos asuntos, ¡y ella le ignoraba!—. Salen a la calle para manifestarse, se encadenan, rompen escaparates y se enfrentan a la policía. ¡No hay nada que tengáis que hablar sobre ellas!

—Esas locas, capitán, son las mismas a las que Jorge V ha amnistiado y pedido colaboración para sustituir a los hombres que han ido a la guerra —replicó Jana con certera puntería—. ¿Qué sería de Inglaterra sin ellas? Es más, qué sería del mundo sin nosotras —afirmó más que preguntó, alzando mucho la barbilla.

—Y ahora piden los mismos salarios que los hombres, subvenciones para la maternidad, casas y ¡votar! ¡Como si fueran hombres! No, señora, en mi casa no se hablará de ellas —aseveró rotundo.

—Si no tengo libertad para hablar, entonces no hablaré más —amenazó Jana abandonando la estancia. Alicia por su parte, le lanzó una enfurecida mirada y siguió a su madre.

—Mucho me temo, capitán, que el resto del día estará sumido en el silencio —apuntó meditabundo Enoc tras la salida de las señoras.

—Ya se les pasará —gruñó Biel—. Son mujeres, va en contra de su naturaleza estar mucho tiempo en silencio —afirmó enfadado, aunque sabía por discusiones pasadas que tanto Jana como Alicia podían ignorarle durante días. Hasta que él daba su brazo a torcer. Y eso era algo que no iba a volver a pasar. Un hombre tenía el deber de imponerse y hacerse respetar—. Hoy no iré a la sala de fumadores, se me atragantaría el humo —apuntó airado mirando el reloj de pared—. Marc estará a punto de llegar. Os espero en el despacho.

Υ

Lucas acarició el pequeño timón. Era el único objeto que se había llevado de su casa, el único que era importante. Lo había encontrado en el puerto siendo niño y desde ese momento se había convertido en su posesión más querida. Le gustaba sujetarlo con ambas manos y soñar que era un capitán que surcaba los mares, lejos de Las Tres Sirenas, donde nadie pudiera encontrarle. Cada día se escondía en un callejón distinto y jugaba con él, oculto de las miradas de las furcias y los borrachos. Temeroso de que Oriol pudiera encontrarle y quitárselo, como hacía con todo lo que quería. Pero no fue él quien descubrió su secreto, sino Anna.

Le había llevado a su propia casa, la misma que él intentaba ahora salvar, tras encontrarle medio muerto en la playa. Aún no entendía como una mujer como ella había podido llevarle a cuestas hasta la Barceloneta, pero Anna lo había conseguido. Le había atendido con un cariño que en ese momento él no había entendido, al contrario, su amabilidad le había asustado. Y por ende, en cuanto pudo ponerse de nuevo en pie había huido de ella e ido a buscar su timón. Y ella lo había vuelto a encontrar. Había cogido el timón con una mano y su oreja con la otra, y cojeando, había regresado a casa mientras él le gritaba furioso que se lo devolviera. Y ella lo había colgado en la pared, frente al lecho que extendía cada noche. Y él se había quedado con Anna para vigilar que no le pasara nada al timón. Para aprender que no todas las personas eran malvadas.

—Haré lo que sea necesario para que vuelvas a estar bien —le prometió en silencio antes de guardar el timón en el armario y abandonar su dormitorio.

Recorrió la galería en dirección al estudio, y entonces lo oyó. El timbre de la puerta. Se asomó a la barandilla con curiosidad, escrutando el salón de la planta baja. Un hombre de unos treinta años lo atravesó poco después. Era alto y aguerrido, de piel morena y poblada cabellera, similar a la del capitán, y al igual que este, su forma de andar era la de aquellos que no doblan la rodilla ante nadie. La de aquellos acostumbrados a mandar y salirse con la suya.

—No es correcto asomarse a la barandilla para espiar a la gente —comentó Isembard.

—Tú estás haciendo lo mismo —replicó Lucas enfadado. Se negaba a tratarle de usted.

—No. Yo estoy observando con disimulo —apuntó Isembard estirándose las solapas de la chaqueta—. No es lo que haces, Lucas, sino la manera como lo haces. Vayamos al estudio, puesto que hemos perdido la mañana no debemos desaprovechar la tarde.

10

Su conducta me parece impropia de un caballero,
de un marino y, sobre todo, de un inglés.
ROBERT LOUIS STEVENSON, *La isla del tesoro*

Enoc observó como Marc le tendía altivo su abrigo y su sombrero a la asustadiza ayudante de la señora Muriel, para luego dirigirse con paso firme a las escaleras. Ni siquiera se había molestado en preguntar si el capitán le recibiría en el despacho, lo daba por sentado. No cabía duda de que era digno sobrino del viejo.

—Señor Agramunt —le llamó. Marc se giró, mostrando una sesgada sonrisa en su rostro de rasgos severos y tez aceitunada, más oscura ahora, tras pasar varios meses en altamar.

—Señor Abad —saludó con una ligera sacudida de cabeza.

—Quizá prefiera tomar un café en la sala de fumar antes de subir al despacho. —Enoc fijó una penetrante mirada en él, intentando averiguar qué se ocultaba tras su sonrisa burlona.

—Por supuesto. Nunca rechazo un café, menos aún si está acompañado de un buen habano —aceptó Marc cambiando el rumbo de sus pasos.

Enoc le encargó a Cristina que se ocupara del servicio para después dirigirse a la sala de fumar. Cuando entró, Marc estaba apoltronado en la austera butaca que solo el capitán usaba, relajado, con las piernas estiradas y los tobillos cruzados mientras jugaba con un puro entre los dedos. Un puro que nadie le había ofrecido. Enoc negó con la cabeza, estaba claro que no había cambiado en absoluto. Ocupó el sofá que había frente a la butaca y comenzó a liarse un cigarrillo mientras esperaba a que Cristina sirviera el café y se marchara, cerrando la puerta.

—Pareces un lechuguino —señaló desdeñoso el perfecto traje, los zapatos bicolores y su brillante cabello peinado a la moda. Nada que ver con el muchacho que había conocido, y mucho menos con el capitán que era cuando estaba a bordo del *Luz del Alba*—. ¿Sigues empeñado en pretender a la señorita Alicia?

—Por supuesto. Es lo mejor para todos. Ella consigue un marido a pesar de su… condición. Y yo consigo la jugosa herencia que le dejará el capitán —aseveró Marc cortando la punta del puro antes de encenderlo.

Enoc se fijó en sus dedos largos y velludos acabados en pulcras uñas. Hubo un tiempo en que eran callosos y ásperos.

—No te basta con el tercio que te ha prometido —replicó con repulsa.

—¿Por qué debo conformarme si puedo conseguirlo todo? —Frunció los labios, expulsando una bocanada de humo que poco a poco fue convirtiendo en aros.

—No hace falta tenerlo todo. —Enoc giró la cabeza, desviando la mirada del rostro de su antiguo amigo.

—Ese ha sido siempre tu gran problema, Enoc, no tienes ambición. —Tiró el caro habano apenas fumado en la taza de café que no se había molestado en probar.

—Y tú tienes demasiada. No voy a permitir que le hagas daño a Alicia.

—No pretendo hacérselo. Es más, la haré muy feliz no obligándola a cumplir con sus deberes conyugales cuando nos casemos.

—Si ella te acepta.

—Lo hará, no existen muchos candidatos entre los que pueda elegir —afirmó burlón. Muchos eran los cazafortunas que se habían acercado a Alicia, y el capitán los había echado a todos a patadas, consciente de que el único interés que podía despertar su amada pupila en ellos era económico. Ningún hombre con fortuna se acercaría a una tullida.

—Te ha salido un competidor —rebatió Enoc esbozando una enigmática sonrisa.

—Ninguno del agrado del viejo, seguro —replicó Marc con arrogancia.

—No es un competidor en los afectos de Alicia, sino en los del capitán —le advirtió Enoc. Aunque en vista de cómo se comportaba Lucas cuando ella estaba presente, comenzaba a dudar de su primera afirmación.

—¿Del capitán? Tonterías. Nadie es capaz de complacerle, excepto yo, y solo porque tengo su sangre y no me dejo pisar. —Por algo estaba al mando del mejor de sus barcos, el *Luz del Alba*.

—He encontrado a su nieto.

La morena tez de Marc empalideció a la vez que sus manos se tensaban, cerrándose en puños.

—¿Lo has encontrado?

—Sí. Y no es un niño, sino un hombre. Imagino que lo conocerás esta tarde —le informó Enoc levantándose—. El capitán nos espera en el despacho —apuntó dirigiéndose a la puerta.

—Maldito seas, Enoc —siseó Marc aferrándole la muñeca para impedir que abandonara la sala—. ¿Por qué demonios has tenido que encontrarle?

—Porque así me lo ordenó el capitán —contestó dando un tirón que solo consiguió que la presa de Marc se hiciera más férrea.

—Y tú siempre haces lo que el viejo te ordena… —Se encaró a él hasta que solo les separó un aliento.

—Ya sabes que sí.

—Ese ha sido siempre el problema, Enoc. Tu lealtad no está con quien la merece —masculló soltándole para acto seguido salir de la estancia.

Marc subió las escaleras con pasos rápidos, sintiendo la presencia de Enoc pegada a su espalda, aunque estaba seguro de que este guardaba las distancias, tal como siempre hacía desde que habían dejado atrás la niñez. Estuvo tentado de girarse e intentar sorprenderle, quizá así pudiera ver un asomo del muchacho que había sido. En algunas cosas no había cambiado; a pesar del alto salario que le pagaba el capitán seguía vistiendo su sempiterna camisa blanca y el chaleco de paño con múltiples bolsillos pasado de moda. Continuaba llevando el pelo demasiado largo y alborotado, y en sus manos callosas y con cortes se notaba que seguía gustando del trabajo duro. Pero el muchacho travieso y delgado que había sido se había transformado en un hombre nervudo, de rasgos afilados y con una mordaz sonrisa en la boca. Ya no había nada agradable en su semblante.

Sacudió la cabeza ignorando el rumbo de sus pensamientos y, sin molestarse en golpear la puerta, entró en el despacho.

Biel apartó la mirada del periódico y esbozó una amplia sonrisa al ver entrar a su único sobrino. Se levantó para estrecharle la mano e indicarles a él y a Enoc que tomaran asiento.

—¿Has tenido algún problema durante el viaje? —preguntó yendo al grano como era su costumbre.

—Solo al regresar, el oficial de aduanas quiere un poco más por cerrar los ojos —apuntó Marc enfadado—. Algunos hombres no saben dónde está su límite.

—¿Investigó la bodega?

—¿Usted qué cree? —replicó ladino, arrancando la risa de Biel. Y acto seguido pasó a detallar cada negocio, más o menos legal, que había realizado con éxito.

Biel escuchó con atención a su sobrino, apuntando en un libro cada pormenor que había que solucionar y cuando la narración de este dio paso a los prolegómenos del viaje, centró la mirada en los hombres que le acompañaban. La tensión que reinaba entre ellos era palpable y le molestaba en exceso. No era bueno para la empresa que su posible heredero y su hombre de confianza tuvieran roces. Ambos tendrían que hacerse cargo del negocio cuando él faltara, y la fricción entre los dos podía crear problemas. Negó con la cabeza, echaba de menos la amistosa camaradería salpicada de peleas y desafíos que había reinado entre ambos cuando acogió a Enoc en su casa y Marc se acostumbró a tener un competidor. Nada que ver con la cortante relación que mantenían ahora. Se preguntó, no por primera vez, qué habría ocurrido entre ellos cuando Marc capitaneó por primera vez el *Luz del Alba* con Enoc de primer oficial. Todo había cambiado a raíz de ese viaje, el último que Enoc había aceptado hacer.

Lucas resopló aburrido, ¿el maestrucho no iba a callarse nunca? ¡A ese paso le iba a salir el abecedario por las orejas! Miró por enésima vez por la ventana esperando ver a alguien que le entretuviera un poco de la tortura, pero Alicia había desaparecido en su habitación, igual que la tarde anterior. Por lo visto recibía cada día a su enfermera. ¿Por qué?

—Lucas, haz el favor de sentarte correctamente y prestarme atención —le regañó Isembard, de pie frente a la pizarra, señalando las letras que componían su nombre.

Lucas arqueó una ceja, cruzó los tobillos y se repantingó más aún.

Isembard inspiró profundamente, intentando contener la frustración que le corroía, y acto seguido dejó la regla sobre la mesa con un fuerte golpe y borró lo escrito en la pizarra. Había llegado la hora de comprobar si la estrategia que había trazado durante la noche era más acertada para su irritante alumno. Sacó de su ajada cartera de piel un mapa y lo desplegó sobre el caballete de tres patas.

—¿Te gustaría saber dónde está el Teide? —Observó a Lucas con suma atención, escrutando su reacción.

—No —replicó este mirando por el rabillo del ojo el mapa. ¿Dónde estaría el puñetero volcán? Se lo estaba preguntando desde que había escuchado a Jana y Alicia hablar sobre él. No le hacía ni pizca de gracia que hubiera un volcán cerca de él. ¡Podía estallar!

—Imagino que tampoco te interesa la cueva de la que hablaron ayer la señora Agramunt y su hija —abrió *La Esfera* por las páginas en cuestión, poniéndola sobre la mesa.

Lucas no pudo evitar mirar las fotos con atención. Con demasiada atención para alguien que aseguraba no interesarse por ellas. Se aproximó a la mesa y contempló absorto la cumbre nevada de la montaña, para luego estrechar los ojos ante las columnas llenas de letras que flanqueaban la imagen. Bufó enfurruñado y desvió la vista a la otra página, donde observó pensativo las extrañas tonalidades rojizas de la foto antes de descender despacio, examinando con curiosidad cada detalle hasta llegar al pie de página.

Y, en ese preciso momento, Isembard creyó ver que los labios del muchacho se movían creando palabras. Entornó los ojos y se acercó a él. Y justo en ese instante, Lucas levantó la cabeza e Isembard pudo ver la intriga y la fascinación que se reflejaban en su mirada. Una mirada que anhelaba conocimientos. Una mirada que se volvió huraña al saberse descubierta.

Lucas se apartó de la mesa para volver a recostarse con indolencia en la butaca, como si no le interesase en absoluto saber nada de volcanes que pudieran explotar bajo sus pies.

—Este es un mapa de Europa y África —explicó Isembard—. Nosotros estamos aquí —señaló Barcelona—, y el Teide, la montaña más alta de España, está aquí —marcó una isla—, en Tenerife, frente a las costas de Marruecos. Es un largo viaje —trazó la ruta con la regla—, pero tu abuelo tiene barcos en los que algún día viajarás.

—No me gusta viajar —masculló Lucas cruzándose de brazos.

Isembard sonrió satisfecho al ver los ojos del muchacho clavados en el mapa, y acto seguido comenzó a explicarle como se habían formado las Islas Canarias por las erupciones volcánicas. Esperaba que su plan diera resultado.

Había pasado toda la noche meditando sobre cómo orientar la educación del joven, y había llegado a la conclusión de que era muy probable que su orgulloso, inteligente y rebelde alumno intentara boicotear todas sus lecciones. Y no estaba dispuesto a eso. Quería que Lucas demostrara a su injusto abuelo de qué pasta estaba hecho. Y por Dios que lo iba a conseguir. Por tanto, había trazado una estrategia a seguir. Lo prioritario no era que aprendiera a leer y escribir, sino tentarle con la promesa del conocimiento y conseguir que, aún en contra de su díscola voluntad, sintiera curiosidad y quisiera aprender.

Cuando entrada la tarde la clase terminó, Lucas salió del estudio al corredor exterior. Caminó presuroso entre el maremágnum de plantas que allí había, entusiasmado por contarle a Alicia cosas sobre los volcanes que seguro que ella no conocía, pero se detuvo remiso al llegar a la puertaventana que daba al gabinete y darse cuenta de que era probable que estuviera en compañía de su enfermera.

¿Qué estarían haciendo? Extendió la mano hacia el pomo, solo había una manera de averiguarlo.

—¡Lucas! ¿Qué se supone que vas a hacer? —exclamó Isembard al verle junto a la puerta. Le había seguido, intrigado por su extraño comportamiento, ¡y menos mal que lo había hecho!

—No es de tu incumbencia —replicó molesto por haber sido pillado in fraganti. El maestrucho era sigiloso como una anguila.

—Claro que lo es. Mi cometido no es solo inculcarte conocimientos, sino enseñarte modales, y no hay falta de educación más atroz que entrar en el espacio privado de una dama. ¡Sepárate ahora mismo de esa puerta! —Lucas se giró furioso, pero antes de que pudiera ponerse a despotricar, Isembard continuó hablando—. Yo también siento curiosidad por averiguar el motivo de que la señorita Alicia requiera los servicios de una enfermera, pero te aseguro que lo que estás pensando no es la manera correcta de hacer las cosas.

—¿Y cuál es la manera correcta? —inquirió Lucas burlón.

—Haciendo uso de la inteligencia. Acompáñame. —Isembard se dirigió de nuevo al estudio—. Vamos, apresúrate o será demasiado tarde.

Y Lucas, curioso, le siguió.

Atravesaron el estudio y salieron a la galería, deteniéndose allí.

—¿Y ahora qué? —bufó Lucas metiéndose las manos en los bolsillos e inclinándose sobre la baranda para ver el salón.

—Ahora, esperamos. Saca las manos de los bolsillos y aléjate de la barandilla, no querrás parecer un vago indolente delante de las señoritas —le reprendió.

Lucas gruñó sonoramente y, para la absoluta sorpresa de Isembard, obedeció sus indicaciones.

Un instante después la puerta de las estancias privadas de Alicia se abrió, dando paso a las dos jóvenes. Isembard sonrió engreído. Él también se había percatado la tarde anterior de la presencia de las muchachas. Alicia era una muchacha encantadora, y su acompañante era demasiado… llamativa como para no verla. Y él no estaba ciego. Carraspeó con delicadeza caminando hacia ellas.

—Señoritas —las saludó con una leve inclinación de cabeza—. Qué maravillosa casualidad coincidir con ustedes. No hay nada más grato que el placer de disfrutar de su presencia iluminando la sombría tarde.

Lucas parpadeó al escuchar el pomposo discurso. ¿Casualidad? ¡Pero si estaban esperándolas! Miró a las mujeres y se encontró con sus radiantes sonrisas. No cabía duda de que estaban encantadas por los almibarados cumplidos del lechuguino que tenía por profesor.

—Señor del Closs, Lucas, que agradable coincidencia —los saludó Alicia divertida—. Permitidme que os presente a Addaia, mi enfermera y amiga.

—Un verdadero placer conocerla, señorita Addaia —musitó Isembard tomándola de la mano para besársela. Lucas se apresuró en imitarle a pesar de sentirse idiota.

—Tutéenme por favor, no me siento cómoda con tanta etiqueta —murmuró la joven, enrojeciendo al saberse el centro de atención de ese hombre tan atractivo.

—Addaia…, posee un hermoso nombre, casi tan bello como usted —aceptó Isembard con una deslumbrante sonrisa.

Lucas los miró alucinado. ¿El mariposito estaba coqueteando con la enfermera? Y, ¿ella estaba sonrojándose por esa sarta de majaderías? ¡Ver para creer!

Alicia observó el gesto huraño de Lucas y se tapó la boca para ocultar la sonrisa que escapaba de sus labios, a ella también le resultaban un tanto empalagosas las formas del acicalado profesor.

—Como sigan así el capitán se va a ahorrar mucho dinero en azúcar, bastará con que Isembard meta el dedo en el café para que se endulce —susurró Lucas fingiendo un escalofrío, y Alicia no pudo por menos que reírse. No cabía duda de que era ocurrente. Y certero.

Lucas escuchó su risa y la sensación de sentirse atrapado que le había acosado durante todo el día, desapareció. La galería se llenó de luz, como si el sol se hubiera dado cuenta de que aún no era demasiado tarde y hubiera decidido brillar a través de la bóveda acristalada, iluminando con sus rayos a la joven. Vestía un sencillo vestido azul marino que contrastaba con la palidez de su cara. Lucas estrechó los ojos. ¿Palidez? Se inclinó sobre la silla hasta que su rostro quedó a la altura del de Alicia y la observó con preocupada atención. Parecía infinitamente cansada, sus ojos estaban apagados y bajo ellos se dibujaba la sombra de unas leves ojeras. Tenía el pelo alborotado, como si se hubiera pasado los dedos por él una y otra vez y sus manos reposaban laxas sobre su regazo, como si no tuviera fuerza para levantarlas. Apoyó una mano en el respaldo de la silla, cerniéndose más aún sobre ella y le retiró un mechón de pelo, tan suave como la seda, que le había caído sobre la frente.

—¿Qué habéis hecho ahí dentro para que estés tan agotada? —preguntó inquieto. No habían pasado ni tres horas desde que se habían separado tras la comida. Fuera lo que fuere lo que hiciera con su enfermera, no le gustaba. No, si la dejaba tan débil.

—Lucas, necesito hablar contigo un momento. Si nos disculpan —siseó Isembard con los ojos abiertos como platos al percatarse de la postura que mantenía y la pregunta que acababa de pronunciar. Le asió del brazo obligándole a erguirse para después alejarse unos pasos de las jóvenes—. No se interroga a las damas. Y mucho menos debes ¡abalanzarte sobre ellas! —le regañó en voz baja.

—No estoy interrogando a nadie, solo he hecho una pregunta —susurró enfurruñado—. ¡A ver si tampoco voy a poder hablar!

—Lucas, Isembard, ¿os apetece tomar un café con nosotras? —les llamó Alicia al intuir que estaba a punto de producirse un nuevo encontronazo entre alumno y profesor.

—Sí —aceptó Lucas al instante—. Estoy muerto de hambre, y seguro que el sabiondo está sediento, no ha parado de rajar en toda la tarde —masculló enfadado, dirigiéndose a las escaleras.

Isembard enarcó una ceja al escucharle, y, a continuación, movió la cabeza.

—Será un placer disfrutar de su grata compañía, señoritas —dijo con galantería, volviendo a sonrojar a la enfermera y haciendo que Alicia sonriera con picardía. Luego se giró hacia Lucas y enarcando una ceja se situó junto a Addaia, quien empujaba la silla de Alicia.

Lucas apretó mucho los dientes al ver que el maestrucho caminaba junto a las chicas, quienes parecían encantadas, mientras que él, como el estúpido que era, estaba solo. ¡Por qué no pensaría antes de hablar! Metió las manos en los bolsillos y caminó de regreso.

—Saca las manos y no arrastres los pies —le susurró Isembard en voz queda.

Lucas puso los ojos en blanco y acto seguido, una sagaz sonrisa iluminó su semblante.

—¿Me permite? —le preguntó a Addaia para, sin esperar su aquiescencia, tomar el lugar que ella ocupaba tras Alicia. Si empujaba la silla, no solo estaría más cerca de su amiga y más lejos del profesor, sino que además mantendría las manos ocupadas y no se ganaría regañinas.

—Vaya, si hasta has preguntado antes de tomar el puesto de Addaia. ¡Qué derroche de educación! —murmuró Alicia divertida.

—He estado practicando —replicó él con ironía.

—Lástima que se te haya olvidado esperar a que ella aceptara.

Lucas se detuvo y se inclinó hasta que su cabeza quedó a la altura de Alicia, ganándose un fuerte carraspeo de Isembard que, por supuesto, ignoró.

—¿Me estás echando la bronca? —preguntó con seriedad entornando los ojos.

—De una manera muy sutil —aceptó ella.

—Eso me había parecido —musitó él arrugando la nariz.

—Lucas… ¿Qué voy a hacer contigo? —dijo ella alborotándole el pelo a la vez que una cantarina carcajada escapaba de sus labios.

Isembard contempló a los dos jóvenes, turbado por la estrecha amistad que parecían compartir aunque apenas se conocían. Se giró hacia Addaia y vio en ella un atisbo de satisfecha complicidad que, decidió, debía investigar.

Llegaron a las escaleras y Alicia hizo sonar la campanilla dorada que había al pie de estas, mientras, Lucas pensaba en cómo iban a bajar la silla. Su duda se resolvió apenas un instante después cuando Etor apareció para, tras saludar respetuoso a la muchacha, tomarla en brazos y descender con ella hasta el pie de las escaleras donde la esperaba una silla idéntica a la que habían dejado arriba. Y mientras descendían, Lucas se sintió extrañamente irritado, no le parecía bien que un bruto como Etor transportara a alguien tan frágil como Alicia. ¡Podía dejarla caer!

Atravesaron el salón, con Lucas empujando de nuevo la silla y entraron en la sala de estar donde se encontraron con Jana, Biel y un desconocido al que Alicia saludó llamándole Marc, quien, en respuesta, tomó su mano besándola más tiempo de la cuenta.

Lucas arrugó el ceño, molesto. ¿No se suponía que los ricos se trataban todos de usted? ¿Por qué el papanatas ese la llamaba por su nombre y la trataba como si fueran viejos amigos?

—Lucas, señor del Closs, les presento al señor Agramunt, mi sobrino. Acaba de regresar de un largo viaje capitaneando el *Luz del Alba*, el mejor de mis barcos —indicó Biel con evidente orgullo.

Lucas miró al sobrino del capitán de arriba abajo, deteniéndose en la mano de Alicia que todavía sujetaba entre las suyas y, sin saber por qué, sintió un odio visceral hacia él.

Marc observó despectivo al hombre esquelético que había frente a él. Contempló sus manos callosas de uñas rotas y su cabello alborotado y sonrió burlón. No tenía nada que temer de él, con su complexión delgada, su pelo castaño y sus ojos azules era la viva imagen de Oriol. El capitán jamás le legitimaría como su nieto, de hecho, ni siquiera se había molestado en vestirle de manera adecuada, sino que más bien parecía haberle dado los desechos del difunto. Parecía un rufián de la peor calaña, e intuía que tenía un genio vivo que en nada complacería al viejo, solo era cuestión de azuzarlo un poco para que saltara. Le saludó con una breve y desdeñosa inclinación de cabeza y, a continuación, lo apartó de la silla de Alicia para empujarla junto a un sillón, en el que se sentó ignorando la mirada airada del muchacho.

Lucas apretó los puños, furioso por el examen al que había sido sometido y por la manera en que le había arrebatado lo que era suyo, y se dirigió hacia el arrogante sobrinucho para dejarle las cosas claras. Y lo hubiera hecho de no ser porque Isembard, haciendo gala de una torpeza nada habitual en él, tropezó interponiéndose en su camino.

—Quien alza la voz pierde la razón —susurró en su oído mientras le sujetaba discretamente por el codo. Se había percatado de la insultante y provocadora actuación de Marc, y no había sido el único—. Fíjate en las damas, ¿qué crees que les ha molestado?

Y, aunque remiso a dar su brazo a torcer, Lucas contempló la escena que se desarrollaba ante él. Jana miraba enfadada al sobrino del capitán, mientras Alicia, con la barbilla muy alta, demostraba sin ambages su malestar hablando con Addaia e ignorando intencionadamente a Marc, quien, más divertido que enfadado, observaba a las muchachas. Y mientras, el capitán, sentado en una austera butaca, le observaba a él con una ceja enarcada, aguardando su más que esperada reacción.

Lucas cuadró los hombros e, irguiendo la espalda, dio un somero tirón a su chaqueta, tal y como había visto hacer a Isembard en infinidad de ocasiones ese día, y se dirigió con paso calmo hasta un sillón cercano a Alicia. Si el viejo quería ver una pelea de gallos iba a tener que buscarla en otro lugar.

Biel se echó hacia atrás y asintió satisfecho a la vez que se daba golpecitos con el bastón en los pies. Por lo visto el polizón sabía guardar las formas. Y lo hacía mucho mejor que su ambicioso sobrino. Sonrió complacido.

Alicia respiró aliviada al comprobar que Lucas ignoraba a Marc y, totalmente consciente de lo que hacía, le dedicó su sonrisa más radiante. Lucas la recibió encantado.

Marc estrechó los ojos, disgustado por la reacción de su futura esposa. Estaba claro que el golfillo se había dado cuenta de que ella era el talón de Aquiles del capitán y había empezado a ganársela para su causa, con la complacencia de esta. ¡Estúpida! ¿Acaso no se daba cuenta de que no era más que un palurdo ignorante sin ningún mérito a sus espaldas? Aunque, dada su condición de tullida, entendía que fuera fácil encandilarla con solo prestarle un poco de atención, algo que el muchacho había hecho al empujar la silla. Bufó despectivo y comenzó a relatar los prolegómenos de su viaje, decidido a deslumbrarla, consciente de que iba a tener que esforzarse un poco más de lo que había pensado.

Lucas escuchó la narración decidido a mostrarse aburrido. Pero le fue imposible. Marc hablaba de países lejanos donde las mujeres eran negras y mostraban sus pechos, de mares en los que las olas eran tan altas como casas y de sitios donde había templos erigidos hacía decenas de siglos. Relataba su viaje, fascinándoles a todos con una cultura que Lucas sabía que jamás tendría. Y mientras refería una aventura tras otra tomaba de la mano a Alicia, le hacía cumplidos, le sonreía o le acercaba el café y las pastas. Y Lucas quería matarle. Solo que no podía hacerlo. Al menos no en presencia de tanta gente, por lo que compuso su semblante más hastiado mientras hervía de rabia por dentro.

La visita llegó a su fin gracias a que Addaia recordó lo tarde que era y su necesidad de regresar a casa antes de que fuera noche cerrada. Isembard, como el caballero que era, se apresuró a acompañarla, mientras que Marc, listo como un zorro, le pidió permiso al capitán para dar un paseo a la mañana siguiente con Alicia. Permiso que, por supuesto, le fue concedido.

—Así que mañana te vas con ese pedante —masculló Lucas a Alicia en voz baja cuando solo quedaban ellos, el capitán y su esposa, quienes permanecían en un hosco silencio en un extremo de la sala.

—Eso parece —murmuró ella con desagrado. Marc la hacía sentir como si le estuviera haciendo un favor al pretenderla. Y ella no necesitaba ni favores ni maridos, vivía muy feliz siendo soltera—. ¿Te importaría acercarte a la biblioteca y traer el libro que estamos leyendo? —le preguntó para evitar seguir hablando del tema.

Lucas asintió con la cabeza, abandonando la sala ante la sorpresa de su abuelo. ¿Desde cuándo el muchacho obedecía las órdenes sin protestar? Observó intrigado como Alicia seguía con la mirada los pasos de Lucas y luego se giró hacia su esposa.

—Torres más altas han caído —musitó ella observando complacida a su hija—. A veces no hacen falta arietes ni cañones, solo simples palabras —afirmó antes de darse cuenta de que estaba conversando con su enemigo. Dejó de hablar, enfurruñada.

Cuando Lucas regresó minutos después, se encontró con la mirada de su abuelo fija en él. Se la devolvió sin dudar, hasta que Alicia, cansada del silencioso combate, le pidió el libro. Lucas se lo tendió, sentándose frente a ella, y apenas un instante después estaba absorto en su voz, contemplando deslumbrado sus labios, inmerso en la apasionante historia de John Silver *el Largo* y el joven Jim Hawkins e imaginándose ser él quien estaba en Bristol a punto de embarcar para buscar la fabulosa isla del tesoro.

No fue hasta que la señora Muriel entró para anunciarles que la cena estaba servida que se dio cuenta de que el capitán y su esposa seguían con ellos. Se levantó presuroso para tomar el puesto que le correspondía tras la silla de ruedas, no iba a permitir que nadie más la empujara, solo él sabía cómo hacerlo adecuadamente. La llevó hasta el comedor y luego giró sobre sus talones para regresar a la sala y recoger el libro. No quería arriesgarse a que se perdiera dejándolo en cualquier lado. Subió a la biblioteca y lo colocó en su estantería, pensando que ojalá él también pudiera navegar por mares ignotos. Y, en ese preciso instante, recordó que ni siquiera era libre para salir a dar un paseo con Alicia, como al día siguiente haría el arrogante sobrino del capitán.

Bajó malhumorado solo para encontrarse al viejo en la puerta, en compañía de su perro faldero. Chasqueó la lengua irritado al darse cuenta de que les había puesto en bandeja el motivo perfecto para que le reprocharan su falta de modales delante de Alicia y su madre. ¡Estaba siendo impuntual, obligando a todos a retrasar la cena! Isembard echaría humo por las orejas cuando se enterara. Ese pensamiento le animó un poco.

—He ido a dejar el libro en la biblioteca —explicó desafiante.

—Es bueno que un grumete sea ordenado —aceptó Biel entrando en el comedor sin reprenderle. Ni con las palabras ni con la mirada.

—Parece que has ascendido de categoría —musitó Enoc palmeándole la espalda.

Lucas lo miró confuso, hasta que se percató de que el viejo no le había llamado polizón. Entró en el comedor con la espalda muy recta y una ufana sonrisa dibujada en los labios. Una sonrisa que no desapareció en todo el tiempo que duró la cena.

Alicia terminó de abrocharse el camisón, acercó la silla a la cama para luego posar los pies en el suelo y, tras tomar aire decidida, se impulsó con las manos en los reposabrazos y, sosteniéndose sobre su debilitada pierna sana, se aupó hasta sentarse en la cama.

Sonrió enaltecida.

El esfuerzo de cada tarde por fin estaba mereciendo la pena, ¡cada vez lo hacía mejor!

Ayudándose de las manos y el pie izquierdo reculó hasta quedar apoyada en las almohadas que cubrían el cabecero y tomó el libro que estaba sobre la mesilla de noche, el último que le había regalado el capitán. Acarició sus tapas, indecisa. Todavía era pronto para dormir, pero… no le apetecía leer, ¡prefería soñar despierta!

Aunque Lucas no era consciente de ello, toda la rutina de la casa había cambiado con su llegada. Las comidas eran mucho más amenas, pues aunque ni ella ni su madre hablaban con el capitán, y por ende con Enoc, sí lo hacían con Lucas, y esa noche él había resultado ser una caja llena de sorpresas. Puede que no supiera leer ni escribir, pero sabía hablar francés. No el idioma correcto que ellas manejaban, sino el argot que usaban los marinos y los inmigrantes que vivían en el Raval, de quienes lo había aprendido. Asimismo descubrieron que era capaz de entenderse en turco debido a su trabajo en el puerto. También sabía muchísimo sobre barcos, ya fueran pailebotes, vapores, goletas… tanto, que hasta el capitán se había quedado impresionado. Era muy inteligente, aunque él no lo supiera. Cuando no estaba empeñado en mostrarse arisco ni ofensivo, mantenía una conversación pulida, con palabras que supuestamente no debería conocer y sabía crear el ambiente perfecto para la intriga antes de dar el golpe final con alguna anécdota graciosa.

Un verdadero cúmulo de sorpresas, ese era el nieto del capitán, y la tenía fascinada.

¿Cómo sería vivir en la Barceloneta y luchar cada día para conseguir trabajo? ¿Cómo sería estar en el mar?, ¡dentro del agua!, lejos de las casas de baño y sus restricciones. ¿Y jugar a las cartas con los marinos en los merenderos? ¡Ojalá pudiera probar el pescado asado al fuego que cocinaban las mujeres de los pescadores! Y… cómo sería pasear sin nadie que la vigilara, escuchar la buena fortuna de boca de las gitanas del puerto, ver los saltimbanquis y malabaristas que se ganaban la vida en las calles o escuchar los mítines improvisados que algunos hombres daban subidos a una caja en mitad de las plazas.

Cerró los ojos e imaginó que paseaba por el Raval, aquellas calles por las que ninguna persona de buena cuna debería caminar. Lucas empujaba la silla y nadie se atrevía a burlarse de ella por estar lisiada gracias a la ferocidad de su mirada. Pasaban ante teatros de mala muerte, tabernas llenas de marineros tatuados y casas de tolerancia[8] donde mujeres cubiertas por exóticas prendas atraían a sus clientes con provocativos bailes. Si ella pudiera bailar, vestida decentemente por supuesto, acudiría cada tarde a la Paloma y asistiría a los concursos de baile… y ganaría alguno.

Si pudiera bailar… bailaría a todas horas, no solo en sueños.

—¿Estás dormida?

Alicia despertó sobresaltada del maravilloso duermevela en el que se había sumido. Se sentó en la cama, tapándose con las sábanas

8. Nombre que recibían los lupanares y casas de prostitución según la legislación española de la época.

hasta la barbilla y, tras encender la luz de la mesilla, buscó el origen de la voz, aunque sabía perfectamente quién era su dueño. Lo habría reconocido entre miles de voces sin equivocarse. Dirigió la mirada hacia el corredor exterior, y allí, en el umbral de la puerta se encontró con sus iris claros. Por lo visto, Lucas todavía no había aprendido que debía llamar a la puerta y esperar permiso antes de abrirla.

Le observó con los ojos entornados, más inquieta que enfadada.

—¿Ha pasado algo? —inquirió preocupada.

—Eh… No —musitó aturdido, era extrañamente agradable ver que parecía preocupada por él—. El café que he tomado cuando hemos ido a la sala de fumar me ha despejado y no consigo dormirme.

—No tienes cabeza, Lucas. ¿Cómo se te ocurre tomar café antes de acostarte?

Lucas se encogió de hombros, tampoco él entendía por qué diantres había ido con el viejo y su perro faldero. Simplemente le había apetecido estar un rato más con ellos.

—Además, tú no fumas —comentó divertida. Lucas asintió remiso, tenía razón. El humo del tabaco no le traía buenos recuerdos, aunque comenzaba a encontrar el olor a pipa inexplicablemente tranquilizador—. No deberías imitar las malas costumbres del capitán y el señor Abad, no hay nada más desagradable que el sabor del tabaco en el aliento de un hombre.

Lucas apretó los dientes y a punto estuvo de cruzar el umbral sin ser invitado. Se detuvo antes de hacerlo, apoyándose en el marco de la puerta con fingida indolencia.

—¿Acaso te ha besado algún hombre, como para saborear su aliento? —inquirió molesto.

—No es de tu incumbencia —señaló envarada. ¡Por supuesto que la habían besado! Una sola vez, e intuía que más por estrategia que por deseo. Fue Marc, justo antes de partir. Y había sido hasta cierto punto interesante… al menos hasta que sintió su lengua entrando en su boca y el sabor acre del tabaco inundándole el paladar. Ojalá Marc no hubiera estado fumando antes de besarla. Hubiera sido mucho más agradable.

Lucas apretó los dientes y hundió las manos en los bolsillos al escuchar su respuesta. ¡Por supuesto que era de su incumbencia!

Permanecieron en silencio, las miradas encontradas y los ceños fruncidos, hasta que Lucas, harto del silencio, chasqueó la lengua enfadado.

—¿No me vas a invitar a entrar? —preguntó incómodo.

—¿Debería?

—Tienes la luz de la mesilla encendida… si alguno de los guardas mira hacia aquí nos verá y le irá con el cuento al viejo y este montará en cólera —comentó enarcando una ceja.

—Quizá deberías irte a la cama —le desafió Alicia.

—El problema es que no tengo sueño —replicó cruzándose de brazos, inamovible.

—Entonces pasa y cierra la puerta. —Lucas sonrió al comprender que se había salido con suya—. Ah, no. Ni se te ocurra —le regañó ella al ver que se disponía a sentarse en el borde de la cama—. Ahí tienes una silla —le indicó señalándosela.

Lucas estrechó los ojos, miró enfurruñado a Alicia y acto seguido tomó la silla y la acercó a la cama.

Alicia apretó los labios, decidida a no reírse de su rebeldía.

—El viejo ya no me llama polizón —comentó sentándose.

—¿Ah, no?

—Antes de la cena me ha llamado grumete. —Alicia enarcó una ceja, sin saber bien qué decir—. Por lo visto ya no piensa que estoy de más en su casa. Ahora me toma por un niño que está a sus órdenes —masculló fingiéndose enfurruñado.

—Oh, vaya. Me alegro de que formes parte de la tripulación de la mansión Agramunt —afirmó animada. Él podría fingir que le molestaba, pero sus ojos mostraban que estaba ilusionado.

Lucas sonrió orgulloso sin poder evitarlo, y luego, viendo que ella no parecía estar demasiado cansada, se atrevió a decir lo que llevaba toda la tarde deseando contarle.

—¿Sabes que hay volcanes debajo del mar? —Irguió la espalda, tan presumido como un pavo real.

—Eh… no, no lo sabía —mintió Alicia mirándole sorprendida. Se había pasado toda la cena quejándose por tener que perder el tiempo con clases tontas, y sin embargo ahora parecía muy ufano por la información recabada—. Y, ¿explotan como los que están en tierra? —Lucas asintió orgulloso—. Cuéntame cómo lo hacen…

Y Lucas se lo contó. Y cuando acabó de contarle todo lo que había aprendido sobre los volcanes, se quedó en silencio, pero solo un instante, no fuera a ser que ella bostezara y por tanto él tuviera que irse. No le apetecía nada meterse en la cama.

—¿Qué crees que trama John Silver *el Largo*? —preguntó de improviso.

—Ah, no. No me sacarás ni un solo dato sobre *La isla del tesoro* —replicó Alicia riéndose con ganas.

—¿Ya te lo has leído? —La miró estupefacto. Ella asintió con la cabeza—. ¿Y por qué lo estás leyendo otra vez?

—Por el placer de ver tu cara cuando lo leo.

—¿Mi cara?

—Oh, sí. Tendrías que verte. Frunces el ceño y te muerdes los labios cuando algo te intriga, pero lo mejor sin ninguna duda es cuando sacudes la cabeza y asientes con fuerza durante las peleas —afirmó echándose a reír.

—Eres preciosa cuando te ríes —musitó Lucas contemplándola embelesado.

Alicia abrió los ojos como platos al escucharle.

—No digas tonterías, tengo dientes de caballo —refunfuñó tapándose la boca.

—No, no los tienes. Me gusta cuando sacudes la cabeza y los rizos se te alborotan —murmuró él acercándose para separarle las manos de los labios—. Pareces una pilluela —afirmó cogiendo un mechón de pelo y acariciándolo antes de apartárselo de la mejilla.

—¿Parezco una pilluela? —¿Tenía que tomarse eso como un cumplido?

—Sí, tus ojos brillan como si fueras a hacer una travesura y se te arruga la nariz —susurró besándole la punta de la nariz, casi sin ser consciente de lo que hacía.

—¿Estás coqueteando conmigo? —Alicia lo miró con desconfianza, pegándose al cabecero. ¿Por qué Lucas estaba actuando así?

—No. Por supuesto que no —se apartó de golpe. Confuso. ¿Qué demonios estaba haciendo?—. Solo bromeaba. No te lo tomes en serio —replicó burlón revolviéndole el pelo.

—¡Menos mal! Me estabas asustando —suspiró—. Es muy tarde, vete a la cama, mañana seguiremos hablando sobre *La isla del tesoro*.

—Sí, eso haré. Tengo la cabeza como un bombo por culpa del maestrucho, parece empeñado en repetirme lo mismo una y otra vez —masculló. Sí. Por eso se había comportado de esa manera tan rara, porque tenía la cabeza alborotada con todo lo que había aprendido. Otra explicación no había. A él no le gustaban las mujeres, ni siquiera las que olían tan bien como Alicia.

—Quizá si prestaras más atención, Isembard no tendría que repetirte la lección tantas veces —le amonestó.

—Bah, tonterías —rechazó Lucas dirigiéndose hacia la puerta—. Descansa. Intentaré no despertarte —musitó avergonzado girándose en el umbral.

—No intentes deshacerte de mí, estaré vigilando tus sueños —replicó ella arqueando una ceja con cariño.

Lucas abandonó el dormitorio con una sonrisa en los labios.

11

14 de abril de 1916. Antes del amanecer.

—¿*T*e han dicho alguna vez que eres un niño muy guapo?

Sabe que no es una pregunta.

Sabe que si le atrapa le hará daño.

Sabe que tiene que escapar.

Corre.

Como si su vida dependiera de ello.

Corre.

Hasta que sus pulmones arden.

Hasta que llega al puerto.

Hasta que se hunde en el mar.

A salvo. Y entonces la ve.

Anna. En la playa.

Sangre en su boca. En sus manos. En su pecho.

Nada hacia ella tan rápido como puede.

Extiende la mano. Casi puede tocarla.

Ella se desvanece. Y entonces lo siente.

Su fétido aliento en la nuca.

Sus dedos tirándole del pelo.

El hombre sin dientes lo ha atrapado.

Oriol lo mira y se ríe.

Y Lucas se vuelve cuchillo en mano.

Alicia escuchó su gemido desgarrado, y contó hasta diez.

Un sollozo ahogado, él no despertaba.

Se trasladó a la silla de ruedas, deseando estar equivocada y que esa fuera una de esas ocasiones en las que él conseguía vencer la pesadilla sin su ayuda, pero, a tenor de los jadeos que escuchaba, mucho se temía que en esa ocasión Lucas había perdido la batalla.

Se detuvo antes de salir de la alcoba, esperando, como cada noche.

Lucas había seguido teniendo pesadillas. Una noche tras otra le había oído sollozar y se había preparado para ir junto a él, pero no le había dado tiempo a salir de la habitación. Apenas conseguía bajar de la cama escuchaba su grito sobresaltado seguido del sonido de una puerta al abrirse. Luego, los pasos de sus pies desnudos recorriendo el corredor y parándose frente a su dormitorio. Cada noche había visto su silueta dibujada tras las cortinas de su propia alcoba, el perfil de su cabeza y las huellas de sus manos apoyadas contra el cristal mientras le observaba respirar agitado. Y cada noche había estado tentada de abrir la puerta y dejarle entrar… pero no podía hacer eso. No si él estaba despierto, luchando contra el miedo. Y venciéndolo. Pues cada noche él regresaba a su cuarto sin llamarla. Y le admiraba por ello, no pensaba arrebatarle la victoria solo para liberarse de su propia preocupación.

Pero esa vez estaba tardando demasiado en despertarse. Y ella no estaba dispuesta a permitir que sufriera más de lo necesario para vencer sus pesadillas. No si ella podía evitarlo.

Abrió la puerta y salió al corredor exterior.

—Tranquilo, no tengas miedo —susurró entrando en el dormitorio. Se deslizó presurosa hasta la cama y encendió la luz de la mesilla—. Estoy aquí, contigo. No voy a dejar que nadie te haga daño.

Le asió las manos, deteniendo su errático movimiento y, sin dejar de susurrarle palabras tranquilizadoras se inclinó, besándole la frente.

Lucas se sentó en la cama abriendo los ojos. Ojos sin brillo, turbios, aterrados.

—Estás aquí —jadeó tembloroso centrando su desenfocada mirada en ella. Envolvió su precioso rostro entre las manos y recorrió con dedos trémulos sus pómulos, su nariz, sus labios. Y mientras lo hacía frotaba las mejillas contra el sedoso pelo de la muchacha—. Estás aquí —repitió aliviado—. ¿No vas a irte, dejándome solo como hizo Anna? —musitó con la boca sobre su frente y los dedos enredados en su pelo—. No… Anna no se fue, yo la llevé —susurró sacudiendo la cabeza confundido—. Le prometí que iría a verla y no he ido. Va a pensar que me ha pasado algo. Se preocupará y no debe preocuparse, no es bueno para ella —sollozó angustiado—. Ayúdame… No dejes que le pase nada.

—No le va a pasar nada, tranquilo. Me ocuparé de que esté bien —aseveró intentando consolarle. Y funcionó, pues él emitió un quedo suspiro y su cuerpo dejó de estremecerse—. Cuánto debes quererla… —musitó posando con timidez las manos sobre el ve-

lloso torso desnudo de Lucas, percatándose al fin de que no llevaba puesta la camisa del pijama.

Se apartó de golpe, avergonzada. Bastante malo era estar de noche en la habitación de un hombre, como para además andar toqueteándole. ¡Podía malinterpretar sus intenciones!

—No te vayas… —gimió él abrazándola al sentir que se apartaba.

—No lo haré, pero debes vestirte —afirmó rotunda—. No puedes recibir a una dama sin la camisa puesta.

Lucas entornó los parpados, confundido. Luego abrió mucho los ojos, totalmente despierto al fin.

—¡Puñeta! —exclamó apartándose. Había conseguido mantenerse alejado las últimas noches, solo para volver a mostrarle su debilidad ¡otra vez!—. Vas a pensar que soy un niño pequeño que se mea en la cama cada noche —masculló enfadado consigo mismo.

—No digas tonterías —le reprendió fingiendo severidad, segura de que, como siempre que alguien le regañaba, él respondería rebelándose. No iba a permitir que se avergonzara de algo que no podía controlar. Ella ya había pasado por eso, y podía destrozar a una persona—. Lo único que pienso es que eres un descarado que no acepta las más mínimas normas de educación. Vístete o me iré.

—Tú tampoco estás muy vestida —replicó él, mirándola enfurruñado. Odiaba que le regañara.

Alicia dio un respingo, llevándose las manos al pecho. Él tenía razón, se había olvidado de ponerse la bata.

—Estás muy guapa cuando te sonrojas —murmuró divertido por su reacción. El camisón que llevaba la tapaba desde la punta de los pies hasta la barbilla. Iba más vestida que muchas de las mujeres que había conocido, solo que eso ella no lo sabía. «Ni lo sabrá nunca», pensó frunciendo el ceño.

—No es adecuado que me mires así —le regañó avergonzada.

—No es culpa mía que seas tan bonita —replicó encogiéndose de hombros a la vez que se ponía la camisa.

Alicia le miró asombrada, parecía decirlo en serio, como si de verdad lo pensase. Sacudió la cabeza y decidió que lo mejor era cambiar a un tema más seguro.

—¿Por qué no le dices al capitán que te deje ver a Anna? —le preguntó.

—¡Qué!

—Te despiertas angustiado cada noche, gritando su nombre. Creo que tus pesadillas cesarían si pudieras comprobar que ella está bien.

—Tengo pesadillas desde que era niño, ver a Anna no cambiará

ese hecho, solo cambiará el tipo de pesadillas —explicó sentándose en la cama—. Además, no quiero que el viejo sepa que existe.

—¿Por qué?

—Porque la usaría para controlarme aún más.

—El capitán no haría eso.

—Sí lo hará. Ha pagado el alquiler de mi casa para que mi deuda con él aumente, no me deja ir al puerto a trabajar para que no pueda conseguir dinero, ha contratado a un maestro para que me vigile cuando Enoc no puede hacerlo y ha llenado el exterior de la finca de guardias para que ni siquiera se me pase por la cabeza intentar escaparme. ¿De verdad crees que si supiera que Anna existe, y que es vulnerable, no la utilizaría para controlarme? ¡No seas ingenua! —exclamó malhumorado.

—Está bien —aceptó Alicia viendo cierta lógica en su razonamiento, pero aun así incapaz de creer que el capitán usara a la amiga de Lucas en su contra—. Ojalá pudieras llamarla por teléfono —musitó sin pensar. Ese aparato era una maravilla, permitía hablar con las personas al momento, sin importar la distancia. Lástima que solo estuviera al alcance de unos pocos.

—Podría llamarla —siseó Lucas— si supiera cómo demonios se utiliza ese trasto. Y si Isembard y Enoc no estuvieran todo el maldito día pegados a mi espalda.

—¿Anna tiene teléfono? —inquirió perpleja. Había pensado que era una muchacha pobre, como él lo había sido. Parpadeó indecisa, su madre le había dicho que el capitán y el señor Abad creían que Lucas había pedido el dinero para pagar a una mujer de vida alegre. Ella no lo había creído, pero si Anna tenía teléfono, con lo caros que eran…

—No lo tiene ella exactamente —masculló Lucas—, sino el lugar en el que está. Y de todas maneras no estoy seguro.

—¿No estás seguro de qué?

—De que los números que hay en el papel junto a la dirección sean del teléfono —gruñó enfadado por ser tan ignorante.

—Déjame verlo. —Lucas la miró como si se hubiera vuelto loca—. Es la única manera que tienes de saber si estás en lo cierto. Y si lo estás, tal vez pueda ayudarte —apuntó.

—¿Cómo vas a ayudarme? —inquirió él acercándose a ella hasta que sus bocas quedaron a un suspiro de distancia.

—Todavía no lo sé —mintió, pues ya se estaba formando un plan en su mente—. Pero sí sé que mientras tú estás encerrado en el estudio con Isembard, yo no lo estoy.

—¿Llamarías a Anna por mí? —preguntó esperanzado, y a la

vez remiso. No podía creer que ella fuera a arriesgarse tanto por él. Aunque poco a poco iba descubriendo que Alicia era mucho más fuerte y atrevida de lo que su frágil apariencia dejaba ver.

—No. Haré algo mucho mejor. Averiguaré cuándo van a ausentarse el capitán y el señor Abad e inventaré una distracción para que Isembard te deje solo —dijo, sabiendo perfectamente cuándo era el momento oportuno para su treta, y sintiéndose extrañamente viva por planear tamaña travesura.

Lucas la miró aturdido. Luego se apartó de ella y comenzó a recorrer la habitación con pasos nerviosos, dudando.

—No tienes nada que perder. Déjame ver si lo que crees que es un número de teléfono lo es de verdad. ¿Tal vez tienes miedo de haberte equivocado? —le azuzó.

Lucas se detuvo, la miró, y se dirigió al armario. Apartó la ropa y tomó el papel que había escondido tras un tablón suelto.

—No se lo dirás a nadie —le advirtió, remiso a dárselo—. Ni siquiera a Addaia o a tu madre. Prométemelo.

—Prometido —aseveró extendiendo la mano.

Lucas asintió con la cabeza y le tendió el arrugado papel.

Alicia lo abrió lentamente, y a punto estuvo de caérsele de entre los dedos cuando vio la dirección en él escrita.

—Oh, Lucas, lo siento. Lo siento muchísimo —le asió las manos, apretándoselas con cariño.

—No pasa nada. Se va a poner bien, no lo dudes ni por un momento —masculló desafiante, aferrando sus dedos casi con desesperación—. ¿Es un teléfono?

Alicia asintió con la cabeza, memorizó los números y volvió a leer las letras escritas. Comprendiendo al fin.

—Por eso le pediste dinero prestado a ese horrible hombre… para Anna.

—Deberías irte. Está amaneciendo. —Soltó su mano dando un paso atrás, sin responder a su pregunta.

—Sí. Tienes razón —aceptó ella dirigiéndose hacia la puerta—. Te prometo que buscaré la manera de que puedas hablar con ella —le aseguró asiendo el pomo—. Ya verás como tu amiga se recupera —intentó animarle—. Es una de las cualidades de los jóvenes, nada puede con nosotros —afirmó tocándose la pierna derecha antes de deslizarse fuera del cuarto.

Lucas sonrió, asintiendo con la cabeza y, cuando ella cerró la puerta, se dejó caer en la cama, tapándose los labios con el antebrazo para que no pudiera escuchar su sollozo.

Anna no era como ella pensaba.

12

18 de abril de 1916

*L*ucas se observó en el espejo que habían llevado a su dormitorio la tarde anterior. Era extraño poder verse entero de un solo vistazo en vez de tener que mirarse por partes, como estaba acostumbrado. Y además, podía hacerlo bascular, de hecho, llevaba un buen rato haciéndolo. Era… estúpidamente divertido.

Comprobó una vez más que los dobladillos de las perneras estuvieran igualados y que las mangas de la chaqueta le llegaran más allá de la muñeca. Era la primera vez en su vida que vestía prendas hechas a medida. Caminó ufano hasta el armario y lo abrió con una sonrisa de oreja a oreja, solo para constatar que la ropa que le habían entregado junto con el espejo seguía estando allí. Y sí, estaba. No había desaparecido durante la noche. Pero aun así contó las prendas, solo por si acaso. Tres pantalones, tres chaquetas y seis camisas. También dos pijamas y cuatro mudas de ropa interior, con calcetines y camisetas incluidas. Ignoró las corbatas y los sombreros, no pensaba ponérselos. Se acuclilló y observó los botines negros con pala de charol y cañas de ante que había en el suelo. ¡No valdrían menos de 35 pesetas! Y eran suyos, al igual que los zapatos que llevaba puestos. Sacó un pañuelo del bolsillo y frotó el empeine. Luego frunció el ceño. ¡Se estaba convirtiendo en un petimetre como Isembard!

Se puso en pie disgustado. Ese era el problema del dinero, que en seguida te volvía idiota. Aunque no lo tuvieras. Aunque solo estuvieras en una casa de ricos de prestado, como un polizón. No, como un grumete, obedeciendo igual que en cualquier trabajo. Ese pensamiento le animó de nuevo. Solo estaba trabajando, nada más. Y si le habían vestido así era para que no desentonara con los aires que se daban los ricachones. Cuando el viejo se cansara de verle la cara le daría la patada y le devolvería sus pantalones viejos y su chaqueta raída. Sí. Eso haría. Y era mejor que no lo olvidara. Pero mientras tanto, disfrutaría de la suavidad de la camisa. No cabía duda de que había merecido la pena pasar toda una mañana inmóvil mientras un sastre le pinchaba con cientos de alfileres. Y, según Enoc, iba a recibir más ropa. Sonrió animado antes de darse cuenta de que lo estaba haciendo.

—Ni se te ocurra convertirte en un puñetero petimetre, Lucas —se advirtió a sí mismo antes de salir de la habitación. Llegaba tarde al desayuno por culpa del maldito espejo.

Bajó las escaleras con rapidez mientras imaginaba la cara de imbécil que se le quedaría a Marc cuando fuera a recoger a Alicia para su puñetero paseo diario y le viera vestido como un figurín. Sería una sutil compensación por no haberle borrado su repugnante sonrisa de un puñetazo, tal y como llevaba días deseando hacer. El maldito capitanucho acudía ¡todas las mañanas! a la mansión Agramunt. ¡Estaba hasta las mismas narices de verle empujar la silla de ruedas por el jardín! No tenía derecho a hacer eso, y, además, lo hacía fatal. No se molestaba en esquivar los hoyos ni en apartarse lo suficiente de las flores para no aplastarlas con las ruedas. ¿Acaso no sabía que Alicia adoraba sus plantas? Incluso había golpeado, supuestamente sin querer, la maceta de uno de esos arbolitos raquíticos, rompiéndole un par de ramitas. Pero lo peor era la hora de la comida, ¿acaso no tenía casa propia donde comer? ¡Pues que se fuera a una tasca! Pero no, tenía que soportarlo durante toda la comida. Y no paraba de hablar de sus viajes, de su barco, de sus negocios… Era un engreído sabelotodo, prepotente e insoportable. No sabía cómo Alicia lo soportaba. Pero lo hacía. Y con una sonrisa en los labios.

—Puñeta —gruñó entrando en el comedor, ganándose una mirada estupefacta por parte de todos los presentes, que extrañamente eran bien pocos. Etor, Isembard, Alicia… y nadie más.

—Interesante saludo, Lucas —le reprendió Isembard arqueando una ceja.

—Soy un tipo original, ya lo sabes —replicó, haciendo que Etor se riera a carcajadas y que Alicia le dedicara un descontento «buenos días, señor maleducado».

—Ahora entiendo por qué te has retrasado esta mañana —comentó jocoso Isembard mirándole de arriba abajo—. Estás muy elegante. Imagino que el espejo ha cumplido su cometido con eficacia.

—Tonterías —gruñó molesto porque hubiera dado en el clavo con su apreciación—. Llego tarde porque no tenía ganas de empezar tan pronto a escuchar tus aburridos sermones. Oh, perdón, quiero decir lecciones. —El maestrito estaba empeñado en que aprendiera cientos de cosas, ¡y él no estaba por la labor! Aunque era cierto que a veces le contaba historias muy interesantes. Frunció el ceño, disgustado por su falta de acuerdo interior.

—¡Lucas! Discúlpate ahora mismo —exclamó Alicia atónita. Estaba acostumbrada a escuchar las ariscas respuestas que Lucas daba a todo el mundo, pero esa vez se había pasado de la raya.

—No se preocupe, señorita Alicia, no me ha ofendido. Sé que no tiene buen despertar y a eso se le une que no sabe controlar su genio. —Isembard se encogió de hombros, ignorando la mirada indignada de su alumno.

Lucas podría despotricar largo y tendido sobre las clases, pero la única verdad era que se bebía cada lección. Era como un náufrago sediento de conocimientos, se empapaba de cada enseñanza para luego pedir más, no con palabras, pero sí con la mirada. Solo se mostraba desinteresado, incluso obstinadamente indisciplinado, cuando intentaba enseñarle a leer. Parecía sentir un profundo recelo hacia la lectura, algo que Isembard pensaba solucionar ese mismo día.

—¿Cómo es que no están aquí el capi y su perrito, y tampoco tu madre? —le preguntó Lucas a Alicia, intrigado por la ausencia de estos y la inusitada presencia de Etor.

—Si te hubieras molestado en llegar a tu hora —le recordó Alicia a modo de regañina, haciendo que Lucas bajara la vista. Odiaba que le reprendiera—, habrías descubierto que hoy zarpa el barco de Marc, y que han ido a despedirle. Estarán fuera parte de la mañana.

Lucas frunció el ceño, comprendiendo al fin por qué Etor les acompañaba al desayuno: para vigilarle. El capitán seguía sin confiar en él lo suficiente como para dejarle a solas con Alicia en una misma estancia, ni aunque estuviera presente Isembard. Por lo visto el maestrito tampoco gozaba de su total confianza.

—Pensé que partía por la tarde.

—El capitán afirmó esta mañana que se avecina tormenta —comentó Isembard incrédulo. ¡Solo Dios podía prever el tiempo, nadie más!—, por eso han adelantado el viaje.

—¿Tú madre va a acompañar al capitán? —Lucas miró a Alicia y esta asintió, provocando el bufido del joven—. Espero que no le ponga de muy mal humor. Estoy harto de que el viejo la pague conmigo —masculló enfadado.

—¿Pague qué? —preguntó confundido Etor.

—Su frustración porque la señora Jana sigue sin dirigirle la palabra —gruñó Lucas.

Jana seguía enfadada con su marido por el asunto de las sufragistas, y no le hablaba. Esto suscitaba que el capitán estuviera más irascible de lo habitual, lo que a su vez provocaba que cada vez que él hacía algo que no le agradara, recibiera una bronca. Y como no sabía mantener su bocaza cerrada, aquello acababa convirtiéndose en una batalla campal. Una que Lucas siempre perdía.

—Ah, eso —exclamó Etor dándose una palmada en el vientre tras haberse comido casi todos los bollos. No era de extrañar que no le dejaran desayunar con la familia. ¡Había acabado con todas las existencias!—. Pronto se les pasará, sí, señor. A la señora no le duran los enfados más de una semana, no, señor. Es demasiado buena para que le duren más, sí señor.

Lucas dejó de prestar atención a partir del tercer «sí, señor». Ojalá el gigantón estuviera en lo cierto, estaba harto de soportar el mal genio del viejo gruñón. Miró a Alicia y ella le sonrió asintiendo. La muchacha se había dado cuenta de la situación y, tal vez por compasión hacia él, o porque no podía estar enfadada con el capitán durante mucho tiempo, había vuelto a hablarle el día anterior. Ojalá su madre se hiciera eco de su perdón.

Lucas echó un vistazo a lo que Isembard estaba escribiendo en la pizarra y, al comprobar que este volvía a insistir en el abecedario, miró por la ventana. Era extraño no ver a Alicia paseando por el jardín junto a Marc. Una sonrisa se dibujó en sus labios al recordar que no volvería a verlo en un tiempo. ¡Ojalá se lo llevara una tempestad para siempre! Giró con disimulo la silla para acercarse al ventanal y de ese modo acceder a una visión más amplia del jardín. Intuía que Alicia estaría allí, quizá indicándole a Etor qué plantas trasplantar y cuáles podar. Se balanceó sobre la silla, poniéndola a dos patas para poder ver el extremo sur, allí era donde estaban los rosales en flor…

—Newton afirmó en su primera ley que todo cuerpo en reposo o en movimiento rectilíneo uniforme, permanecerá en esa condición siempre que no actúe sobre él una fuerza exterior que cambie su estado —comentó Isembard, para, acto seguido, dar un fuerte puntapié a una de las dos patas de la silla que continuaban posadas en el suelo.

Y, cumpliendo la famosa ley de Newton, la silla se derrumbó, haciendo caer a Lucas.

—¡Estás loco, cabrón! —le increpó levantándose de un salto y encarándose a él desafiante.

—La tercera ley de Newton nos advierte de que a toda acción se le opone siempre una reacción igual. Las reacciones mutuas entre dos cuerpos son fuerzas de la misma intensidad… —recitó Isembard quitándose la chaqueta para arremangarse la camisa—. ¿Estás seguro de que quieres comprobar cuál es la reacción a tu acción, Lucas?

Lucas parpadeó atónito. Era la primera vez que su profesor le devolvía el desafío. Y parecía ir muy en serio. Y, por si eso no fuera suficiente para sorprenderle, acababa de comprobar que sus antebrazos no eran escuálidos como siempre había pensado, sino recios. No cabía duda de que daría buenos puñetazos. Sonrió. Sería una buena pelea… Si quisiera pelearse con él, algo que no le apetecía en absoluto, pues, mal que le pesase, Isem le caía bien.

—Me has tirado al suelo —espetó enfadado.

—Me pareció la mejor manera de llamar tu distraída atención.

—Eres muy aburrido cuando te pones pesado con el abecedario.

—Apréndetelo y no insistiré en ello.

—No necesito aprendérmelo.

—Demuéstralo si eres capaz.

Lucas observó a su profesor, bufó enfadado, y acto seguido comenzó a recitar, con algunos errores, el puñetero abecedario. ¿Qué se había creído ese mequetrefe? Él no era un analfabeto. Al menos no por completo.

—Estupendo —le alabó Isembard sin mencionar los errores cometidos—, me has sorprendido gratamente. Ahora, discúlpate por llamarme cabrón y olvidemos este asunto.

Lucas parpadeó perplejo. ¿Lo estaba diciendo en serio?

—Tú me has tirado de la silla…

—Porque no estabas atendiendo la lección. —Isembard se bajó las mangas de la camisa. Por lo visto su farol había dado resultado. Se obligó a no mostrar su alivio suspirando.

—Porque no necesitaba atender —espetó Lucas cruzándose de brazos.

—No conviertas esto en un juego de niños, Lucas. Somos adultos. Me has insultado, debes disculparte.

—Está bien, siento haberte llamado cabrón, cuando lo que debería haberte llamado era aburrido, machacón, tedioso, soporífero y cargante.

Isembard miró a su alumno con los ojos entrecerrados para luego esbozar una complacida sonrisa.

—¿Dónde has aprendido todos esos epítetos?

—¿Epi… qué? No pongas palabras raras en mi boca —se defendió Lucas, alzando las manos impotente—. Ahora no te estaba insultando, sino describiéndote.

Isembard no pudo reprimir una carcajada

—Eso son justamente los epítetos, adjetivos que resaltan las características de algo o de alguien, en este caso de mí —le explicó divertido—. Y algunos de los que has usado no son nada comunes. ¿Sabes qué significa soporífero?

—Que causa sueño —masculló Lucas a la defensiva. ¿Adónde quería llegar?

—Exacto. ¿Dónde los has aprendido?

—Qué más da —siseó enfadado antes de sentarse de nuevo.

Isembard sonrió burlón y, tras coger de nuevo la regla, se dirigió a la pizarra.

—Por cierto, siento haberte hecho caer —se disculpó, dejando a Lucas atónito—. Pero me pareció una buena manera de ilustrar nuestra siguiente lección, y, como comprenderás, no la iba a desaprovechar —apuntilló, arrancándole una carcajada—. ¿Te has preguntado alguna vez por qué los objetos caen al suelo? Newton lo hizo…

Por supuesto, no pensaba explicarle cada prolegómeno de las leyes de Newton, pero sí pretendía intrigarle, hacer que se preguntara por qué y, a partir de ahí, llevar la clase hacia el conocimiento. Era lo único que funcionaba con Lucas, enredarle con alguna anécdota y a raíz de eso obligarle a hacerse preguntas, preguntas que quisiera responder… y aprender.

—El agua se evapora por el calor, esa es la acción —afirmó Lucas mirando absorto un frasco colocado sobre un quemador portátil que a su vez estaba sobre una plancha de madera en una palangana llena de agua. El agua del interior del recipiente se estaba evaporando, pero como este estaba cerrado, el vapor tenía que salir por una fina manguera que se hundía en la palangana… ¡moviendo la madera!

—¿Y cuál es la reacción? —inquirió Isembard.

—El vapor a presión escapa por la manguera, provocando el movimiento de la madera —musitó asombrado—. ¿Así es como funcionan los barcos a vapor?

—Así es como funciona cualquier máquina de vapor.

—¡Vaya! —exclamó abriendo el frasco y llenándolo con un poco más de agua—. Pero los coches no se mueven con vapor —comentó estrechando los ojos.

—Alguno hay, pero lo más normal es que usen un motor de combustión interna.

—¿Cómo funciona?

—El combustible arde en la cámara y la energía liberada produce el movimiento.

Lucas lo miró como si hablara en chino.

—Mañana le pediré permiso al capitán para que nos deje ver el motor del *Alfonso XIII*; con un ejemplo será más fácil de entender.

Lucas asintió entusiasmado.

—¿Ese motor también tiene que ver con las leyes de Newton? —preguntó curioso.

—La energía mecánica siempre tiene que ver con las leyes de Newton —afirmó Isembard complacido al ver la mirada brillante de su alumno. No cabía duda de que acababa de encontrar algo que le fascinaba.

—¿Qué hace una palangana encima de la mesa? —preguntó Alicia, entrando en el estudio.

—¿Sabías que los gases se expanden, y si se calientan, más todavía? —inquirió Lucas sin responder a su pregunta. Alicia parpadeó confundida—. Mira. —Tomó un cigarro de la pitillera y lo encendió.

—¡No fumes aquí! —le regañó ella.

—No estoy fumando, ¡es un experimento! —exclamó muy serio dando una calada. Alicia lo miró perpleja mientras Isembard luchaba por contener la risa. Lucas exhaló el humo—. Cuando sale de mi boca es un fino hilo, pero en seguida empieza a expandirse, eso es por la presión, porque el gas está más caliente que el aire y porque no hay nada que lo contenga, pero si estuviera en un recipiente, tendería a escapar, como el vapor que se crea en ese frasco. —Y señaló la plancha de madera con el quemador y el frasco de cristal sobre este.

Alicia escuchó aturdida la explicación de Lucas sobre la mecánica de un motor a vapor, y miró a Isembard. Este arqueó una ceja y sonrió ufano.

—Y todo esto tiene que ver con las leyes de un tipo al que se le cayó una manzana en la cabeza —finalizó Lucas.

—¡Lucas! —exclamó Isembard dolido. Su alumno había hecho una exposición perfecta, hasta que había metido la pata al final—. ¡Newton no es un tipo!

—¿No? Dos piernas, dos brazos, una cara… desde luego no es un caballo —apuntó burlón provocando las carcajadas de Alicia y el suspiro frustrado de Isembard.

—Siento interrumpir la lección —comentó Alicia cuando pudo parar de reír—, pero ¿podría Lucas acompañarme a la biblioteca? Necesito que me ayude a buscar un libro que está perdido en las estanterías más altas —explicó con su mirada más inocente. Lo que despertó de inmediato las sospechas de Isembard—. Se lo diría a Etor, pero está en el jardín trasplantando los rosales, y temo que no se moleste en lavarse las manos y ensucie el libro.

—De acuerdo —aceptó el profesor—. No os demoréis mucho.

—Nos daremos toda la prisa posible, te lo aseguro. Pero ya sabes lo grande que es la biblioteca y lo altos que están los estantes. Lucas tendrá que ir bajándome uno por uno hasta dar con el que quiero —explicó a la vez que salía de la habitación seguida por Lucas.

—Lo que significa que van a tardar bastante —murmuró para sí Isembard cuando la puerta se cerró—. ¿Qué estarán tramando?

Tamborileó con los dedos en la mesa, pensativo. No le había pasado desapercibida la estrecha amistad entre los dos jóvenes y estaba seguro de que la petición de Alicia era una artimaña para que Lucas se tomara un descanso de los estudios. Uno muy merecido, por cierto. Miró el reloj de la pared y decidió que les daría cinco minutos. Luego iría a buscarles. No pensaba arriesgarse a que el capitán le cortara el cuello si se enteraba de que los había dejado sin vigilancia.

Lucas siguió a Alicia por la galería, nunca la había visto deslizarse tan deprisa. Iba tan rápida que solo conseguía seguir su ritmo si corría. Y eso le molestaba mucho. Se suponía que era él quien empujaba la silla, no la silla quien le llevaba a rastras.

—¿Quieres ir más despacio? —gruñó enfadado.

—No tenemos tiempo —replicó ella imprimiendo más impulso a las ruedas.

—¿Qué haces? La biblioteca… —musitó Lucas cuando dejaron atrás la puerta.

—No seas obtuso. Vamos al despacho del capitán.

—¿Al despacho? —Lucas se paró aturdido. Si el viejo le pillaba en el despacho, sin vigilancia, ¡y con Alicia!, era hombre muerto.

—Hemos despistado a Isembard; la señora Muriel está ocupada con la comida, Etor está en el jardín y mamá, el capitán y el señor Abad han ido al puerto a despedir a Marc. Ahora es el momento —le indicó. Y Lucas la entendió.

Entraron en el despacho y se dirigieron al imponente escritorio. Alicia descolgó el alargado auricular del teléfono y, ante la atenta mirada de Lucas, le dio varias vueltas a una palanquita que había en un lateral del aparato. Un instante después se identificó ante su interlocutora y pidió que le comunicara con el número que días atrás había memorizado.

—La operadora está realizando la llamada —le explicó al ver la inquietud reflejada en su cara—. Todo va bien.

—Se nos echa el tiempo encima —siseó Lucas. Le picaban las manos de la necesidad que sentía de tomar el teléfono.

Alicia se llevó un dedo a los labios, pidiéndole silencio.

—Desearía hablar con Anna… —Miró a Lucas arqueando varias veces las cejas.

—Doncel —susurró él nervioso, sin dejar de pasarse las manos por el pelo una y otra vez—. Anna Doncel.

Alicia repitió el nombre y le paso el teléfono. Lucas lo aferró casi con reverencia.

—No se oye nada —musitó angustiado, seguro de que el muy puñetero dejaba de funcionar en ese instante. ¡Perra suerte!

—Ten paciencia.

Y la tuvo. Pero porque no le quedó otro remedio. Se frotó la mano libre contra el pantalón, dio varios tirones a la chaqueta, se revolvió el pelo para a continuación peinárselo y de repente…

—¡Anna! Soy yo —gritó entusiasmado.

—¡Harás que nos descubran, baja la voz! —le chistó Alicia aterrada al escucharle—. Puede oírte aunque susurres —le indicó.

Lucas asintió con la cabeza y, con cierto resquemor, convirtió sus gritos en susurros. Una sonrisa se dibujó en sus labios al comprobar que efectivamente Anna le podía oír aunque no gritara. Se sentó en el suelo con el teléfono protegido entre sus piernas, y se pasó los dedos con disimulo por las mejillas para que Alicia no pudiera ver lo blandengue que era.

Alicia suspiró, emocionada al ver las lágrimas que brotaban de los ojos de su amigo y, decidida a dejarle un momento de intimidad, salió del despacho, encontrándose con Isembard.

—¿Qué estáis haciendo? —jadeó él mirando la escena que se desarrollaba en el interior. Había imaginado que estarían haciendo alguna travesura, pero no ¡esto!

—Por favor…

—Si el capitán se entera a mí me despedirá, a ti te castigará sin salir hasta que seas vieja y a Lucas… a Lucas lo encerrará en el sótano, ¡Y seguro que antes lo llena de víboras! ¡¿Cómo se os ocurre?! —siseó haciendo ademán de entrar.

—Por favor —volvió a repetir Alicia interponiéndose en su camino—. Dale un minuto. —Isembard negó con la cabeza, Alicia no era consciente del riesgo que estaban corriendo—. Mírale y dime si tienes corazón para interrumpirle.

Isembard negó de nuevo y entró en el despacho, decidido a acabar con la travesura. Se detuvo en el mismo momento en que sus ojos cayeron sobre Lucas. El muchacho estaba acurrucado en el suelo, con la espalda apoyada en un lateral del escritorio y el teléfono sobre sus piernas. Sujetaba con ambas manos el auricular mientras hablaba en susurros con la boca pegada al micrófono. Todo su cuerpo se estremecía presa de una emoción incontrolable y tenía el rostro húmedo por las lágrimas.

Tragó saliva y salió del despacho cerrando la puerta.

—¿Con quién está hablando?

—No tengo permiso para decírtelo. Pero no es nadie malo para él, te lo aseguro —afirmó Alicia respirando de nuevo.

—Nos vamos a meter en un gran problema si nos descubren, espero que merezca la pena —musitó Isembard acercándose a la barandilla para observar el piso inferior. Ya que no podía detener a Lucas, no tenía corazón para hacerlo, por lo menos se ocuparía de vigilar para que no les descubrieran.

Alicia se llevó las manos al pecho para contener los aterrados latidos de su corazón. Esperó unos minutos que se le hicieron eternos e, intuyendo que Lucas había perdido por completo la noción del tiempo, abrió la puerta del despacho.

—Lucas… —Él no respondió, ni siquiera la escuchó, tan inmerso estaba en la voz del otro lado de la línea—. Lucas, por favor —volvió a llamarlo un poco más alto.

En esta ocasión él levantó la cabeza y la miró esperanzado. Ella negó, señalándole el reloj que colgaba de la pared. Él asintió contrito. Le escuchó despedirse de Anna con un nudo en la garganta antes de alejarse de la puerta. Lucas salió un instante después.

—¡Qué puñetas haces tú aquí! —exclamó abalanzándose sobre Isembard al verle. Le empujó hasta que su espalda quedó aprisionada contra la barandilla y sus pies apenas tocaban el suelo—. Si dices algo al viejo o a su perro te juro que te castro —le advirtió ante la horrorizada mirada de Alicia.

—¡Lucas, no! Me ha ayudado a vigilar. Está de nuestra parte —le increpó golpeándole hasta que el enfurecido joven dio un paso atrás, soltando al maestro.

Isembard se irguió al verse libre y a continuación se colocó la ropa sin dejar de mirar a su airado alumno.

—Guárdate tus amenazas para quien las tema, a mí no me das miedo —siseó enfadado aproximándose a él—. Acción reacción, Lucas, recuérdalo. Si quieres que me calle, dame un buen motivo para hacerlo.

Lucas apretó los puños sin apartar la mirada del hombre al que poco a poco había aprendido a apreciar. Este aguantó su mirada sin pestañear.

—Hablaba con una amiga, Anna. Está enferma, solo quería saber si mejora —dijo al fin, suplicando con los ojos su silencio.

—¿Tan importante es para ti?

—Es toda mi vida.

Isembard asintió dando un paso atrás.

—La próxima vez que planeéis romper las normas del capitán, avisadme y os ayudaré —dijo mirando a ambos jóvenes—. Prefiero asegurarme de que nadie os descubra, a permanecer ignorante en el estudio mientras la integridad de Lucas pende de un golpe de mala suerte —afirmó, indicándoles con sus palabras lo que intuía que pasaría en caso de ser descubiertos; el capitán no se andaba con chiquitas—. Volvamos al estudio, la clase aún no ha terminado.

Alicia observó a los dos hombres desaparecer en el estudio y, suspirando aliviada, se adentró en la biblioteca, segura de que un buen libro calmaría su angustia.

—Hemos terminado, descansa un poco antes de bajar a comer —le indicó Isembard.

Lucas abandonó la estancia casi a la carrera, aliviado de terminar por fin, ¡las últimas horas habían sido horribles! El profesor se había dedicado a soltar datos como si sufriera de incontinencia verbal y no le había contado ninguna anécdota con la que hacerlos más llevaderos. Estaba claro que era mejor no cabrearle.

Isembard se asomó a la puerta del estudio y esperó hasta que su irritante estudiante desapareció de su dormitorio para dirigirse a la biblioteca.

—¿Qué tal ha ido la clase? —le preguntó Alicia cuando entró.

—Provechosa —comentó Isembard observando como la muchacha se estiraba para mirar tras él, ¿quizá esperando ver a su alumno?—. Lucas ha ido a su cuarto a despejarse un poco.

«Acerté», pensó divertido cuando ella se sonrojó. No cabía duda de que se habían hecho muy amigos. ¿Tal vez algo más? No. Era demasiado pronto para sentimientos más profundos. Pero, si así fuera… Alicia parecía tener cierto influjo tranquilizador sobre Lucas, cuando ella estaba presente él se mostraba menos beligerante. Quizá pudiera ayudarle en su experimento. Sonrió artero y se dirigió hacia la mesa, donde dejó cuatro tratados.

—¿Qué libros son? —le preguntó Alicia al ver los cuatro enormes tomos, de idéntico tamaño y color.

—Es un experimento.

—¿Sobre qué? —le miró interesada.

—Sobre la tozudez humana. —Isembard colocó los libros formando una columna—. ¿Te gustaría ayudarme? —La muchacha asintió sin dudar—. Pero tendrás que guardar el secreto, nadie puede saber lo que nos traemos entre manos, y menos que nadie, Lucas. ¿Estás de acuerdo? —Alicia volvió a asentir. Estaba segura de que fuera cual fuera su plan, Isembard no haría nada que pudiera herirle—. ¿A qué hora llega Addaia?

—Sobre las cuatro…

—Ven a la biblioteca a las tres y media y espéranos.

—¿Y luego qué hago? —inquirió intrigada. No le había dicho cual era su cometido.

—No tienes que hacer nada, tu presencia actuará de catalizador, le despistará y le tranquilizará, con eso será suficiente —apuntó ladino—. Creo que la señora Muriel está tocando la campanilla de la comida —musitó colocándose tras ella para empujar la silla.

Lucas acarició el timón por última vez, remiso a guardarlo. Lo abrazó contra su pecho a la vez que una sonrisa aliviada se dibujaba en sus labios. ¡Anna estaba mejorando! O al menos eso le había asegurado ella, ya que no había tenido tiempo de hablar con el médico. Pero estaba seguro de que ella no le mentiría, y además su voz había sonado fuerte a través del teléfono, y no había tosido apenas. Sí, se estaba curando. Y en poco más de dos meses regresaría a casa… Y no tendría dinero para comer… por lo que tendría que ponerse a trabajar inmediatamente, y eso no sería bueno para ella.

Guardó el timón en el armario mientras negaba con la cabeza. Tenía que conseguir dinero como fuera. No podía permitir que volviera a enfermar cuando apenas se había recuperado. ¡Si al menos pudiera salir! Pero no era el caso. Y escapar sería, además de una pérdida de tiempo, contraproducente. Rompería su promesa, algo que no quería hacer bajo ningún supuesto. Y lo peor, perdería la confianza del viejo y cuando este le atrapara, porque no había duda de que lo haría, le vigilaría más estrechamente. No. Tenía que convencer al capitán de que le dejara trabajar… solo que no sabía cómo demonios hacerlo. Se mesó el cabello, obligándose a recordar que debía tener paciencia. Lo más importante era que Anna estuviera bien, el resto ya vería como solucionarlo.

Abandonó el cuarto, y vio que Alicia salía de la biblioteca… y que Isembard empujaba su silla. Frunció el ceño, molesto. ¡Qué manía les había dado a todos! Primero Marc y ahora Isembard. No deberían hacerlo. Solo él sabía empujarla correctamente. Echó a correr a la vez que les llamaba. Y, cómo no, Isembard le regañó por trotar por la galería dando gritos.

—La próxima vez silbaré —masculló enfadado, apartando al

profesor y tomando el lugar que le correspondía detrás de la silla.

—No somos perros para que nos silbes —rechazó Isembard molesto. Alicia se tapó la boca para que no vieran su sonrisa.

—Genial, si no puedo gritar ni silbar, ¿qué hago para llamar vuestra atención? ¿Dar palmas? —espetó enfurruñado.

Alicia estalló en carcajadas.

Isembard abrió la boca, dispuesto a replicar, pero en lugar de eso emitió una suave risa, contagiado por la muchacha.

Lucas los miró enfurruñado.

—¿Os estáis riendo de mí?

—No. Nos estamos riendo contigo —replicó Alicia con cariño—. Sería interesante verte en la galería dando palmas, yo podría cantar algo mientras tanto.

—Yo incluso estaría dispuesto a bailar, no se me da nada mal —apuntó Isembard estallando de nuevo en carcajadas.

Y entre risas y bromas llegaron hasta las escaleras, momento en el que Alicia estiró la mano hacia la campanilla para llamar a Etor. Lucas la detuvo, y sin pensar en lo que hacía ni en cuántas normas estaba incumpliendo, la tomó en brazos y la bajó hasta el salón, dejándola en la silla de ruedas que allí había.

—¡Lucas! —siseó enfadado Isembard mientras Alicia le miraba ruborizada—. Un caballero nunca coge en brazos a una dama.

—¿Un caballero no, pero un bruto como Etor sí? —espetó Lucas con arrogancia.

Isembard abrió la boca y al instante la volvió a cerrar. No le faltaba razón. Se giró hacia Alicia, quien observaba a Lucas asombrada y, ¿agradecida? y por último volvió a mirar a su alumno.

—Procura que el capitán no te pille haciendo eso o te despellejará vivo.

—Ya me despelleja sin que haga nada —escupió Lucas empujando la silla hacia el comedor.

—Llegas tarde, grumete —le reprochó Biel en el momento en que entró.

—Todos llegamos tarde, capitán —replicó Alicia enfadada porque solo regañara a Lucas—. Nos hemos entretenido sin darnos cuenta.

Biel asintió con la cabeza sin desviar la mirada de su nieto, quien apretando los dientes se apresuró a colocar la silla de Alicia para luego sentarse. Fue una comida tensa, llena de miradas furiosas por parte del capitán y silencios por parte de Jana mientras el resto de los comensales disimulaban la tensión reinante con conversaciones vanas… al menos hasta que Lucas comenzó a explicarle a Enoc y a Jana el funcionamiento de la máquina de vapor.

Biel observó atónito a su nieto. ¿Cómo era posible que un inculto como él aprendiera tanto en una sola mañana? Ahí había gato encerrado. Desvió la vista hacia el profesor y se encontró con su ufana mirada. Arqueó una ceja a la vez que se daba golpecitos en los pies con el bastón. El maestro se limitó a sonreír socarrón antes de pedirle a Enoc que les describiera la máquina de vapor de un barco. Este, igual de asombrado que el capitán por el monólogo de Lucas, se apresuró a referir cómo era la del *Luz del Alba*, y no pudo evitar sorprenderse más aún cuando Lucas le demostró con sus preguntas que no solo entendía de qué hablaban, sino que además, estaba absolutamente fascinado con el tema.

—Pero no es igual que el motor de combustión interna… —Lucas se giró hacia Isembard arqueando varias veces las cejas. Este parpadeó aturdido, ¿qué diantres quería decirle?—. Es el que hace funcionar los coches.

—Ah, sí —farfulló Isembard, comprendiendo al fin—. Sería interesante para la lección de mañana que pudiéramos ver en marcha el motor del *Alfonso XIII* —le comentó al capitán.

Biel miró al profesor, a Jana, a Alicia y por último a Lucas. Su esposa y su pupila se habían mostrado encantadas por la conversación del muchacho, mientras que a él no le habían dirigido la mirada en lo que iba de comida. De hecho, Jana llevaba ignorándole toda la semana. Bufó irritado.

—¿Me está preguntando si le permito sacar el coche del garaje y arrancarlo? —preguntó muy despacio. Isembard asintió con la cabeza—. ¿También quiere que abra las puertas de la finca para que Lucas pueda escapar con el *Alfonso XIII* sin problemas? —bramó enfadado—. No le tenía por un estúpido, señor del Closs.

Lucas irguió la espalda herido, consciente de que se había dejado llevar por la emoción, olvidándose de quién era él: un simple estibador sin un lugar en el que caerse muerto, y de con quién estaba hablando: un puñetero capitalista que tenía el mundo a sus pies.

—Maldito viejo desconfiado, ¿cuántas veces he intentado escaparme desde que di mi palabra? —siseó enfadado—. Puede meterse su puñetero coche donde le quepa.

Isembard cerró los ojos al oírle, se avecinaba una discusión.

—¿Cuántas veces te tienen que recordar que es de mala educación susurrar en la mesa, Lucas? —le atacó Biel mordaz.

—No he susurrado, si usted está sordo yo no tengo la culpa —exclamó humillado. Odiaba que le recordaran lo burdo que era delante de Alicia.

—Lucas, discúlpate ahora mismo —le reprendió Alicia posando una mano sobre su brazo.

Biel sonrió ufano, al menos su querida niña estaba de su parte.

—Y tú, capitán, discúlpate también. Lucas no te ha dado motivos para pensar que vaya a escaparse, ni para que le recrimines constantemente —le regañó furiosa.

—¡Qué! —bramó Biel mirándola aturdido—. No me pienso disculpar por decir la verdad. En cuanto tenga ocasión se largará de aquí —afirmó cruzándose de brazos.

—Delo por seguro, nada más lejos de mi intención que decepcionarle —masculló Lucas levantándose—. Si me disculpan, tengo que trazar un plan para escaparme antes de que me eche a patadas —gruñó abandonando el comedor.

—Con su permiso —se despidió Isembard—. Ha sido una agradable velada, al menos hasta que se ha estropeado —subrayó siguiendo a su alumno.

—Has conseguido herirle —musitó Jana tirando la servilleta sobre la mesa—. ¿Ya estás contento, grandísimo botarate? —inquirió abandonando la estancia malhumorada.

—Señora, ¡ese lenguaje! —murmuró Biel siguiéndola.

—Capitán, ¡lleve a arreglar esa máquina que tiene por corazón, mucho me temo que se le ha estropeado! —escucharon replicar a Jana mientras subía las escaleras.

—¡A mi corazón no le pasa nada!

—¡Pues entonces son sus modales los que están envenenados!

—No es justo —musitó Alicia cuando se quedó a solas con Enoc—. Lucas no ha hecho nada que pueda molestar al capitán, al contrario. Solo ha demostrado que es inteligente y quiere aprender.

—La vida no suele ser justa, señorita Alicia —señaló Enoc negando con la cabeza—, pero, mírelo por el lado positivo. El capitán y la señora discutirán durante toda la tarde y arreglarán sus diferencias por fin.

—¿Y qué pasa con Lucas? —le espetó enfadada.

—Daños colaterales —dijo burlón, hasta que vio el gesto dolido de la muchacha—. Estoy seguro de que el capitán se dará cuenta de que su reacción ha estado fuera de lugar. Se arrepentirá y estará suave con Lucas durante la cena.

—Como si eso fuera suficiente —bufó ella.

—No se le pueden pedir peras al olmo —apuntó él divertido. Le daba en la nariz que tanto nieto como abuelo tenían el mismo carácter explosivo… y que tan rápido como explotaban, se desinflaban.

13

Bajo la impresión que tenemos de que los deberes del hombre son
públicos, parecería que solo y exclusivamente privados deberían ser
los de la mujer; pero ¿podemos admitir que el reino de la mujer
esté encerrado entre los muros del jardín donde abren sus flores?

CARMEN KARR, conferencia en el Ateneu Barcelonès, 1916

—No lo entiendo, Isem, si tanto le molesta que esté aquí, ¿por
qué no me deja marchar? —murmuró Lucas mirando por los ventanales, dándole la espalda—. Yo estaría encantado de irme con
viento fresco.

—No le molesta que estés aquí, Lucas. —Isembard lo miró compasivo, por mucho que intentara mostrarse altivo, el muchacho estaba dolido. Y mucho. ¿Acaso el capitán no se daba cuenta de cuánto
daño le hacían sus reproches injustificados?—. Yo diría que es al
contrario. Está orgulloso de tus logros.

—Pues lo disimula muy bien —masculló entre dientes—. No.
Para el viejo solo soy un mal negocio que tiene que afrontar por su
estúpido honor y del que está deseando librarse.

—No digas tonterías, Lucas.

—Él me lo dijo la noche que llegué aquí —musitó apoyando las
manos en el cristal—. Dijo que ojalá Oriol no fuera mi padre…
Cómo si a mí me hiciera gracia tener algo que ver con ese cabrón
malnacido. Dijo que nada deseaba más que olvidarse de que yo
existo, pero que Dios me había creado idéntico a su hijo para hacerle
pagar por todos sus pecados. Que nadie debería tener por nieto a una
escoria como yo. —Sacudió la cabeza y se giró por fin—. Menuda
jugarreta que me ha hecho Dios, ¿no crees? —masculló burlón—.
Hubiera preferido nacer tullido o con el rostro lleno de cicatrices y
seguir buscándome la vida para comer que estar aquí. Al menos
antes sabía cuál era mi sitio y no me avergonzaba de ser quien era
—musitó en voz muy baja sentándose a la mesa—. ¿Qué vamos a
estudiar ahora?

—No tengas en cuenta sus palabras. Estoy seguro de que no

sentía lo que decía —afirmó Isembard sentándose frente a él—. Cuando nos enfadamos, todos decimos cosas que realmente no pensamos, y de las que luego nos arrepentimos.

—¿Qué vamos a estudiar ahora? —repitió Lucas girando la cabeza hacia las ventanas.

—Te vendría bien hablar de lo que ha pasado antes… y de cómo te sientes.

Lucas negó con la cabeza.

—Como quieras, pero, si alguna vez quieres hablar, de lo que sea, aquí estoy, y no como tu profesor, sino como tu amigo —le indicó mirándole con seriedad.

Lucas sonrió asintiendo con la cabeza. Lástima que la sonrisa no le llegara a los ojos.

—Bien. Creo que la clase de hoy te va a gustar. —Isembard tomó un grueso leño que estaba apoyado en la pared y lo colocó en el centro de la mesa, luego extendió un mapa de Europa y Asia en el caballete.

Lucas miró extrañado el madero, lo rodeaba una cuerda de cáñamo no muy gruesa atada en un complicado nudo marinero.

—¿Me vas a enseñar a hacer nudos? —preguntó intrigado. Nunca habría imaginado que su profesor supiera hacerlos tan complicados como Etor.

—¡En absoluto! —exclamó Isembard—. Hacer nudos no está dentro de mis conocimientos. Le pedí al señor Etor que hiciera el más complicado que supiera, y tuvo la amabilidad de complacerme.

—¿Hay alguna ley de esas que hable de nudos? —inquirió Lucas perplejo.

—No. De hecho, vamos a empezar a seguir cierta rutina en las clases. Dedicaremos la mañana a las ciencias y las matemáticas… y la tarde a las letras, la geografía y la historia.

—Mucho me temo que no me van a gustar nada las clases de por la tarde.

—No estoy de acuerdo con tu apreciación —replicó Isembard sonriendo ladino—. Este nudo que ves aquí podría considerarse en cierto modo un nudo gordiano. —Lucas arqueó una ceja al escucharle—. ¿Sabes lo que es un nudo gordiano?

—¿Uno muy gordo?

—No, es una expresión que significa que algo es imposible de resolver. Cuenta la leyenda que cuando se fundó la ciudad de Gordias, su primer rey, en agradecimiento a Zeus, ofreció al templo de este su lanza y su yugo atados con un nudo imposible de deshacer. Fueron muchos los que lo intentaron, pero solo una persona lo logró.

Lucas tomó el leño y lo giró, intentando descubrir la manera de deshacer el intrincado nudo, pero los cabos se cruzaban y enrollaban uno sobre otro para acabar escondidos bajo las ataduras de tal manera que era imposible descubrir donde empezaba y acababa.

—Es imposible que pueda desatarse —masculló—. El tipo que lo desató… ¿Cómo lo hizo?

—¿El tipo? No, Lucas. No fue un tipo. Fue Alejandro Magno. —Lucas frunció el ceño ante la pompa con la que había dicho el nombre, ¡ni que fuera Dios!, e Isembard comenzó a tejer la red con la que le atraparía—. Era el primogénito de Filipo II de Macedonia, y su futuro sucesor. Pero, durante los esponsales de Filipo con su segunda esposa, el padre de esta puso en duda la legitimidad de Alejandro, lo cual no le sentó nada bien a este —detuvo su narración.

—¿Y qué hizo Alejandro? —inquirió Lucas, intrigado por la historia. ¿Qué narices tendría que ver con el nudo?

—Se burló de su padre y acabaron peleándose, por lo que fue desterrado a Epiro.

—Tuvo suerte… Le dejaron en paz.

—¿Tú crees? Ambos tenían un fuerte carácter, a pesar de haber discutido Alejandro quería a Filipo y Filipo estaba orgulloso de Alejandro —explicó, esperando que Lucas percibiera las coincidencias con su propia historia—. Las discusiones no duran eternamente. Acabaron reconciliándose y tras el asesinato de Filipo, Alejandro ocupó su lugar.

—Pues qué bien —masculló Lucas. Se habían reconciliado para nada.

—Solo tenía veinte años, como tú. Murió trece años después y, en ese escaso lapso de tiempo, logró la hegemonía de Macedonia, su reino, sobre las ciudades estado griegas. Conquistó Persia, Anatolia, Egipto, Oriente Próximo, Asia central, e incluso se internó en la India —explicó señalando cada lugar en el mapa—. Cambió la estructura político cultural de la zona, creó infraestructuras, impulsó el desarrollo comercial y fundó más de setenta ciudades… Entre otras cosas.

—¿Y qué tiene eso que ver con el nudo? —preguntó Lucas fingiéndose indiferente cuando en realidad estaba asombrado de todo lo que había conseguido el tipo.

—Cuando Alejandro atravesaba Frigia para llevar a cabo la conquista de Persia, se paró en un templo de Gordia, y allí le enseñaron el nudo. La leyenda advertía que quien lo deshiciera sería señor de toda Asia. Alejandro lo logró.

Lucas esperó impaciente a que Isembard despejara el enigma, pero este guardó silencio.

—¿Cómo lo hizo? —preguntó entre dientes, vencido por la curiosidad.

—Descubrirlo será tu tarea para mañana. Cuando acabe la clase, dispondrás del resto de la tarde y de toda la noche para averiguarlo. Espero encontrar el nudo deshecho sobre la mesa tras el desayuno —sentenció Isembard abriendo su cartera y fingiendo que buscaba algo.

—¿Cómo narices se supone que voy a hacerlo? —protestó ofendido—. No soy hijo de un rey ni me han criado como a un príncipe.

—¿Y eso qué tiene que ver? —Isembard levantó la mirada confundido.

—Que no tengo los conocimientos que él tenía, por lo que no puedes pedirme que haga lo que él hizo —sentenció cruzándose de brazos.

—Te daré los medios para averiguarlo, solo tendrás que seguir su ejemplo —afirmó revisando los libros que había en las estanterías.

—No me fastidies, Isem… ¡¿Se puede saber qué haces?! —exclamó frustrado porque no le prestaba atención.

—Estoy buscando el libro en el que está la solución al nudo, lo debo haber dejado en algún lado —musitó rascándose la nuca.

—¡Estupendo! —Lucas se levantó malhumorado—. Nos quedan tres horas de clase, me has puesto deberes, ¡y no tienes el libro para decirme cómo hacerlos! ¡Esto es increíble!

—Tal vez esté en la biblioteca. Voy a buscarlo. —Se dirigió a la puerta.

—¿Sabes dónde lo has dejado? —Isembard negó con la cabeza—. ¡Maravilloso! Cómo hay pocos libros en la biblioteca —masculló siguiéndole.

Alicia desvió la mirada de la novela que estaba leyendo al escuchar voces masculinas en la galería. Mucho se temía que Lucas e Isembard estaban discutiendo de nuevo. Miró el reloj de pared, eran poco más de las tres y media… quizá fuera el experimento de Isembard. Negó con la cabeza, si era así, había empezado con muy mal pie.

—¡Solo a ti se te ocurre perder los libros de la lección! —exclamó Lucas entrando en la biblioteca—. ¿Y además, qué clase de tarea me has puesto? ¡Cómo deshacer un nudo que no se puede deshacer! Seguro que me servirá para mucho, ya me imagino la cara que pondrá el viejo cuando le demuestre que soy incapaz de deshacerlo. Lo mismo hasta me da palmaditas en la espalda.

—Alicia, espero no haberla incomodado con nuestra sonora presencia —saludó Isembard a la joven, ignorando el monólogo enfurruñado de su alumno.

Lucas cesó su alegato al escuchar el saludo, deteniéndose aturullado en mitad de un paso. Alicia estaba sentada junto a la ventana, con un libro entre las manos, y le miraba como si tuviera cuernos y echara humo por la nariz... algo que casi hacía.

—Eh... hola —musitó frunciendo el ceño. ¡Por qué siempre tenía que hacer el ridículo delante de ella!

—Y con respecto a tus recriminaciones —dijo Isembard en ese momento—, te recuerdo que yo soy el profesor y tú el estudiante, por tanto yo soy quien pone las tareas y tú quien las hace, a ser posible sin protestar —apuntó cortante. Lucas abrió la boca dispuesto a replicar, pero el maestro continuó hablando sin darle oportunidad—. Creo recordar que dejé el tomo que necesitamos sobre esa mesa, se titula *El imperio de Alejandro Magno*, búscalo mientras yo cojo el atlas de Asia y Europa —le ordenó yendo hacia las estanterías.

Lucas apretó mucho los dientes a la vez que asentía con la cabeza. El maestrucho quería que lo buscara, ¡pues eso haría!, pero, ¡puñetas!, ¿era necesario que le regañara delante de Alicia? ¡Estaba harto!

—Muévete, Lucas, no tenemos todo el tiempo del mundo —le recriminó al ver que se había quedado parado mirando a la muchacha, que era justo lo que había intuido que pasaría.

—No he sido yo quien ha perdido el libro —le explicó Lucas a Alicia—. ¿Te lo puedes creer? Se da cuenta a mitad de clase de que no tiene un libro. ¡Y soy yo el que pierde el tiempo! —exclamó dirigiéndose a la mesita—. Le voy a dar con él en las narices cuando lo encuentre —masculló aferrando el primero de los tomos.

Alicia jadeó al comprender que el experimento consistía en burlarse de Lucas, pues este, al no saber leer, nunca podría diferenciar un tomo de otro ni, por tanto, elegir el adecuado. Miró a Isembard enfadada y llevó las manos a las ruedas de la silla, decidida a ir hasta Lucas y ayudarle. Pero se detuvo al ver que Isembard se llevaba un dedo a los labios, pidiéndole silencio a la vez que negaba despacio y le señalaba a Lucas con la mirada.

Extrañada, giró la cabeza y observó asombrada como este cogía el segundo de los tomos y pasaba los dedos lentamente por las letras que conformaban su título a la vez que sus labios se movían en silencio, como si estuviera silabeando lo escrito. Lo vio descartarlo, asir el siguiente y repetir la misma operación para, con una ufana sonrisa, guardárselo bajo el brazo. Alicia desvió rápidamente la mirada a Isembard, quien observaba complacido a su alumno.

—Aquí tienes tu libro. —Lucas le tendió el volumen con una arrogante y orgullosa sonrisa dibujada en sus labios.

—No parece que te haya costado mucho encontrarlo —comentó Isembard.

—No soy tan inútil como tú.

—¿Cómo has sabido que este era el tomo correcto?

Lucas dio un respingo al percatarse de que solo había una respuesta a esa pregunta. Miró a Isembard y luego a Alicia y al ver que ninguno decía nada, se encogió de hombros.

—He tenido suerte.

—No existe más suerte que la que uno se crea —rechazó Isembard muy serio—. Se acabaron las mentiras, Lucas. A partir de ahora añadiremos una hora de lectura a tus clases —decretó rotundo.

—No pienso leer, lo odio —espetó enfadado al saberse descubierto.

—Pero sabes, por lo tanto, leerás. Regresemos al estudio, todavía nos quedan tres horas de clase —sentenció dirigiéndose a la puerta. Lucas le siguió malhumorado.

—Lucas —le llamó Alicia, haciendo que ambos hombres se detuvieran—. ¿Por qué nos has ocultado que sabías leer? —le preguntó confundida.

—No leo muy bien, y no me apetecía dar más motivos al viejo para que se riera de mí —musitó encogiéndose de hombros antes de abandonar la biblioteca.

—Isembard, no deberías… —le exhortó Alicia.

—Tranquila, comprobaré qué tal se le da y trabajaremos sobre ello antes de hacerlo público. No voy a permitir que nadie le avergüence —aseveró siguiendo a su alumno.

Enoc, acomodado en una butaca de la sala de estar, pasó las páginas del periódico hasta dar con la de sucesos y, esperando que la tarde se presentara tranquila, la dobló por la mitad decidido a leerla de una sentada. A través de la puerta abierta que daba al salón le llegaba el eco de las voces de los muchachos bajando las escaleras. Por el contrario, al capitán y la señora Jana hacía tiempo que no los escuchaba. ¡A Dios gracias! Les había oído discutir tras la comida, mientras estaba en la sala de fumar tomando café. El techo de la sala había retumbado con sus voces, luego había oído lo que parecía un jarrón rompiéndose en mil pedazos. Esperaba que el jarrón no hubiera impactado en la cabeza del capitán antes de caer al suelo. Tras esto, murmullos airados que poco a poco habían ido bajando de intensidad. De eso hacía ya un buen rato. Sonrió ufano. Esperaba que en esos momentos el capitán y su esposa estuvieran relajándose tras haber hecho las paces…

—Es bueno escuchar de nuevo las risas de los jóvenes —comentó Muriel entrando en la sala portando una bandeja—. La casa ha estado demasiado silenciosa estos últimos meses.

—Sí que es agradable —coincidió Enoc, tomando una humeante taza de la bandeja.

—Solo el buen Dios sabe cuánta falta hacía sangre joven en esta casa. Han sido muchas tristezas en muy poco tiempo. Solo espero que el capitán controle su genio y deje de atosigar al señorito Lucas —aseveró centrando una mirada amenazante en Enoc. Este se apresuró a asentir en silencio.

—Haré todo lo que esté en mi mano para que así sea.

—Pongo mi fe en usted —musitó Muriel dirigiéndose al lugar donde solían departir los jóvenes. Distribuyó en la mesita las pastas, dos tazas de café y otras tantas de chocolate.

Enoc no pudo evitar sonreír al ver como mamá gallina se ocupaba de sus polluelos. Desde que los muchachos, y en estos incluía al estirado profesor y a la voluptuosa enfermera, habían tomado por costumbre tomar un refrigerio tras las clases, la señora Muriel se ocupaba de que no les faltaran sus dulces favoritos, y en el caso de Lucas y Alicia, un buen tazón de chocolate caliente excesivamente edulcorado.

Un instante después de que la señora Muriel hubiera acabado su tarea, los cuatro jóvenes entraron en la sala. Le saludaron y luego procedieron a ocupar el extremo más alejado de la estancia en busca de cierta privacidad. Lucas, como siempre, empujaba concentrado la silla de ruedas mientras que Alicia comentaba las tendencias de moda con su enfermera. Isembard se mantenía cerca de Lucas, vigilante aunque cada vez más relajado. Ya apenas tenía que carraspear, y no era porque se hubiera curado de sus fingidas anginas, sino porque el nieto del capitán cada vez se comportaba más como un señor y menos como un palurdo.

Enoc sonrió al ver como colocaba a Alicia cerca de las ventanas abiertas para que la brisa de la tarde la refrescara del calor reinante, y luego se sentaba en una silla, quizá un poco demasiado cerca de ella, como atestiguó la leve tos del profesor. Su sonrisa se hizo más pronunciada al percatarse de la mirada airada que el muchacho le lanzó a este antes de ignorarle y servir el chocolate caliente, acompañado de unas pastas, a la señorita Alicia.

Poco después hicieron su aparición el capitán y Jana, seguidos de la señora Muriel y otra de sus bandejas de café. El capitán saludó con un gesto a los presentes y, tras interesarse sinceramente por el desarrollo de las clases y el avance en las sesiones de Alicia, se retiró de la conversación dejando a su radiante esposa dialogar gozosa con los muchachos.

Biel caminó con semblante rejuvenecido hasta una silla cercana a Enoc y, tras observar la escena que se desarrollaba en la sala, se sentó ufano. Los muchachos habían formado un corrillo y Jana, en mitad de este, se mostraba alegre y conversadora y, no solo con ellos. Hacía pocos minutos que habían disfrutado de un interludio amoroso para sellar la paz lograda. Asintió complacido y tomó la taza que le había servido la señora Muriel. La probó con cierto resquemor y, tras tragar remiso, suspiró aliviado, el café volvía a tener el punto justo de azúcar. No sal ni harina. ¡Azúcar, por fin! Apoyó el bastón en el reposabrazos de su austera butaca y cogió el *Mundo Gráfico* que le esperaba en la mesita, y que, milagrosamente, ¡tenía todas sus hojas intactas! Se dio un risueño golpecito en el mostacho y abrió su querida revista. ¡Por fin todo había vuelto a su cauce!

—¿Pasó ya la tempestad, capitán? —murmuró Enoc escondido tras el periódico.

—Eso parece —musitó Biel centrando su mirada en la revista—. Mañana deberá vigilar a Lucas por la mañana, pues yo asistiré con mi esposa y las señoritas Alicia y Addaia a una conferencia. Busque un par de hombres que no destaquen demasiado y vístalos para que nos acompañen —le informó malhumorado—. Deben seguirnos sin que las damas les vean.

—¿Prevé mar gruesa? —susurró Enoc intrigado. El capitán no tenía por costumbre salir con vigilancia a la calle.

—Quizá algún marido airado, nada que revista importancia, pero siempre es mejor prevenir que curar —indicó Biel pasando una página.

—¿A qué tipo de conferencia van a asistir? —Enoc bajó el periódico, sorprendido.

—La conferenciante es Carmen Karr.

—¿La que escribe en la revista *Feminal* y además es presidenta del Comité Femenino Pacifista? —musitó pasmado. Biel asintió reticente con la cabeza—. Tengo entendido que es una feminista. —Biel volvió a asentir—. Creí que usted estaba en contra de…

—Déjese de cháchara, señor Abad, le recuerdo, por si no se ha dado cuenta, que pretendo leer en paz —le interrumpió Biel.

—Mis disculpas, capitán. —Enoc retomó la lectura de los sucesos—. Ya lo decía usted el otro día —murmuró con un deje de diversión en la voz—: Tiran más dos tetas que dos carretas.

—Señor Abad, cierre esa bocaza que tiene o se la cerraré yo mismo.

—¿Ya estáis discutiendo? —preguntó Jana acercándose a ellos.

—En absoluto, querida, solo intercambiábamos opiniones.

Jana sonrió perspicaz y se sentó en el reposabrazos junto al capitán, pasando una de sus manos sobre los fornidos hombros del anciano.

—Elegiste al mejor maestro posible —musitó señalando con la mirada a Isembard a la vez que enredaba sus dedos en la canosa mata de pelo de Biel.

—Pudiera ser —comentó este observando a la camarilla de jóvenes que cuchicheaban en el extremo de la sala. El maestro estaba sentado tan rígido como siempre, y Lucas tenía la espalda erguida tal y como se acomodaría un caballero—. Es una buena influencia para mi nieto y ha sido capaz de meterle un poco de educación en el cuerpo, pero atiende más a los intereses de Lucas que a los de su patrón —masculló enfurruñado al recordar cómo le había desafiado tras la comida.

—Eso es lo que hace que sea tan buen maestro —afirmó Jana complacida—. Me retiro con la señora Muriel —comentó levantándose—. Recuerda lo que hemos hablado y pórtate bien —musitó señalando con la cabeza a Lucas.

Enoc miró a Biel enarcando una ceja cuando su esposa salió de la sala.

Biel gruñó sonoramente, dando una sacudida a la revista.

—Mañana por la mañana sacará el *Alfonso XIII* del garaje y permitirá que mi nieto y su profesor jueguen con el motor —le indicó huraño—. Y vive Dios que como le hagan un solo arañazo se las tendrán que ver conmigo.

—¿Y cómo aprendiste a leer si no fuiste a la escuela? —preguntó Addaia intrigada, ignorando la mirada asesina de su amiga.

Alicia suspiró sonoramente. ¿Acaso Adda no se daba cuenta de que a Lucas le incomodaba hablar de eso?

—Oh, vamos, Alix, no te pongas así. Ni que fuera un pecado preguntar —protestó la voluptuosa joven poniendo los ojos en blanco.

—Lo es cuando el interpelado no quiere responder —apuntó Isembard con seriedad.

Lucas frunció el ceño sorprendido. ¿Isembard le estaba defendiendo a pesar de que con ello regañaba a Addaia, a quien no paraba de poner ojitos tiernos? Observó atónito a su profesor, este tenía la espalda muy recta mientras le dedicaba a la morena su mirada más severa. Sí, no cabía duda de que se estaba interponiendo entre él y el contumaz interrogatorio de la joven.

—Está bien —musitó Addaia frunciendo herida sus generosos labios—. Pero no entiendo por qué no puede decírnoslo.

Lucas no pudo evitar sonreír muy a su pesar. Lo que se suponía que era su gran secreto se había convertido en el secreto de Alicia, Addaia e Isembard. Esperaba que con el paso del tiempo no acabara siendo un secreto a voces. Aunque lo cierto era que si Adda lo había descubierto había sido por culpa de Isembard… y de él mismo.

Al regresar al estudio había estado preparado para discutir con el profesor, ¡en privado!, sin Alicia presente, sobre su afirmación de que leería una hora diaria. Pero el muy ladino había abierto el libro del tal Alejandro y se había dedicado a contarle sus hazañas, como si no hubiera ocurrido nada en la biblioteca. Y él se había relajado. De hecho, pensándolo a posteriori, casi estaba por asegurar que el maestro le había echado algún tipo de sortilegio, porque se había sentido tan fascinado por la historia que, cuando faltaba media hora para acabar la clase, se había olvidado por completo de la lectura, de los libros y de todo. Y justo en ese momento Isembard abrió un libro ¡infantil!, poniéndoselo delante de las narices con la orden de que leyera las primeras páginas.

En ese instante habían comenzado a discutir.

Y se les había echado la hora encima.

Y Alicia y Addaia, preocupadas por su tardanza, habían entrado en el estudio, pillándoles en mitad de la discusión.

Y él había querido morirse al ver que el libro con dibujitos de leones, gatos y jirafas seguía abierto en la mesa. Gracias a Dios que Isembard, rápido como el zorro que en realidad era, había ocultado la indignante prueba de su ignorancia tirando la cartera sobre el librito de marras. Aunque no había cesado de discutir sobre el tema, y claro, Addaia se había enterado.

Y ahora le estaba interrogando.

Suspiró.

—Anna me enseñó —murmuró esquivo, dando vueltas a la taza vacía entre las manos.

—¿Quién es Anna? —inquirió Addaia rauda y veloz, no fuera a ser que Lucas volviera a quedarse callado.

Isembard dejó su taza y observó con atención a su alumno. Era la segunda vez que escuchaba ese nombre de labios de Lucas, y en ambas ocasiones había notado en su voz tangible admiración y absoluto cariño. Estrechó los ojos, esa mujer se estaba convirtiendo en un misterio que debía resolver habida cuenta de la influencia que parecía tener sobre su estudiante. Una buena influencia, intuía.

—Mi amiga —musitó remiso a hablar de ella.

—¿Era profesora, como Isem?

—No.

—¿Y cómo es que supo enseñarte a leer?

—¡Adda! —siseó Alicia avergonzada por los modales de su amiga y enfermera.

—No pretendía ofender —musitó esta pesarosa.

—Yo también me lo pregunto —musitó Isembard inclinándose intrigado—. Es un hecho probado que más del sesenta por ciento de la población no sabe leer ni escribir, y cuanto más mayores son las personas, la estadística aumenta. Y con esto no pretendo preguntar la edad de tu amiga, pero doy por hecho que se asemejará a la tuya —argumentó mirando a Lucas—. No es habitual que una persona de clase baja, mujer para más señas, sepa leer… y enseñar a leer.

—Anna es especial —aseveró Lucas desafiante—. Era hija de una barragana, su padre le enseñó a leer y ella a mí.

—¿Hija de quién? —preguntó Alicia confusa.

—De la querida de un cura —explicó Lucas. Alicia se sonrojó visiblemente.

Isembard asintió con la cabeza, para luego negar lentamente.

—Pero ¿de dónde sacó los libros? Son muy caros —murmuró interesado.

Lucas cerró los ojos a la vez que una sonrisa casi infantil se dibujaba en sus labios.

—De las bibliotecas circulantes. Anna los pedía prestados, al principio me los leía, y luego con el tiempo me enseñó, obligándome a leerlos.

—¿De las bibliotecas circulantes? —Isembard estrechó los ojos, confundido—. Apenas llevan ocho años funcionando y, solo los maestros y los alumnos podemos tomar libros en préstamo, de ningún modo las personas ajenas a la enseñanza.

—Las mujeres mayores de quince años podían solicitarlos, y

Anna le daba sus flores a una maestra a cambio de que le dejara sacarlos —explicó Lucas.

Isembard asintió. Por lo visto Anna no era de la misma edad de Lucas, sino algo mayor, al menos cuatro o cinco años.

—¿Le daba sus flores? —inquirió Alicia confundida.

—Sí. Anna vende flores en el mercado y frente a los teatros —señaló Lucas—. Le hubiera encantado ver tu jardín, aunque seguro que pondría el grito en el cielo al ver tus arbolitos —comentó jocoso.

—Oh, seguro que puedo hacerle cambiar de opinión —replicó Alicia encantada al ver que su sonrisa evocaba momentos especiales, cariño y amistad. Casi envidiaba a Anna.

Lucas negó pesaroso. Anna nunca iría a esa casa. El capitán jamás lo permitiría.

—¿Qué libros leíste? —indagó Isembard percatándose de su repentina tristeza.

—No los recuerdo. Eran unos verdaderos tostones. Aburridísimos —masculló Lucas girando la cabeza y fingiendo mirar por la ventana.

Isembard sonrió, comenzaba a aprender las estratagemas de su alumno, cuando algo le hacía sentirse melancólico siempre escamoteaba la mirada. Nada que ver con la fiera rebeldía que mostraba cuando se sentía atacado o herido.

—Seguro que no todos eran aburridos, no creo que tu amiga te diera a leer libros que supiera de antemano que no iban a gustarte —replicó certero.

—Bueno… había algunos entretenidos, pero pocos —se apresuró a añadir—. Me gustaban unos que hablaban de Sandokán. Era un príncipe de un país lejano al que los ingleses se lo quitaban todo, y él peleaba contra ellos y contra otros igual de malos en lugares increíbles —murmuró estrechando los ojos, recordando—. Pero los mejores eran los de Julio Verne, en ellos contaba que se podía viajar a la Luna, al centro de la Tierra o dar la vuelta al mundo en ochenta días. Había uno en el que un hombre inventaba un aerostato[9] con hélices que giraban, pero no todas en el mismo sentido, sino unas en uno y otras más pequeñas en otro, para que el aparato no diera vueltas sobre sí mismo. ¿Qué tipo de motor crees que podría usar, Isem? No creo que sea de vapor, el carbón pesaría demasiado. Seguro que era de combustión. Bah, da lo mismo, la cuestión es que se elevaba

---

9. *Robur el conquistador*, novela de Julio Verne en la que este describe con asombrosa precisión un helicóptero… que todavía no había sido inventado.

recto en el aire. También recuerdo otro libro en el que viajaban a una isla…

Alicia asintió asombrada a la disertación de Lucas, instigado en todo momento por Isembard, quien, artero como un zorro, sabía empujar a su alumno cuando este se detenía en la narración… hasta que incluso acabó reconociendo que había leído algunos cuentos infantiles, pocos, eso sí, como se apresuró a asegurar. Y, lo más impactante de todo era que tenía una memoria prodigiosa, se acordaba de los títulos que más le habían gustado, de los personajes e incluso de las escenas.

Alicia negó con la cabeza, confundida; Lucas no podía leer mal si había leído novelas. ¿Por qué ese empeño en no leer?

La cena, al contrario de las que se habían sucedido esa semana, fue distendida y estuvo aderezada por amenas conversaciones en las que tanto el capitán como Jana intervinieron. Solo Lucas permaneció en silencio, centrado en sus propios pensamientos, para, en el mismo momento en que acabó la velada, disculparse y salir casi a la carrera del comedor.

—¿Alguien sabe por qué diantres tiene tanta prisa? —musitó Biel frunciendo el ceño. Esperaba que el muchacho no siguiera molesto por la discusión del almuerzo. Ya le había dicho que podía jugar con el coche, con eso estaba todo arreglado. ¿O no?

—Antes de cenar me ha comentado que el profesor le había puesto una tarea para mañana, quizá ha ido a hacerla —comentó Enoc, divertido por la preocupación que mostraba el semblante del capitán. Había hablado con su nieto durante la cena, y aunque ambos se habían mostrado cortantes, no había llegado la sangre al río. Al menos no más de lo habitual.

—Es bueno que le ponga tareas —asintió Biel complacido—, así ocupará su tiempo y no estará ocioso. La holgazanería es la madre de todos los desastres.

—No puedo creer que digas eso, capitán, Lucas apenas tiene un segundo libre para hacer otra cosa que no sea estudiar —apuntó Alicia indignada. Las clases le ocupaban buena parte del día, si además tenía tareas que hacer, apenas si tendría tiempo de reunirse con ella en la biblioteca.

—¿Para qué, si puede saberse, necesita mi nieto tiempo libre? Un hombre de provecho siempre se mantiene ocupado —replicó Biel, atónito por el énfasis que había puesto Alicia en sus palabras.

—¿Acaso tú te pasas todo el día trabajando? —le espetó ella—.

Tal vez le apetezca dar un paseo tranquilo, estar un momento relajado o leer un libro en la biblioteca.

—Te recuerdo que no sabe leer —replicó Biel asombrado por la furia de su pupila.

—¿Y eso te complace?

—¡Por supuesto que no me complace!

—Estupendo, porque tal vez te lleves una sorpresa —masculló Alicia deslizando la silla hacia atrás—. Con permiso.

Biel parpadeó perplejo ante la encrespada respuesta de su pupila. ¿Desde cuándo defendía a ultranza a su nieto? Frunció el ceño pensativo al darse cuenta de que le defendía desde el mismo momento en el que Lucas había pisado la mansión. Había algo que se le escapaba.

—¿Por qué se ha enfadado tanto? —musitó cuando Alicia abandonó el comedor.

—Tan astuto en el mar y tan ciego en tierra… —murmuró Jana—. Si me disculpáis, tengo que comentar con la señora Muriel el menú de mañana.

—¿Qué es lo que tengo que ver y no veo? —masculló Biel enfurruñado mirando a Enoc cuando su esposa salió del comedor.

—A mí que me registren, capitán —afirmó este levantando ambas manos—. Pero sí he observado que su nieto gusta de ayudar a la señorita Alicia con sus arbolitos, y que ambos pasan las tardes en la biblioteca. Ella le lee *La isla del tesoro* —susurró—, creo que están a punto de terminarlo.

—Y no olvidemos las miradas airadas que Lucas le echaba a Marc cada vez que este empujaba la silla de Alicia —murmuró Biel pensativo—. Cree usted que…

—No me atrevería a creer nada, capitán —se apresuró a interrumpirle—. Solo digo lo que veo.

Biel asintió con la cabeza, meditabundo.

—Acompáñeme a la sala de fumar, señor Abad, tal vez una copa de coñac le despeje la lengua.

—Debería subir a la biblioteca —dijo Enoc mirando hacia el techo a la vez que enarcaba una ceja.

—Complazcamos a Alicia dándole a mi nieto unos minutos libres —afirmó Biel ufano—, estoy seguro de que Lucas se comportará adecuadamente. Puedo estar ciego, pero a veces veo —indicó conspirador—, y no cabe duda de que la trata como a una reina.

Y

Alicia se despidió de Etor cuando este la subió a la primera planta y acto seguido enfiló hacia la biblioteca tan rápido como las ruedas de la silla se lo permitieron. Las puertas estaban abiertas y podía ver un tenue haz de luz saliendo de ellas. Estaba a punto de entrar cuando escuchó voces masculinas en la planta inferior. Bufó enfadada. Seguro que el capitán ya había mandado al señor Abad a hacer de carabina. Se acercó a la barandilla y observó perpleja que ambos hombres ignoraban las escaleras dirigiéndose a la sala de fumar. ¿De verdad iban a relajar la vigilancia? ¡Ver para creer! Se apresuró a entrar en la estancia, solo para detenerse petrificada al ver a Lucas sentado frente al escritorio mirando con suma atención un libro.

—¿Qué haces? —le preguntó intimidada. No podía creer que estuviera leyendo.

—Isembard me ha puesto una tarea para mañana —gruñó enfurruñado a la vez que pasaba las páginas—. Debería haberla hecho después de clase, pero me apetecía tomar chocolate con vosotros. No pensé que fuera a ser tan complicado. ¡Este maldito libro no tiene ilustraciones! —exclamó enfadado, cerrándolo de golpe—. Prefiero leer *La Esfera*, es mucho más fácil.

—¿Lees *La Esfera*? —Alicia le miró asombrada.

—A veces, cuando os la dejáis olvidada en la sala —explicó ensimismado volviendo a abrir el libro—. Los titulares y lo de debajo de las fotos tienen las letras grandes y es fácil leerlos. Pero esto… —señaló el libro con desdén—, solo tiene letras y más letras. ¡Y todas diminutas! Todas las líneas son iguales, no sé dónde empieza una frase y acaba la otra, usa palabras que no entiendo y ¡no tiene ni un puñetero dibujo! —Bufó frustrado girando el ignominioso libro para que lo comprobara por sí misma—. ¿Te lo puedes creer? ¡¿Para qué demonios quiero leer un libro que no entiendo?!

—Casi todos los libros solo contienen palabras.

—Los que Anna me daba no. Tenían dibujos de piratas, de barcos, de selvas. Eran divertidos, y si no entendía algo, los dibujos me lo aclaraban —señaló enfadado.

Alicia sonrió al intuir que los libros que Anna le daba serían una versión infantil de las novelas de Salgari y Verne.

—¿Conoces la historia del nudo gordiano de Alejandro Magno? —Lucas centró su aguda mirada azul en ella.

—No del todo, pero algo recuerdo —respondió ella intrigada. ¿Adónde quería llegar?

—¿Cómo lo deshizo? —inquirió esperanzado.

—¿Esa es tu tarea? —Estrechó los ojos, conspiradora.

—Sí, tengo que deshacer el nudo tal y como lo hizo Alejandrito —explicó desdeñoso—. Pero no hay modo. Lo he intentado de todas las maneras posibles y ¡no puedo! Dudo de que un montón de palabras sin sentido puedan explicarme cómo hacerlo. Así que, si me lo dijeras, me harías un gran favor.

—Pues lo siento, pero te toca buscar.

—¿No vas a ayudarme?

—No es mi tarea, es la tuya —comentó Alicia haciendo girar la silla para salir de la biblioteca. Por mucho que le apeteciera pasar más rato con él, era consciente de que si se quedaba, Lucas no haría nada. Y eso era lo último que deseaba.

—¿Estás despierta? —Alicia escuchó su susurro cuando estaba a punto de volverse loca por la impaciencia. Pasaba con mucho la medianoche y Lucas, jamás, en todo el tiempo que llevaba visitándola a esas horas intempestivas, había tardado tanto en acudir a su dormitorio. ¿Qué le habría demorado?

—Dame un momento —dijo, advirtiéndole de que iba a tardar un poco, no fuera a ser que pensara que se había quedado dormida y cejara en su empeño.

Al otro lado de la puerta, Lucas suspiró aliviado. Se le había pasado el tiempo buscando la solución al dichoso nudo, y cuando había querido darse cuenta era demasiado tarde. Había salido corriendo a su cuarto para cambiarse de ropa con rapidez e ir a verla, abatido al pensar que ya estaría dormida. Pero no era así. Le había esperado. Sonrió soñador y, dando la espalda a la pared para vigilar el jardín, se ocupó en alisar las inexistentes arrugas del pijama y en pasarse los dedos por la cabeza para intentar peinar su alborotado pelo. Alicia siempre estaba perfecta, hermosa hasta la locura con sus recatados camisones, y él siempre iba hecho un adefesio. Comenzaba a odiar sus aburridos pijamas azules. Pero la única vez que había acudido vestido de calle a su dormitorio ella se había sentido avergonzada por ir en camisón y le había echado antes de lo normal… por tanto, ya no tentaba a la suerte.

Alicia se incorporó presurosa y se peinó con los dedos su corta melena rubia para luego darse color en las mejillas con unos ligeros pellizcos, tras esto se aseguró de que las sábanas ocultaran por completo su horrible pierna y a continuación comprobó que tenía el camisón abrochado hasta la barbilla. Estaba a punto de indicarle que entrara cuando se lo pensó mejor y desabrochó los primeros botones mostrando el inicio de su escote. No había nada indecente en mostrar un poco de piel, Addaia mostraba mucho más con sus vestidos. Arrugó el ceño contrariada, lo que sí era indecente era recibirle noche tras noche en su cuarto. A solas. Sin que nadie lo supiera. Y más valía que siguiera siendo así porque si su madre o el capitán se enteraran… Sin querer pensar más en lo inapropiado de la situación, le indicó que entrara.

Lucas se coló en la habitación, y apresurándose a cerrar la puerta, tomó una silla y la colocó junto a la cama. Se sentó en actitud relajada y se quedó embobado mirando a Alicia.

—¿Han dado resultado tus pesquisas? —le preguntó ella casi impaciente. Impaciencia que achacó al escaso tiempo que habían estado ese día en la biblioteca. Se había acostumbrado a leer con él después de cenar y lo echaba de menos. Igual que lo echaba de menos en cada momento del día que no estaba a su lado. Al menos lo tenía por las noches, y en exclusividad.

Sus visitas nocturnas se habían convertido en una costumbre. Y, aunque sabía que eran del todo incorrectas no tenía ninguna intención de interrumpirlas. De hecho, cada vez las esperaba más impaciente. Le gustaba hablar con él, escuchar en su voz la fascinación que le producía lo que aprendía cada día, departir sobre el libro que leían juntos cada tarde, y reírse con las historias descabelladas que inventaba antes de despedirse.

—He leído miles y miles de palabras, y no he encontrado nada que me indique cómo hacerlo —masculló malhumorado sin dejar de mirarla.

—Seguro que no han sido tantas —replicó divertida.

—Oh, sí. Sí han sido tantas, ¡y más! ¡Ese puñetero libro está lleno de palabras!

—Lucas, ese vocabulario —le reprendió con fingida seriedad.

—Lo siento, pero ¡me llevan los demonios! Tengo que deshacerlo mañana tras desayunar y no voy a ser capaz —masculló enrabietado—. Me duele la cabeza de tanto leer. ¡Lo odio!

—No te preocupes más —le aconsejó al darse cuenta de que lo que para ella era sencillo para Lucas era una tarea titánica—. Estoy segura de que esta noche, mientras duermes, darás con la solución.

—Ojalá —masculló él mirándola con inocencia—. Imagino que no hay ninguna posibilidad de que un ángel maravilloso y encantador me lo chive al oído, ¿verdad? —preguntó taimado.

—Imaginas bien.

—Tenía que intentarlo —murmuró encogiéndose de hombros—. ¿Dónde vais a ir mañana? —inquirió cruzando los tobillos—. El viejo parecía bastante molesto por tener que acompañaros.

—Vamos a una conferencia de Carmen Karr, y no está de acuerdo con sus opiniones —musitó enfadada—. El capitán tiene unas ideas obsoletas sobre el papel de la mujer en la sociedad y pretende que mamá y yo las compartamos. ¡Y eso nunca sucederá! —explotó.

—¿Y qué ideas son esas?

—Las que tienen todos los hombres: no podemos votar porque nos falta inteligencia, no podemos trabajar ni esperar un salario similar al de ellos porque no somos sus iguales, no tenemos más opción que el matrimonio, y si este falla, el convento…

—Yo no pienso así —se apresuró a decir, dolido porque le metiera en el mismo saco que a los demás—. Anna trabajaba tanto como yo, pero sacaba menos dinero y no me parecía justo.

—No lo es. Nos negamos a anclarnos en el pasado y permitir que se sigan cometiendo injusticias con nosotras, pero claro, a los hombres —se interrumpió mirándole—, a algunos hombres, no les gustan esas ideas. Es más cómodo tenernos en la cocina con la pata quebrada.

—Cuéntame esas ideas.

Alicia lo miró perpleja, era imposible que le interesara saber lo que pensaba… o tal vez sí. Lucas era especial, nunca se paraba en los bordes, sino que siempre miraba más allá. Quizá él sí pudiera ver lo que ocurría, el cambio que poco a poco se iba dando en la sociedad.

—Pedimos la modernización de la enseñanza para las mujeres, pues gracias a la educación podremos trabajar al mismo nivel que los hombres y conseguir el derecho al voto. Reivindicamos nuestro derecho a ser autónomas y tomar nuestras propias decisiones sin necesidad de una figura masculina que nos guie o mantenga. Tenemos derecho a ocupar un lugar en la sociedad, a trabajar y a recibir un salario sin ser tratadas discriminatoriamente por la maternidad…

14

Tú eres un buen muchacho, no me engaño.
ROBERT LOUIS STEVENSON, *La isla del tesoro*

19 de abril de 1916

*L*ucas se estiró ahogando un bostezo y sintió crujir cada una de sus vértebras. Sonrió, así era como se llamaban los huesos que tenía en mitad de la espalda, lo había aprendido hacía un par de días. Esos, y muchos otros huesos más. Y apenas se acordaba de la mitad. Abandonó la cama para dirigirse al armario y sacar del hueco en el que escondía el timón un atado de papeles que había ido sisando del estudio cuando Isembard no se daba cuenta. Buscó los dibujos que había hecho a escondidas del esqueleto que Isem le había mostrado en clase y, resiguiendo las palabras con las yemas de los dedos, silabeó cada hueso apuntado. No quería olvidarlos. Cuando lo hubo hecho regresó a la cama y se sentó en la posición que había mantenido toda la noche, la espalda apoyada en el cabecero y las piernas dobladas con el libro de Alejandro Magno sobre ellas. Abrió por enésima vez el voluminoso tomo y continuó con la lectura que le había mantenido despierto. Menos mal que su abuelo era un ricachón, no quería ni pensar en lo que debía costarle tener encendida la luz de la lamparita toda la noche.

Había estado en el cuarto con Alicia hasta bien entrada la noche, escuchando cada una de sus reclamaciones y asintiendo ante la mayoría de ellas, y luego la había hecho sonreír fingiendo ser un pirata y escenificando entre susurros las descabelladas historias que se le habían ocurrido hasta que ella, entre carcajadas silenciosas le había dicho que tenía alma de pirata. Y él, sin saber bien el motivo, se había cernido sobre ella cual corsario y le había susurrado al oído: «Y a ti te gustan los piratas». Alicia se había sonrojado violentamente y él se había sentido más poderoso que un rey en su trono. Y acto seguido ella le había despedido, indicándole que era tarde y que ambos necesitaban dormir. ¡Maldita fuera su bocaza! ¿Por qué no sabría estar calladito? No había querido irse, le gustaba estar con ella, disfrutar de su amistad y sus sonrisas, de su aroma a inocencia y sus miradas taimadas, pero no le había quedado otro remedio, por tanto, se había marchado. A regañadientes.

Había regresado a su dormitorio e, incapaz de dormir, había abierto el libro de Alejandrito y buscado información sobre el nudo de marras.

—¡No puede ser que un tipo que vivió hace más de dos mil años sea más listo que yo! —había exclamado antes de empezar a leer con atención el índice.

Y así había pasado la noche hasta que la tímida luz del amanecer le había avisado de que el plazo llegaba a su fin. Miró el reloj que Enoc le había dejado y que nunca le había reclamado y comprobó que apenas le quedaba una hora para bajar a desayunar. Sacudió la cabeza y retomó la lectura aunque las letras se juntaban unas con otras, obligándole a parar continuamente para pronunciar las palabras en voz alta y confundiéndole cuando no entendía su significado, pero aun así abriendo un nuevo mundo ante sus ojos. ¡Qué maravilloso sería tener un mapa e ir siguiendo las aventuras de Alejandro a través del tiempo y del espacio!, sobre todo cuando el libro dejaba atrás la política y se sumergía en las batallas y las leyendas.

Se levantó de la cama tiempo después, tomó su ropa y se dirigió al baño, donde tras asearse, se vistió. Ya con la cabeza un poco más despejada bajó al comedor, deseoso de enfrentarse con Isembard y su reto.

Alicia observó preocupada a Lucas cuando este entró en el comedor. Por las ojeras que lucía podía intuir que no había pegado ojo en toda la noche, y no por culpa de las pesadillas, pues no le había escuchado gemir ni gritar. Más bien se temía que el culpable de su lamentable apariencia era el libro que sujetaba con fuerza bajo el brazo.

—¿Has pasado mala noche, grumete? —Biel lo miró preocupado—. Parece como si te hubieran pasado por la quilla.

—No he dormido mucho —masculló Lucas dándole el libro a Isembard para luego servirse varias tostadas. ¡Estaba hambriento! ¿Quién hubiera pensado que leer diera hambre?

Isembard lo miró asombrado, ¿en qué estaba pensando para llevar el libro al comedor? ¿Acaso no se daba cuenta de que levantaría sospechas? Luego se percató del cansancio que reflejaba su rostro y la avidez con la que comía y concluyó que no era consciente de lo extraño que era para todos verlo con un libro durante el desayuno. Estrechó los ojos taimado, quizá pudiera aprovechar la coyuntura en su propio provecho. Lucas enfadado era mucho más astuto y perspicaz que cuando estaba calmado. Y en ese momento estaba enfadado y cansado.

—Espero que te haya servido de ayuda —comentó dejando el libro a un lado.

—Tanto como una soga al cuello.

—No será para tanto —comentó Enoc divertido tomando el tratado, por lo visto el maestro se había puesto manos a la obra y le había dado algún libro ligero al chico para que empezara a leer. Abrió los ojos como platos al ver la primera página—. Vaya. Sí que es para tanto —musitó dirigiendo una airada mirada al profesorucho a la vez que le pasaba indignado el tomo al capitán.

—¡¿Cómo se le ocurre?! —le increpó furioso este a Isembard al percatarse del tipo de lectura que era.

Lucas bajó la mirada, consciente al fin de su metedura de pata. Ahora el viejo haría algún comentario burlón sobre su incapacidad y todos se reirían, excepto Alicia, que le miraría compasiva. Y él no tendría otro remedio que defenderse, y el magnífico desayuno acabaría en una batalla campal. ¿Por qué demonios no había esperado a llegar al estudio para darle el libro a Isembard? Porque era un impaciente. Por eso. Chasqueó la lengua enfadado.

—¡Ni siquiera yo soy capaz de leer este… este galimatías sin sentido! —escupió Biel ofendido. Si quería que el muchacho aprendiera a leer, tendría que empezar por algo más sencillo—. ¡Le había tomado por un maestro, no por un inconsciente! —tronó enfadado. Lucas levantó la mirada atónito. ¿El viejo le estaba defendiendo?

—Le impuse una tarea a Lucas, y la solución está en ese libro —indicó Isembard con tranquilidad, mirando a Alicia, seguro de que ella y Lucas habían hecho trampas, como esperaba. Esta le devolvió la mirada, preocupada, mientras su madre colocaba una mano sobre la del capitán intentando calmarle.

—Pues entonces no cabe duda de que la tarea no era apropiada, al igual que el maestro —gruñó Biel tirando el libro con desprecio—. A partir de este momento le dará a mi nieto libros adecuados a sus conocimientos —sentenció.

Lucas abrió los ojos como platos. ¿Adecuados a sus conocimientos?

—¿Como por ejemplo libros para niños de teta con animalitos dibujados? —siseó furioso mirando a su abuelo. ¿Qué se había pensado el viejo, que era un llorón que no sabía leer unas cuantas letras juntas? ¡Pues había leído casi medio libro durante la noche!—. ¡Este libro es totalmente adecuado para mí!

Biel observó asombrado a su nieto. ¿Y ahora por qué demonios se había enfadado?

Isembard sonrió. El caldo de cultivo para que su alumno explotara estaba preparado, ahora solo era necesario un ligero empujoncito.

—Si tan adecuado es para ti, imagino que habrás dado con la solución al enigma.

Lucas miró a su profesor, gruñó furioso y acto seguido abandonó el comedor.

—¿Puede saberse qué mosca les ha picado a usted y a mi nieto señor del Closs? —inquirió Biel con irritada serenidad.

En lugar de contestar, Isembard miró interrogante a Alicia, había supuesto que esta le habría ayudado a desvelar el misterio durante su lectura en la biblioteca, pero empezaba a temerse que no había sido así.

—Alicia… —murmuró—, ¿le has dicho cómo deshacerlo?

—No —musitó esta—. Era su tarea… No quise entrometerme.

Isembard sacudió la cabeza, enfadado consigo mismo por haber previsto de forma equivoca la ayuda que Alicia le prestaría. No había contado con la íntegra honradez de esta.

—¿Alguien puede explicarme qué está pasando? —clamó Biel cada vez más enfadado.

—Me tiré un farol, imaginando que Lucas conseguiría ayuda… y no ha sido así.

—Le aconsejo que deje los faroles para el póquer, señor del Closs —bufó furioso Biel en el mismo momento en que Lucas entró de nuevo en el comedor.

Llevaba entre sus manos un leño con una cuerda de cáñamo atada en un intrincado nudo. Lo dejó de un golpe sobre la mesa, giró sobre sus pies y se dirigió presuroso a la cocina.

—¡No debe jugar con cuchillos, señorito Lucas! —oyeron gritar a la señora Muriel un instante después—. ¡Devuélvamelo ahora mismo, es peligroso!

Pero por lo visto Lucas no se lo devolvió, pues entró en el comedor con un enorme y afilado cuchillo en la mano y, sin dudar un instante, lo estrelló contra la cuerda.

—¡Ya está deshecho! —proclamó orgulloso tras soltar el cuchillo, dejando pasmados a los presentes, excepto a Alicia e Isembard que conocían la tarea propuesta y su solución.

—¿Qué demonios? —masculló Biel mirando alternativamente el tronco, la cuerda y a su nieto. El cuchillo ya se había ocupado Enoc de alejarlo de la mesa en el mismo momento en que Lucas lo había soltado.

Isembard interrumpió al capitán al comenzar a aplaudir complacido. No había esperado que Lucas diera con la solución leyendo el libro, de hecho solo pretendía demostrarle lo importante que era leer. Y qué mejor forma de lograrlo que obligarle a preguntar a Alicia por la solución, poniendo en evidencia que si leyera, no tendría necesidad de ello… pero las cosas no habían salido como pensaba. Habían salido mucho mejor.

—Bien hecho, Lucas —le felicitó—. Así es exactamente como Alejandro deshizo el nudo… bueno, él lo cortó con una espada, pero también vale un cuchillo. ¿Cómo lo descubriste? —inquirió intrigado.

Lucas sonrió orgulloso y tomando el libro se sentó a la mesa y lo abrió por el final, mostrándoles a Alicia e Isembard el índice que allí había.

—Al principio por poco me vuelvo loco mirando cada página —confesó en voz tan baja que solo sus amigos pudieron oírle—, pero luego se me ocurrió que si lo del nudo había ocurrido durante la conquista de Frigia, y esta era importante, estaría narrada en algún capitulo, así que me fui al índice y comencé a buscar —explicó orgulloso de su treta.

Biel se inclinó hacia delante, intentando escuchar lo que cuchicheaban los muchachos, y al no conseguirlo, abrió la boca para regañarles por hablar entre susurros. ¡Él también quería enterarse de cómo lo había averiguado Lucas! Tal vez había encontrado algún dibujo que lo explicara. Fuera lo que fuera, pensaba descubrirlo. Pero no llegó a decir nada, se detuvo al sentir el fuerte apretón que su esposa le dio en el brazo. Miró a esta y se encontró con su mirada señalando a Alicia, quien se había llevado un dedo a los labios pidiéndole silencio.

—Déjalo estar —le susurró Jana al oído—. Mucho me temo que tu nieto es tan orgulloso y terco como tú. Si le regañas por susurrar, se cerrará en banda. Y no queremos eso, ¿verdad?

Biel asintió pensativo, observando al muchacho que el destino había puesto en su camino. Había pensado que era un estúpido analfabeto y se estaba dando cuenta de que no había podido cometer mayor error. Su nieto no era tonto, al contrario, tenía una inteligencia lúcida y una mente ágil. ¡Y era una maldita caja de sorpresas! Se reclinó sobre el respaldo de la silla con la mirada fija en quien se estaba convirtiendo en su esperanza y su orgullo. Lucas se había inclinado sobre la mesa y hablaba enfurruñado, y de nuevo en voz audible, con su profesor mientras este se mantenía en relajada postura con una ladina sonrisa en sus labios.

—¡No puedo creer que me pusieras esta tarea! He pasado toda la noche en vela solo para averiguar que había cortado el nudo. ¡Qué estupidez!, eso podría haberlo hecho cualquiera, no solo Alejandrito —masculló enfadado.

—No te lo niego, pero solo se le ocurrió a Alejandro —replicó Isembard divertido—. Si lo piensas bien no es ninguna estupidez, al contrario; al cortarlo demostró que nada se iba a interponer en su camino, que tenía decisión, valor e iniciativa, algo muy importante para un gran hombre… y ya sabes hasta dónde llegó.

—Sí, conquistó medio mundo y fundó un montón de ciudades. Y a casi todas las llamó Alejandría… Era un poco egocéntrico, ¿no? Si yo conquistara medio mundo le pondría un nombre distinto a cada una de mis ciudades, claro que también es cierto que Lucalia suena fatal, mejor Annalia o tal vez Alicilia —musitó Lucas recogiendo con la yema del dedo la mermelada que había untado en su tostada y dibujando con esta el contorno de un mapa en un plato vacío a la vez que señalaba con un punto algunas de las ciudades que había en el único mapa que tenía el libro—. Incluso le puso a una el nombre de su caballo, Alejandría Bucéfala. Estaba un poco loco. Quemó una ciudad.

—Persépolis —indicó Isembard.

—Sí, esa. ¿Para qué quemar algo que ya es tuyo? Era un poco tonto —comentó mientras seguía disertando sobre lo que había leído esa noche.

Isembard no pudo evitar sonreír. Su alumno se había sumergido en la historia, como hacía cada vez que algo le fascinaba, olvidándose de todo lo que le rodeaba. Su desordenada disertación, llena de lagunas temporales y carencias históricas, demostraba que había leído a saltos y que había confundido muchos términos. Pero ya se ocuparía él de orientarle en el camino correcto. Por ahora lo único que le importaba era que, como siempre, había absorbido los conocimientos puestos a su alcance con enfática curiosidad. Dirigió la mirada al anciano que le observaba asombrado desde la cabecera de la mesa y enarcó una ceja, desafiándole a volver a dudar de la inteligencia de su nieto.

Biel asintió complacido y continuó en silencio, dejando al muchacho divagar todo lo que quisiera. Giró la cabeza y observó a su pupila asentir atenta y orgullosa al monólogo de Lucas. No cabía duda de que su pequeña y dulce niña se había convertido en una conspiradora que conocía a su nieto mejor que él mismo. Y eso le complació. Y mucho.

—Debemos retirarnos si queremos llegar a la conferencia —interrumpió Biel la charla poco después, sacando a Lucas de su estado de fascinada semiinconsciencia—. Nos llevaremos el landaulet —indicó—, Enoc tiene las llaves del *Alfonso XIII*, por si queréis echar un vistazo al motor... aunque os veo muy entretenidos con la historia antigua —comentó jocoso palmeando la espalda de su nieto—. Pórtate bien, grumete.

Lucas observó a su abuelo y a las mujeres abandonar el comedor y luego miró enfurruñado a Isembard. Le había enredado de tal manera que se había olvidado de que no estaba en el estudio sino en el comedor rodeado de gente, ¡hablando de libros, conquistadores y países antiguos! Casi había puesto su secreto al descubierto, esperaba que el viejo pensara que había aprendido escuchando a Isembard, y no leyendo.

—¿Te apetece echarle un ojo al motor del *Alfonso XIII*? —le preguntó Enoc.

—Por supuesto —asintió vehemente.

—Pero cuidado con arañarlo o el capitán te castrará —le advirtió divertido por su rápido asentimiento.

23 de abril de 1916

—*La-gu-nos*...

—Algunos —corrigió Isembard, ganándose un sonoro gruñido por parte de su alumno.

—Algunos pue... —Lucas se mordió el labio pensativo y también bastante enfurruñado. Estaba hasta las mismas narices de que le corrigiera.

Isembard comprobó el reloj de la pared y mantuvo su postura relajada, prediciendo que faltaba poco para un estallido. Llevaban casi una hora trabajando con la lectura, y eso era más tiempo del que Lucas había aguantado en días anteriores. Había demostrado que sabía leer bastante bien, silabeando, eso sí, aunque intuía que era más por costumbre que por necesidad. Pero se atascaba con las sílabas mixtas, inversas y trabadas, y tampoco asimilaba bien cuándo escribir «r simple» o «r doble», de ahí que le hiciera leer una y otra vez frases plagadas con ese tipo de sílabas. Pero Lucas, además de ser muy inteligente, era muy impaciente y cuando algo no le salía a la primera se frustraba montando en cólera. Que era justo lo que estaba a punto de pasar.

—Algunos pue-blos no tienen *bi-bi-lo-teca* en *ni-vi-erno*
—leyó Lucas casi de corrido, tras haber pensado muy mucho las palabras a las que se refería la frase.

—Muy bien, casi te ha salido.

—¿Casi? ¡Está perfecto! —protestó amargamente.

—Algunos pueblos no tienen biblioteca en invierno.

—¡Qué estupidez! Si la tienen en verano, la tendrán también en invierno —rezongó Lucas cruzándose de brazos enfurruñado.

—No tienes que fijarte en la veracidad de la frase, sino en las sílabas de las palabras que la componen —reiteró Isembard por enésima vez—. Veamos qué tal se te da esta. —Escribió una nueva frase en la pizarra.

—El *az… a-za-fan* —silabeó concentrado con los párpados entornados.

—Azafrán —corrigió Isembard, consciente de que era una palabra nueva para él.

Lucas bufó con fuerza, se levantó de la silla de improviso, fue a la pizarra y borró todo lo que allí había escrito.

—¡Estoy harto de san Roque y de su perro sin rabo, de los puñeteros tigres tristes, del pato que come plátanos y de las frutas frías en el fregadero! —exclamó furioso—. ¡Ojalá Pablito se clave el clavito en su maldito dedito! —siseó dando media vuelta y saliendo al corredor.

Isembard suspiró. Definitivamente el límite de lectura de Lucas no llegaba a la hora. Se aproximó al caballete y colocó en este el mapa de la antigua Roma, dedicarían las dos horas que restaban de clase a hablar del Imperio romano. Al menos con ese tipo de temas se aseguraba su atención. Miró el reloj de la pared y, tras decidir que le daría cinco minutos más, salió al exterior dispuesto a vigilarle. Su alumno tenía cierta tendencia a deambular por donde no debía y mucho se temía que el día menos pensado acabaría haciendo algo impropio.

Lucas recorrió furioso el corredor, esquivando con cuidado los arbolitos raquíticos y el maremágnum de plantas que allí había mientras miraba la balaustrada que cercaba la alargada terraza. «Balaustrada, con "S" aspirada tras la "U" y una sola "R" después de la "T"» resonó en su cabeza en el mismo instante en el que pensó en esa palabra.

—¡Puñeta! —gruñó llevándose las manos a la cabeza para revolverse el pelo—. Cómo siga así no voy a poder dar ni un maldito paseo tranquilo —gimió.

Caminó hasta la última puerta del corredor, aquella que daba al gabinete de Alicia y, como hacía cada día cuando se enfadaba con las diabólicas palabras, apoyó la frente en la puerta cristalera. Alicia estaría allí, con Adda, haciendo quién sabe qué mientras él se peleaba con su incapacidad para leer. ¿Por qué no podían dejarle en paz? ¡Ni que fuera tan necesario leer correctamente! Al fin y al cabo, al terminar julio el viejo le largaría de allí, y para firmar y revisar los recibís del salario en el puerto no le hacía falta saber cuántas erres tenía perro.

Pero no había modo, incluso Alicia parecía empeñada en que aprendiera, y ya no quería leerle *La isla del tesoro*, sino que ahora tenían que leer un párrafo cada uno… y él leía en susurros para que quien le estuviera vigilando no le oyera. Y Alicia se enfadaba porque decía que lo hacía bien y que no debería ocultarlo. ¡Seguro! Si leyera en voz alta haría el más completo ridículo ya que silabeaba como un niño pequeño y confundía las palabras raras. ¡Cómo odiaba leer!

Se enmarcó la cara con las manos para intentar ver lo que pasaba en el interior de la habitación, sentía una absoluta curiosidad por saber qué narices hacían allí Alicia y Adda, pero, como siempre, el carraspeo gruñón de Isembard le indicó que estaba cometiendo un pecado mortal al intentar espiarlas. Se apartó enojado, dirigiéndose con desgana al estudio. Apenas había dejado atrás la puerta de su dormitorio cuando escuchó un gemido proveniente del final del corredor. Se detuvo inquieto.

—No te hagas el remolón, es hora de continuar —le instó Isembard.

Lucas asintió inmóvil, más atento al silencio que llenaba el corredor que a las indicaciones de su profesor.

—¿Ocurre algo? —preguntó Isembard, inquieto por la preocupación reflejada en su rostro.

Lucas negó con la cabeza y volvió a caminar hacia el estudio, no cabía duda de que había oído mal.

Un sollozo estrangulado hizo que girara sobre los talones y corriera hacia el lugar en el que acababa de estar, ante el absoluto pasmo de su educador.

Ni siquiera se molestó en llamar a la puerta.

Entró como una exhalación, dispuesto a matar a quien fuera que le estuviera haciendo daño a su amiga. Y se encontró con que no era bien recibido.

—¡¡Lucas, que haces aquí!? ¡Vete! —le increpó Alicia con la cara descompuesta.

—¿Por qué lloras? ¿Qué ha pasado? —inquirió preocupado. Ella no respondió, se limitó a esconder la cara entre las manos mientras negaba con la cabeza.

Estaba sentada en la silla de ruedas, entre las insólitas barras paralelas que había en el gabinete y vestía muy raro, como si fuera un hombre. Llevaba una sencilla blusa blanca sin volantes ni adornos y unos amplios pantalones negros remangados en los tobillos. Se había calzado unos toscos zapatos y el del pie derecho tenía ancladas unas extrañas tiras metálicas que se perdían bajo el pantalón. Parecía muy cansada y derrotada. Y lloraba amargamente.

—Lucas, por favor, no debes entrar jamás en las estancias privadas de una señorita, menos aún si esta te exige que te marches —le regañó Isembard tomándole del brazo.

—¡Métete tus estúpidas normas por donde nunca brilla el sol y déjame en paz! —le espetó soltándose con brusquedad de su agarre para a continuación arrodillarse ante Alicia.

—No deberías hablar así a Isem —hipó ella.

—Y él no debería meterse donde no le llaman. ¿Qué ha ocurrido? ¿Por qué lloras?

Alicia negó con la cabeza, volviendo a taparse la cara.

Y Lucas hizo lo único que se le ocurrió hacer: la abrazó con cariño.

Y Alicia escondió la cara en el cuello de su amigo y lloró en silencio.

—Ha vuelto a intentar andar sujetándose en las barras y ha estado a punto de caerse otra vez —murmuró Addaia, instigada por la mirada escrutadora de Isembard.

—¡Adda! —siseó Alicia furiosa sin desenterrar la cara del hombro de Lucas.

—¿Puedes andar? —preguntó este atónito.

—¡No, no puedo! ¡Vete! —gritó Alicia apartándose de él y empujándole.

—Shh, tranquila. No pienso irme por mucho que grites —afirmó abrazándola de nuevo.

—No estoy gritando —protestó ella hundiendo la cara en su cuello, sonriendo apenas al sentir las cosquillas que su pelo le hacía en la nariz.

—Sí lo estás haciendo. Y tienes una voz preciosa, incluso cuando te enfadas y gruñes —musitó él bajándola de la silla para sentarse en el suelo y acunarla entre sus brazos.

—¡Lucas! Esto no es… decoroso —musitó Alicia atónita por su descaro.

—¿Y quién va a enterarse? —argumentó desafiando con la mirada a Adda e Isembard.

La voluptuosa morena negó con la cabeza, comprometiéndose a guardar silencio y miró al maestro, quien tras un instante de duda asintió con el ceño fruncido, mostrando su aquiescencia, aunque a regañadientes.

Isembard observó a la pareja pensativo, no cabía duda de que se habían hecho buenos amigos, tal vez incluso algo más. De la misma manera que no dudaba de la imposibilidad de sacar a Lucas de allí hasta que Alicia se tranquilizara y le diera una explicación a su desesperado llanto. Una explicación que él también quería conocer. Al fin y al cabo Alicia era su amiga y se preocupaba por ella.

Escrutó el exterior, comprobando que no había guardias a la vista, y entró cerrando la puerta tras él a la vez que rezaba para que el capitán no descubriera nunca su incursión en el gabinete de la joven, porque si lo hacía… Prefería no pensar en ello.

—¿Por qué no comenzamos por el principio? —comentó sentándose cerca de Addaia con fingida tranquilidad—. El capitán me contó que enfermaste por la epidemia de parálisis infantil que barrió el país hace poco más de un año. —Ambas muchachas asintieron con la cabeza—. Imagino que te afectó a las extremidades inferiores.

—A la pierna derecha —musitó Addaia.

Lucas sintió a Alicia tensarse en sus brazos a la vez que intentaba ahogar un sollozo.

—No has recuperado la movilidad ni la fuerza de los músculos —continuó Isembard implacable. Sabía por experiencia propia que era mejor enfrentarse a los problemas que dar vueltas intentando sonsacar una información que al final sería deficiente.

Alicia asintió con la cabeza.

—Pero lo estás intentando —musitó Lucas.

—Y no sirve de nada —aseveró ella, abrazándose con fuerza a él.

—¡Claro que sirve! —rechazó Addaia—. El proceso es lento, pero avanzamos. Antes ni siquiera podías pasar de la cama a la silla y viceversa, y ahora lo haces sin ninguna ayuda.

—¡Qué magnífico logro! Ahora solo necesito ser capaz de mantenerme erguida sin caerme para intentar andar de nuevo. Y al paso que voy tal vez dentro de mil años lo consiga —apuntó Alicia con dolorosa ironía—. Aunque con la suerte que tengo lo dudo. ¿Sabes por qué la llaman parálisis infantil, Lucas?

—Porque la sufren los niños —comentó apartándole un mechón de la frente mientras la miraba con ternura.

—Exacto. Solo el diez por ciento de los afectados son mayores de quince años. Yo entré en ese diez por ciento. Y desde entonces mi pierna ha dejado de crecer, sus músculos se han atrofiado y me canso con excesiva facilidad. Es inútil seguir intentándolo —musitó recostándose en él.

—¿Estos hierros te ayudan? —Lucas recorrió con los dedos el extraño zapato, internándose bajo el dobladillo del pantalón. No recordaba habérselos visto en ninguna ocasión, al contrario, ella siempre llevaba botas de caña alta que ocultaban sus piernas.

—¡No me toques! —gritó Alicia dándole un manotazo—. Es una aberración.

—No lo es. Es solo un zapato con hierros.

—No me refería al zapato —masculló ella inclinándose para desdoblar el bajo del pantalón y que le tapara por completo los pies.

—No hagas eso, Alix —la regañó Addaia—, necesito ver el movimiento de tu tobillo para comprobar que lo haces correctamente.

—No. Se acabó por hoy. Vuelve a dejarme en la silla —le pidió a Lucas.

—Si ni siquiera lo has intentado —protestó la enfermera—. Solo te has apoyado en las barras.

—Y por poco me caigo otra vez.

—Porque se nos ha olvidado echar el freno de la silla, y al ver que se movía te has asustado, pero lo estabas haciendo muy bien…

—Adda, por favor, no me repliques —siseó Alicia molesta porque su amiga parecía sufrir un grave episodio de incontinencia verbal. Bastante tenía con su pertinaz debilidad y su imposibilidad de caminar como para además exponer sus miedos ante Lucas, despertando su compasión—. Isembard, Lucas, por favor, dejadnos solas. Debemos seguir con la… rehabilitación.

—Acabas de decir que no vas a seguir intentándolo. ¿No será que quieres echarnos? —murmuró Lucas burlón a la vez que la abrazaba con más fuerza, remiso a soltarla mientras hundía la nariz en su sedoso cabello. ¿Cómo era posible que oliera tan bien?

—Por supuesto que quiero echaros, no es correcto que haya dos hombres en mi gabinete —resopló—. Y no miento —indicó altiva—. La rehabilitación no solo consiste en hacer el tonto intentando andar, también me ejercito de otras maneras, con masajes, por ejemplo.

—Yo podría ayudar —musitó Lucas volviendo a recorrer con los dedos el zapato para luego colarlos bajo el pantalón.

—¡Lucas! —le llegó el grito conjunto de Alicia e Isembard.

—Está bien, no he dicho nada —masculló apartando la mano a

la vez que disimulaba una sonrisa. No le gustaba que Alicia se enfadara con él, pero si haciéndola gruñir conseguía que la tristeza la abandonara, entonces intentaría hacerla rabiar con más ahínco.

—No. No está nada bien —le espetó Isembard levantándose—. Haz el favor de comportarte como debes y deja a Alicia donde te ha pedido.

Lucas observó a su enfurruñado maestro y una taimada sonrisa se dibujó en sus labios.

—Lucas… ¿Qué estás pensando? —inquirió Alicia al reconocer en su gesto los síntomas de que estaba maquinando una travesura.

Había sonreído igual tres noches atrás cuando, tras empuñar una pluma de avestruz que había arrancado de uno de sus sombreros, se había remangado los pantalones del pijama hasta la rodilla para a continuación saltar por el dormitorio como si fuera un pirata. Y también cuando una semana atrás, en otra de sus visitas nocturnas, se había empeñado en hacer el pino imitando a unos saltimbanquis que había visto de niño… Había acabado cayendo cuan largo era en el suelo, muertos de risa los dos.

Lucas le guiñó un ojo, lo que acabó por despertar todas las alarmas de la joven, y se puso en pie con ella en brazos.

—Pesas menos que un pajarillo —comentó con cariño a la vez que la bajaba lentamente hasta que sus femeninos pies tocaron el suelo.

—Lucas, ¿qué estás haciendo? ¡Déjame en la silla ahora mismo! —jadeó asustada envolviéndole el cuello con los brazos, aferrándose a él casi con desesperación.

—No seas marimandona —murmuró burlón sujetándola con ambas manos por la cintura.

—No me sueltes… por favor no me sueltes.

—Eh, tranquila, no voy a soltarte. Te tengo bien sujeta, no podrás escaparte.

—No quiero escaparme. Quiero que me dejes en mi silla —gimió apretándose contra él.

—Esto es tremendamente indecoroso, Lucas. Te ruego que hagas caso a Alicia —le exigió Isembard sin atreverse a acercarse, no fuera a ser que se removiera, dejándola escapar y el episodio acabara en desgracia.

—Tonterías —le ignoró Lucas—. Alicia, estás de pie, ahora solo tienes que dar un paso hacia delante y estarás andando.

—No estaré andando. Estaré en el suelo. Por favor, no me sueltes —musitó, pero ya no había pánico en su voz.

—¿Has bailado alguna vez en la verbena de la Font del Gat? Ponen merenderos y las parejas danzan al son de una cancioncilla: *En el corazón de Montjuïc hay una fuente donde la juventud alegremente ríe… y hasta el músico ha hecho una sardana cantando: La mariquita del ojo vivo* —canturreó Lucas elevándola para girar con ella por la estancia—. Anna me llevó una vez, es precioso. *La Fuente del Gato, de muchos es estimada, y las chicas van con su enamorado, y se encuentran en grato, haciendo meriendas, recordando los amores de la canción.*

Alicia lo miró perpleja. ¿De verdad canturreaba mientras ella estaba aterrorizada? Y al instante se dio cuenta de que ya no estaba aterrorizada, de hecho, ¡estaba bailando! Y, ante el pasmo de Isembard y Addaia, echó la cabeza hacia atrás, sin soltarse del cuello de su amigo, e incapaz de permanecer seria, comenzó a reír mientras giraban.

Lucas sonrió a su vez, e incapaz de recordar más letra de la cancioncilla se limitó a tararearla sin dejar de girar, sujetando con firmeza a Alicia por la cintura. Era agradable. Mucho. Estaba blandita y olía muy bien. Y su cabello se movía en cada vuelta, alborotándose travieso, tapando sus preciosos ojos para al instante siguiente mostrar su mirada pícara. Y su risa… cascabeles sobre las nubes, la corriente de un río en primavera, la brisa susurrando entre las hojas en otoño. Elevó los brazos, alzándola hasta que su cabeza se acercó al alto techo. Y ella rio alegre, feliz, hermosa, con las manos apoyadas en sus hombros y su dulce vientre contra su torso. Siguió girando a la vez que la pegaba a él haciéndola descender. Sintiendo en cada poro de su piel, en cada rincón de su alma, en cada latido de su corazón su suave calidez, su alegre candor.

—Lucas, Alicia…, no me parece adecuado lo que estáis haciendo —les interrumpió la voz severa de Isembard.

Alicia enrojeció visiblemente, su risa cesó, su mirada se apagó.

—Cállate, aguafiestas —le espetó Lucas a su profesor deteniendo su alocado baile.

—No, Lucas, tiene razón. No es apropiado. Déjame en mi silla —musitó Alicia.

—Tonterías. Claro que es apropiado. Te estás divirtiendo, eso no es malo.

—Lo será si alguien descubre que estamos aquí. Estáis haciendo mucho ruido, y no del que normalmente se escucharía en el gabinete de una dama —señaló Isembard con aspereza.

—Por favor —murmuró Alicia mirando a Lucas con cariño.

—Está bien, pero volveré mañana, y andarás —aseveró él dejándola al fin en la silla.

—Regresemos al estudio, no conviene demorarnos más —le instó Isembard despidiéndose de las muchachas con un gesto de cabeza. Abrió la puerta con cuidado, para, tras comprobar que no había nadie a la vista, salir al corredor.

Lucas se despidió con un somero adiós, pero justo cuando estaba a punto de traspasar la puerta, giró sobre sus talones y, dirigiéndose presuroso a Alicia, depositó un inocente beso en su mejilla.

—Recuerda. Mañana bailaremos de nuevo —susurró antes de volver a besarla en la mejilla, pero esta vez sin inocencia alguna, pues se aproximó en exceso a la comisura de sus labios.

Abandonó el gabinete consciente de la bronca que le esperaba en el estudio, pero sin importarle en absoluto. Alicia había sonreído, y su sonrisa era la más hermosa del mundo. Merecía la pena despertar la ira de Isembard con tal de disfrutarla.

Se detuvo incómodo en mitad del corredor y dio un ligero tirón a sus pantalones, que en ese momento se le ajustaban excesivamente, molestándole. Tendría que controlarse durante las comidas, la señora Muriel cocinaba tan bien que se estaba poniendo gordo, aunque era extraño que no le tiraran en la cintura, sino en la ingle. Frunció el ceño, confundido. Tal vez no era la comida, sino que habían encogido al lavarlos, aunque era raro que no lo hubiera notado hasta entonces. Se encogió de hombros, tenía dos pares más, si esos seguían molestándole se pondría otros al acabar la clase.

Inexplicablemente, o tal vez no, los pantalones dejaron de molestarle poco después, cuando se sumergió en la historia de la antigua Roma. Tal vez había adelgazado de improviso.

15

Las mentiras más crueles son dichas en silencio.
ROBERT LOUIS STEVENSON

30 de abril de 1916

—...Marcel me dejó el dinero para el tratamiento, pero no he tenido que devolvérselo, lo hizo el capitán. Te lo juro, Anna, no le debo nada —masculló Lucas cada vez más nervioso.

Isembard se giró al escuchar la furiosa protesta, y no fue el único. Alicia, frente a él en la galería interior, también miró hacia el despacho confusa, olvidando por un momento su labor de vigilancia, aunque la retomó al instante. No así Isembard.

Hacía poco que habían terminado de comer y, tal y como tenían por costumbre, el capitán y el señor Abad se habían retirado a la sala de fumar para tomarse un café y disfrutar de su adicción al tabaco, y allí permanecerían hasta la llegada de Addaia. Jana, en lugar de reunirse con Alicia hasta la llegada de la enfermera, se había disculpado para ir a su alcoba con la intención de recuperarse de un fuerte dolor de cabeza. Y Alicia, Lucas y él mismo, habían aprovechado la coyuntura para colarse subrepticiamente en el despacho del capitán. No fue algo premeditado, pero sí necesario. Al menos en parte.

Lucas llevaba toda la semana mostrándose en extremo nervioso, y los últimos días también en exceso susceptible. Alicia lo achacaba a su preocupación por Anna. Él no estaba tan seguro. No dudaba de que estuviera angustiado por su enigmática amiga, pero no era solo eso lo que le pasaba, la inquietud que sufría era de otro tipo. Uno más... carnal, que aumentaba con cada momento que pasaba en el gabinete de Alicia. Y lo más divertido de todo era que Lucas no parecía ser consciente de ello. No podía despegar la mirada de ella cuando estaban juntos, la buscaba a través de las ventanas del estudio cuando estaban separados, aprovechaba cualquier oportunidad para tocarla... y se frustraba cuando ella no le dejaba. Sonrió risueño ante ese pensamiento. No cabía duda de que estaban hechos el uno para el otro, eran igual de tercos. Capaces de enfrentarse a cualquier situación, por dura que fuera, excepto a aquellas que pensaban que les ponían en evidencia delante del otro; para Lucas su incapacidad de leer correctamente; para Alicia la suya de mantenerse en pie sujeta a las barras paralelas. Y la frustración derivada de ambas situaciones era lo que estaba provocando que su díscolo estudiante, de común rebelde y batallador, se mostrara aún más insolente e inquieto. Y Alicia no le iba a la zaga.

Se atrevería a apostar su sueldo de maestro a que Lucas esperaba con impaciencia esa media hora en la que se reunían en el gabinete con ella para, con la excusa de sujetarla e impedirle caer, abrazarla bien pegada a él, saltándose todas las normas sociales. Y, como no lo conseguía, pues Alicia se negaba a levantarse ante él en la misma medida que él se negaba a leer ante ella, acababan enfadados. Y susceptibles. Y nerviosos.

No. Lucas no solo estaba irritable por su preocupación hacia Anna, había muchas más circunstancias a tener en cuenta. Aunque esperaba fervientemente que la tertulia telefónica con su amiga calmara un poco los ánimos.

Volvió a apoyar la espalda en el dintel de la puerta del despacho, sin dejar de observar con atención el salón de la planta inferior, y disimuladamente prestó oídos a la conversación que tenía lugar en el interior de la estancia.

Lucas estaba sentado en el suelo, con el teléfono sobre las piernas y el auricular sujeto entre sus manos mientras susurraba, cada vez más nervioso a su interlocutora. No cabía duda de que estaba siendo sometido a un interrogatorio exhaustivo. En los pocos minutos que llevaba allí ya había confesado que había mentido y que el trabajo que tenía no era otro que vivir en casa de su abuelo y seguir sus órdenes. También había salido a relucir varias veces el nombre de Marcel, y aunque Isembard no tenía ni idea de a quién podía referirse, por el tono que Lucas empleaba al hablar de él, le había quedado claro, al igual que a Alicia, que no era buena compañía y que a Anna le molestaba en exceso que se juntara con él.

—Déjalo estar, Anna —suplicó Lucas abochornado por la regañina que estaba recibiendo—. Está bien, te lo prometo. No volveré a acercarme más a Marcel.

Isembard sonrió al escucharle. ¿Ese susurro cargado de pesar y sumisión provenía de su alumno? ¡Ver para creer! Anna debía de ser una fuerza de la naturaleza para lograr eso en Lucas. Miró el reloj que guardaba en su chaleco, habían pasado casi veinte minutos, tendrían que ir finalizando la conversación si no querían arriesgarse a que el capitán o el señor Abad los descubrieran. Se giró, entrando apenas en el despacho con la intención de advertir a Lucas, y en ese momento oyó algo que le hizo detenerse.

—…pupila del capitán. Alicia. ¿Te gusta el nombre? Es casi tan bonito como ella —musitó Lucas, interrumpiéndose ruborizado al ver a su profesor entrando en la estancia—. Déjame un poco más, Isem…

E Isembard no tuvo corazón para mostrarse severo, por lo que señaló el reloj de la pared para a continuación elevar la mano mostrando los dedos extendidos.

Lucas asintió con la cabeza antes de volver a dirigirse a su amiga.

—Solo nos quedan cinco minutos —indicó y luego entornó los ojos pensativo, por lo visto Anna había retomado su interrogatorio—. Tiene el pelo corto y se le alborota cuando se ríe…

Isembard retomó su posición de cara a la galería, y mirando a Alicia enarcó las cejas. Esta, sin separarse de la barandilla, negó con la cabeza un par de veces y volvió a vigilar el salón. Por ahora no había moros en la costa. Aguzó el oído, intentando descifrar los susurros provenientes del despacho, pero Lucas había bajado la voz hasta tal punto que era imposible discernir lo que estaba diciendo. Al menos hasta que estalló.

—¡Claro que me estoy portando bien! —masculló ofendido—. No, no voy a hacer nada que moleste a Alicia o al viej… al capitán. —Isembard sonrió al percatarse de cómo Lucas se había corregido en el último momento, su amiga debía de ser una mujer de armas tomar.

Se asomó de nuevo al despacho, y una vez captada la mirada del joven, le indicó mediante gestos que debía terminar la conversación. Después se retiró hasta la barandilla para que pudiera despedirse, pensando que no era propio de un maestro escuchar a escondidas a su alumno… aunque sí era propio de un amigo hacerlo si su compañero parecía preocupado, por tanto, su indiscreción estaba permitida.

—¿Qué tal ha ido? —le preguntó cuando Lucas salió del despacho.

—Bien… más o menos. —Lucas se metió las manos en los bolsillos, síntoma inequívoco de lo alterado que estaba, pues hacía tiempo que no cometía esa leve infracción—. ¡Me ha interrogado como cuando era niño! —siseó enfadado—. No hay modo de ocultarle nada, ¡todo lo descubre! —musitó acercándose a Alicia para acto seguido acuclillarse ante ella y apoyar los brazos, con la barbilla sobre ellos, en uno de los reposabrazos de la silla.

Isembard carraspeó para llamarle la atención por lo inapropiado de su postura, y Lucas, por supuesto, no le hizo caso.

—Eso no es malo, Lucas —comentó Alicia divertida, acariciándole el pelo—, es tu amiga, se supone que no debes tener secretos con los amigos.

—Me ha regañado —señaló él, sin querer contarle exactamente lo furiosa que se había mostrado hasta que acabó confesando a quién había pedido el dinero para el tratamiento y que al final no había tenido que devolverlo pues el viejo lo había hecho en su lugar… lo que había dado lugar a que el interrogatorio continuara, hasta que no le quedó nada sin contar. Cuando se lo proponía, Anna podía ser la mayor de las arpías. Y también la que más alto gritaba.

—Eso es porque has hecho algo que no debías —argumentó Alicia con una sonrisa.

—He hecho muchas cosas que no debía, cosas horribles —admitió él con inusitada seriedad—, pero volvería a hacerlas si fuera necesario. —Aunque tuviera que romper la promesa que acababa de hacerle a Anna. Aunque tuviera que volver a mancharse las manos de sangre.

—Lucas… —Alicia se inclinó para abrazarle con cariño al advertir la tristeza que emanaba de él—. Siempre tendemos a amplificar lo que nos preocupa, seguro que no son tan malas como crees —aseveró con firmeza besándole en la frente—. Eres un muchacho encantador y maravilloso, no te permito que pienses lo contrario —le regañó afable.

—No soy un muchacho —afirmó él mirándola a los ojos.

Se quedaron en silencio, perdidos en sus miradas, deseando acercarse más y juntar sus labios. Y a punto estuvieron de hacerlo, pero el carraspeo repentino de Isembard deshizo el hechizo.

—¿Por qué no escribes a Anna? —murmuró Alicia, apartándose de Lucas con las mejillas encendidas. Avergonzada por lo que había estado a punto de suceder—. Isembard podría mandar las cartas y también recibir las de ella en su casa. —El profesor asintió, mostrándose de acuerdo—. Así podríais manteneros en contacto sin tener que engañar al capitán —indicó preocupada. No le gustaba esconderse del capitán y mucho menos andarse con subterfugios para poder usar el teléfono sin que él lo supiera.

—Imposible —siseó Lucas pasándose las manos por el pelo—. Ahora que Anna sabe que estoy viviendo con el viejo, si le mando una carta descubrirá mi dirección y, conociéndola como la conozco, sé que es capaz de escribirle a mi abuelo contándole quién es, y advirtiéndole de que debe obligarme a olvidarme de ella —masculló enfadado—. Está empeñada en que su presencia supone una complicación en mi maravillosa nueva vida —ironizó.

—No puedes decirlo en serio —musitó Alicia atónita. Por lo poco que Lucas le había contado de su amiga, sabía que él la adoraba, pero nunca imaginó hasta qué punto le quería ella a él. ¿Qué clase de mujer sería para dar por sentado que no era buena para Lucas?

—Muy en serio. No conoces a Anna, cuando se le mete algo en la cabeza no hay manera de hacerla entrar en razón. Y se le ha metido entre ceja y ceja que no es buena para mí.

Isembard observó con atención a Lucas, su cabeza colapsada con idénticos pensamientos a los que pululaban por la de Alicia. ¿Quién era Anna y por qué creía no ser buena para él? Era un verdadero misterio. Uno inescrutable, pues Lucas acostumbraba a guardar un pertinaz silencio sobre su amiga.

Miró a Alicia y esta se encogió de hombros en respuesta. Un instante después, el sonido del timbre les sobresaltó a los tres.

—Adda acaba de llegar —indicó Alicia asomándose a la barandilla—. Debo ir al gabinete, os veo más tarde —se despidió enfilando la galería sin esperar a que Lucas empujara su silla. Las llamadas que hacían eran tan secretas que ni siquiera había informado a su amiga.

—El capitán y el señor Abad tienen que estar a punto de terminar su tertulia en la sala de fumar, deberíamos ir al estudio —aconsejó Isembard.

Lucas asintió con la cabeza, siguiéndole.

—Vamos, Alicia, inténtalo otra vez —murmuró Lucas con cariño, sujetándola por la cintura mientras ella se abrazaba a su cuello. Toda ella pegada a él. Todo él pegado a ella.

Isembard los miraba y carraspeaba sin parar, aunque no se molestaban en hacerle caso. Y Adda los miraba divertida y le daba codazos a Isembard para que dejara de ser tan puritano.

—No. Déjame en la silla —exigió ella apretándose aún más contra él cuando Lucas hizo intención de separarse un poco para que pudiera aferrarse a las barras.

—Puedes hacerlo, suéltame y pon las manos en las barras —le exigió en voz baja, hundiendo la nariz en su cabello. ¿Cómo podía oler tan bien?

—No es cuestión de que pueda o no hacerlo, sino de que no quiero hacerlo —protestó ella sin soltarse, sintiéndose segura acunada en sus brazos—. Déjame en la silla.

—Eres más terca que una mula —gruñó él sin moverse un ápice, contradiciéndose a sí mismo al no intentar forzarla a sujetarse a las barras. Pero era tan blandita. Se sentía tan bien cuando ella le abrazaba.

—Y tú eres un majadero insufrible. ¡Un botarate! ¿Acaso no te das cuenta de que es un esfuerzo vano? —gimió hundiendo el rostro en su cuello y meciéndose contra él—. Soy muy consciente de lo que mi cuerpo puede o no puede hacer, y andar correctamente no entra dentro de mis posibilidades.

—¡Claro que sí! Lo que te pasa es que tienes miedo y por eso no quieres intentarlo —siseó enfadado apartando el rostro de su sedoso pelo para situarlo a un suspiro de sus labios.

—Por supuesto que tengo miedo. ¡El miedo es libre! —replicó airada cerrando más los brazos en torno a su nuca y aupándose ligeramente sobre su pie sano, pegándose aún más a él—. Además, no pretendas que intente andar cuando tú ni siquiera te dignas a leer en voz alta por miedo a que alguien pueda escucharte —atacó furiosa.

—No te atrevas a decirme lo que debo hacer —bufó pegando la nariz a la de ella.

—Ídem —masculló ella con los labios entreabiertos, inclinando ligeramente la cabeza.

—Se nos hace tarde. Deberíamos regresar al estudio —se inmiscuyó Isembard, temiendo y previendo lo que podría llegar a suceder si no les paraba los pies en ese mismo instante. Ninguno de los dos era consciente de que estaban jugando con fuego… ni de que estaban a punto de quemarse.

—Ni siquiera ha pasado media hora. —dijo Alicia enfurruñada.

—Aún es pronto —gruñó Lucas enfurecido girando la cabeza hacia su profesor.

Isembard elevó las manos en señal de rendición al percatarse de que acababa de convertirse en el blanco de las iras de la pareja.

—No es pronto —contestó a ambos—, ha pasado casi una hora. Os recuerdo que acordamos un recreo de no más de cuarenta y cinco minutos para que Lucas te ayudara con tus ejercicios, y ese tiempo ya se ha cumplido. Lucas debe continuar con sus clases si no quiere atrasarse —indicó, sabiendo que solo ese argumento lograría que Alicia se pusiera de su parte.

—¡No me voy a atrasar con las lecciones! —Lucas lo miró exacerbado, se levantaba cada mañana dos horas antes para estudiar y que Isembard no pudiera quejarse y quitarle el recreo…

—Tiene razón, Lucas, debes volver. —Alicia se puso de inmediato de parte de Isembard, no fuera a ser que el profesor se enfadara y les dejara sin el recreo; no pensaba darle ninguna excusa para que pudiera quitárselo—. Déjame en la silla, por favor.

Lucas bufó enfadado y rezongó un poco más, pero no lo suficiente como para enfadar a su profesor y, acto seguido, la sujetó con fuerza con una de sus manos, pegándola más a él, mientras que pasaba la otra bajo sus rodillas para tomarla en brazos y depositarla con sumo cuidado en la silla.

Se acuclilló frente a ella de manera que sus rostros quedaron a la misma altura e, ignorando los malditos pantalones que habían vuelto a quedársele estrechos, se inclinó para besarle la frente.

—Mañana andarás.

—Eso habrá que verlo.

—Debemos irnos, Lucas —le instó Isembard al percatarse de que si no ponía freno, volverían a empezar.

—Aguafiestas —le siseó Addaia dándole un suave codazo.

—No entiendo por qué no quieres intentarlo —masculló Lucas esa misma noche en la habitación de Alicia, en la silla que siempre ocupaba, mientras que ella, sentada en la cama con la espalda apoyada en el cabecero le miraba furiosa.

—¡Porque no!

—Esa no es una respuesta.

—¿Por qué te niegas tú a leer?

—¡Porqué lo hago fatal!

—Pues yo ni siquiera puedo andar. Ahí tienes el motivo —señaló enfurruñada cruzándose de brazos. Estaba harta de que Lucas intentara hacerla andar cada tarde. ¿Por qué no podía pasar el recreo hablando con ella en vez de torturándola con lo que no podía ser?

—Pero Adda ha dicho…

—Adda puede decir misa si quiere. ¿Por qué tienes tanto empeño en que camine? —siseó inclinándose hacia él—. ¿Acaso te molesta que esté inválida? Pues no tienes porqué, no voy a salir a pasear contigo, así que no te preocupes, no te avergonzaré en público.

—¡No digas tonterías! —Lucas golpeó la cama furioso—. Cuándo he dicho o hecho algo que te haga pensar que… ¡que me avergüenzo de ti! —escupió airado—. ¡No te inventes las cosas! ¡Puñeta! —exclamó frustrado—. Nada desearía más que dar un paseo contigo. Que todos me vieran y se murieran de envidia al verme acompañado de una chica tan guapa, ¡pero no puedo! ¡No me dejan salir! ¿Crees que me hace gracia pasarme todo el día encerrado, viendo como sales a pasear con Dios sabe quién?

—¡Salgo con mi madre!

—¡Y con Marc!

—¿Con Marc? Si está de viaje…

—Pero cuando vuelva saldrás con él y me dejarás solo como a un perro.

—No puedes estar hablando en serio —le increpó perpleja—. ¿Alguna vez te he dado esa impresión?

Lucas abrió la boca para protestar y al instante volvió a cerrarla a la vez que negaba con la cabeza.

—Lo siento… ya no sé ni lo que digo. —Alicia inclinó la cabeza, aceptando sus disculpas—. Pero sigo sin entender por qué no quieres intentar andar —musitó muy serio.

—Porque es más cómodo ir en silla de ruedas que pasear dando tumbos, temiendo caer —replicó ella poniendo los ojos en blanco. ¡Otra vez con lo mismo!

—Yo nunca te dejaré caer —afirmó vehemente.

—¿Y también me protegerás de las miradas compasivas y las murmuraciones maledicentes? —Lucas la miró confuso, sin entender a qué se refería—. No es tan sencillo como crees, Lucas. En la silla conservo un poco de dignidad, solo soy una inválida que intenta pasar desapercibida y que ocupa el lugar que le corresponde sin montar alboroto. Pero si apareciera ante la gente aferrada a unas muletas, coja, dando tumbos y calzada con los horrendos zapatos ortopédicos, todo el mundo me miraría y se cebarían con mi situación, ¡sería el hazmerreír de media Barcelona! La pobre loca que no sabe quedarse sentadita —negó con la cabeza, furiosa—. Es mucho más digno seguir con mi silla de ruedas que fingir que puedo caminar y ganarme las miradas compasivas de los demás.

—Eres una cobarde —susurró encarándose a ella—. Te da miedo lo que puedan decir de ti, y por eso no te atreves a intentarlo.

—Tan cobarde como tú, que no te atreves a leer porque te da miedo que los demás se rían si lo haces mal.

—¡Es distinto! Leer bien no me sirve para nada.

—No es distinto, a mí tampoco me sirve para nada cojear —replicó ella airada—. ¿Quieres que lo intente? ¿Que deje de tener miedo al qué dirán?

—¡Sí!

—Perfecto. Yo también quiero que tú dejes de avergonzarte por lo que crees que no sabes hacer. Haz caso a Isembard, lee cada tarde lo que él te diga, y cuando estemos juntos donde todos puedan oírte, lee en voz alta en vez de escudarte en que no sabes y permitir que sigan pensando que eres analfabeto. Entonces, intentaré andar.

Lucas la miró enfadado antes de levantarse de la silla y dirigirse a la puerta.

—Es tarde. Me voy a dormir.

—¡Que duermas bien!

Recorre la sala, sorteando a los clientes de su madre, a los amigos de su padre.

Quieren jugar, pero él solo quiere que se vacíe la bandeja y le dejen tranquilo.

Siente sus caricias y pellizcos. Escucha sus burlas y proposiciones.

Los esquiva con la mirada fija en las tintineantes botellas.

Alguien le agarra del pelo. Alza la mirada. Oriol.

Pánico en sus ojos. Su padre se ríe… Le mira y se ríe.

Le lleva a una de las hediondas habitaciones. Con Marcel.

No es el hombre viejo y calvo de ahora, sino el joven de antaño.

—Ahí lo tiene. Cóbrese lo que debo —Oriol le lanza contra el amanerado dandi y se va.

Lucas tiembla e intenta levantarse. Escapar.

Marcel no se lo permite.

—Tu padre es un bruto. —Sienta al batallador niño en su regazo—. No temas, no voy a hacerte daño. No tengo por costumbre tomar a quién no se me ofrece. Me gustan dóciles, no rebeldes —le acaricia el pelo—. Qué niño tan guapo eres… que hombre tan maravilloso serás.

Lucas muerde la mano que le acaricia.

Salta hacia la puerta al verse libre.

La golpea una y otra vez, intentando abrirla.

—Huyes de la sartén para caer en las brasas. Oriol acabará por venderte al mejor postor.

Se acerca a él despacio, sin prisa, sabiéndose vencedor.

Lucas pega la espalda a la pared y enseña los dientes en un gruñido aterrado.

—Si fueras mío, cuidaría de ti. Nadie podría hacerte daño. Piénsatelo.

Una última caricia en su rostro y saca la llave del bolsillo para abrir la puerta.

—La mercancía no está de acuerdo. Busca otra manera de pagarme, Oriol.

Lucas ve su sonrisa mientras habla. Sabe que le está echando a los lobos, demostrándole cuán peor puede ser estar contra él.

Oriol le mira enfadado. Ya no están en el salón del burdel, sino en el sótano.

Hedor a cloaca. A maldad. A corrupción.

Oscuridad. Le rodea. Le atrapa. Le ahoga.

—¿Sabes quién era el hombre al que has rechazado? ¿Te haces siquiera una idea de cuánto le debo? Podrías haber zanjado mi deuda y sacado buen beneficio, pero eres tan estúpido que no has sabido aprovecharlo.

El cinturón restalla en el aire.

—Torpe. Inútil. Desgraciado.

Con cada palabra, un golpe.

Con cada golpe, una herida.

—Nunca serás nadie, no tienes inteligencia para serlo.

Con su última frase, la herida más dolorosa.

La que se clava en el corazón.

La que duele en el alma.

La que nunca se olvida.

Anna. Mirándole enfadada frente a la residencia.

—Eres tonto. No sabes lo que te conviene. Olvídate de mí. Soy vieja, nada valgo.

Lucas niega con la cabeza. No va a olvidarse de ella.

—¿Acaso no tienes cabeza? ¿No has aprendido nada de lo que te he enseñado? No puedes pagarle, te prohíbo que te acerques a él.

Ya ha conseguido el dinero, es tarde para sus consejos.

Aprieta los labios y la obliga a entrar. Luego huye.

Corre mientras piensa en cómo pagar lo que no puede pagar.

Tiene un mes de plazo para averiguarlo.

Pero no lo averiguará. Porque no tiene inteligencia.

Y mientras corre, la voz de su abuelo se repite en su cabeza.

«No espero que seas lo suficientemente listo.»

Entra en la biblioteca. Todos le miran.

Toma un libro enorme, tan grande que apenas puede sostenerlo.

Lo abre. Está lleno de letras ininteligibles. Las sigue con el dedo.

Lee.

Y todos se ríen.

Porque no es lo suficientemente listo para leer.

Porque no tiene inteligencia para comprender los símbolos escritos.

El libro cada vez es más grande. Él, cada vez más pequeño.

Las letras se mezclan formando palabras que no existen.

Y él continúa leyendo.

Su abuelo se ríe. Porque no es listo.

Anna llora. Porque no es listo.

Alicia no anda, porque no es listo.

Porque no sabe leer bien.

La ha defraudado. Como a todos.

—Claro que eres listo. Eres muy, muy listo. Y muy inteligente.

Alicia. Sus dedos acariciándole el pelo, la frente, las mejillas.

—No lo soy. Soy torpe, inútil y tonto…

—No digas más tonterías, Lucas. Eres muy listo —susurró Alicia con voz severa, desesperada porque no conseguía despertarle. Estaba acurrucado en la cama, gimiendo y llorando, estremecido por temblores incontrolables.

—No lo soy —farfulló en voz tan baja que apenas le oyó.

—Lucas, por favor, no me hagas esto… Despierta —suplicó zarandeándole.

Y él por fin abrió sus ojos empapados en lágrimas no derramadas.

—Tranquilo, estoy aquí, contigo. No pasa nada —se inclinó para besarle en la frente… y él la envolvió en sus brazos y la tumbó en la cama, a su lado. Abrazándola desesperado. Con el rostro hundido en su pelo mientras sollozaba—. Lucas… ¿Qué haces? Esto no es correcto.

—No me dejes. Quédate conmigo. Leeré, pero no me dejes. Seré listo, te lo juro, no te vayas.

—No me voy a ir, tranquilo. Nada me separará de ti. No llores más —musitó abrazándole.

Y así continuó hasta que sus sollozos se calmaron y su respiración se normalizó.

Hasta que las lágrimas se secaron en sus mejillas y dejó de estremecerse.

—¿Estás bien? —le preguntó acariciándole con ternura el rostro.

—He… he tenido una pesadilla —musitó adormilado.

—No hace falta que lo jures…

—Siento haberte despertado —murmuró aumentando la fuerza de su abrazo, acurrucándose contra ella. Se estaba tan bien a su lado. Su pelo le hacía cosquillas en la nariz y ella era tan blandita. Olía tan bien…

—No lo sientas. Soy tu amiga, y los amigos están para apoyarse —afirmó permitiéndose disfrutar por un instante más de sus dedos férreos sujetándola como si fuera lo más importante del mundo para él.

—Eres un ángel… —Cerró los ojos sin soltarla.

—Lucas, debo irme —Alicia apoyó ambas manos en la cama, intentando separarse de tan inadecuado abrazo.

—¿Por qué? —Abrió los ojos, confundido.

—Porque no es correcto que esté en tu cama.

—Sí lo es. Los amigos duermen juntos. Y nosotros somos amigos —argumentó somnoliento acunándola de nuevo.

—Claro que no. Los amigos no duermen juntos —replicó divertida, intuyendo que aún estaba medio dormido.

—Sí lo hacen… —En sus ojos una súplica.

—Oh, Lucas, esto no está bien.

—Sí lo está —sentenció él acurrucándose contra ella.

—Está bien, me quedaré un poco más, pero solo hasta que te duermas, luego me iré… —Se arropó con la sábana para guardar un poco la decencia y acompañada por el ritmo pausado de su respiración sus párpados fueron cayendo.

Y soñó con que bailaba en sus brazos. Giraban y giraban en el salón de la casa. Y Lucas estaba muy elegante, vestido con un traje negro de etiqueta. Y ella llevaba un precioso vestido azul, como los ojos de su amigo, con una amplía falda que volaba a su alrededor cada vez que él giraba con ella en brazos. Y seguían girando y bailando y riendo en el salón lleno de hermosas mujeres. Y él solo tenía ojos para ella. No había nadie más a quien él mirara, con quien él se riera, a quien él abrazara. Solo la miraba a ella, sin importarle que su pierna estuviera atrofiada y que ella fuera una inválida. Solo bailaban y giraban y reían y se abrazaban. Y la besaba. Porque era su amiga. Porque la quería.

Lucas se acurrucó contra la almohada y esta le hizo cosquillas con el pelo en la nariz. Sonrió entre sueños. Estaba calentita y blandita y olía de maravilla. Frunció el ceño, aún con los ojos cerrados. ¿Desde cuándo su almohada olía como Alicia? Abrió los ojos, aturdido, y lo primero que vio fue a un ángel dormido en su cama. Alicia.

¿Qué hacía ahí?

Y en ese momento recordó.

Recordó la horrible pesadilla. Y también el maravilloso sueño. Solo que no había sido un sueño. Ella estaba allí, con él, dormida entre sus brazos.

La miró dubitativo, debería llevarla a su alcoba, a su propia cama, pero era tan agradable despertarse junto a ella. Su mirada voló más allá de las cortinas que cubrían la puertaventana. Aún era noche cerrada. Demasiado pronto para despertarla. Negó con la cabeza. Esperaría. La pobre había pasado una noche muy agitada por su culpa, se merecía descansar un poco más.

La observó embelesado, la sábana la cubría hasta la cintura y llevaba puesto un recatado camisón blanco de manga larga cerrado con botones hasta la garganta. Su corta melena lucía alborotada sobre la almohada y algunos mechones le tapaban la frente y los ojos. Se inclinó para retirárselos y no pudo evitar besar con ternura la lisa porción de piel que acababa de dejar al descubierto para, a continuación, descender hasta la respingona punta de su preciosa nariz y besarla también. Se detuvo a un suspiro de probar sus labios, confundido por su extraño modo de proceder. Él no se dedicaba a besar a las chicas cuando estaban dormidas. De hecho, no le gustaba besar a nadie. Bueno, a Anna sí, en las mejillas, porque era su amiga. También Alicia lo era. Pero a ella no quería besarla en las mejillas. O sí. Parpadeó turbado al darse cuenta de que en realidad se moría por besar a Alicia en las mejillas, en la frente, en la nariz, en los labios…

¿Qué demonios le estaba pasando?

Se apartó despacio, intentando no moverse con brusquedad para no despertarla y, apoyándose sobre un codo, continuó contemplándola. Y oliéndola. Y saboreando su presencia junto a él. En su cama. Y, sin saber por qué, ese pensamiento le provocó un extraño vuelco en el estómago. Pero no era desagradable, sino todo lo contrario.

Tomó con los dedos uno de los suaves mechones y lo acarició con deleite. Jamás había visto, ni tocado, un pelo tan sedoso como el de Alicia, ni con tanto brillo. Ni tan rebelde, pensó divertido al ver como los mechones que le había retirado de la frente habían vuelto a caer sobre esta. Se inclinó para retirárselo y sus dedos se mantuvieron más tiempo del necesario acariciando su sien. Era tan suave.

¿Sería igual de suave en el resto de su cuerpo?

Descendió despacio, rozándola apenas, por sus tersos pómulos y se detuvo embelesado sobre sus labios entreabiertos. El inferior era un poco más grueso que el superior, y este tenía unos picos muy marcados que no dudó en delinear con las yemas de los dedos. Le gustaba que no se los pintara, eran perfectos tal como eran. Se inclinó un poco más, y acto seguido se apartó asustado, pues ella había girado la cabeza hacia él para después dejar asomar su lengua y lamerse los labios despacio.

Sintió un nuevo revoloteo en el estómago. ¿Qué le estaba pasando?

Esperó un instante, temiendo haberla despertado, pero ella continuó con los ojos cerrados, y él volvió a confiarse.

Posó los dedos en su barbilla y fue bajando lentamente por su garganta, fascinado con la tersura de su piel. Era tan fina que las venas se transparentaban azuladas bajo ella. Las siguió hasta llegar al camisón y, sin ser consciente de lo que hacía, desabrochó los primeros botones, dejando a la vista su piel. Ascendió con los dedos la suave pendiente de ambas clavículas para luego descender, casi temeroso, hasta el ligero valle que los botones abiertos dejaban visible. Recorrió la blanca tela, contorneando absorto la frontera entre piel y lino, perdido en extrañas sensaciones que no entendía… hasta que se apartó asustado cuando ella se removió acalorada, sus pechos subiendo y bajando con rapidez debido a su acelerada respiración.

Contempló fascinado el hipnótico movimiento y sus dedos, desobedeciendo las órdenes de su aturdido cerebro, se lanzaron de nuevo a dónde no deberían bajo ningún pretexto posarse: sobre el recatado camisón. Sobre su estómago, justo bajo sus pechos.

Alisó la fina tela, trazando el contorno de sus senos, cautivado por las formas que poco a poco iban mostrándose ante sus ojos. Eran pequeños y se alzaban insolentes hacia el cielo, desafiando la fuerza de la gravedad. Eran muy bonitos… Presionó con cuidado sobre el izquierdo y sonrió. También eran blanditos, como ella. Y estaban coronados por un pequeño guijarro que comenzó a endurecerse y elevarse bajo su mirada.

Se removió inquieto llevando la mano libre a la cinturilla de los pantalones para tirar de estos y conseguir un poco más de espacio. Entre el estómago, que no paraba de darle vuelcos, y los pantalones, que no dejaban de apretarle, se estaba volviendo loco.

Se lamió los labios sin dejar de mirar el pequeño pezón que se elevaba cada vez más bajo el camisón y, sin pararse a pensar en lo que hacía, lo acarició con el pulgar.

—¡Lucas! —gritó Alicia de repente, dándole un sonoro bofetón.

—Yo… lo siento. —Se apartó sobresaltado, llevándose la mano a la cara—. Yo… Estaba… Yo… Colocándote el camisón —asintió vehemente con la cabeza para dar veracidad a sus palabras—. Se había desabotonado y estaba abrochándolo…

—No se te ocurra volver a tocarme. Es más, no se te ocurra volver a meterme en tu cama. ¡Nunca más! —siseó histérica, llevándose ambas manos al pecho a la vez que recordaba un inapropiado sueño en el que hacía toda clase de cosas con él. Cosas que ninguna señorita bien educada debería hacer—. No… no soy una de tus… amigas.

—Sí eres mi amiga —replicó asustado. Por supuesto que lo era. Lo que había hecho no era tan grave como para que dejaran de serlo. ¡No podía decirlo en serio!

—No esa clase de amiga —rebatió Alicia con exagerada dignidad.

Lucas la miró confundido por un momento y luego una desdeñosa sonrisa se dibujó en sus labios.

—Ah, entiendo. Esa clase de amigas —murmuró malhumorado. ¿Qué se había pensado Alicia? ¿Que se dedicaba a tocar a cualquier mujer a su alcance? ¡Nada más lejos de la realidad!—. No tienes por qué preocuparte, Alicia. No me gustan las mujeres.

—Ah… ¿No? —Lucas negó con la cabeza con seriedad—. Vaya, pensé que… —farfulló aturdida—. ¿De verdad no te gustan? Me metiste en tu cama…

—Estaba dormido, no lo hice a propósito —explicó él enfadado, sentándose con las piernas dobladas y las manos envolviéndole las rodillas.

—Ah… entonces… ¿Te gustan los hombres? —susurró dudosa, sin saber bien cómo tomarse su declaración. Sabía que existían hombres que gustaban de otros hombres, pero nunca había conocido a ninguno.

—¡Claro que no! ¡Por qué iban a gustarme! —Saltó estremecido de la cama. En su rostro la palidez de un cadáver.

—Acabas de decir que no te gustan las mujeres… —Lo miró asustada, pareciera que alguien la estuviera matando.

—¡Tampoco los hombres! —exclamó él abrazándose el cuerpo con las manos mientras se mecía agitado—. No me gusta nadie. Ni las mujeres ni los hombres —repitió nervioso.

—Tranquilo. No pasa nada. Me parece maravilloso que no te guste nadie, así no te meterás en líos… —Intentó sosegarle hablando con mesurada calma.

—Como si eso fuera a evitarlo —masculló Lucas, negando con la cabeza ante su ingenuidad. Inspiró hondo varias veces, hasta que el arrebato de pánico remitió, y cuando eso sucedió, se acercó a ella tomándola en brazos—. Es hora de que duermas en tu cama.

—¡Lucas! ¿Se puede saber qué haces? —siseó abrazándose a su cuello, temiendo caer.

—No te asustes, no te voy a soltar —gruñó él enfadado por su falta de confianza a la vez que la sentaba con cuidado en la silla. ¿Acaso la había dejado caer alguna vez? No. Entonces, ¿por qué no se fiaba de él?

Alicia gimió aterrada, ignorando su gruñido. El camisón se le había subido dejando al descubierto su pierna atrofiada. Se inclinó presurosa para bajárselo y ocultar su tara, pero las manos de él se lo impidieron. Le miró. Tenía los ojos fijos en su pie deforme mientras sus dedos recorrían con cuidado el empeine.

—¿Te duele? —preguntó al ver que estaba doblado hacia dentro y la planta muy arqueada, como si estuviera de puntillas.

—A veces —murmuró ella avergonzada—. Deja que me tape, Lucas, no me gusta verlo. —«Y, menos aún, que tú lo veas»

—No es feo. —Le subió el camisón por encima de las rodillas y deslizó los dedos por la pantorrilla derecha. Era mucho más delgada que la izquierda y estaba curvada hacia fuera.

—Es desagradable. Lucas, por favor… —gimió angustiada.

—A mí no me lo parece —musitó él, tapándola al fin—. Solo está un poco más delgada, pero sigue siendo preciosa —afirmó besándola en la frente para luego colocarse tras la silla.

Recorrieron en silencio el corredor exterior y ya en la alcoba femenina, la tomó en brazos y la depositó con cariño en la cama.

—Duerme un poco. Nos veremos en el desayuno —se despidió dándole un nuevo beso, esta vez en la mejilla.

Al regresar a su dormitorio dejó las puertas cristaleras abiertas para combatir el intenso calor que hacía de repente. Se masajeó la nuca, sintiéndose extrañamente nervioso, y se quitó la camisa del pijama. Debían quedar menos de tres horas para el amanecer y no pensaba volver a dormirse, por lo que no habría pesadillas que despertaran a Alicia haciéndole acudir a su lado. Bien podía ponerse un poco más cómodo. Abrió el buró y tomó un cuaderno y la pluma. Sonrió feliz, ya no tenía que robar papel, Isembard, Dios sabía por qué, le había regalado una preciosa pluma estilográfica y varios cuadernos tras enterarse de que sabía leer… y él no pensaba desaprovecharlos. Aunque sí los guardaba bajo llave. Solo por si acaso. No solo había cuentas, palabras y dibujos de esqueletos en ellos.

Lo abrió por la última página y, mordiéndose el labio concentrado, procedió a repasar por enésima vez los cálculos que Isembard le había puesto como tarea. Gruñó al ver una de las divisiones de dos cifras. Desde que Isem había descubierto que tenía algunas nociones de matemáticas parecía empeñado en demostrarle la cantidad de fórmulas que no sabía… Pues iba listo. No pensaba quedar como un tonto por unos pocos números mal puestos. «O tal vez sí», pensó enfurruñado al darse cuenta de que no era capaz de centrarse en las malditas cuentas. Guardó el cuaderno y tras sacar otro se sentó en la cama, con este sobre las piernas y la espalda apoyada en el cabecero.

Ojalá pudiera representar sobre el papel la suavidad de su piel, pensó mientras daba forma al óvalo perfecto que sería el rostro de Alicia. Perfiló los pómulos y su sedosa frente, sin olvidar los mechones rebeldes que caían sobre ella. Trazó con esmero sus labios desiguales y su naricilla respingona, y cuando llegó a los ojos estuvo tentado de dibujarlos abiertos, tal y como habían estado cuando le había abofeteado. Pero no lo hizo, tenía cientos de dibujos de ella con los ojos abiertos: furiosa, risueña, seria, burlona… incluso somnolienta. Pero ninguno con ella dormida.

Ojalá hubiera podido contemplarla así un poco más, pero no, había tenido que fastidiarla. ¿Por qué puñetas no se había quedado quietecito? Cerró el cuaderno, enfadado consigo mismo. ¿Qué diablos se había apoderado de él para haber hecho… lo que había hecho? ¿Acaso había perdido la cabeza? Tal vez la respuesta fuera que nunca había tenido cabeza. Anna se lo decía cada dos por tres. Y tenía razón. Nunca pensaba antes de hacer nada, y así le iba.

Alicia se había enfadado. Y con razón. Él también montaría en cólera si alguien le tocara mientras dormía. Pero… él no era tan blandito. Ni olía tan bien. Solo que eso no era excusa. Se había merecido el bofetón. Sin ninguna duda.

Se tocó la mejilla, aún estaba caliente. Y rasposa. Arrugó la nariz al recordar que la había besado al dejarla en su habitación, esperaba no haberla lastimado con su asomo de barba. Ella tenía la piel tan suave y delicada… de hecho, Alicia entera era suave y delicada; menos cuando le daba bofetadas. Entonces no era ni suave ni delicada. Sonrió. ¡Menuda fierecilla estaba hecha! Quién lo hubiera pensado. Cerró los ojos recordando el tacto sedoso de su tez, sus labios entreabiertos mientras se los lamía aún dormida, el rubor de sus pómulos y la visión de sus pechos cuando se elevaban en cada respiración…

Abrió los ojos, incorporándose de repente.

¡Hacía un calor del demonio en esa habitación!

Salió al corredor en busca de aire. Un escalofrío le recorrió al sentir la fresca brisa sobre su cuerpo sudoroso. Qué extraño. Volvió a entrar en la habitación y se tumbó en la cama pensativo. ¿Por qué fuera hacía fresco y dentro bochorno?

Seguro que había alguna ley de esas científicas que lo explicaba.

Pasó una mano por debajo de su cabeza, posó la otra sobre el estómago, y comenzó a trazar círculos alrededor de su ombligo mientras meditaba en lo que había ocurrido esa noche.

No lo entendía. Él nunca se comportaba así.

No había mentido al decir que no le gustaban las mujeres. Era verdad. Las que había conocido de niño siempre iban pintarrajeadas y olían a alcohol y sudor, propio y de cientos de hombres. Estaban permanentemente borrachas y hablaban a gritos, riéndose con agudas y estridentes carcajadas como las brujas de los cuentos. Las odiaba.

Y luego había llegado Anna y le había llevado con ella. Las mujeres de la Barceloneta no eran como las que trabajaban con su madre, pero tampoco le gustaban. Le miraban mal y no le dejaban jugar con sus hijos, decían que no era buena compañía. Y ciertamente no lo era. Su carácter por aquel entonces no era dócil. Más bien todo lo contrario. Pero había cambiado, Anna le había enseñado a comportarse bien, a no gruñir ni pelearse con nadie… al menos sin un buen motivo. De todas maneras, no era su carácter lo que no aceptaban, sino de dónde venía, y contra eso no podía hacer nada. No. No le gustaban nada las mujeres de su barrio.

Solo le gustaba Anna. Era su amiga.

Siempre había pensado que era única. Pero se estaba dando cuenta de que no era así. La señora Jana y la señora Muriel eran casi como ella. Buenas mujeres. Y luego estaba Alicia. Alicia era la mejor de todas. Tanto como Anna. Pero no de la misma manera que Anna. Era diferente. Era blandita y olía bien. Y le gustaba su risa. Y su pelo. Y sus ojos cuando se reía. Y también cuando se enojaba.

Sí, definitivamente Alicia sí le gustaba.

Se removió adormilado hasta quedar tendido bocabajo y pensó en cuánto le gustaba sostenerla cuando intentaba andar. Aunque ella se enfadara. Le gustaba sujetarla por la cintura mientras ella gruñía abrazada a su cuello. Pero era mejor todavía cuando la alzaba y daban vueltas como si bailaran, porque entonces ella posaba las manos en sus hombros y se reía. Le gustaba escuchar su risa. Le hacía sentir bien, como si tocara cada una de las nubes del cielo.

Le mira y sonríe.
Y él sonríe con ella.
Se siente un gigante.
Un caballero.
Un príncipe.
Ella le abraza.
Y él se estremece.
Caen sobre la cama.
Sus rostros se acercan.
Sus labios se juntan.
Y ella posa sus manos en su torso.
Él se queda inmóvil.
Ella desciende lentamente por su estómago.
Él la detiene.
—¿Te vas a comportar como un caballero justo ahora?
—No voy a poder… nunca puedo.
—Yo creo que sí.

16

Mientras el corazón lata, mientras la carne palpite, no me explico
que un ser dotado de voluntad se deje dominar por la desesperación.

JULIO VERNE, *Viaje al centro de la tierra*

1 de mayo de 1916

Despertó acalorado, con el pulso acelerado, la respiración agitada
y el cuerpo vibrando al compás de una sensación por completo desconocida. Miró a su alrededor, confundido, sin saber bien dónde se
encontraba. Los tenues rayos de sol que se colaban entre las cortinas
le indicaron que estaba amaneciendo y que se hallaba en su dormitorio. Solo. Sin Alicia.

Una pesadilla. Eso había pasado.

Solo que no parecía una pesadilla sino un sueño.

Sacudió la cabeza, fuera lo que fuera, no era real, sino un producto de su desbocada imaginación. Se había dormido pensando en
Alicia y eso era lo que había producido esa maravillosa alucinación.
Sonrió divertido por el extraño rumbo que habían tomado sus fantasías mientras tiraba de la cinturilla del pantalón, pues este le apretaba de nuevo, molestándole en exceso. ¡Qué fastidio! ¿Por qué tenía que sucederle eso en los momentos más inoportunos? Parecía
que cada vez que pensaba en Alicia el pantalón se encogiera…

Abrió los ojos sobresaltado y, sin atreverse a bajar la vista, se
llevó las manos a la ingle.

Las quitó con rapidez.

Se mordió los labios con fuerza para asegurarse de que estaba
bien despierto y volvió a posarlas donde nunca había sentido la necesidad de hacerlo. Hasta ese momento.

Palpó perplejo el bulto que se marcaba en su entrepierna.

—¿Por qué ahora sí?

Recorrió lentamente toda su longitud hasta dejar atrás la inesperada erección. Estuvo tentado de meter la mano bajo la tela para
comprobar que no era una arruga excesivamente grande, pero se detuvo azorado.

Él no se tocaba ahí.

Nunca.

No le gustaba.

Era repugnante. Aunque la sensación de asco que siempre había aparecido al ver a otros hombres erectos no se estaba manifestando en ese momento. Más bien al contrario, se sentía extrañamente… anhelante. Impaciente. Ávido.

—¿Por qué antes no y ahora sí? —repitió turbado, apartando las manos de su vientre.

Cruzó los brazos bajo la cabeza, pensativo. Era extraño que después de tantos años, toda su vida en realidad, *eso* se hinchara. Siempre había imaginado que debido a lo que pasó se había vuelto inmune al deseo. Por lo visto no era así. Se encogió de hombros decidido a no darle mayor importancia al asunto. Seguramente sería un hecho aislado producto del insólito sueño que había tenido.

Solo que el maldito *hecho aislado* no bajaba.

Y era molesto. Mucho.

Un verdadero fastidio.

Se removió incómodo. Por increíble que pareciera, la molestia se estaba tornando en dolor. Leve. Una insignificante palpitación que nacía en sus testículos y que le estaba volviendo loco.

Separó un poco las piernas y observó fijamente el techo. Era… interesante. Blanco. Con una moldura en la unión con la pared. Esta no era blanca, era marrón claro. Beis, que dirían Isembard y Alicia. Y tenía varios cuadros, personas de siglos anteriores encerradas en elaborados marcos de madera. Los miró uno a uno, el semblante serio de los retratados se repetía en todas las pinturas. Era… aburrido. Y no le ayudaba a calmarse. Al contrario. Sentía la inquietud crecer en su interior. Y seguía molesto. Cada vez más.

Se lamió los labios y miró a su alrededor con los ojos entornados mientras sentía el calor crecer en su interior. Su respiración, de por sí alterada, se hizo errática, jadeante. Dio un sonoro bufido y, sin querer pensar en lo que estaba a punto de hacer, se dirigió a las puertaventanas que daban al corredor. Las cerró con un golpe seco, echó el pestillo y se cercioró de que no quedaba ninguna rendija entre las cortinas por la que alguien pudiera verle. Luego caminó hasta la puerta que daba al pasillo y giró la llave, sellándola y comprobando que así permanecería. Una vez hecho esto, se detuvo junto a la cama y, girando sobre sus pies, revisó las puertas y ventanas. Estaba en su dormitorio. Solo. Podía hacer lo que se le antojara.

Inspiró profundamente y se situó frente al espejo.

—¿Y ahora qué? —susurró observando fijamente su reflejo.

Arqueó una ceja a la vez que una ladina sonrisa comenzaba a dibujarse en sus labios. A tenor del bulto que se marcaba en su entrepierna no estaba mal equipado. Nada mal.

Enganchó los pulgares en la cinturilla del pantalón y se lo bajó con un movimiento fluido.

—Quién lo hubiera pensado… —musitó contemplando su erección.

Sus dedos, como si tuvieran vida propia, se posaron sobre su estómago manteniéndose allí en trémula inmovilidad. Reacios a continuar su camino. Codiciando alcanzar partes de sí mismo hasta entonces dormidas.

Observó en el espejo el descenso calmado, casi remiso de una de sus manos. Vio como rodeaba su ombligo y lo dejaba atrás para recorrer lentamente su vientre e internarse en el oscuro y rizado vello de su pubis. Contempló cómo sus dedos ignoraban el rígido pene que oscilaba palpitante en el aire y continuaban descendiendo hasta llegar a la base desde la cual se elevaba. Se tambaleó al sentir la primera caricia y apoyó la mano libre en la moldura del espejo mientras sus párpados cedían ante el inesperado placer, sumiéndole en la oscuridad.

La respiración contenida. Todo él paralizado, excepto la mano que recorría con tímida valentía el falo que se erguía desafiante. Aún con los ojos cerrados lo envolvió entre sus dedos y tentó su dureza y tersura, su grosor y longitud. Esbozó una sonrisa orgullosa a la vez que inhalaba de nuevo el aire que había olvidado respirar. Dura y suave. Así la tenía. Y también grande. Y gruesa.

Movió el puño con torpe inseguridad y de sus labios entreabiertos escaparon quedos gemidos que se convirtieron en jadeos conforme la vacilación daba paso a la firmeza. Continuó solazándose en la oscuridad hasta que, al posar la mano sobre el glande sintió una cálida humedad en la palma. Abrió los ojos desconcertado y la imagen que le devolvió el espejo le hizo trastabillar sobresaltado. Estaba encorvado, la piel brillante por el sudor y su mano… su mano agitándose sobre su falo. Crispada. Obsesiva. Desesperada.

La apartó de inmediato. Asqueado. El estómago revuelto ante la repugnante visión de la mano de un hombre tocándole *ahí*. Aunque fuera la suya propia.

Sacudió la cabeza y, dirigiéndose con paso inestable a la cama, se tumbó mirando al techo. Engarfió los dedos en las sábanas revueltas y apretó los labios a la vez que negaba con la cabeza. No iba a pensar en ello. No merecía la pena. Las cosas eran como eran. Tragó saliva para eliminar el nudo que se había formado en su garganta y mientras lo hacía, pensó que era una lástima que la señora Muriel fuera tan eficiente. Le hubiera venido bien encontrar alguna telaraña en el techo, así podría justificar las náuseas que sentía con la presencia de esos repulsivos insectos.

Cerró los ojos, temiendo encontrar en el interior de sus párpados las escenas que tanto se había esforzado en borrar. Vio de nuevo el cuchillo ensangrentado. Y, por primera vez en todos esos años, no sintió aversión o miedo, sino alivio y también una extraña satisfacción. Puede que nunca lograra librarse de las pesadillas, pero gracias a la sangre vertida, no le había sido arrebatada su hombría.

Abrió los ojos y sonrió.

Una media sonrisa, casi remisa. Pero sonrisa al fin y al cabo.

Un acto atroz le había desposeído del deseo… Y una inocente muchacha se lo había devuelto. Porque no le cabía duda alguna de que lo que le había pasado estaba íntimamente relacionado con Alicia.

Con su discreta belleza y su desafiante templanza.

Con su mirada penetrante y su actitud vitalista.

Era ella y nadie más quien había obrado el milagro.

Ella y su envolvente tranquilidad.

Ella y su vibrante inteligencia.

Se había colado en sus pesadillas convirtiéndolas en sueños. Dejándole indefenso ante una inocente caricia o un afable beso.

—Y yo correspondo a su amistad excitándome al pensar en ella —masculló disgustado al percatarse de que sus manos habían soltado las sábanas y se deslizaban rebeldes por su vientre en dirección a donde no debían ir.

Golpeó enfadado el colchón y cerró los ojos, decidido a dejar la mente en blanco hasta conseguir calmarse. Imaginó series de números que debía ordenar, pero estos comenzaron a danzar hasta convertirse en alborotados rizos que enmarcaban el rostro de Alicia. Sacudió la cabeza, enfadado por la rebeldía de su mente, y pensó en motores. Dibujó con preciso empeño cada línea y estas comenzaron a ondularse hasta tomar la forma de las manos de Alicia. Vio sus dedos sobre los troncos de los árboles raquíticos a los que tanto quería. Y sintió celos. Y algo más. Se removió inquieto mientras soñaba que sus gráciles dedos le arrullaban, mientras sentía en su propia piel el tacto sedoso de sus caricias.

Un gemido estrangulado escapó de su garganta cuando un torrente de inesperado placer le recorrió. Solo entonces se percató de que sus manos volvían a estar donde había decidido que no estuvieran: ciñendo su insurrecto pene.

Las alejó de allí utilizando cada retazo de voluntad que halló en su turbada mente.

No estaba bien masturbarse pensando en Alicia.

Era una completa falta de respeto hacia ella.

Y él la respetaba. Era su amiga.

Entornó lo ojos mientras trazaba espirales con los dedos alrededor de su ombligo. No había nada malo en masturbarse sin pensar en nada. Y, al fin y al cabo, dudaba de que esa reacción de su cuerpo volviera a repetirse.

Dejó que una de sus manos se deslizara hasta *eso* que esperaba impaciente en su ingle. Lo envolvió con reacia resolución y ascendió despacio por toda su longitud para luego descender con perezosa audacia. Pereza que pronto se tornó en urgencia cuando, movido por una necesidad imposible de soslayar, aumentó la velocidad y la fuerza con que se acariciaba. Separó las piernas y arqueó la espalda a la vez que hundía la cabeza en la almohada.

Sus párpados cayeron, vencidos por el placer.

Y entonces la vio.

Sus alborotados rizos dorados bailando con la luz del sol.

Sus almendrados ojos pardos observándole astutos.

Sus labios desiguales esbozando una sonrisa que era solo para él.

Sus exquisitos dedos acercándose a él. Rozándole. Apartándole la mano para envolverle con la suya. Ascendiendo audaz por su pene para ceñirle el glande y a continuación descender indolente hasta la base. Volviéndole loco.

Negó con la cabeza mientras agitaba las caderas con fuerza contra su propia mano.

No debería pensar en Alicia mientras hacía *eso*. Pero no podía evitarlo. Toda su determinación se hacía pedazos al imaginarla junto a él. No podía resistirse a ella. Carecía de las fuerzas necesarias para hacerlo.

Sacudió la cabeza a la vez que apretaba los labios para reprimir el bramido de puro éxtasis que se estaba formando en su garganta.

Y ella, la Alicia onírica que le acariciaba y besaba, sonrió.

Y el éxtasis escapó de la prisión en la que intentaba contenerlo.

Todo su cuerpo se estremeció y sus pulmones se paralizaron ahítos de placer mientras se masturbaba con frenético delirio, incapaz de detenerse hasta sentir el último espasmo del intenso orgasmo que le estaba devorando la razón.

Instantes después, tal vez largos minutos, quizá solo breves segundos, abrió de nuevo los ojos. Las manos manchadas por la densa humedad que había derramado sobre su vientre. La piel empapada en sudor. Su cuerpo temblando mientras luchaba por recuperar la calma.

Un gruñido de repulsa abandonó sus labios al comprender que

se había comportado como un animal en celo. Como todas aquellas personas que tanto le repugnaban cuando vivía en Las Tres Sirenas. Ahora entendía a qué era debido ese comportamiento que tanto le había asqueado antaño. El placer podía convertir a los hombres en bestias.

No permitiría que se volviera a repetir.

Había visto a hombres golpear a mujeres y niños para conseguir lo que querían. Los había visto follar en mitad de un salón lleno de gente. Suplicar borrachos, arrodillados a los pies de las fulanas. Pendencieros, padres de familia, solteros, hombres y mujeres... Todos se convertían en bestias que se dejaban la vida y el dinero en mor de conseguir un poco más de placer.

Él no caería en la trampa del sexo. No cuando Alicia era el detonante de sus fantasías.

Era su amiga. Merecía que la respetara. Y eso haría.

—A partir de este momento mantendré las distancias con ella —susurró decidido, sintiendo como su corazón se rompía en mil pedazos.

No más recreos clandestinos a media tarde en el gabinete. No más lecturas vespertinas con las cabezas demasiado juntas antes de la cena. No más visitas furtivas a su alcoba antes de retirarse a dormir y, sobre todo, no más pesadillas que la hicieran acudir en secreto a su habitación durante la noche. Pero ¿cómo iba a impedirlo? Nunca había conseguido liberarse de las pesadillas. No había una sola noche en su vida que no las hubiera padecido, ni siquiera cuando dormía con Anna. Cierto era que casi siempre conseguía despertarse antes de que Alicia acudiera junto a él. Pero casi siempre no era siempre.

Frunció el ceño, pensativo. Podría cerrar con llave la puerta que daba al exterior. Sí. Eso haría. Y cuando Alicia acudiera preocupada al dormitorio se la encontraría cerrada... No. No lo haría. No podía pagar con desprecios su cariñoso desvelo.

Recorrió inquieto la estancia. No cerraría la puerta, pero intentaría con más ahínco salir de las pesadillas antes de que ella se despertara. Y si no lo conseguía, si despertaba del horror al oír su voz, entonces mantendría las distancias y se comportaría como un caballero.

Aunque no lo fuera.

Se detuvo sobresaltado en mitad de la estancia, el corazón latiendo regocijado en su pecho mientras sus ojos brillaban esperanzados: si se comportaba con educación no existía razón alguna por la que tuviera que mantener las distancias con ella.

No había nada incorrecto en leer juntos en la sala, además, lo hacían a la vista de todo el mundo. Tampoco hacían nada malo cuando la visitaba en su cuarto antes de acostarse, solo charlaban. Y por supuesto, no podía dejar de acudir a media tarde a su gabinete, ella necesitaba su ayuda para andar… siempre y cuando Alicia se aviniera a razones y le dejara ayudarla, claro. Pero para eso, él tendría que leer ante todos.

Delante del viejo.

¡Nunca!

Era ya entrada la tarde cuando Isembard y Addaia partieron a sus respectivos hogares. Biel observó que su nieto les acompañaba para despedirles y su mostacho se movió ligeramente, evidenciando que una leve sonrisa se había dibujado en sus labios. Asintió complacido a la vez que bajaba la mirada al periódico que sostenía. No cabía duda de que el rebelde grumete se estaba convirtiendo en un buen anfitrión. Leyó unas pocas frases del artículo antes de levantar la cabeza y escrudiñar la puerta. El zagal estaba tardando demasiado en regresar a la sala de estar. Y eso era algo insólito. Alicia estaba allí y Lucas no tenía por costumbre mantenerse alejado de ella cuando disponía de tiempo libre. ¿Qué diantres le habría entretenido?

Una sospecha se abrió paso en su mente, enfureciéndole. Aferró con fuerza el bastón e hizo ademán de levantarse, pero se detuvo antes de hacerlo. Inspiró profundamente y aflojó los dedos que se ceñían sobre la empuñadura. Su nieto no era tan tonto de acudir al despacho con la casa llena de gente. No. Si en verdad era Lucas quien había movido el teléfono del escritorio el día anterior, no volvería a repetir la travesura. Al menos no tan pronto. Además, tampoco tenía constancia de que hubiera sido él. Y por su bien esperaba estar equivocado en sus sospechas.

Se relajó en el asiento, decidido a atemperar su mal genio. No podía acusar a Lucas sin pruebas, y que este se estuviera comportando de un modo extraño no significaba que hubiera cometido ninguna fechoría… sino que algo le inquietaba. Frunció el ceño preocupado.

Algo le pasaba a su nieto. Llevaba todo el día demasiado silencioso, ni siquiera había hecho caso a sus pullas durante la comida… y lo echaba de menos. Disfrutaba de su carácter batallador y rebelde, y verle tan taciturno no le gustaba en absoluto. Menos aún cuando ese silencio también incluía a Alicia y el resto de sus amigos, con los que apenas había conversado durante la merienda. Ni siquiera había esbozado una mísera sonrisa ante las bromas de la señorita Addaia.

Al contrario, se había mantenido sumido en sus pensamientos, eso sí, cuidando en todo momento de que Alicia tuviera su chocolate, sus pastas y el mejor sitio de la sala, junto a las ventanas abiertas.

Cerró el periódico y asió el bastón para golpearse con ligereza los zapatos mientras meditaba. Solo a un ciego le pasaría desapercibido el atento cariño con el que Lucas trataba a Alicia. Y él no estaba ciego en absoluto. Sonrió ladino, faltaba apenas un mes para que Marc finalizara su viaje y regresara a Barcelona. Entonces reanudaría su cortejo. Y a Lucas no le haría gracia y volvería a gruñirle. Sería interesante ver el comportamiento de los dos gallitos cuando volvieran a encontrarse. Más aún, estaba deseando ver cómo reaccionaría Lucas al plan que tenía pensado, siempre y cuando saliera del estupor en el que parecía estar sumido.

Apoyó el bastón en el velador y fijó la mirada en la puerta. Lucas llevaba demasiado tiempo ausente, recorriendo la casa sin vigilancia. Esperaba por su bien que no se le hubiera ocurrido ir al despacho y usar el teléfono. Dirigió la mirada hacia Enoc y este, asintiendo con la cabeza, se levantó de la silla. Y en ese mismo instante, Lucas entró en la sala de estar.

Biel suspiró aliviado. No le hubiera gustado descubrir que su intuición era certera. Observó con atención a su nieto, sujetaba algo con celo mientras caminaba con envarada rigidez.

—Algo le pasa —musitó Jana a su lado.

Biel asintió, ella también se había dado cuenta de que algo no andaba bien. Desvió la mirada hacia el señor Abad y este le respondió con un encogimiento de hombros. Tomó de nuevo el bastón y golpeó el suelo con él, pensativo. Si Lucas continuaba así tendría que hacer algo para obligarle a reaccionar y que retomara su combativa manera de ser. No era bueno para un hombre, y menos aún para su nieto, estar triste. No se lo pensaba permitir.

Alicia lo contempló preocupada. Tenía el pelo alborotado, más de lo habitual, y en su rostro permanecía el mismo gesto ensimismado que había mantenido durante todo el día. Le vio detenerse apenas un segundo en mitad de la sala e inspirar profundamente para luego caminar presuroso hacia el asiento que se hallaba junto a ella. Llevaba algo en las manos. Algo que abrazaba con fuerza contra su pecho, ocultándolo de la mirada de los demás. Algo que continuó escondiendo cuando se sentó apocado en la butaca.

Lucas cerró los ojos un instante y cuando los abrió se encontró con los de Alicia fijos en él. Sonrió apenas, removiéndose incómodo en el asiento, y luego recorrió la sala con la mirada. Un frustrado exabrupto escapó de sus labios. Había esperado pasar desapercibido.

Había deseado que el viejo y el señor Abad estuvieran absortos en sus periódicos y que la señora Jana estuviera reunida con la señora Muriel en la cocina. Pero no había sido así. Como siempre, la suerte no se dignaba acompañarle. Suspiró acongojado e intentó calmar los acelerados latidos de su corazón presionando ambas manos contra su pecho, pero no fueron sus dedos los que sintió, sino la dura tapa del objeto que aferraban con fuerza, casi con desesperación.

—Ayer terminamos *La isla del tesoro* —musitó con un hilo de voz. Sacudió la cabeza y carraspeó, no iba a hablar como un niño asustado. ¡No lo era!—. He pensado que podríamos empezar uno de mis libros favoritos. Lo leí de prestado en las bibliotecas circulantes.

—Me encantaría —aceptó Alicia posando su esbelta mano sobre el brazo de él, instándole a desvelar el objeto, el libro, que con tanto afán guardaba.

Lucas asintió y se colocó sobre las piernas la novela que había encontrado en la biblioteca esa misma tarde, antes de entrar en el estudio para su clase.

—Vaya, no recordaba que lo teníamos —comentó Alicia, entusiasmada al descubrir que era de uno de los escritores que él había mencionado como sus favoritos.

—Lo he estado mirando después de comer, tiene varias ilustraciones. Y la letra es grande… —«Y como ya lo he leído con Anna, no meteré tanto la pata», pensó.

Biel se inclinó hacia delante y golpeó el bastón contra sus zapatos, satisfecho; por lo visto el malandrín de su nieto había escogido un libro, y uno bastante bueno a tenor de la apreciativa mirada de Alicia. Se estiró con disimulo, intentando captar algo del tomo, pero solo alcanzó a ver que pertenecía a una colección de novelas ilustradas. Cabeceó contento. No era mal comienzo. Él también había empezado sintiéndose atraído por los mapas de un libro y al final había acabado leyendo. Y sin profesor. Lucas aprendería en breve. Estaba seguro. Su nieto era muy inteligente. Las palabras no le resultarían tan complicadas como a él, menos aún contando como lo hacía con la ayuda de Alicia y las enseñanzas del señor del Closs.

—Baja las plumas, pavo real, que me tapas la vista —musitó Jana divertida al ver el gesto orgulloso de su marido, arrancando una sigilosa risa en Enoc.

—Borre esa sonrisa de su cara, señor Abad, no tiene gracia —gruñó Biel fijando la mirada en su esposa—. Debería tenerme un poco más de respeto, señora.

—Deja de gruñir y míralos, te lo estás perdiendo, y algo me dice que este es un momento importante.

Biel desvió la mirada hacia los dos jóvenes. Lucas había aproximado su butaca a la silla de ruedas y en ese momento ambos contemplaban el libro con las cabezas tan juntas que el pelo rubio de Alicia se mezclaba con el castaño del muchacho.

—Es bonito verlos juntos —musitó Jana.

—No te voy a negar que se llevan bien —replicó Biel enarcando una ceja divertido. Estaban demasiado juntos, si el profesor estuviera presente, a esas alturas estaría carraspeando como un loco.

—No seas zoquete, capitán, se llevan más que bien… —apuntó misteriosa.

Biel asintió conspirador.

Intentando a fuerza de voluntad ignorar a las tres personas que compartían la sala con ellos, Lucas pasó las páginas del libro, buscando aquellas que contenían los dibujos que más le habían impactado cuando había hojeado la novela. Nunca había visto un libro tan bonito como ese, ni unas ilustraciones tan detallistas.

—Es una edición de lujo —le susurró Alicia, extrañada por su repentina renuencia. No era normal en él esperar tanto antes de señalarle la primera página para que ella comenzara a leer.

—Ya lo imagino… —Lucas tragó saliva para deshacer el nudo que tenía en la garganta. ¿Desde cuándo era tan cobarde? Inspiró con fuerza y exhaló despacio, tratando de calmarse, y a continuación retrocedió hasta llegar al primer capítulo—. ¿Recuerdas la promesa que me hiciste anoche? —musitó con la respiración agitada. Alicia asintió, sus ojos fijos en el rostro repentinamente pálido de su amigo—. Si leo ante todos, intentarás andar, y me dejarás ayudarte a conseguirlo… —La miró desafiante—. No te rendirás.

—No me rendiré… si tú no lo haces.

Lucas asintió y a continuación carraspeó, llamando la atención sobre él, algo del todo innecesario, pues todos los ojos que había en la sala estaban centrados en su persona. Sujetó el libro con manos trémulas y señaló con el dedo índice la primera palabra del primer capítulo.

—«El domingo 24 de mayo de 1863, mi tío, el profesor *Li-den-brock*, entró *rápi… rápida-mente* a su hogar, situado en el número 19 de la *Kö-nig-stra-sse*, una de las calles más *tradi-cio-nales* del barrio *na-tiguo* de *Ha-burgo*.[10]»

El sonido del bastón al caer al suelo le hizo detenerse en mitad de la lectura. Se quedó inmóvil, sin atreverse a levantar la mirada de la

10. *Viaje al centro de la tierra*, de Julio Verne.

página, esperando oír la primera burla de labios del viejo, la primera carcajada, la primera risita humillante. Pero estas no llegaron.

—Lo estás haciendo muy bien —le susurró Alicia, su rostro muy próximo, sus cálidos dedos acariciándole el dorso de la mano y su maravillosa sonrisa dedicada solo a él.

Lucas asintió y fijó la vista en las letras que todavía señalaba.

—Marta, su *es*…excelente criada, se preocupó *sobre-manera*…

En el otro extremo de la sala, tres pares de ojos le contemplaban atónitos.

—No se os ocurra abrir la boca —ordenó Biel a sus acompañantes en tono apenas audible—. Señor Abad, vuelva a su lectura, yo haré lo mismo. Si el muchacho es como pienso, estará esperando escuchar una sola palabra para interpretarla como una burla y cesar en su empeño. Y no voy a darle ese gusto. Jana, tú serás mis ojos, presta atención a cada uno de sus gestos, luego deberás referírmelos —indicó abriendo el periódico y obligándose a centrar la mirada en las letras impresas.

¡Su nieto sabía leer! Y no gracias exclusivamente a las enseñanzas del profesor, de eso estaba seguro. Nadie, ni siquiera alguien tan inteligente como su chico aprendería en tan poco tiempo. El muy truhán le había mentido. Frunció el ceño, recapacitando. No. No lo había hecho. Nunca le había dicho que no supiera leer. Había sido él quien lo había imaginado. Y el muy tunante se había aprovechado de eso para engañarle. Y de buena manera. Sonrió ufano. ¡Menudo bribón estaba hecho! Incapaz de soportar la inmovilidad que se había autoimpuesto buscó la empuñadura del bastón para darse unos golpecitos en los zapatos, y al no encontrarlo recordó que se le había resbalado de la mano cuando el muy pillo había empezado a leer.

Enoc, al ver la mirada anhelante que el capitán echaba al bastón, dejó el periódico y se levantó para recogerlo, consciente de que el anciano jamás reconocería su dificultad para agacharse. Y en ese momento, se hizo el silencio en la sala.

—Siéntese, señor Abad —siseó Biel con los dientes apretados desde detrás de su periódico a la vez que señalaba con la mirada en dirección a los jóvenes.

Enoc, ignorando la orden, recogió el bastón mostrándoselo a Lucas a la vez que acompañaba su gesto con un rapidísimo guiño.

—Si no le importa, eso me pertenece —gruñó Biel extendiendo la mano.

Lucas esbozó una ligera sonrisa y, tras tomar una gran bocanada de aire, volvió a inclinar la cabeza hacia el libro.

—…Era, en una palabra, un avaro del cono-ci-miento…

Tiempo después, una alborotada señora Muriel entró en la sala al comprobar que nadie se había presentado en el comedor tras haber sido blandida la campanilla. Se detuvo perpleja nada más traspasar el umbral, ¿el señorito Lucas estaba leyendo?

—Adelante, señora Muriel —le indicó Jana invitándola a entrar, y también a cerrar la boca que continuaba abierta tras la sorpresa—. Lucas está a punto de acabar de leer el primer capítulo de *Viaje al centro de la Tierra*, y he de reconocer que me está resultando apasionante. Dejémosle terminar —señaló asintiendo con la cabeza en dirección al joven, quien, sin ser consciente, irguió la espalda orgulloso.

—…cuando plan-taba en los potes de loza de su salón pies de reseda o de *con-vól-vu-los*, iba todas las mañanas a *tira-les* de las hojas para tratar así de acelerar su creci-mi…miento. Con tan original personaje, no tenía más remedio que obedecer cie-ga-mente; y por eso acudía presuroso a su despacho.

Cerró el libro, dando por zanjada la lectura y miró a Alicia, solo para comprobar que ella le sonreía orgullosa. Las mariposas que no habían dejado de martirizarle durante toda la jornada, volvieron a revolotear alegres por su estómago.

—Ha sido una agradable lectura, marinero, mañana continuarás donde lo has dejado —exigió Biel levantándose para acompañar a su esposa al comedor.

Lucas puso los ojos en blanco.

—Ya está el viejo dando órdenes. ¿No me puede dejar tranquilo por un día? —siseó fingiéndose enfurruñado mientras empujaba la silla de Alicia hacia la puerta de la sala.

—Has vuelto a subir de categoría, chico —comentó Enoc dándole una palmada en la espalda cuando pasaron por su lado.

Lucas lo miró confundido.

—¿A qué se refiere?

—Ya no eres grumete, sino marinero… no está mal. Nada mal.

Una enorme sonrisa se dibujó en el rostro de Lucas.

13 de mayo de 1916

Isembard, frente a la cancela de la mansión Agramunt, revisó por enésima vez su atuendo mientras esperaba a que Etor, con su andar tambaleante, llegara hasta él y le abriera. Le hubiera gustado pensar que los candados de las puertas y los vigilantes que rondaban el muro eran debidos a la extrema precaución que en esos tiempos debían tomar todos los hombres de cierta posición social. Pero sabía que no era ese el motivo. Al menos no únicamente.

Si la mansión Agramunt contaba con tan buenas defensas, no era para evitar que nadie entrara, si no para impedir que alguien saliera. Y eso le molestaba. Mucho. Lucas había demostrado ser un hombre de palabra y aun así su abuelo seguía sin bajar la guardia ni permitirle abandonar la propiedad. No era justo.

La tarde anterior había vuelto a cubrirle para que pudiera hablar con Anna, algo que sería totalmente innecesario si el capitán diera su brazo a torcer y permitiera al muchacho abandonar la casa por unas horas, o en su defecto, comunicarse con su amiga telefónicamente. Aunque lo cierto era que Biel no le había prohibido expresamente esto último. Sonrió artero. Por supuesto, no lo había hecho porque no tenía conocimiento de las conversaciones clandestinas que el joven mantenía.

Alicia insistía en que Lucas le confiara sus desvelos a su abuelo, estaba segura de que este le ayudaría, pero él se negaba a hacerlo, argumentando que si el viejo llegara a enterarse, no solo le prohibiría acercarse al teléfono, sino que le vigilaría aún más estrechamente para evitar que lo hiciera.

Isembard opinaba exactamente igual que su alumno.

Sacudió la cabeza a modo de saludo cuando Etor le permitió el paso y se encaminó presuroso a la casa. Entregó su sombrero a la señora Muriel y sin perder un instante se dirigió al despacho. Había sido citado dos horas antes del desayuno, en plena madrugada, con la orden estricta de no mencionárselo a nadie, especialmente a Lucas. Mucho se temía que lo que el capitán iba a comunicarle no le iba a gustar en absoluto.

Y no se equivocó.

Nada más entrar en el despacho el anciano le ordenó sentarse. El señor Abad, más cortés que su patrón, se asomó por la puerta y le saludó antes de regresar a la sala de mapas. A Isembard no le cupo ninguna duda de que, a pesar de que el avispado hombre había desaparecido de su vista, estaría escuchando entre bambalinas con suma atención.

Se sentó con rigidez y esperó paciente a que el capitán expusiera el motivo por el que había sido convocado. Pero este no parecía tener prisa alguna. Encendió la pipa con inusitada parsimonia y se entretuvo en darle pequeñas chupadas para luego exhalar el humo sobre el rostro del maestro.

Isembard contuvo un acceso de tos y cruzó las manos sobre su regazo con fingida tranquilidad. Sí, no cabía duda de que el anciano estaba decidido a poner a prueba sus nervios.

—Y bien, señor del Closs, ¿cuál ha sido el progreso de mi nieto en el tiempo que lleva bajo su tutela? —inquirió de repente, dejando la pipa sobre la mesa y observándole fijamente.

Isembard suspiró aliviado al percatarse al fin del propósito de la reunión; el capitán iba a interrogarle sobre Lucas. Sonrió a la vez que abría la cartera, había tenido la previsión de meter en ella algunos de los trabajos de su alumno. Los más excelentes, por supuesto. Pensaba dejar al obcecado anciano sin palabras.

Le refirió con exactitud cada uno de los logros de Lucas a la vez que le mostraba los trabajos que había realizado, detallándole las dificultades de cada uno. Cuando terminó con estos, pasó a relatarle de manera pormenorizada cada uno de los retos a los que le había enfrentado y que Lucas había superado sin excesivos problemas.

Biel escuchó con atención el monólogo vehemente de Isembard. Sabía de antemano lo que este iba a contarle. Solo un tonto o un sordo podría ignorar los progresos que día a día mostraba Lucas durante las comidas y cenas, cuando debatía entusiasmado con Alicia, Jana y el señor Abad lo que había aprendido.

—¿Ha empezado a instruirle en geografía tal y como le indiqué? —inquirió Biel.

—Así es, señor, pero… —inspiró profundamente antes de continuar—, lamento discrepar de usted, capitán, pero lo que insiste en que Lucas aprenda no es geografía. —El anciano le había ordenado que le enseñara a Lucas los puertos más importantes de Europa, ¡y eso no era geografía! Las cosas o se hacían bien o no se hacían, ergo le estaba enseñando los países europeos, haciendo especial hincapié en los que tenían puertos.

—Lo que usted opine, señor del Closs, es irrelevante —desestimó Biel ocultando una sonrisa ante el arranque del profesor—. ¿Qué tal ha aceptado esta nueva asignatura?

—Teniendo en cuenta que hasta hace poco desconocía la mayoría de los países europeos, su aceptación ha sido excelente. Confunde los nombres de algunos puertos, pero es capaz de ubicar más de la mitad en un mapa.

—Intuyo por sus palabras que mi nieto está preparado para asumir más obligaciones en cuanto a sus estudios. Nuevas materias que aún no ha tocado.

Isembard meditó su respuesta antes de hablar.

—Sí y no. Lucas tiene una inteligencia lúcida. Es capaz de entender y aprender cualquier nuevo concepto en un tiempo inusitadamente breve, pero no conviene forzarle. Si añadimos nuevas asignaturas con las que no está familiarizado, correremos el riesgo de que se cierre en banda y se niegue a estudiar —masculló negando con la cabeza—. Su nieto tiene la aborrecible costumbre de fingir desinterés cuando cree que no puede aprender algo. Debo ir con mucho cuidado con eso.

—Mi chico prefiere cortarse una mano a reconocer que no sabe hacer algo —gruñó Biel consciente de que ese orgullo desmedido lo había heredado de él.

—Así es —reconoció Isembard, sorprendido de que el capitán se hubiera percatado de eso. Por lo visto, estaba más pendiente de Lucas de lo que había imaginado—. Mi consejo es ir añadiendo materias poco a poco, comprobando que acepta bien cada una antes de incluir alguna más en su plan de estudios.

—Meditaré sobre ello —consintió Biel—. ¿Alguna cosa más que quiera añadir?

Isembard negó con la cabeza durante un segundo, para al instante detenerse, inspirar profundamente y asentir.

—Me gustaría hacerle una petición…

—Adelante.

—Sé que no me compete, pero me gustaría solicitar su permiso para que Lucas pueda abandonar la casa en alguna ocasión. Sería adecuado para su educación moverse en distintos ambientes —se apresuró a argumentar al ver el ceño fruncido del capitán—. Permanecer tanto tiempo encerrado entre cuatro paredes es contraproducente para su evolución como persona.

—¿Tiene algún lugar en mente?

Isembard tomó aire, sabedor de que se estaba moviendo en aguas turbias. Era consciente de que el capitán no permitiría a Lucas abandonar la casa si no tenía total garantía de que no habría riesgo de fuga. Y a la vez, no podía permitir que la primera salida del muchacho fuera un recorrido austero por las calles, en compañía de varios matones vigilándole con celo. No. Tenía que plantearlo de manera que ambos, nieto y abuelo, se sintieran seguros… y disfrutaran. Algo harto difícil.

—La señorita Alicia ha expresado en varias ocasiones el deseo de visitar el zoológico para ver a la elefanta donada por el virrey marroquí —comentó con ligereza, conocedor de la debilidad que el anciano sentía por su pupila.

—¿Me está sugiriendo que permita que mi nieto lleve a mi pupila a dar un paseo por un lugar lleno de animales salvajes? —bufó Biel en voz baja con una ceja enarcada.

Isembard negó con la cabeza, sin amilanarse ante el tono amenazante del anciano.

—En absoluto. Le estoy proponiendo un paseo al aire libre, rodeados de animales enjaulados procedentes de países lejanos. Animales que estimularán la curiosidad de su nieto y que harán las delicias de su pupila y de su esposa.

—¿De mi esposa? —le interrumpió Biel, entrecerrando los ojos con un asomo de interés.

—Podría convertir el paseo en un *picnic* familiar…

—¿Pretende que llene una cesta con tortillas, tire una manta en el suelo e invite a la señora Jana y la señorita Alicia a sentarse sobre la hierba?

—No. Por supuesto que no —se apresuró a disentir Isembard—. Me refería a… comer en alguno de los restaurantes cercanos a la Ciutadella tras haber visitado el zoo —improvisó—. Luego podrían recorrer el parque buscando el busto descubierto en los juegos florales celebrados la semana pasada.

—Y acabar tomando un café en el quiosco de Canaletas —masculló Biel—. Menuda aventura disparatada ha preparado usted en un momento. Animales salvajes, picnic al aire libre, paseos buscando Dios sabe qué…

—Creo que me ha malinterpretado, señor —le interrumpió Isembard armándose de paciencia—. No pretendo…

—Sé perfectamente lo que pretende. Quiere embaucarme para que le conceda a mi nieto un día libre, sin clases, normas ni vigilancia para que pueda hacer su santa voluntad como si fuera un joven sin ninguna responsabilidad. Y lo disfraza de salida lúdico-cultural en compañía de la familia, pues cree que así no me daré cuenta de lo que planea y cederé con mayor facilidad.

Isembard abrió la boca para refutar tal afirmación. Y la cerró de inmediato al darse cuenta de que no podía rebatirle, pues el capitán había captado por completo sus intenciones.

—¿No tiene nada que añadir, señor del Closs? —le desafió Biel encendiendo la pipa.

—Hubiera sido un día memorable —musitó mirándose los zapatos.

—Será un día memorable —le corrigió Biel—, con algunos cambios.

Isembard levantó la cabeza y le miró estupefacto.

—Nos acompañarán Etor, el señor Abad y la señorita Addaia. También usted. La señora Muriel nos proveerá de las tortillas y bocadillos que comeremos en uno de los merenderos del zoo. ¿Quiere aire libre? Aire libre tendrá. Buscaremos el famoso busto y más tarde iremos al quiosco de Canaletas. ¿Ha tomado nota, señor Abad? —inquirió alzando la voz. Este le respondió afirmativamente desde la sala de mapas—. Prepárelo todo para mañana.

—¡Mañana! —jadeó el maestro con los ojos abiertos como platos.

—Será bueno para Lucas, un día de asueto le despejará la cabeza con vistas a la reunión que mantendremos el día siguiente.

—¿Qué reunión?

—¿No se lo he comentado? Debo de haberlo olvidado —declaró con cierta ironía—. Comunique a mi nieto que quiero verle en el despacho el lunes, antes del desayuno. Comprobaré que sus progresos en los estudios son los que usted me ha referido y actuaré en consecuencia. No desconfío de su palabra, señor del Closs —le informó Biel al percatarse del gesto contrariado del maestro—, pero sí de su buena voluntad. Lucas es muy inteligente y taimado; ya nos engañó fingiéndose analfabeto.

—Se puede fingir ignorancia cuando se es culto, pero es imposible aparentar cultura cuando no se tiene —replicó enfadado.

—En ese caso no debe preocuparle el resultado de la reunión.

Isembard asintió enfurruñado.

—¿Puedo sugerirle que aplace la visita al zoo hasta la semana que viene? Estoy seguro de que Lucas querrá ocupar el día de mañana en repasar.

—Si es tan listo como usted asegura, no lo veo necesario —rechazó Biel—. La salida sigue en pie.

—Comprendo —musitó Isembard contrariado al advertir que el capitán estaba decidido a poner a prueba a Lucas, y que iba a hacer lo imposible porque esta le resultara lo más difícil posible—. Si me disculpa —dijo haciendo ademán de levantarse de la silla.

—No. No le disculpo. Vuelva a sentarse, señor del Closs —le ordenó con voz muy severa—. Hay algo más de lo que quiero tratar.

—Usted dirá, capitán.

—¿Está presente en todo momento durante las clases?

—No entiendo a qué se refiere.

—Es bien sencillo. Quiero saber si alguna vez ha abandonado el estudio, dejando a mi nieto sin vigilancia.

—Quizá en alguna ocasión haya necesitado acudir al excusado —contestó el profesor a la defensiva.

—¿Cuándo y durante cuánto tiempo ha estado ausente?

—¿Puedo saber el motivo de tan impropia pregunta? —exigió Isembard envarado.

—Ya son tres las ocasiones en las que me he percatado de que el teléfono no está colocado tal y como yo acostumbro a dejarlo. —Señaló dicho aparato con la mirada—. La primera vez pensé que lo había movido la señora Muriel, pensamiento que descarté de inmediato, pues es algo que no ha ocurrido nunca. No obstante, decidí no darle importancia. La segunda vez, sospeché que alguien lo había utilizado sin mi consentimiento, una felonía digna de la peor ralea, pero ¿quién podía ser? Ninguno de mis empleados, entre los que le incluyo a usted, tiene necesidad de usar el teléfono en secreto, y mi esposa no es amiga de estos artefactos, prefiere el trato directo con sus amistades. Lo que nos deja a Alicia, mas mi pupila siempre me pide permiso antes de usarlo —apuntó mirando al maestro con una ceja enarcada—. Decidí de nuevo dejarlo pasar, aunque durante este tiempo he vigilado con atención el aparato. Ayer por la tarde volvía a estar descolocado. —Observó con fijeza a Isembard y este se sentó con rigidez en su asiento—. Me llamó la atención que hubiera sido movido durante la mañana. Justo cuando el señor Abad y yo nos ausentamos para solucionar unos problemas surgidos en el muelle. Y, ¡qué coincidencia!, justo cuando Alicia convenció a mi esposa para salir de compras, quedándose solos en casa usted y Lucas…

—También nos acompañaban Etor, la señora Muriel y Cristina —replicó Isembard sintiéndose atrapado.

—Sabe tan bien como yo que la señora Muriel y Cristina pasan las últimas horas de la mañana encerradas en la cocina y, con respecto a Etor… no es difícil despistarle.

—¿Adónde quiere llegar?

—Lo sabe perfectamente, señor del Closs. El único momento del día en el que mi nieto pudo haber usado el teléfono fue durante sus clases.

—¿Y?

—No insulte mi inteligencia, muchacho. ¿Acaso cree que no soy consciente de la amistad que ha surgido entre ustedes dos?

—Capitán…

—No se confunda, señor del Closs. Su trabajo consiste en instruir a mi nieto, no en dejarse convencer para ayudarle a hacer llamadas telefónicas a las que yo no he dado, ni daré jamás, mi consentimiento. Espero por su bien que esta situación no se vuelva a repetir —amenazó—. Puede retirarse.

Isembard se levantó enfadado y se dirigió a la puerta, donde se detuvo, girándose para encarar a Biel.

—Capitán, con todos mis respetos, ¿se ha parado a pensar que tal vez Lucas tenga amigos fuera de este lugar? Amigos a los que aprecie y con los que necesite hablar.

—Los amigos, o amigas —apostilló arqueando una ceja—, que mi nieto pudiera tener antes de venir a esta casa pertenecen al pasado. Un pasado del que debe deshacerse para ocupar el lugar que por derecho le corresponde. Haría bien en recordarlo.

«Maldito cabezota», pensó Isembard abandonando por fin el despacho.

—¿Por qué no pospone la visita al zoo? —preguntó Enoc entrando en el despacho tras la salida del profesor—. Estoy seguro de que Lucas preferiría repasar mañana para la reunión del lunes...

—Por eso mismo, señor Abad. Quiero que el lunes esté nervioso, a la defensiva e irritado por la injusticia cometida con él.

—¿Por qué?

—Porque la única manera de que mi nieto no se parapete tras su insolente indiferencia es cabrearle. Cuanto más enfadado está, más habla y menos piensa. Y eso es justo lo que quiero. Tengo grandes planes para su futuro, pero antes de ponerlos en marcha quiero comprobar si es el tipo de hombre que pienso.

—¿Acaso no lo ha comprobado ya?

—Sí —Biel sonrió llevándose la pipa a los labios—, pero nunca está de más cerciorarse. El zoo será la primera capa de la red que pienso tejer sobre él.

Enoc enarcó una ceja ante las enigmáticas palabras de su patrón.

—¿Cómo cree que reaccionará ante una repentina dosis de libertad, señor Abad?

—¿Va a permitirle salir sin vigilancia?

—No. Voy a dejar que se confíe. —Enoc enarcó una ceja, perplejo—. A partir de mañana saldrá un par de días a la semana —indicó dando una chupada a su pipa—. Visitaremos el zoo y, si todo acontece como espero, le permitiré salir... de vez en cuando. Las primeras veces, acompañado por usted, Etor y el señor del Closs. Luego iremos relajando la vigilancia, hasta que en un momento dado, que coincidirá con el regreso de Marc, se le permitirá salir solo con su profesor. O eso es lo que pensará él. En ese momento, señor Abad, quiero que un hombre de su completa confianza vigile entre las sombras cada paso de mi nieto.

—¿Por qué? —inquirió Enoc estupefacto. ¿Qué demonios habría planeado el capitán?

—Porque cuando Marc esté de nuevo en Barcelona reanudará su cortejo con Alicia, y eso irritará sobremanera a Lucas. Y si eso no fuera suficiente para ponerlo furioso, estoy seguro de que mi sobrino aprovechará cualquier oportunidad para hacer explotar el fuerte carácter de mi nieto. Le ofenderá de todas las maneras posibles y se burlará de él a cada momento. Y Lucas se contendrá a pura fuerza de voluntad para no mostrarse como un botarate delante de

Alicia. Antes de que pase una semana estará tan enfadado que no pensará con raciocinio.

—¿Qué pretende conseguir con eso? —preguntó Enoc. Seguía sin saber qué era lo que proyectaba el capitán. Hacer rabiar a su nieto, sí. Pero ¿por qué?

—Quiero que Lucas esté tan frustrado, tan furioso, tan exasperado, que cuando por fin se le permita salir de la casa con la única compañía del señor del Closs, busque consuelo en brazos amigos. Se nos acaba el tiempo, señor Abad. Lucas prometió permanecer aquí cuatro meses, el plazo expirará a finales de julio, y para entonces necesito conocer cada uno de sus secretos. Tengo planes para su futuro, y no pienso consentir que una puta los eche a perder.

—No alcanzo a entenderle, capitán.

—Lucas se sentirá libre cuando esté fuera de la casa, aunque esté acompañado de su profesor. Ya ha demostrado que es capaz de convencer al señor del Closs para que se ponga de su parte. —Biel fijó la mirada en el teléfono que había sobre su mesa—. Buscará la manera de encontrarse con su fulana… en ese momento averiguaremos quién es la mujer para la que pidió el préstamo a Marcel. Y nos libraremos de ella. No pienso consentir que mi nieto cometa el mismo error que cometí yo.

—Entiendo —musitó Enoc frunciendo el ceño, pues aunque compartía los recelos del capitán, también intuía que había algo en todo ese asunto que se les escapaba.

—No. No lo entiende, señor Abad. Pretendo presentarle en sociedad durante mi fiesta de cumpleaños.

—¿Va a legitimarle? —inquirió Enoc sobresaltado. Presentar a Lucas como su nieto implicaría aceptar lazos consanguíneos… y al capitán no le gustaba nada el término bastardo.

—Sí, siempre que se lo merezca —sentenció Biel con seguridad—. Ya he hablado con el juez Pastrana y está moviendo los hilos necesarios para que no quede ningún resquicio de duda sobre su legitimidad. Pero, como imaginará, no voy a convertirle en mi heredero sin eliminar antes cualquier problema que pudiera surgir.

—Y la puta es un problema.

—Uno de los graves. Mi primera esposa emponzoñó la personalidad de mi hijo, me amargó la vida a mí y estuvo a punto de arruinar la naviera. No voy a consentir que la fulana con la que está encoñado mi nieto se convierta en la siguiente furcia Agramunt.

17

Las mentiras más crueles son dichas en silencio.
ROBERT LOUIS STEVENSON

14 de mayo de 1916

La espalda arqueada sobre las sábanas desordenadas que cubrían el lecho. La cabeza hundida en la almohada. Los labios abiertos en un grito mudo. Las piernas separadas y los talones clavados en el colchón. Todo el cuerpo en tensión mientras sus caderas bombeaban con fuerza contra su mano. Y una sola imagen grabada en el interior de sus párpados cerrados: Alicia.

Una caricia más y el placer estalló, llevándose todo pensamiento racional y dejando solo el instinto. Un instinto primitivo que le instaba a tomar a quien tanto deseaba.

A quien tanto necesitaba.

Humedad en su vientre. Pasión en su sangre. Y un doloroso vacío en el corazón al saber que en la cama solo estaba él.

Lucas ahogó el lamento que brotaba de las profundidades de su alma y abrió los ojos a la luz del amanecer.

—¡Puñeta! —siseó enfadado al ver el desastre en el que había convertido sus pantalones.

Como cada mañana desde hacía dos semanas había vuelto a despertarse en mitad de un orgasmo. ¿Dónde había quedado su… imposibilidad? Parecía que su estúpida hombría estuviera decidida a recuperar el tiempo perdido. Y él no podía hacer nada por evitarlo. Por mucho que intentara resistirse, siempre acababa cayendo. Era más fuerte que su voluntad. Deseaba a Alicia, y no podía hacer nada por ignorar ese deseo que le estaba volviendo loco.

Pasaba las noches en vela, nervioso, evitando pensar en ella, haciendo sumas imposibles, dibujando motores a cada cual más complicado, repasando una y otra vez los libros que Isembard le mandaba estudiar y, cuando por fin caía agotado, las pesadillas le asediaban.

Pesadillas horribles en las que el hombre sin dientes se presentaba ante él con el vientre abierto y las tripas esparcidas por el suelo. Pesadillas en las que volvía a estar en el espigón y Oriol le miraba mientras se hundía en el agua. Despertaba aterrado, con Alicia a su lado, acariciándole el rostro y besándole en la frente. Y él se abrazaba a ella, intentando con todas sus fuerzas no tumbarla en la cama y obligarla a pasar la noche con él para ahuyentar sus pesadillas. Y luego volvía a dormirse y soñaba con ella, con que alguien se la arrebataba. Alguien de la misma posición social que ella. Alguien inteligente, un caballero educado al que nunca llamaban la atención por comportarse de manera desafortunada. Un hombre con un prometedor futuro y un pasado brillante. Alguien a quién el capitán aprobaba, a quien daba palmaditas en la espalda y de quien se sentía orgulloso. Y no era él.

Y Lucas se despertaba acongojado. También furioso.

Y entonces recordaba que no era con ese otro con quien Alicia pasaba las horas, sino con él. Era él a quien sonreía. Era él quien la sostenía cuando intentaba andar y quien la hacía reír cuando la tomaba en sus brazos y bailaban en el gabinete.

Y volvía a dormirse. Y soñaba que estaba en el salón principal de la casa, vestido de etiqueta, con Alicia a su lado, de pie, hermosísima con un vestido que le ceñía la cintura y caía lánguido hasta sus tobillos. Todos la miraban, pero ella solo le miraba a él. Y le sonreía. Y bailaban juntos al son de la música que tocaba una orquesta invisible. Y entre giro y giro, podía ver el semblante de su abuelo. Los miraba y asentía, una orgullosa sonrisa insinuándose bajo su poblado mostacho. Y su corazón se expandía en su pecho al saberse aprobado.

Y seguía bailando con ella en brazos.

Y el salón daba paso al solitario jardín.

Él la besaba y abrazaba.

Y ella le correspondía.

Y en ese momento despertaba. Enardecido y dolorido. Anhelando sus caricias, deseando sus besos…

Sacudió la cabeza al sentir que volvía a excitarse.

Ocultó bajo el batín las reveladoras manchas en su pantalón y se dirigió al baño para lavarse con agua fría como cada mañana. ¡Para una vez que tenía agua caliente y no podía usarla! Tenía que dominar a sus demonios, exorcizarlos. No podía presentarse en el comedor, ante Alicia, alterado como estaba. La asustaría. Pero cada vez le resultaba más complicado comportarse bien. Las mañanas eran fáciles, gracias a las clases no estaba un momento a solas con ella, pero, ah, las tardes, ahí radicaba su tormento. Cuando la sostenía mientras ella intentaba caminar era tortura y éxtasis. Angustia y deseo. Lucha por mantenerse alejado y rendición al acercarse demasiado y abrazarla con cualquier excusa que se le presentara. Y luego, cuando se reunían en la biblioteca para leer… Menos mal que siempre los acompañaba Enoc o el capitán, porque ese intervalo de tiempo, tan cercano al que habían pasado en el gabinete, era cuando peor lo pasaba. Estaba tan alterado, tan sensible, que una sola sonrisa de Alicia, una sola caricia sobre sus dedos al pasar la página del libro, le lanzaba a una espiral de deseo que apenas podía controlar. Y, sin embargo, controlaba. Porque luego, durante sus secretas visitas nocturnas, conseguía disimular y comportarse como un caballero. Y lo seguiría haciendo. Había pasado toda su infancia esquivando atenciones indeseadas, no pensaba someter a Alicia a ese tormento.

Sacudió la cabeza, todo su ánimo enfriado por el último pensamiento. Se cubrió presuroso con una toalla y procedió a afeitarse mientras pensaba que la mañana se presentaba complicada. Y el día aún más.

Isembard le había contado que el capitán sabía que había estado usando el teléfono. Y le había advertido que debía dejar de escabullirse en el despacho, pues el viejo estaría pendiente de cualquier rastro que pudieran dejar. ¡Maldito fuera! ¿Cómo iba a hablar con Anna ahora?

Y esa no era más que una de las malas noticias que Isembard le había dado.

El capitán quería reunirse con él el lunes, antes del desayuno. Quería examinarle. Y en vez de permitirle pasar el día estudiando para no meter la pata y poder demostrarle que no era el imbécil que pensaba que era, ¡iban a visitar el Zoo!

¡Maldita fuera su suerte!

Para una vez que podía salir tras casi dos meses de encierro su puñetero abuelo había decidido que fuera justo el día menos indicado. ¡Tenía que repasar! ¡No podía perder el tiempo viendo animaluchos enjaulados! Seguro que el viejo lo hacía adrede. Quería amargarle el día de libertad. ¡Pues no lo iba a conseguir! Pensaba disfrutar de lo lindo en el zoo.

Acabó de afeitarse, se peinó y se vistió decidido a desayunar con una sonrisa en los labios; no le daría la satisfacción al viejo de mostrarse preocupado.

Cuando entró en el comedor se encontró con que allí solo estaban Alicia e Isembard. Miró el reloj de la pared, extrañado por el retraso de los demás, e Isembard al observar su gesto le explicó que la señora Jana estaba en la cocina, dándole las últimas indicaciones a la señora Muriel sobre el *picnic* y que Enoc y el capitán estaban en el garaje, revisando el landaulet para el viaje.

—Un real por tus pensamientos —comentó Alicia intrigada cuando Lucas se sentó.

—No debería ir hoy al zoo —musitó él enfurruñado—. Tengo mil cosas que repasar, no puedo perder el tiempo.

—Oh, vamos, no digas tonterías. Tengo razones para afirmar que te lo sabes todo perfectamente —dijo guiñándole un ojo. ¡Por supuesto que las tenía! Cada noche él le refería todo lo que había aprendido. Lucas asintió conspirador—. Olvídate de todo y disfruta. ¡Por fin vamos a poder dar un paseo juntos! —exclamó encantada.

—Dígame, señor Abad, ¿mis ojos me engañan, o es cierto que mi nieto acaba de echar a correr, mientras empuja la silla de Alicia, para espantar a los pajarillos que estaban posados en el suelo comiendo el pan que acaba de echarles?

—Es cierto lo que ven sus ojos, capitán.

Biel asintió con la cabeza sin saber bien qué hacer. Era consciente de que la actitud de Lucas, y por ende de Alicia, no era la más apropiada. Pero hacía mucho tiempo que no escuchaba a su pupila reírse a carcajadas. Y su nieto no se quedaba atrás. Observó que la pareja se dirigía al recinto de los elefantes, frente al que Lucas detuvo la silla para a continuación auparse sobre las cercas de madera, sacar unos trozos de pan del bolsillo y extender el brazo ofreciéndoselos a *Julia*, la elefanta que tanto deseaba ver Alicia. La joven gritó aterrada al principio, pero poco después aplaudía entusiasmada ante la audacia de Lucas. Sí, no cabía duda de que su nieto y su pupila se lo estaban pasando de maravilla.

Asintió complacido y continuó caminando por el amplío paseo de tierra que recorría esa zona del parque zoológico. Su esposa, unos metros por delante de ellos, acababa de detenerse frente al recinto de las cabras de angora. Etor, cargado con las cestas de la comida, se colocó tras ella lanzando miradas feroces a los pobres paseantes que osaban acercarse demasiado a su dama. Biel no pudo por menos que echarse a reír.

—Quién hubiera pensado que un paseo por el zoo pudiera ser tan esclarecedor —murmuró Enoc, señalándole la casa de fieras.

Biel dirigió la mirada allí, solo para contemplar asombrado que el estirado profesor y la exuberante enfermera salían de ella sonrientes. La mano de la joven posada sobre el brazo del maestro mientras ambos reían con las cabezas un poco demasiado juntas.

—Ahora entiendo por qué llevo varios minutos sin escuchar el molesto carraspeo del señor del Closs —comentó Biel divertido, refiriéndose a la falta de correctivo que habían recibido las travesuras de Lucas—. Está demasiado ocupado para atender sus obligaciones.

—Son jóvenes, capitán, déjalos disfrutar —le riñó con cariño Jana, acercándose a él.

Biel asintió risueño, dirigiendo de nuevo la mirada a su nieto que en ese momento tenía el brazo extendido frente a su rostro, a modo de trompa, e imitaba el barritar de los elefantes, con muy poco acierto, provocando las carcajadas de Alicia.

Desde luego, había sido una buena idea atender la petición del maestro. No solo convenía a sus planes, sino que le permitía ver una faceta de Lucas que jamás hubiera imaginado. No solo era rebelde e inteligente, siempre atento a las necesidades de Alicia. También era un bromista dispuesto a hacer cualquier travesura para arrancarle una sonrisa.

Qué interesante, pensó golpeándose los zapatos con el bastón mientras una mirada complacida brillaba en sus ojos.

—¿Por fin le ves como realmente es? —inquirió Jana observándole muy seria.

—Ya hace tiempo que aprendí a mirarle.

—Deberías irte a la cama —musitó Alicia al ver que la cabeza de Lucas volvía a inclinarse peligrosamente sobre el libro que intentaba leer—. Estás agotado.

—No lo estoy —replicó él irguiéndose sobresaltado—. Estoy fresco como una rosa, es este maldito libro, que es un verdadero fastidio. —Entrecerró los ojos y desvió la vista hacia el reloj de péndulo con cúpula de cristal situado sobre el tocador—. No es muy tarde todavía.

Alicia sonrió al escucharle. Faltaba poco menos de una hora para las doce, sí era tarde. Pero también era cierto que Lucas nunca se marchaba de la habitación hasta después de la medianoche.

—¿Estás cansada? —preguntó azorado—. Debería retirarme ya, ha sido un día muy ajetreado —murmuró abatido levantándose de la silla.

—Sí lo ha sido, pero no estoy cansada —mintió ella al ver su gesto—. ¿Qué es lo que te preocupa?

—¡Todo! —Se frotó las sienes antes de cerrar el libro con brusquedad—. No logro acordarme de los puñeteros países que tienen puertos en el Mediterráneo, los confundo con los que los tienen en el Atlántico, y conociendo al viejo, seguro que me pregunta por ellos —gruñó enfurruñado.

—Lucas, controla tu lenguaje —le regañó ella.

—Lo siento. ¡Pero es la verdad! —estalló—. Tiene un talento especial para averiguar aquello que peor se me da, ¡y se aprovecha de ello! Pone el dedo en la llaga y aprieta hasta que hace sangre —masculló indignado—. Seguro que me hace escribir todos esos países inútiles. ¡Y tienen nombres rarísimos! —exclamó abriendo de nuevo el libro, que resultó ser un atlas de Europa—. ¡Mira! Róterdam —deletreó letra a letra—. Seguro que se me olvida escribirlo con acento.

Alicia sonrió risueña al verlo tan nervioso.

—Se va a reír de mí —musitó él enfurruñado, lanzando el libro al escritorio.

—No lo hará —rechazó ella con total seriedad, la sonrisa olvidada al percatarse de su estado de ánimo—. El capitán no es como te empeñas en creer, Lucas. No te va a examinar ni va a buscar la manera de ponerte en ridículo. Te quiere y se preocupa por ti.

—Ya. Seguro. Me dará una palmadita en la espalda para que me confíe, y luego me preguntará todas aquellas cosas que se supone que deben saber los hombres de provecho, y que yo no sé —masculló—. Va a ser muy divertido. Ya me lo estoy imaginando: se golpeará los zapatos con el bastón mientras me dice, fingiendo gran seriedad y pesadumbre, que soy un estúpido que no sabe hacer la «O» con un canuto y que le he vuelto a decepcionar —musitó dolido sacudiendo la cabeza.

—Eso no va a ocurrir —rechazó Alicia, aturdida por la tristeza que destilaba su voz.

—No lo entiendes, Alicia. Tú eres perfecta, yo no. No tienes que luchar por ser aceptable a sus ojos. No tienes que ganarte su aprobación, ni demostrar día tras día que puedes ser mejor, más listo, más… digno. ¡Y es agotador! Da igual lo que haga o lo mucho que me esfuerce, siempre ve lo peor de mí, lo que no sé, lo que no hago correctamente. Me impone normas que sabe que no voy a cumplir, me exige que aprenda cosas que jamás voy a poder aprender porque me falta la inteligencia necesaria para hacerlo, y lo hace a propósito, para demostrarme que no estoy a su altura, que no merezco llevar su sangre, que solo soy una mancha en el puñetero apellido Agramunt. ¡Y eso ya lo sé! ¡No hace falta que me cite en su despacho para echármelo en cara!

—Lucas, ¡basta! Te prohíbo pensar así. Nada de lo que has dicho es cierto y lo sabes —replicó enfadada.

—¡Yo ya no sé nada! —exclamó herido, abandonando la habitación resentido.

—Lucas… ¡Vuelve aquí! —le llamó, pero él no regresó.

Estuvo tentada de ir a su dormitorio para sacarle de la cabeza todas esas absurdas ideas, pero desistió al darse cuenta de que solo había una persona que podía hacerle cambiar de opinión. Esperaba, por el bien de nieto y abuelo, que el capitán se diera cuenta de lo mucho que Lucas necesitaba sentirse aceptado por él.

El viento sopla con fuerza en el puerto.

Las olas se estrellan contra el espigón.

Gotas saladas se mezclan con las lágrimas que bañan su rostro.

Y Lucas corre sin mirar atrás mientras se sujeta los pantalones con una mano.

En la otra aferra con fuerza el cuchillo que la puta le ha dado.

Tropieza y cae. Se levanta y corre.

Pero no es lo suficientemente rápido.

Su fétido aliento en la nuca.

Sus dedos tirándole del pelo.

El hombre sin dientes le ha atrapado.

Y Lucas se vuelve cuchillo en mano.

Él no está solo. Oriol le acompaña.

Un grito. El de un niño. ¿El suyo?

Un jadeo. El del hombre sin dientes.

Y sus manos siguen aferrándole con fuerza.

Frío. Miedo. Oscuridad.

—Lo has estropeado todo.

Lo empuja. Cae por el espigón.

Dolor. Terror. Oscuridad.

El mar se abalanza sobre él.

Le lanza una y mil veces contra las rocas.

Aristas afiladas cortándole la espalda.

Las olas sobre su cabeza.

El agua en sus pulmones.

Su sangre en el mar.

Su piel en las rocas.

Manos sin vida aferrándole los tobillos.

Hundiéndole en las profundidades del puerto.

Y él le mira desde el espigón mientras se ríe.

Sangre en la espalda.

Dolor en el corazón.

Miedo en el alma.

Oscuridad.

Y él le mira y se ríe. Y se ríe. Y se ríe.

—Lucas, despierta. Es solo una pesadilla —musitó Alicia trasladándose desde la silla de ruedas hasta su cama para a continuación acariciarle preocupada el rostro. Nunca había tardado tanto en conseguir despertarle de una pesadilla.

Pero él parecía no escucharla mientras se agitaba histérico sobre las sábanas, separando la espalda del lecho a la vez que dejaba de respirar. Como si se estuviera ahogando mientras se estrellaba contra algo.

—Me estás asustando, despierta —le ordenó con voz severa—. Por favor…

Lucas exhaló un agónico gemido a la vez que abría los ojos, cegado por el miedo.

—¡Mi espalda! Me quema —siseó sin aliento.

—Tranquilo, estás bien, no pasa nada. Estoy contigo.

—¿Dónde está el hombre sin dientes? —jadeó aterrado mientras sacudía las piernas frenético, liberándose de aquel que le hundía en el agua.

—No hay nadie más aquí, solo estoy yo. —Alicia se colocó frente a él—. Tranquilo…

—¿Se ha ido? —inquirió delirante girando la cabeza a la vez que se sentaba con rigidez, alejando la espalda del cabecero.

—Sí. Estamos los dos solos. En tu cuarto. No tengas miedo —susurró empujándole para que se tumbara de nuevo.

—¡No! —gimió incorporándose—. Mi espalda…

—No pasa nada, Lucas, ha sido una pesadilla. Cálmate.

—Tengo la espalda llena de sangre. Tengo que tener cuidado o el viejo se dará cuenta —murmuró confundido mientras su mirada desenfocada recorría el cuarto—. La sangre no se limpia fácil, Anna lo dice. Si mancho la cama, el abuelo se enterará de lo que he hecho y me echará de casa —explicó angustiado—. La camisa… Me pondré una camisa. Y unos pantalones. Me los ha roto. No puedo estar sin pantalones. Si el capitán me ve lo sabrá… —balbució estremecido—. No debe enterarse nunca… no…

—Lucas, mírame —le ordenó Alicia sujetándole el rostro con ambas manos para que dejara de girar la cabeza errático—. Estás en tu cuarto. Vestido con tu pijama —afirmó bajando las manos hasta el cuello de la camisa y tirando de este para demostrárselo—. Tu espalda está bien. —Deslizó una mano bajo la tela y le acarició la espalda, ahogando un sollozo al descubrir que estaba llena de cicatrices—. ¿Lo ves? No hay sangre —dijo con fingida entereza enseñándole la mano con la que le había acariciado.

Lucas observó sus dedos con los ojos entrecerrados.

—No la hay —musitó aliviado antes de fruncir el ceño—. El cuchillo… ¿Dónde está?

—No está. No hay ningún cuchillo.

—Sí lo hay. El abuelo no debe encontrarlo o sospechará —comentó nervioso tirando las sábanas al suelo—. No puede saberlo…

—¿Qué es lo que no puede saber? —inquirió Alicia obligándole a detener su frenética búsqueda.

Lucas la miró asustado y negó con la cabeza.

—Tú tampoco puedes saberlo o no me querrás —gimió doblándose sobre sí mismo, las piernas rodeadas por los brazos, la cabeza hundida entre las rodillas—. Nadie debe saberlo. Nadie. Nunca.

—Shh, tranquilo. Sea lo que sea, estoy aquí y te querré siempre. Nada va a cambiar eso —susurró abrazándole.

Y él se aferró a Alicia como si ella fuera lo único en el mundo que pudiera mantenerle a salvo.

Y Alicia lo abrazó mientras sollozaba, hasta que las lágrimas vertidas se llevaron la pesadilla. Continuó a su lado, hasta que su respiración se sosegó y los estremecimientos que le recorrían cesaron. Ni siquiera cuando por fin la extenuación venció al terror y se sumió en el mundo de los sueños, se separó de él.

18

Con el submarino ya no habrá más batallas navales, y como se
seguirán inventando instrumentos de guerra cada vez más
perfeccionados y terroríficos, la guerra misma será imposible.

JULIO VERNE

15 de mayo de 1916

—¿*Q*ué he hecho? —musitó Lucas angustiado, observando el rostro dormido de Alicia.

Había despertado con los primeros rayos de sol, abrazado a la suave placidez de la muchacha, su frente acariciada por los sedosos rizos que conformaban el alborotado cabello de la joven y sus piernas enredadas en las de ella. Y desde entonces estaba mirándola embelesado. Y aterrado.

¿Cuánto había desvelado? ¿Todo?

¿Le miraría asqueada cuando despertara?

Ahogó un sollozo a la vez que se obligaba a recapacitar.

Si hubiera hablado más de la cuenta, ella no se habría quedado dormida a su lado.

Tan plácida.

Tan etérea y a la vez real.

Tan perfecta.

Acarició con la frente los suaves rizos de su corta melena.

¿Cómo iba a poder mirarla a la cara cuando despertara?

¿Cómo iba a enfrentarse a sus preguntas?

¿Cómo iba a explicarle lo que no podía explicarse?

Apretó los labios y la abrazó con fuerza. Puede que fuera la última vez que se lo permitiera.

—Lucas…

Escuchó su susurro. Sintió sus delicados dedos acariciándole el rostro. La suave ondulación de sus pechos en cada respiración.

—Lucas… —volvió a llamarle—. ¿Estás bien?

—Lo siento. Lo siento tanto —balbució ocultando el rostro en su cuello.

—Lucas, mírame —le exigió colocando una mano bajo su barbilla y obligándole a levantar la cabeza.

Él cerró los ojos, hurtándole la mirada.

—No te tenía por un cobarde —le increpó con voz severa.

—Ya ves que sí lo soy —musitó mirándola al fin.

Alicia arqueó las cejas y una cálida sonrisa se dibujó en sus labios.

—No. No lo eres. Terco, rebelde, irreflexivo, díscolo… Eso sí. Pero no un cobarde —replicó haciéndole sonreír—. ¿Estás bien? —reiteró de nuevo, preocupada.

—Sí. Ahora sí —murmuró, bajando la cabeza azorado. Ella le obligó a alzarla de nuevo—. Yo… Lo siento mucho.

—¿Qué es lo que sientes? —inquirió fijando su clara mirada en la turbia de él.

—Todo. Siento haberte despertado.

—No debes pedir perdón por algo de lo que no tienes culpa alguna —le regañó con afabilidad.

—Siento haberte asustado —musitó él contrito, ignorando su cariñoso reproche—. No… No debes tener en cuenta lo que digo cuando tengo pesadillas. Son solo eso, pesadillas. Aunque puedan parecer reales no lo son. Son solo pesadillas, nada más. Me dejan tan atontado que no sé ni lo que digo, pero nada es real. No debes hacer caso de lo que hago cuando las tengo —balbució nervioso, mirándola amedrantado—. No son reales. Tienes que entender que…

—Por supuesto que no lo son. Solo el miedo es real —susurró ella posando un dedo en sus labios para silenciarle—. No tienes que darme explicaciones, Lucas. No son necesarias —afirmó retirándole un mechón de pelo que le había caído sobre la frente.

Lucas cerró los ojos, mareado por la sensación de alivio y cálida paz que le recorrió al escucharla.

—Eres maravillosa —suspiró abrazándose de nuevo a ella—. Te quiero… —Posó sus labios sobre los de ella con la ligereza de un pétalo de rosa cayendo sobre fina porcelana, solo para apartarse asustado un instante después—. Lo siento, no sé qué es lo que me pasa. No quería… —musitó azorado sin saber qué decir. ¡Por supuesto que quería!, pero ¡no debía!

—No… no te preocupes. No pasa nada. Ha sido un beso de amigos —afirmó aturdida llevándose los dedos a los labios. ¿De verdad había dicho que la quería y después la había besado? ¿En la boca?—. Debería… debería irme. No está bien que siga aquí, casi es de día —musitó confundida.

—Sí, tienes razón —murmuró confundido tomándola en brazos para sentarla en la silla, mientras ella no dejaba de acariciarse los labios—. Te llevaré a tu cuarto.

—No… No es necesario. No te preocupes —susurró impulsándose hacia la puerta—. Nos vemos más tarde —dijo con una coqueta sonrisa antes de abandonar la estancia.

—Sí… —musitó Lucas dejándose caer en la cama a la vez que se lamía los labios.

El tacto de su boca era el de la seda bañada por el sol. Suave y cálido.

Y su sabor… pura ambrosía.

Moriría feliz si pudiera besarla de nuevo.

—Eres una caja de sorpresas —dijo Biel en el mismo momento en el que Lucas, tras entrar altivo en el despacho, se sentó sin haber pedido permiso para hacerlo. Sonrió. Le gustaba el carácter de su nieto. Los hombres como ellos no pedían permiso para nada. Tomaban lo que querían—. Sabes leer y escribir, chapurreas francés y entiendes un poco el turco. Tu profesor me ha asegurado que aprendes los hechos históricos como si de cuentos se tratara y tienes una increíble facilidad para las matemáticas y la ciencia, algo de lo que yo mismo me he percatado. Te apasiona todo lo que tenga relación con motores, barcos, coches y su funcionamiento —refirió complacido—. Eso está muy bien. Necesitamos buenos ingenieros en esta familia, y tú lo serás —afirmó asintiendo orgulloso, dejando a Lucas tan estupefacto que no supo qué contestar—. Dime, ¿qué tal llevas la geografía? ¿Has memorizado los puertos europeos tal y como le indiqué al señor del Closs?

—Sí. Sé cuáles son y puedo ubicarlos en un mapa. —Lucas observó con fijeza a su abuelo. Era tal y como había pensado, le había elogiado para que se confiase y ahora le iba a dar la puñalada. Le pediría que se lo demostrase, y que los escribiese. Y metería la pata.

—¡Estupendo! Es muy importante que los aprendas bien, pues son en los que recalan nuestros barcos —informó sacando varios papeles del cajón del escritorio—. Tras hablar con el señor del Closs he llegado a la conclusión de que ya es hora de ampliar un poco tus estudios. Un hombre de provecho se forja no solo estudiando, sino dando a lo aprendido una finalidad útil para el trabajo que va a desempeñar.

—Disculpe —le interrumpió Lucas, perplejo—. ¿No va a preguntarme por los puertos? Ya sabe, no va a hacer que los escriba o los señale en un mapa…

—Acabas de decirme que los conoces. ¿Debo dudar de tu palabra? —resopló Biel arqueando una ceja.

—No, claro que no, pero…

—Entonces no dudaré. Como te iba diciendo, de nada nos sirve que sepas dónde está cada puerto si no sabes las rutas para llegar hasta ellos. De la misma manera que es inútil conocer el funcionamiento de un motor si no sabes en qué tipo de buque va a estar instalado o las condiciones marítimas a las que va a tener que hacer frente dicho barco. Por supuesto, no pretendo que lo aprendas todo en una semana, pero sí que te pongas a ello de inmediato. El señor del Closs afirma que tienes una inteligencia ágil y que puedes afrontar cualquier reto que se te plantee. Y tú no me has dado motivos para dudar de sus apreciaciones.

Lucas abrió la boca mientras parpadeaba atónito. Seguro que no estaba entendiendo bien lo que el viejo quería decir.

—Cierra esa boca, pareces un pez en tierra —le regañó Biel, ocultando con un carraspeo la sonrisa que dibujaban sus labios. No era fácil sorprender a su nieto, pero cuando se daba el caso, era un espectáculo digno de verse.

—Sí, señor —atinó a decir Lucas, obedeciéndole.

—Por supuesto, no podemos permitirnos el lujo de destinar algunas horas de tus clases con el señor del Closs a tus nuevas asignaturas. Todavía hay muchas lagunas en tu educación que deben ser llenadas con conocimientos —indicó fijando su mirada en él.

Lucas se irguió en la silla, elevando la barbilla. Ahí estaba el viejo artero que tan bien conocía. Ahora era cuando le iba a asestar el golpe de gracia.

Biel observó complacido el gesto de su nieto y se llevó la pipa a la boca, disimulando entre chupada y chupada la sonrisa que sus labios pugnaban por esbozar. Ahí estaba el muchacho orgulloso y rebelde que tan bien conocía.

—Imagino que no pondrás impedimentos en madrugar un poco más.

—¿Cuánto más? —inquirió Lucas entrecerrando los párpados. No estaba dispuesto a pasar la noche en vela estudiando Dios sabía qué.

—A partir de mañana acudirás a la sala de mapas dos horas antes del desayuno para que el señor Abad te instruya en nuevas materias.

—¿Qué materias?

—Ya las descubrirás. Las clases con el señor del Closs continuarán como de costumbre. No es necesario que te diga que esta ampliación de horario no debe suponer una excusa para que tus estudios habituales se resientan. No lo admitiré —indicó severo—. ¿Alguna pregunta?

—No. Supongo que ya me enteraré de todo cuando a usted le parezca oportuno —masculló Lucas, refiriéndose a su anterior pregunta y a la falta de respuesta recibida.

—Aprendes rápido, marinero —replicó Biel divertido a la vez que inclinaba la cabeza al escuchar la campanilla que indicaba que ya estaba servido el desayuno—. No deberías hacer esperar a la señora Muriel.

Lucas asintió y se levantó de la silla para bajar al comedor. Lo único peor que la furia del capitán era la furia de la señora Muriel cuando alguien le hacía recalentar la comida.

—Una cosa más —dijo Biel deteniéndole—. En un par de semanas Marc regresará de su viaje. Pasará un tiempo en la ciudad, y, por supuesto, nos acompañará en las comidas y durante las tardes. Seguramente llevará a Alicia al teatro o la ópera alguna noche —le informó desafiante.

Lucas apretó los labios a la vez que se giraba hacia la puerta, dándole la espalda al anciano.

—Lucas… —Su nieto tardó un instante en enfrentar su mirada, y cuando lo hizo Biel observó satisfecho que no había conseguido ocultar la furia que brillaba en sus ojos—. Espero que sepas comportarte. No quiero que se repitan las miradas desafiantes ni las malas contestaciones que Marc recibió en su última visita.

Lucas cerró las manos en sendos puños e inspiró con fuerza antes de contestar.

—Por muy sobrino suyo que sea, si me busca… me encontrará —sentenció airado antes de abandonar el despacho y cerrar con un tremendo portazo.

—No cabe duda de que su nieto se saca la rabia de la misma manera que usted, capitán —murmuró Enoc entrando en el despacho y mirando con el entrecejo fruncido la bisagra que había caído con el portazo—. Le diré a Etor que suba las herramientas.

Biel se echó a reír con ganas.

16 de mayo de 1916

Lucas observó su reflejo en el espejo y se puso la chaqueta con un bufido. Apenas si había amanecido y ya hacía demasiado calor para ir tan vestido. Jamás comprendería a los ricachones. Tenían dinero para hacer lo que les diera la gana y, en lugar de eso, se ceñían a estúpidas normas, como la de ir completamente vestido en casa. ¡Era de locos! Preferiría mil veces ataviarse con una simple camisa como Etor, o incluso llevar un chaleco como el señor Abad antes que llevar chaqueta como el viejo o Isembard, pero según este último así era como vestían los caballeros, y, supuestamente, él era un caballero. O fingía serlo.

Frotó los zapatos contra las perneras de los pantalones para sacarles brillo y, dando un suspiro nervioso, abandonó el dormitorio para dirigirse al despacho. Recorrió la galería inmerso en el dormido silencio en el que estaba sumida la casa. Era chocante no escuchar la charla alborotada de la señora Muriel regañando a Cristina mientras aireaban y recogían las habitaciones. Se asomó a la barandilla solo para comprobar que el salón estaba tan silencioso como la galería, pues ni la señora Jana ni Alicia lo atravesaban llevando entre las manos flores frescas con las que adornar los veladores, consolas y mesas que había en cada estancia. Era extraño, apenas llevaba allí dos meses y sin embargo echaba de menos todos esos sonidos que lo recibían cada mañana al bajar al comedor. Incluso echaba en falta el rítmico golpeteo del bastón del viejo mientras este recorría la galería hablando en voz baja con el señor Abad.

Cada mañana la vida nacía en esa casa. Tomaba ritmo y transcurría entre sonidos familiares hasta que se sometía al silencio de la noche.

Se apoyó relajado en la barandilla mientras imaginaba a Anna en el salón, ayudando a Alicia y a su madre a colocar las flores en los jarrones. Seguro que disfrutaría mucho, pues adoraba las plantas. Frunció el ceño al pensar que quizá no le gustarían los arbolitos raquíticos de Alicia. Sonrió soñador al imaginarlas a ambas juntas, riendo y susurrándose confidencias. Seguro que Anna le contaba a Alicia todas las trastadas que él había hecho de niño, y también de adulto. Ahogó la carcajada que estuvo a punto de abandonar sus labios e, irguiéndose de nuevo, miró a su alrededor. Casi podía escuchar el golpeteo de la muleta de Anna acompañando al del bastón del viejo. Ayudaría a la señora Muriel en la cocina, y ambas la regañarían si no comía tanto como ellas creían que debía. Negó con la cabeza, sería espantoso ser el destinatario de las broncas de ambas mujeres. Al llegar la tarde, Anna se sentaría cerca de la señora Jana en la sala de estar y le escucharía leer junto a Alicia. O mejor no. Anna tendía a regañarle cada vez que se confundía, nunca hacía la vista gorda. Seguro que se llevaría estupendamente con Isembard. Luego llegaría la hora de cenar y Anna asombraría al capitán y al señor Abad contándoles todas aquellas historias de monstruos marinos, barcos fantasmas y piratas con un parche en el ojo con las que él tanto había disfrutado de niño. Puede que Alicia exhalara algún grito, asustada, pero él le daría la mano, tranquilizándola.

Todo sería perfecto.

Se detuvo en mitad de la galería, estremecido, con el corazón pesado por la añoranza y los ojos extrañamente húmedos. Se aferró con ambas manos a la barandilla y permitió que un tenue suspiro escapara de sus labios. Ojalá Anna estuviera allí. Pero no era así, y de nada valía dejarse llevar por la melancolía. Pronto volvería a verla.

Sacudió la cabeza y continuó su camino hacia el despacho. Al entrar allí encontró la puerta de la sala de mapas abierta, y tras ella, el olor del café recién hecho.

—Llegas tarde —le regañó Enoc señalando el reloj de la pared, que indicaba que pasaban tres minutos de las siete de la mañana—. Que no se vuelva a repetir. El tiempo que se pierde jamás se vuelve a recuperar —declaró sirviendo un par de cafés en sendas tazas para luego mirarle atentamente de arriba abajo—. Estás hecho un figurín…, quítate esa chaqueta, aquí vienes a trabajar no a posar.

Lucas le obedeció mientras observaba lo que le rodeaba. La estancia estaba ocupada casi en su totalidad por una enorme mesa que a su vez estaba abarrotada de cartas de navegación, periódicos, almanaques, papeles llenos de cuentas, reglas, compases y lápices. En una de las paredes había una librería colapsada por extraños instrumentos. Las otras tres estaban ocultas tras mapas de diversos tamaños, algunos de los cuales representaban todos los continentes y otros solo Europa, Asia y África. Lucas se acercó a uno de ellos que tenía múltiples anotaciones manuscritas y recortes de periódicos pinchados en los bordes.

—Siempre es conveniente saber lo que se cuece en el resto del mundo —dijo Enoc señalando uno de los recortes.

Lucas se acercó para leer el artículo, en el que un airado periodista cargaba contra el almirantazgo británico por aconsejar a sus buques que se mantuvieran alejados de las Canarias, pues estas podían volverse peligrosas por los submarinos alemanes que intentaban burlar el bloqueo de Gran Bretaña y Francia.

—Europa está en guerra, y eso afecta al tráfico marítimo, lo que, obviamente, nos afecta a nosotros —comentó Enoc tendiéndole la taza de café a la vez que se acercaba al mapa—. Al comienzo de la guerra los mercantes de los países centrales desaparecieron de los mares. Y esto nos vino bastante bien, pues para continuar con sus transacciones comerciales tuvieron que recurrir a los países neutrales, entre los que nos contamos nosotros. Aumentaron los aranceles portuarios y nuestros buques tuvieron mucho trabajo, hasta que comenzó el bloqueo marítimo para dejar sin suministro a las potencias centrales. Canarias es la gran perjudicada —indicó Enoc señalando en el mapa dichas islas—. Todos los barcos que atraviesan sus aguas son interceptados para pasar controles de cargamento y pasaje. Muchos acaban en Gibraltar bajo sospecha de contrabando, allí su carga es confiscada, lo que complica bastante el noble y antiguo oficio del contrabandista —comentó indignado—. Alemania ha contraatacado llenando los mares de submarinos y torpedeando barcos. A los nuestros por ahora los respetan, aunque no creo que dure mucho si el gobierno permite que la fábrica de hierro fundido de Málaga envíe 25.000 toneladas a Francia —explicó señalando un recorte del *Abc*—. Por otro lado, se ha intensificado el bloqueo interceptando todos los buques que procedan o se dirijan a los puertos de las potencias centrales, quienes tampoco tienen permitida la exportación o importación aunque la efectúen a través de países neutrales.

Lucas asintió confundido, ¿sus nuevas clases iban a consistir en hablar sobre la guerra? No era que no fuera interesante, pero, todo eso ya lo sabía. Cuando trabajaba en el puerto no se hablaba de otra cosa, y no veía para qué podía servirle hablar sobre lo que ya sabía. El capitán había mencionado que estudiaría motores, buques, rutas marítimas… no estrategias de guerra.

Enoc sonrió al percatarse de la confusión del joven.

—Con esta charla quiero hacerte entender que si un naviero es listo, y cuenta con capitanes inteligentes y audaces, puede ganar mucho dinero llevando mercancías donde no deberían llevarse. Llámalo contrabando si quieres, aunque no lo es. No exactamente. Es un trueque. Nuestros capitanes entregan a los interceptores los diarios de registro de mercancías con unos cuantos billetes dentro y ellos nos los devuelven sellados y sin billetes. La mercancía llega a quien la necesita, el jefe de aduanas o el capitán del interceptor regala una joya nueva a su esposa y nosotros ganamos más dinero, parte del cual meteremos en el siguiente libro de registro. ¿Comprendes lo que quiero decir? —Lucas asintió esbozando una taimada sonrisa—. Por otro lado, la flota mercantil española está, en su mayor parte, anticuada. Pailebotes, goletas y barcos de gran tamaño impulsados por velas que tardan demasiado en hacer sus travesías —dijo despreciativo.

—Los barcos del capitán son vapores —interrumpió Lucas.

—Por eso somos más rápidos y ganamos más dinero —repuso Enoc dando un trago a su café—. Pero debemos elegir bien qué mercancías transportar. El éxito no depende solo de los sobornos o de la rapidez de los barcos, también hay factores externos que debemos tener en cuenta. La última huelga de la construcción dejó anclados en dique seco a muchos buques.

—Los de la compañía Agramunt transportaban perecederos —volvió a interrumpir Lucas, recordando su último trabajo como estibador.

—Exacto, porque el capitán previó esa contingencia y supo maniobrar a tiempo para adquirir otras mercancías. Eso es lo importante en una naviera. Ver el futuro antes de que este se produzca…

19

Ser lo que somos y convertirnos en lo que somos
capaces de ser es la única finalidad de la vida.
ROBERT LOUIS STEVENSON

30 de mayo de 1916

$\mathcal{L}$ucas despertó sobresaltado cuando miles de campanillas resonaron junto a su cabeza. Estiró un brazo y, siendo muy consciente de lo que hacía, golpeó con saña el despertador.

No había pasado la mejor de las noches, hacía menos de tres horas que había conseguido conciliar el sueño, y el maldito artefacto le estaba volviendo loco con su puñetero soniquete. Se bajó de la cama maldiciendo en silencio mientras se rascaba la cabeza y se dirigió tambaleante a la puertaventana. Descorrió de un golpe las cortinas. Aún no había amanecido, solo los locos estaban despiertos a esas horas. Los locos, y los que tenían que dar clases sobre contrabando, navegación, motores, tipos de barcos y rutas marítimas. Ese pensamiento le animó un poco. ¿Qué tendría en mente el señor Abad para ese día? Le había dicho que se reunirían en el comedor, pues esa mañana iban a hacer una excursión. ¿Adónde? Ni idea, pues no se lo había explicado. Pero intuía que no irían a ningún museo ya que Isembard no estaba invitado. Y lo cierto era que el profesor no se lo había tomado nada bien; según él, estaban pervirtiéndole con materias muy alejadas de lo que realmente debería saber un caballero. Y, en fin, quizá aprender a trazar rutas de navegación para evitar los barcos aliados y llevar contrabando no fuera lo que se dice honorable, pero era apasionante.

Ahogó un bostezo, tomó su ropa y se dirigió al cuarto de baño para darse un remojón que le despertara del todo. Era difícil estar completamente despierto a las seis de la mañana, más aún después de haberse dormido pasadas las dos. Pero ¿qué otra cosa podía hacer? No quería, ni podía, renunciar a nada, y eso suponía sacar tiempo de donde no lo había.

Isembard no había bajado el ritmo de las clases, al contrario, lo había aumentado. Y el señor Abad, en contra de lo que podía parecer, había resultado ser un maestro severo que no admitía errores ni olvidos. Y como resultado de eso, debía estudiar el doble… con la mitad de tiempo para hacerlo. Lo que implicaba que tenía que organizarse muy mucho el escaso tiempo libre del que disponía, y como se negaba a perderse las tardes con Alicia, le tocaba aprovechar las noches. Estudiaba desde que acababa de cenar hasta el instante en el que todos se acostaban, momento en el que se deslizaba silencioso hasta el dormitorio femenino para su secreta y deliciosa reunión nocturna. Y, cuando Alicia comenzaba a bostezar, signo inequívoco de que estaba agotada, se retiraba a su cuarto a estudiar un poco más. No era de extrañar que estuviera agotado. ¡Jamás había trabajado tanto en su vida! Ni tampoco se había sentido tan bien. ¿Quién lo hubiera pensado? Le gustaba aprender, pero no era solo eso. Le gustaba estar allí, debatir con el señor Abad, el capitán e Isembard sobre cualquier cosa que se les ocurriese. Le gustaba bajar a la cocina y robarle galletas a la señora Muriel mientras esta le amenazaba con un cucharón. Le gustaba escuchar los apasionados discursos sobre el lugar de la mujer en la sociedad con los que la señora Jana chinchaba al capitán, y le gustaba ver como este bufaba y golpeaba irritado el suelo con el bastón. A veces, incluso se metía en la conversación, apoyando a la señora solo para ver como la cara del viejo se tornaba roja de rabia. Pero, sobre todo le gustaba estar cerca de Alicia, leer junto a ella, escuchar su risa y comprobar que día a día sus piernas eran más fuertes y sus sonrisas más preciosas. No cabía duda de que era una buena vida; lástima que su estancia allí fuera a acabarse tan pronto.

Sacudió la cabeza. No debía perder el tiempo en pensamientos vanos o llegaría tarde. Y justo esa mañana era imprescindible que llegara pronto. Le esperaba una excursión. Sonrió entusiasmado. Tras la visita al zoo había salido en varias ocasiones más. Había visitado algunos museos en compañía de Isembard y el señor Abad, sin la presencia de Etor o el viejo. Y eso era bueno, pues significaba que su abuelo iba confiando en él. También había ido de *picnic* a Collserola con la familia al completo, y esa sin duda había sido la mejor de todas salidas. Alicia y él habían recorrido el monte buscando a los animales que allí habitaban. Incluso habían visto varias ardillas. Eran unos animalillos muy curiosos y divertidos, y pasear con Alicia había sido… maravilloso.

Bufó enfadado al darse cuenta de que esa, junto con la visita al zoo, era la única vez que había podido pasear con ella fuera del jardín de la mansión. ¡Dos veces en dos meses! ¡Ni una más! Era tan injusto. Cuando Marc regresara y, lo haría ese mismo día, por lo que seguramente acudiría a la casa al día siguiente, la tendría cada mañana. Y cada tarde. Incluso algunas noches si lo que había dicho el capitán se cumplía. La llevaría de paseo. Irían al teatro y la ópera. La seduciría con su verborrea prepotente y la alejaría de él.

¡Maldito fuera por regresar!

Alicia era suya. Su amiga. De nadie más. Y mucho menos de Marc.

Tiró al suelo la toalla con la que apenas se había secado, se puso los pantalones y la camisa, y sin molestarse en abrocharse esta, salió descalzo a la galería. Entró en su habitación como una exhalación y de la misma manera salió al corredor exterior. Lo recorrió con veloces zancadas, la mirada fija en la puerta del dormitorio de Alicia. Irrumpiría allí y la besaría hasta que ella se reconociera suya. Hasta quitarle de la cabeza al puñetero sobrino del viejo. Sí, eso haría. Ya era hora de dejar de comportarse como un estúpido caballero y actuar como un hombre que sabe lo que quiere y que está decidido a tomarlo. Sea como sea.

Se quedó inmóvil en el mismo instante en que las yemas de sus dedos tocaron el pomo.

No. No lo haría. No irrumpiría en su habitación a esas horas de la mañana ni la tomaría entre sus brazos ni la besaría hasta robarle el aliento como un maldito acosador. Porque si lo hacía, Alicia se enfadaría. Y mucho. Le abofetearía con fuerza y le mandaría a hacer puñetas. Para siempre. No le dejaría volver a acercarse a ella.

Bufó furioso.

Él no era un animal en celo como los hombres del burdel.

Él era un puñetero caballero. O eso fingía.

Y como tal se comportaría.

Y los caballeros cortejaban a sus damas con sutileza. Con paseos por los parques y visitas al teatro y la ópera. Tal y como hacía Marc. ¡Ojalá le atropellara un tranvía!

—Lucas, ¿nunca los habías visto? —le llamó Enoc, extrañado al ver que se había detenido frente a unos malabaristas que hacían sus trucos en mitad de la calle, a pocos metros de donde estaba aparcado el *Alfonso XIII*.

—Sí, un montón de veces —musitó él ensimismado—. Alicia disfrutaría viéndolos. Ojalá pudiera salir a pasear con ella, le mostraría la Barcelona que yo conozco.

—Alicia conoce de sobra Barcelona. —Enoc lo observó con curiosidad. Parecía soñador.

—No. No la conoce. Solo ha visto lo que el capitán le deja ver. Barcelona es mucho más que teatros elegantes, museos y parques donde los capitalistas hacen *picnics*. Yo la llevaría a la Font del Gat o a la de los Tres Pins y bailaríamos en los merenderos hasta caer la noche. Pasearíamos por el mercadillo de la calle Migdia o por el del Ninot y tomaríamos café en alguna terraza mientras Alicia se ríe con los saltimbanquis y malabaristas. Nos pararíamos a escuchar los mítines callejeros de los anarcosindicalistas de la CNT y quizá hablaríamos con ellos. Iríamos en busca de los guiñoles o tal vez podríamos ir al cinematógrafo Diorama y ver *Flor del arroyo*, se ha estrenado este mes y Alicia quiere verla —explicó absorto.

—Muchas cosas quieres hacer… Y todas con Alicia. ¿Los dos solos tal vez? —inquirió Enoc con un deje de regocijo en su voz.

—¿Cuánta gente la acompaña cuando sale a pasear con Marc? —replicó Lucas desafiante—. ¿Addaia? No. ¿La señora Jana? Tampoco. ¡No les acompaña nadie! —espetó furioso—. ¿Por qué habría de ser distinto conmigo? Oh, espere, ya lo sé. Porque Marc, además de ser el puñetero sobrino del viejo, es el inteligente y audaz capitán de su maldito mejor barco, un hombre de provecho, lo que se dice un buen partido… mientras que yo soy solo un bastardo del que nadie debería fiarse —masculló entre dientes caminando airado hacia el *Alfonso XIII*.

—Estás muy equivocado, Lucas —protestó Enoc al escuchar cómo se refería a sí mismo.

—Seguro, por eso he salido de esa maldita casa ¿cuántas veces, cinco, seis? en dos meses. Y nunca solo. —Enoc abrió la boca para protestar, pero Lucas no se lo permitió—. Espere, ya sé por qué siempre me acompaña alguien; el viejo tiene miedo de que me pierda por Barcelona. ¿A que sí? —ironizó rabioso montándose en el coche—. Dejemos el tema, señor Abad. Tengo demasiada hambre para discutir.

—No es de extrañar, se nos ha hecho tarde —aceptó Enoc cambiando de tema. El muchacho estaba demasiado ofendido como para entablar una discusión calmada—. A mí también me crujen las tripas —comentó arrancando el coche.

—Espero que la señora Muriel no se enfade por tener que recalentar la comida.

—Oh, seguro que se enfadará, aunque no creo que sea solamente por la comida —declaró divertido observando a Lucas de arriba abajo.

No había un solo centímetro de su ropa que no estuviera manchado de carbón. Y mejor no hablar de su cara o sus manos. Si alguien le viera de lejos, lo confundiría con un africano. Aunque había merecido la pena. Incluso más de lo que había pensado. Pero ¿quién podría imaginar que al nieto del capitán le apasionarían tanto las máquinas? Biel tenía razón cuando decía que sería un gran ingeniero. Estuvo tentado de revolverle el pelo, y si no lo hizo fue porque mucho se temía que el muchacho no se lo tomaría nada bien. Aunque no era un muchacho, sino un hombre, y haría bien en recordarlo.

—Y bien, ¿qué te ha parecido el *Tierra Umbría*? —inquirió esperando ver su expresión sorprendida y entusiasmada.

—Impresionante —musitó Lucas—, nunca había imaginado que las calderas de los vapores fueran tan ¡enormes!

—Y eso que no es uno de los más grandes…

—Daría lo que fuera por viajar en uno de esos y poder verlo funcionar a plena máquina —musitó Lucas sacando del bolsillo un puñado de papeles que se puso a revisar de inmediato.

—Tal vez algún día —murmuró Enoc observándole de reojo. Lucas estaba tan ensimismado en sus dibujos que ni siquiera le escuchó.

Había imaginado que Lucas se mostraría asombrado al ver el interior del mercante, pero había ignorado por completo las enormes y abarrotadas bodegas, y apenas había arqueado las cejas ante las enormes grúas que trasladaban los contenedores. Tampoco le había interesado mucho la madera de teca que decoraba la cubierta de los oficiales o el lujo de la sala de mapas. De hecho, no había sido hasta que entraron en la sala de mandos que comenzó a mostrar algún interés. Interés que se vio totalmente desbordado al permitirle acceder a la sala de máquinas. En ese momento había dejado de mostrarse circunspecto para comenzar a asediar con preguntas a los mecánicos, los operarios e incluso al Jefe de Máquinas. Se había metido en cada hueco que había encontrado, había tocado cada indicador, cañería y manija, y, tras conseguir papel y lápiz, había dibujado cada elemento de las calderas. Y el ingeniero Martí, halagado, se había ocupado de estimular y excitar más aún su interés. Y, como resultado, no solo llegaban tarde a la comida, sino que Lucas estaba lleno de hollín, tenía una docena de hojas con planos detallados sobre las calderas y había aprendido más sobre los motores de un mercante en seis horas que muchos ingenieros de tierra en toda su vida. Sí. Definitivamente la excursión había merecido la pena.

Y

Lucas intuyó que el estupendo día que había pasado iba a empeorar en el mismo momento en que el *Alfonso XIII* entró en los terrenos de la mansión Agramunt y vio un automóvil aparcado frente al garaje. Y no pertenecía a un desconocido. Por desgracia. Era el vehículo de alguien con quien no le apetecía nada encontrarse. De alguien que bien podría haberse quedado en alta mar, a ser posible en medio de una tormenta. Una muy complicada y peligrosa. ¡Maldita fuera su estampa! Sí que se había apresurado a hacer su visita el muy asqueroso. No podía haber esperado hasta el día siguiente. No. Tenía que fastidiarle la mañana, el día, y posiblemente el resto de la semana y puede que del mes.

Se apeó del *Alfonso XIII* con una mueca de resignación pintada en el rostro y, sin pensar en lo que hacía, le dio un tirón a las solapas de la chaqueta. Y fue en ese momento cuando se dio cuenta del estado en el que se encontraba su ropa, y también él mismo.

—¡Puñeta! —masculló mientras contemplaba el desastre en el que se había convertido su impecable traje. Acababa de proveer a Marc con munición de la buena para burlarse de él.

—Siempre puedes decirle a la señora Muriel que ha sido por una buena causa, aprender siempre lo es —murmuró Enoc, observándole divertido.

—¿A la señora Muriel? —Lucas le miró confundido. ¿Qué tenía que ver la buena mujer con Marc?

—Sí. No me gustaría estar en tu pellejo cuando te vea entrar por la puerta.

—¡Puñeta! —repitió Lucas, sacudiéndose la ropa, lo que dio como resultado que las manchas de grasa y hollín se extendieran más todavía.

—Lo estás arreglando —ironizó Enoc ocultando la risa, con escaso resultado.

—¿Por qué no se va un ratito a freír espárragos? —le espetó Lucas molesto, irguiendo la espalda a la vez que se dirigía hacia la casa.

Las carcajadas de Enoc le acompañaron durante el corto trayecto. Hizo caso omiso de él y continuó caminando mientras rezaba porque todo el mundo estuviera en el comedor. Al fin y al cabo era la hora de comer, y la señora Muriel se irritaba considerablemente cuando se veía obligada a recalentar las viandas.

Sí. Seguro que estarían todos en el comedor. Con la puerta cerrada.

Seguro que podría escabullirse hasta su cuarto sin que nadie le viera. Y una vez allí, se asearía y cambiaría antes de presentarse a la familia, la señora Muriel y el malnacido de Marc.

Entró en la casa.

No. No estaban todos en el comedor, sino en la sala de estar. Con la puerta abierta.

No. No pudo escabullirse. Y, ¡perra suerte!, la primera persona que se percató de su llegada fue quien menos deseaba Lucas que se percatara.

—¡Pero qué ven mis ojos! —Marc sonrió taimado, abandonó la sala de estar y entró en el salón. Los reunidos allí se apresuraron a seguirle—. Por Dios, capitán, ¿desde cuándo recoge a mugrientos indigentes? —exclamó mirando a Lucas de arriba abajo—. Un momento. Retiro lo dicho. Creo reconocer su cara bajo toda esa porquería. No es un indigente, aunque sí está mugriento. ¡Válgame el cielo! ¿Lucas? ¿Por qué te has disfrazado de mendigo? —inquirió burlón, sin percatarse del ceño fruncido del capitán ni de las miradas airadas de las damas—. Parece que hayas retozado cual cerdo en el estiércol… o mejor dicho, en el carbón. ¿Has estado practicando para un nuevo desempeño? ¿Carbonero, quizá? No cabe duda de que sería un trabajo adecuado a tus posibilidades. Aun así… —Se giró hacia Biel, mientras Lucas luchaba por contener la rabia—. Capitán, entiendo que el muchacho no goce de una clara inteligencia, pero ¿no podía haberle ofrecido un empleo más limpio? Está manchándolo todo.

—¡Marc, basta, discúlpate ahora mismo! —le regañó Alicia muy enfadada.

—¿Disculparme? ¿Por qué? En ningún momento he pretendido ofender su sensibilidad —arguyó señalando a Lucas con la mirada, sintiéndose fuerte ante el silencio aquiescente del capitán—. De hecho, me alegro mucho de que por fin haya conseguido un trabajo en el que ser de alguna utilidad. Aunque, si me permites un consejo —se dirigió por fin a Lucas—, deberías asearte un poco antes de presentarte así en la casa de tu patrón. Es una grave falta de educación.

Lucas inspiró con fuerza, los puños cerrados en los bolsillos de la chaqueta mientras observaba a los allí reunidos: el capitán cuyo semblante enfadado no auguraba nada bueno para él; la señora Jana y Alicia, cuyas airadas miradas indicaban que, a Dios gracias, estaban de su parte; Enoc en aparente calma que se vería rota si intentaba agredir al sobrino del capitán; e Isembard, guardando un disciplinado silencio mientras sus ojos llameaban furiosos. ¿Por su aspecto desastrado o por las palabras de Marc?

Apretó los labios, intentando amordazar las palabras, muy poco adecuadas para oídos femeninos, que pugnaban por escapar de su boca y, en ese momento, Isembard arqueó una ceja, instándole a defenderse. Pero ¿cómo hacerlo sin liarse a puñetazos?

Avergonzado, observó su chaqueta manchada, su camisa ennegrecida y sus manos embadurnadas de grasa y hollín. Y, causando el pasmo de los presentes, sonrió. Una sonrisa artera y peligrosa que no presagiaba nada bueno.

—Yo también me alegro de verle —afirmó acercándose a Marc para darle unas cariñosas, y excesivamente enérgicas, palmadas en el hombro. Manchando su inmaculado traje.

—¡Ten cuidado, botarate!

—Lo lamento mucho. Permita que subsane mi torpeza. —Lucas se apresuró a sacudir, sin ninguna delicadeza, la chaqueta de Marc con sus pringosas manos, extendiendo las manchas anteriormente dejadas y creando otras donde no las había.

Alicia y Jana estallaron en carcajadas. Y solo un milagro pudo lograr que Isembard, Enoc y el capitán mantuvieran las suyas a buen recaudo dentro de sus bocas.

—Apártate de mí —siseó Marc indignado.

—Será un placer, le puedo asegurar que no hay nada que desee más que perderle de vista —replicó Lucas admirando su obra. Puede que él estuviera sucio, pero Marc no le iba a la zaga—. Discúlpenos por llegar tarde, señora Jana, me abstraje en la visita de esta mañana y por mi culpa se nos echó el tiempo encima —se disculpó con sinceridad, liberando a Enoc de toda responsabilidad—. Por favor, no me esperen para la comida, pues, como el joven capitán Agramunt se ha apresurado a señalar, necesito con urgencia atender mi aspecto —declaró, satisfecho por haber sido capaz de verbalizar una frase tan correcta y pomposa. No cabía duda de que prestar atención a la verborrea de Isembard podía servir para mucho.

—Vayamos a comer, antes de que la comida se convierta en merienda por culpa de tu absoluta y vergonzosa falta de puntualidad —espetó Marc mirando atónito a Lucas. ¿Cómo era posible que ese energúmeno se hubiera convertido en un lumbreras en tan poco tiempo?

—No —rechazó Jana dirigiéndole una feroz mirada—. Mientras yo sea la señora de esta casa —indicó enfadada, recordándole a Marc cuál era su posición—, la familia al completo se reunirá para comer, independientemente de la hora que sea. —Biel sonrió orgulloso ante las palabras de su esposa. Si ella no las hubiera pronunciado, él mismo habría puesto en su lugar a su sobrino, aunque eso hubiera repercutido en el plan que tenía trazado—. No te inquietes por vuestra demora, Lucas —le dijo con amabilidad no exenta de cariño—. No se puede, ni se debe, poner horario a los conocimientos aprendidos. Estoy segura de que tu visita al *Tierra Umbría* ha sido provechosa.

—Mucho —intervino Enoc—. De hecho, el jefe de máquinas ha quedado impresionado —afirmó fijando una astuta mirada en Biel.

—Entiendo. Reúnase conmigo en el despacho tras la comida —exigió Biel con un deje de satisfacción en la voz.

—Si es que alguna vez comemos —masculló Marc, molesto al intuir que allí se cocía algo que desconocía por completo—. Espero que no nos hagas esperar mucho más, tortuga —gruñó dirigiéndose a Lucas.

—Seré raudo y veloz, comprendo que esa panza que asoma por su chaqueta reclama ser llenada lo antes posible y, teniendo en cuenta su tamaño, no debe de ser tarea sencilla —musitó Lucas escabulléndose por las escaleras, impidiendo la airada réplica de Marc.

—¿Cómo se atreve a dirigirse a mí en esos términos? —siseó este enfadado.

—Donde las dan, las toman —señaló Alicia altiva.

—No deberías darle alas a su desvergüenza, Alicia —la reprendió Marc—. Si sois indulgentes con él, solo conseguiréis que se muestre aún más rebelde y descarado.

—Un poco de rebelión de vez en cuando es buena cosa —recitó Biel la célebre cita de Thomas Jefferson—. Y siempre he pensado que el descaro bien entendido convierte a los hombres en leones —sentenció entrando en el comedor.

Jana, Alicia e Isembard se apresuraron a acompañarle, en tanto que Enoc permaneció en el salón, frente a Marc. Esperó hasta que el murmullo de las conversaciones se atenuó por la distancia y luego, se dirigió a la sala de fumar. Marc le siguió esbozando una taimada sonrisa que no le llegó a los ojos.

—Deja en paz a Lucas. No te ha hecho nada —le exhortó Enoc, cerrando la puerta para obtener una necesaria privacidad.

—¿No? Yo creo que sí. Está intentando arrebatarme lo que me pertenece —replicó Marc encarándose a él. Tan cerca que sus narices casi podían tocarse.

—La naviera nunca te ha pertenecido —siseó Enoc apartándose, obviando la doble intención de su réplica.

—Y supongo que, según tu teoría, Alicia tampoco es mía —rebatió Marc, moviéndose hasta quedar de nuevo frente a su antiguo amigo.

Enoc lo miró incrédulo.

—Nunca te ha interesado, más allá de ser el vehículo para la consecución de tus planes.

—No te equivoques, Enoc, todo lo que tiene el viejo me pertenece por derecho. Incluso tú —afirmó con ferocidad, aproximándose a él y aferrándole por las solapas de la chaqueta—. He sido yo quien ha llevado esta compañía hasta donde está. Sin mí seguiríamos transportando verduras y carbón en pailebotes ruinosos, y tú continuarías siendo el títere del viejo. Oh, espera. Todavía lo eres —aseveró soltándole con desdén.

—Creo recordar que fue el capitán quien se empeñó en comprar vapores, quien invirtió todo lo que tenía, y también lo que no, quien consiguió acuerdos imposibles y quien trazó rutas… poco convencionales.

—Y en cuanto lo hizo se quedó en tierra para cuidar de su puta feminista y su pupila tullida y fui yo quien me jugué el pescuezo en cada travesía. Solo. Sin más compañía que mi soledad y mis sueños —espetó Marc cerniéndose sobre Enoc. Los ojos de ambos hombres separados por un solo suspiro.

—No te consiento que hables así de la señora Jana y la señorita Alicia —le advirtió Enoc sin apartarse. La mirada alta, los hombros tensos, las manos cerradas en puños junto a sus piernas en forzada contención.

—Tienes razón, no es adecuado que me refiera a mi futura esposa en esos términos —musitó Marc apartándose de él y abandonando la estancia.

20

Por una mirada, un mundo; / por una sonrisa, un cielo;
/ por un beso… yo no sé / qué te diera por un beso.
GUSTAVO ADOLFO BÉCQUER

3 de junio de 1916

—…de los barcos a vapor se asienta en una turbina compuesta, que se cruza con el vapor de dos calderas —explicó Isembard, de cara a la pizarra, mientras dibujaba en esta un motor a vapor y otro a combustión—. Por el contrario, los buques a motor cuentan con… —detuvo su exposición al percatarse de que su alumno no le estaba prestando la más mínima atención. Le llamó, sin obtener respuesta alguna, y acto seguido sonrió ladino.

Lucas estaba preocupado por algo, y creía saber qué era. Se acercó sigiloso, observándole divertido. El muchacho estaba girado en la silla, absorto por completo en lo que ocurría más allá de los enormes ventanales.

En el jardín, Marc empujaba la silla de ruedas de Alicia. El rostro de la muchacha estaba serio, casi podría decirse que aburrido, a la vez que atendía con educada falta de curiosidad la conversación que Marc parecía mantener exclusivamente consigo mismo.

Y mientras la pareja recorría el jardín, Lucas apretaba la mandíbula con fuerza desmedida. De hecho, Isembard casi podría jurar que escuchaba el rechinar de sus dientes.

—Lucas…

—Míralos —siseó levantándose para colocarse frente a la ventana—, pasean por el jardín como si fueran dos malditos tortolitos.

—A mí me parecen dos amigos charlando amistosamente —musitó Isembard acercándose para mirar.

—No sabe empujarla, está machacando todas las flores a su paso. Y no esquiva los hoyos. ¿No se da cuenta de que cada bache supone un golpe en su espalda? ¡La trata como si empujara una carretilla en vez de la silla de Alicia! —exclamó golpeando el cristal.

—No creo que lo haga a propósito —le restó importancia Isembard, aunque lo cierto era que Marc era poco cuidadoso, y que parecía más molesto que jubiloso con el paseo.

—Ayer por la noche fueron al teatro y hoy, en vez de dejarla descansar, ha venido a desayunar y ahora ¡está paseando con ella! —masculló Lucas indignado.

—Ir al teatro no es una actividad en exceso agotadora.

—Alicia trasnochó demasiado. No debería salir hasta tan tarde, es peligroso —protestó exasperado. Por culpa del puñetero teatro Alicia había regresado tardísimo y apenas si habían podido hablar por la noche.

—Estaba bien acompañada por Marc, no corría riesgo alguno —indicó Isembard con un deje de burla en su voz.

—Por supuesto que lo corría. El riesgo de fallecer de aburrimiento —siseó enfurruñado—. Mírale… no la trata como se merece —afirmó golpeando el cristal con la palma de la mano.

—No veo que Marc esté haciendo nada inadecuado. —Isembard observó a la pareja. Se limitaban a pasear, o más bien, Marc empujaba y Alicia ocultaba sus bostezos tras el abanico.

—¡Eso es porque estás ciego! ¿De verdad no lo ves? No se molesta en ponerse frente a ella para hablar, lo hace a su espalda, como si no mereciera la pena detener el paseo para conversar con Alicia cara a cara.

—Bueno, tú tampoco lo haces siempre —replicó Isembard, percatándose por primera vez del motivo por el que Lucas se detenía tan a menudo cuando paseaba con Alicia. Y no pudo por menos que mirarle con mayor respeto.

—Mírale… —Lucas frunció el ceño, contrariado—. Ni siquiera se molesta en inclinarse para que sus rostros queden a la misma altura. ¡No tiene ninguna consideración!

Isembard abrió la boca para replicar, y volvió a cerrarla al recordar como su alumno se inclinaba tras Alicia, a un suspiro escaso de su rostro, para comentarle cualquier cosa, por trivial que fuera. No cabía duda de que el trato que ambos hombres destinaban a la muchacha no tenía comparación posible.

—¿Qué demonios está haciendo? —exclamó Lucas de repente, pegando la frente al cristal—. ¡No se atreverá! —jadeó colérico.

Isembard, confundido, se apresuró a mirar por la ventana. Marc se había detenido en un rincón del jardín plagado de rosas, aplastando las preciosas flores con las ruedas, y se había colocado frente a Alicia, ligeramente inclinado y con las manos apoyadas sobre los reposabrazos de la silla.

—No veo que hay de malo en… —calló al ver como el sobrino del capitán se cernía sobre la muchacha para a continuación besarla en los labios—. Vaya, eso sí que es inadecuado —musitó—. ¡Lucas! —Se giró al sentir un fuerte portazo—. ¡Diantre!

Echó a correr, y al salir del estudio comprobó que, tal y como había temido, Lucas recorría con largas y apresuradas zancadas la galería en dirección a las escaleras.

Se avecinaba un desastre.

—¡Lucas, detente! —le ordenó en el mismo momento en el que dejaba atrás la biblioteca. Por supuesto, no le hizo el menor caso—. ¡Maldita sea, he dicho que te detengas ahora mismo!

Lucas se paró al escuchar el improperio, era inconcebible que proviniera de la boca del estirado y educado profesor.

—¡Qué! —gritó dándose la vuelta.

—Regresa al estudio, ¡ahora mismo! —le exigió Isembard llegando hasta él.

—En cuanto le parta la cara a ese hijo de puta —replicó Lucas dirigiéndose de nuevo a las escaleras.

Isembard le retuvo prendiéndole por la camisa. Lucas se revolvió enfurecido. Y así fue como los encontraron Biel y Enoc.

—¡Qué demonios pasa aquí! —exclamó el anciano saliendo del despacho.

—Nada. —Isembard se apartó de Lucas—. Su nieto y yo tenemos diferentes puntos de vista y estamos debatiéndolos —explicó fijando la mirada en su alumno.

—¿Lucas? —Biel observó a ambos hombres con el ceño fruncido. No parecían debatir. Más bien daba la impresión de que estaban a punto de liarse a puñetazos.

Lucas miró a su profesor, a su abuelo y al señor Abad que le sonreía burlón con los ojos entornados. Luego dirigió la mirada a las escaleras, cerró los ojos e inspiró con fuerza.

—¿Algún problema, Lucas? —reiteró Biel golpeándose con el bastón los zapatos.

—Dígale a su sobrino que no meta la nariz donde no debe o se la aplastaré. —Lucas echó a andar hacia el estudio, chocando a propósito contra el hombro de su maestro.

Isembard apretó los labios y caminó tras él, o al menos lo intentó.

—Señor del Closs —tronó Biel—. Explíqueme qué ha sucedido.

—Tenemos cierta disparidad de opiniones sobre el comportamiento adecuado e inadecuado. Si me disculpa, tengo una lección que impartir —masculló dirigiéndose al estudio para cerrar la puerta tras de sí con un fuerte golpe.

Biel abrió los ojos como platos al escuchar la descarada respuesta. Luego sonrió ladino.

—Lucas está muy irritable. Parece que mi plan comienza a dar sus frutos.

—Esperemos que no estén podridos —musitó Enoc fijando la mirada en el estudio a la vez que negaba con la cabeza. No le gustaba nada que maestro y alumno discutieran.

—¡Un matón de puerto! ¿Es eso lo que eres? —exclamó furioso Isembard.

—No, puñeta —masculló Lucas frente a los ventanales, escudriñando frenético el jardín sin encontrar lo que buscaba. Marc y Alicia habían desaparecido.

—¿Seguro? ¡Has estado a punto de provocar una pelea en mitad del jardín de tu abuelo!

—¡No iba a provocar una pelea!

—¿Ah, no? Entonces, ¿qué pensabas hacer? ¿Bailar un vals con Marc?

—¡No! Pensaba proporcionarle una cara nueva.

—¡Por Dios, Lucas! ¿En qué estabas pensando? —exclamó Isembard parándose frente a él—. Llevas meses luchando por demostrarle al capitán que eres un caballero, y por poco lo tiras todo por la borda por un simple… ¡arrebato de celos!

—¿¡Arrebato de celos!? ¡La ha besado! Puñeta. ¡Es mía y la ha besado! —bramó dirigiéndose de nuevo a la puerta.

Isembard se interpuso en su camino.

—¡Razona! Dios te ha dado un cerebro, ¡úsalo! —exigió enfadado—. ¿Qué crees que pensará Alicia si te ve pelear con Marc? ¿Crees que se sentirá halagada?

—No, pero…

—¡Pero nada! No hay excusas para obrar mal. Ni tampoco para comportarse como un estúpido.

—¡Marc la ha besado! —reiteró Lucas como si esa explicación bastara para destrozarle la cara. Y para él, era excusa más que suficiente.

—¡Y qué! Están casi comprometidos, y lo que es más importante, cuentan con la aprobación del capitán. ¿Con qué cuentas tú? ¿Con tus puños? ¿Con tu mal genio? No creo que eso te haga mejor que Marc a ojos de tu abuelo.

Lucas cerró los ojos herido, consciente de la innegable verdad formulada por Isembard. Por mucho que lo intentara, nada de lo que hiciera o consiguiera, le equipararía a Marc ante el capitán. Jamás tendría su inteligencia, su elegante presencia ni su experiencia. Y mucho menos su sangre cien por cien Agramunt. Y solo eso contaba. Si el capitán sospechara por un instante lo que sentía por Alicia lo mandaría desollar. O peor aún, le impediría volver a verla. Nunca permitiría que su pupila se enredara con un bastardo cuyo único oficio era el de estibador. Más aún cuando tenía a su disposición un pura raza que no solo era su propio sobrino sino que además capitaneaba el mejor de sus barcos.

Apretó con fuerza los párpados. Y, cuando por fin abrió los ojos, la más insondable desesperación los enturbiaba. Negó con la cabeza a la vez que giraba sobre sus pies y se dirigía a la mesa, donde se sentó sin fuerzas.

—Soy un imbécil que pierde el tiempo persiguiendo quimeras —musitó escondiendo la cara entre las manos—. Vivo soñando un paraíso en el que jamás me van a permitir entrar.

—No eres un imbécil, Lucas, estás enamorado —argumentó Isembard como si eso lo explicara todo—. Pero eso no es excusa para que te comportes como un necio. Tienes un gran futuro ante ti, no puedes tirarlo por la borda por una estupidez.

—¡Me quiere robar a Alicia! ¡Eso no es ninguna estupidez!

—¡Pues impídeselo! —bramó Isembard, enfadado por la obcecación de su alumno.

—¡Cómo!

—Con una poción mágica que te hará invencible: el cerebro. No es la fuerza la que gana las batallas, sino la estrategia. Sé más listo que Marc. Y, sobre todo, demuéstralo.

Alicia dejó los cubiertos sobre el plato, indicando así que había concluido su cena.

—¿No vas a tomar algo de fruta? —Jana la miró preocupada, apenas había comido.

—Tengo el estómago un poco revuelto —mintió llevando las manos a las ruedas de la silla y apartándose de la mesa—. Si me disculpáis.

Apenas había salido del comedor cuando escuchó a Lucas afirmar que él también había terminado. Frunció el ceño y se apresuró a impulsarse con mayor velocidad hacia las escaleras. No le apetecía en absoluto tener que soportar el huraño silencio de su amigo ni un instante más. Había tenido suficiente con los gruñidos y miradas airadas que le había dedicado durante la cena. Y en la merienda. Y también en la comida. ¡Durante todo el santo día! Y de nada había servido que le hubiera preguntado una y mil veces qué le pasaba, su respuesta siempre había sido la misma, un «nada» que más parecía un gruñido que una palabra. Pues bien, ¡estaba harta! A partir de ese momento, que lo aguantara su abuelo, porque ella se negaba a soportarlo un segundo más.

Tocó la campanilla que colgaba junto a las escaleras y esperó en silencio, rezando para que Etor acudiera con rapidez.

A Dios gracias, el gigantesco hombre atravesó con velocidad inusitada la puerta de la zona de servicio. En su rostro brutal y bonachón se leía su confusión. No estaba acostumbrado a que la señorita solicitara sus servicios a esas horas, al menos no desde que el señorito Lucas vivía en la mansión. Y a él le iba bien. Así podía cenar sin interrupciones.

Observó extrañado a la señorita, parecía disgustada. Esperaba que nadie la hubiera importunado o tendría que empezar a repartir mamporros, y eso disgustaría a la señora Jana.

—¿Quiere que la lleve arriba, señorita Alicia? —preguntó colocándose junto a la silla.

—Por favor —musitó Alicia tendiéndole los brazos.

—No será necesario, Etor. Yo me ocuparé —masculló Lucas tras ella. No solo se besaba con otro, sino que ahora también le pedía a Etor que la subiera cuando no había nadie presente y, por tanto, podía hacerlo él mismo sin faltar al puñetero decoro. ¡Por encima de su cadáver!

—No te molestes, Lucas. Estoy segura de que Etor me subirá con amabilidad y, lo que es más importante, no gruñirá al hacerlo —replicó Alicia enfadada.

—Yo no gruño —gruñó sin poder evitarlo.

—Por supuesto que gruñes. ¡Llevas todo el día haciéndolo! —siseó Ella—. Por favor, Etor —le tendió los brazos al hombretón.

—¡Ni se te ocurra, Etor! —exclamó Lucas colocándose frente a la silla—. Regresa a la cocina, yo me ocuparé de Alicia.

—Etor… —le llamó ella.

Etor miró a ambos jóvenes sin saber qué hacer. A lo largo de esos meses había aprendido que, siempre y cuando no hubiera nadie presente que pudiera descubrirlos, era el señorito quien subía a la señorita. A ella le hacía feliz ir en brazos del señorito, y a él le gustaba que fuera feliz. Pero ahora no parecía muy feliz. No, señor. Y eso no le gustaba nada.

Se rascó la calva, pensativo, y acto seguido tomó a Alicia en brazos.

—Te la estás buscando, gigantón —gruñó Lucas colocándose frente a él con la intención de arrebatarle a Alicia. ¡No tenía derecho!

—¡Lucas! ¿Qué se supone que estás haciendo? —inquirió Enoc tras él, observándole perspicaz.

Lucas le dedicó una fulminante mirada y volvió a centrarse en Alicia.

Alicia le miró de arriba abajo, desdeñosa, su respingona naricilla alzada.

—Lléveme arriba, Etor —dijo desafiante rodeando con las manos el cuello del gigante.

—¡No! —siseó Lucas moviéndose a la vez que Etor, impidiéndole el paso.

—¡Lucas! ¿Quieres darle una nueva excusa a Marc para que se burle de ti? —Enoc le agarró por las solapas de la chaqueta, apartándole del gigante a la vez que señalaba con un gesto el comedor—. Seguro que encuentra muy divertido que te pelees con Etor en las escaleras.

Lucas apretó los dientes y se revolvió zafándose de las manos de Enoc, solo para quedarse inmóvil al pie de la escalera, con la mirada fija en Etor, que subía las escaleras con inusitada velocidad.

En el mismo momento en que el gigantón dobló el descansillo y desapareció de la vista, Enoc volvió a aferrar la chaqueta de Lucas, empujándole contra la pared.

—Escúchame bien, zoquete, puedo hacer la vista gorda cada vez que la llevas en brazos por las escaleras —siseó furioso pegando su rostro al de Lucas—. Sí. No estoy ciego, sé perfectamente que la bajas y la subes cuando nadie puede verte —afirmó al ver su asombro—. Y ¡qué carajo! me parece bien. Ella sonríe encantada, tú te pavoneas como un rey en su trono y yo estoy contento de veros felices. Pero si la señorita Alicia dice que no, es que no. ¿Entendido? —escupió empujándole de nuevo contra la pared—. No me des motivos para que te parta la cara, porque lo haré. Por mucho que te aprecie, te romperé cada hueso de tu estúpida cabeza si es necesario para hacerte entrar en razón.

—Ella le ha… —Lucas se detuvo antes de acabar la frase. «Ella le ha besado». No había podido quitárselos de la cabeza en todo el día y eso lo estaba volviendo loco. Tanto, que a punto había estado de contárselo al espía de su abuelo. ¡Qué demonios le estaba pasando!

—¡Me da igual lo que os haya ocurrido! Los caballeros no resuelven sus problemas con las damas atosigándolas, sino conversando.

—No tengo ningún problema que resolver —gruñó Lucas intentando zafarse de su agarre.

—Por supuesto que lo tienes —siseó Enoc volviendo a empujarle—. Un hombre no camina como alma en pena si no le preocupa nada y tampoco convierte cada palabra en un gruñido si no hay algo que le está destrozando la cabeza.

Lucas giró la vista hacia las escaleras, hurtándole la mirada. Maldito brujo, parecía conocer todos sus pensamientos.

—¿Algún problema, señor Abad? —preguntó en ese momento Biel al salir del comedor y ver a Enoc acorralando a Lucas contra la pared de las escaleras.

—Ninguno, capitán. Su nieto va a reunirse con nosotros en la sala de fumar —aseveró sin apartar la mirada del joven—. ¿No es así, Lucas? —Este negó con la cabeza—. Un par de chupadas al narguile te atontarán lo suficiente como para que puedas dormir tranquilo —susurró Enoc en voz tan baja que solo Lucas pudo oírle—. Y mañana, cuando te despiertes, te disculparás ante Alicia por tu comportamiento de hoy. Reza para que no te haga ponerte de rodillas antes de otorgarte el perdón —masculló soltándole—. Capitán, puedo sugerirle que, dado que Marc ha regresado con nuevos suministros para el narguile, hagamos uso de ellos.

Biel arqueó una ceja, extrañado. Su nieto no soportaba bien el tabaco turco. Las pocas ocasiones en las que lo había fumado se había mareado considerablemente. ¿Qué demonios tendría en mente el señor Abad?

—Podríamos llenar el narguile con brandy, le daría un buen sabor —propuso Marc entrando en el salón. Nada le gustaría más que ver al mocoso tirado en el suelo, borracho.

—Buena idea —aprobó Enoc dejando a Marc y a Biel estupefactos—. ¿Da su permiso capitán?

Biel se golpeó los zapatos con el bastón mientras observaba a su nieto. Por su gesto enfurruñado, intuía que aún seguía enfadado. ¿Con quién y por qué? Nadie lo sabía. Desvió la mirada a Enoc y una artera sonrisa se dibujó en sus labios. No cabía duda de que este se traía algo entre manos… y estaba deseando saber qué era.

Asintió con la cabeza, dando su aprobación.

—No voy a beber brandy, prometí no tomar alcohol y no romperé mi palabra —aseveró Lucas cuando entraron en la sala de fumar.

—Por supuesto que no lo vas a beber. Lo vas a fumar. El brandy solo sirve para darle mejor sabor al tabaco —mintió Enoc tras ver una buena cantidad de licor en la base del narguile—. Pruébalo.

Lucas tomó, no sin reparos, la boquilla que le tendía y, sin pensar lo que hacía, chupó con fuerza de ella. Acto seguido comenzó a toser hasta casi echar los pulmones por la boca.

—No tan fuerte, tienes que inhalar el humo con suavidad —le indicó Biel compasivo, haciendo caso omiso de las carcajadas de Marc. Comenzaba a resultarle cargante la actitud de su sobrino. No era normal en él comportarse así. Esperaba por su bien que no le durara mucho esa sucia actitud.

Alicia miró por enésima vez el reloj de su tocador. Era casi medianoche y Lucas no se había dignado a presentarse. Y no era que le estuviera esperando. Por supuesto que no. En vista de cómo se había comportado durante todo el día, prefería que no la visitara. Pero dado que cada noche acudía a su cuarto, lo mínimo que él debería haber hecho, si fuera el caballero que aseguraba ser, era avisarla para que no le esperara.

¡Había sido una completa falta de respeto no hacerlo!

Bufó enfurruñada, guardó la novela que no había leído en el cajón secreto de la mesita de noche y apagó la lamparita. No pensaba esperarle ni un segundo más.

Un instante después volvió a encender la luz. La novela era apasionante, o lo sería si consiguiera concentrarse en leer. No había motivos para dormir cuando no tenía sueño. Se incorporó, colocó los almohadones y apoyó la espalda en ellos a la vez que abría el libro.

—...se medio descubrió de las ropas; pero se quedó quieta en perezosa insigne, al aire sus blancos y duros senos virginales de jovencilla espléndida.[11] —Leyó en voz baja. Los ojos abiertos como platos, la respiración alterada.

Cuando Addaia se la había prestado, le había advertido de que era una novela picante, pero nunca imaginó que lo fuera tanto. Tragó saliva y, tras mirar a su alrededor con cierto embarazo, continuó leyendo. O al menos lo intentó, porque al llegar al primer beso novelado su mente voló a aquel que ella misma había recibido dos semanas atrás.

Se llevó los dedos a los labios y se los acarició lentamente, recordando el tímido roce de la boca de Lucas contra la suya... Había dicho que la quería antes de besarla.

Y luego se había apartado como si no hubiera hecho ni dicho nada, dejándola cruelmente confundida.

Y no había vuelto a intentar besarla desde entonces.

11. *La de ojos color de uva*, de Felipe Trigo.

¡Ni una sola vez!

Ni siquiera cuando estaban solos durante la noche y ella, siguiendo los consejos de Adda, se lamía los labios y le miraba con coquetería, o al menos eso esperaba, porque también era posible que le mirara como si fuera un cordero a punto de entrar en el matadero.

¡Qué estúpida era!

Lucas no había hecho nada que indicara que estaba interesado en algo más que su amistad. Y ese beso… había sido producto de la confusión que le dominaba cuando le atacaban sus pesadillas. Nada más. Solo que cuando la había besado ya llevaba tiempo despierto.

—Basta —se regañó a la vez que cerraba la novela—. No debería leer este tipo de libros, me enturbian la mente —musitó guardándolo y apagando de nuevo la luz.

No estaba dispuesta a dedicar ni un segundo más a pensar en él. No se lo merecía. Se había comportado de una manera atroz durante todo el día. Apenas le había prestado atención en la comida, en el gabinete no se había dignado siquiera mirarla, durante la merienda los únicos sonidos que salieron de sus labios fueron gruñidos y en la cena… si las miradas matasen, ya estaría muerta.

¡Cómo se atrevía a tratarla así! Y más aún sin tener un motivo. ¡No era justo! Si estaba enfadado, ¡que se diera cabezazos contra la pared!, y la dejara en paz.

—Estúpido mentecato —siseó furiosa golpeando las almohadas para a continuación tumbarse y reposar la cabeza sobre ellas—. Pero más estúpida soy yo.

Era eso y nada más.

Una idiota que soñaba con él cada noche.

Una estúpida a la que se le escapaba el corazón del pecho cada vez que la asía por la cintura mientras andaban, cada vez que la alzaba en el aire y fingía bailar. Porque era solo eso. Fingir. Nunca bailaría, ni caminaría ni mucho menos correría, pensó acariciándose la pierna atrofiada. ¿Quién iba a querer a una tullida? La imagen de Marc besándola en el jardín antes de que ella le abofeteara fingiéndose ofendida, acudió a su mente, dibujando una mueca de diversión en sus labios. No. Marc no la quería, pero sus besos eran sumamente agradables. ¿Por qué no disfrutarlos? Al fin y al cabo Lucas no parecía tener ninguna intención de besarla de nuevo, pensó enfadada ahogando un nuevo bufido.

Golpeó de nuevo la almohada, para dejarla más suave, por supuesto. No había otro motivo para emprenderla a puñetazos con tan inofensivo objeto.

—¡No hay quien entienda a los hombres! —musitó dando un

fuerte tirón a las sábanas—. Hace un mes quiere dormir conmigo, como si yo fuera una mujer de vida alegre. Un par de semanas después me dice que me quiere y me besa. Y después, nada. Hasta que hoy, Dios sabe por qué, se enfada conmigo y me trata como si no existiera. ¡Y somos las mujeres las complicadas!

Cerró los ojos decidida a dormirse de una buena vez. Y volvió a abrirlos un instante después, al escuchar que la puertaventana se abría. Esperó hasta que el sonido le indicó que había vuelto a cerrarse, encendió la luz de la lamparita y se incorporó en la cama cual reina, dispuesta a mostrarse cortésmente gélida con su visitante.

—¡No volverás a besarle! —exclamó Lucas avanzando tambaleante hacia ella.

—¿Qué?

—Lo que has oído. ¡Te prohíbo que vuelvas a acercarte a él! —siseó dando un traspiés que casi le hizo caer.

—¡Estás borracho! ¡Cómo te atreves a presentarte en mi habitación en semejante estado de embriaguez! —gritó, olvidada la gélida cortesía.

—No estoy borracho. Yo no bebo. —Lucas se sentó en la cama esperando que de ese modo el suelo dejara de moverse bajo sus pies. ¡¿Qué puñetas tenía el maldito tabaco turco para marearle tanto?!—. He estado fumando con el viejo, Enoc y tu asqueroso pretendiente.

—¿Mi qué?

—Y te digo una cosa, si vuelve a ponerte las manos encima, lo mato —afirmó cerniéndose sobre ella.

—¡¿A quién?! —exclamó Alicia confundida a la vez que lo apartaba de un empujón. Era extraño, su aliento olía a tabaco, nada más.

—A Marc. ¡No quiero que vuelvas a besarle! —exigió enfadado.

—Nos has visto —musitó encajando todas las piezas del puzle—. Por eso llevas todo el día enfadado.

—¡Cómo no voy a veros! Os estabais besuqueando en mitad del jardín, debajo de mi ventana.

—No nos estábamos besuqueando.

—¡Claro que sí! ¿No te da vergüenza? Una dama como tú dejando que ese… ese… ese hijo de puta te meta la lengua hasta la campanilla.

Alicia no contestó a su acusación. Al menos no con palabras. Se limitó a darle un fuerte bofetón que le dejó la mejilla roja como un tomate. Y, por si acaso no se había percatado de hasta qué punto la había ofendido, le dio otro. Igual de fuerte. En la otra mejilla. Para que ambas estuvieran conjuntadas.

Lucas sacudió la cabeza, asombrado por la reacción de su amiga. Puede que sus palabras no hubieran sido muy acertadas, pero tampoco habían sido para tanto. La miró enfurruñado, y se desenfurruñó al instante. Sí había sido para tanto. Estaba enfadada. Y también dolida y ofendida.

—Lo siento. Estoy furioso y mareado, no sé ni lo que digo…

—Dices exactamente lo que quieres decir —espetó ella alzando su respingona naricilla. Sus ojos brillantes de furia le indicaron que no obtendría clemencia—. Vete de mi cuarto, y no vuelvas a entrar nunca más.

—Alicia…

—Vete, Lucas. Esta dama, que no lo es, no quiere verte en lo que le resta de vida.

—Oh, vamos, Alicia, sabes que eso es imposible. Vivimos en la misma casa —afirmó fingiendo una burlona sonrisa. Sonrisa que desinfló rápidamente cuando ella, sin mediar palabra, apagó la luz y se tumbó en la cama. Ignorándole. Como si no estuviera allí. Como si no le viera—. Está bien, mañana hablaremos antes de desayunar.

Alicia, por supuesto, no se molestó en contestarle.

Abandonó compungido el dormitorio. No debería haber acudido allí esa noche. Estaba demasiado furioso. Y mareado. Y confundido.

De hecho, no debería haberse dejado llevar por la furia durante todo el día. Pero lo había hecho.

Y ahora Alicia estaba enfadada con él.

Y seguro que volvería besar a Marc solo para fastidiarle.

¡Maldita fuera su estampa!

Alicia esperó hasta que el sonido de los pasos en el corredor se amortiguó y murió. Y, entonces, se permitió comportarse como realmente le apetecía.

—Estúpido, mentecato, botarate —masculló golpeando la almohada con cada palabra—. ¡Como se atreve a enfadarse porque Marc me ha besado! ¡Como si él no lo hubiera hecho nunca! ¡Hipócrita! Aunque, solo me ha besado una vez… y no ha vuelto a intentarlo —musitó pensativa—. Es como el perro del hortelano, ni me besa ni deja que me besen. ¿Estará celoso?

Una sonrisa se dibujó en sus labios ante ese pensamiento.

¿Lucas celoso? Imposible.

O tal vez no.

Adda decía que estaba colado por ella.

¿Y si tenía razón y por eso Lucas se había enfadado tanto por el beso de Marc?

—Qué interesante —susurró cerrando por fin los ojos.

Cuando volvió a abrirlos horas después, era noche cerrada, y los gemidos sollozantes de Lucas se escuchaban ahogados a través de las paredes del baño que ambos compartían.

—Pobre necio, ¿de verdad crees que puedes ser como yo? —El siseo mordaz de Marc.

—Alicia no es para ti, no voy a hacer la vista gorda. —La voz severa de Enoc.

—¿Cómo te atreves, bastardo? ¡Aléjate de mi pupila! —El trueno del capitán.

—El cerebro, Lucas, usa el cerebro. Razona. Piensa. —Los consejos de Isembard.

Pero no sabe cómo razonar.

Solo siente.

Dolor.

Rabia.

Impotencia.

Los ve pasear por el jardín.

Los ve besándose.

Los ve alejarse.

Se la va a llevar.

Para siempre.

Y no sabe qué hacer para evitarlo.

—No la mereces. —La sentencia de Enoc.

Marc arrodillándose ante Alicia.

—Estúpido, quieres tocar el cielo y no te das cuenta de que estás hundido en el fango. —La risa burlona de Marc.

Alicia sonriendo mientras mira el anillo que Marc acaba de colocar en su dedo.

—¿Cómo te atreves a quererla? No eres nada. No eres nadie. Aléjate de mi vista. —La decepción del capitán.

Marc tomándola en brazos. Besándola. Bailando con ella.

¡No tiene derecho!

Solo él puede abrazarla.

Solo él puede besarla.

Solo él puede bailar con ella.

Pero no le dejan.

Ni le dejarán jamás.

Porque no es un caballero.

Porque no es listo.

Porque no tiene futuro.

Porque no es un Agramunt.

—¡Cabeza de chorlito! —El grito airado de Anna. Casi puede sentir sus nudillos golpeándole—. ¡No te he educado para que te comportes como un cobarde! No pierdas más el tiempo. Si la quieres, tómala.

—Lucas, tranquilo, no pasa nada —musitó Alicia acariciándole la frente. ¡Malditas pesadillas que le torturaban! Qué no daría por liberarle de ellas.

Abrió los ojos turbado, la pesadilla vívida en su mente a pesar de estar completamente despierto. Se incorporó sobresaltado y miró a su alrededor, buscándola desesperado. Marc no había ganado, todavía. Aún podía hacer algo para evitar que le eligiera a él.

—Estoy aquí, tranquilo —murmuró Alicia encendiendo la luz de la lamparita.

—Nadie va a alejarte de mí. No se lo permitiré —afirmó Lucas con ferocidad tomándola en brazos y tumbándola en la cama. Junto a él—. Eres mía. De nadie más.

—Lucas… ¿Qué haces? —susurró perpleja, apartándole.

—Nadie va a separarte de mí —jadeó cerniéndose sobre ella, abrazándola con fuerza—. No permitiré que te lleve lejos de mí. —Le enmarcó la cara con las manos—. No volverá a besarte, no le dejaré, no tiene derecho a hacerlo —rugió furioso antes de apoderarse de sus labios.

Alicia se quedó inmóvil al sentir el suave roce sobre su boca. Lucas la estaba besando. ¿Por qué? Porque todavía estaba dormido, inmerso en su pesadilla, y no sabía lo que hacía.

—Lucas —gimió apartándose pesarosa. Él había dicho que no permitiría que nadie la apartara de él, y solo había una mujer de la que le habían separado: Anna—. Despierta…

—Estoy despierto —musitó volviendo a besarla. Sus labios eran tan jugosos, su piel tan suave, tan blandita y olía tan bien.

—No soy Anna… —Posó las manos sobre sus hombros y le empujó. No podía permitir que la besara pensando que era otra mujer.

—Sé quién eres. —Acarició su frente con los labios y descendió por sus pómulos para llegar de nuevo a su boca.

—No lo sabes. Soy…

—Eres Alicia. Lo sé. Sé quién eres. Eres mi sueño, mi vida, mi ángel. Eres Alicia y eres mía. No te voy a compartir —sentenció recorriéndole el cuello a la vez que desabrochaba con dedos trémulos los botones superiores del camisón.

—Lucas, para. —Le volvió a empujar, azorada. Sus palabras eran demasiado claras y sus actos demasiado explícitos como para malinterpretarlos—. Esto no está bien.

—Sí está bien.

—No, no lo está. No debes besarme así.

—¿Por qué no? —inquirió apartándose por fin para centrar la mirada en ella.

—Porque no es correcto.

—Sí lo es —masculló airado. ¿Por qué no iba a ser correcto?

Porque él era un puñetero estibador y ella una señorita inteligente y educada, por eso.

Porque ella estaba destinada a alguien mejor, con más clase, dinero, poder y educación.

Porque el capitán lo desollaría vivo si se enteraba de lo que sentía por su pupila.

—No, Lucas, no es correcto. Tú y yo somos amigos, y los amigos no se besan.

—Sí se besan —gruñó frustrado—. Nos hemos besado cientos de veces.

—Pero no de esta manera…

—A Marc le has dejado besarte en los labios —protestó airado.

—¡Él no me besa como tú lo haces!

—¡Bien! —rugió satisfecho volviendo a besarla a la vez que acariciaba con los dedos las líneas de su escote, apartando el molesto camisón.

—No. No está bien —gimió ella arqueando la espalda de forma inconsciente, dándole mejor acceso. No sabía qué le estaba haciendo, pero era maravilloso—. Esto solo lo hacen los matrimonios y las parejas comprometidas… —Y los amantes. Pero eso no iba a decirlo.

—¿Eso es lo que quieres? —susurró descendiendo por su garganta para detenerse sobre su clavícula y recorrerla con suaves besos, temeroso de bajar más allá del escote del camisón—. ¿Quieres que te pida matrimonio? ¿Entonces me dejarás besarte tanto como quiera? —musitó dispuesto a todo, incluso a que el capitán le matara, con tal de continuar teniéndola a su lado.

Además, era la solución perfecta. Si se comprometían nadie podría separarlos. Nadie, excepto el capitán, quién no dudaría en meterlo en la bodega de uno de sus barcos y mandarle a la Patagonia. Y entonces no podría volver a verla. ¡Perra suerte!

—¡No! ¡Claro que no quiero que nos comprometamos! —jadeó Alicia asustada al escuchar la determinación en su voz—. Eso sería totalmente inadecuado.

De ninguna manera consentiría que le pidiera matrimonio solo para lograr que le dejara besarla tanto como quisiera. ¡Era de locos!

—Por supuesto que no te vas a enredar conmigo. ¿Cómo habré pensado tal estupidez? —bufó él separándose al fin para quedar tumbado de espaldas en la cama.

—No te enfades…

—No lo hago.

—Sí te enfadas. Por favor, Lucas, el Señor te ha dado una inteligencia privilegiada, haz uso de ella —le regañó inclinándose sobre él—. ¿Qué crees que hará el capitán si apareces en su despacho para decirle que nos vamos a comprometer porque quieres besarme? —le preguntó furiosa. ¿Acaso no se daba cuenta de lo estúpida que era su pretensión?

—Montará en cólera. —Y tanto que lo haría. Y luego lo echaría a patadas por mancillar a su querida pupila, y no era que le importara demasiado salir de allí… de no ser porque si eso sucedía, jamás volvería a verla, y eso era lo único que no estaba dispuesto a consentir.

—Exacto. Se enfadará mucho. Y eso no te conviene.

—¿Y qué es lo que me conviene? —inquirió burlón—. Dímelo, tú que todo lo sabes.

—Te conviene comportarte con sensatez —espetó enfadada—. ¡No puedes pedirme matrimonio solo porque quieras besarme! ¡Es una estupidez!

—¡No lo es! Y no es solo porque quiera besarte…

—¿Ah, no? —ironizó furiosa—. No soy tonta, Lucas. Nunca antes habías mostrado ningún interés por mí que no fuera amistoso. Has montado toda esta… disparatada escena, porque Marc me ha besado esta mañana.

—¡De qué puñetas estás hablando! —bramó furioso cerniéndose de nuevo sobre ella—. ¿Nunca he mostrado interés por ti? No te equivoques, Alicia. Cada día muero por ti, por tocarte, por besarte, por tenerte entre mis brazos —exclamó exacerbado—. Y si no lo hago es porque… porque no tengo nada que ofrecerte. Porque sé que me rechazarás, como has hecho. Solo en mis estúpidos sueños puedo atreverme a tenerte.

—Lucas, no…

—¿Qué hay de malo en que quiera besarte? No es ningún pecado mortal, pero tú no me dejas —musitó besándole la frente.

—Lucas… Yo…

—Me gustas, Alicia. Me gustas mucho —susurró volviendo a besarla a la vez que se tumbaba junto a ella—. No te estoy pidiendo un imposible. Sé que el viejo jamás permitirá un compromiso entre nosotros, y lo entiendo. Pero eso no significa que no podamos compartir unos pocos besos… —Recorrió con lánguidos roces su rostro mientras posaba una mano sobre el vientre femenino.

—Solo unos pocos… —susurró Alicia dejándole hacer. Era tan agradable sentir sus labios sobre ella, sus cálidas exhalaciones bañándole las mejillas, sus dedos traviesos jugando sobre su ombligo. Posó las manos sobre sus hombros y las deslizó por su nuca hasta acabar enredando los dedos en su cabello, acercándole. Tan maravillosos eran sus besos.

—Nadie debe saberlo…

—¿Saber qué? —musitó perdida en sus ojos.

—Saber lo que ha ocurrido entre nosotros esta noche. Lo que ocurrirá cada noche a partir de esta.

—Por supuesto que no —murmuró confundida. Desde luego que no pensaba contarle a nadie que Lucas la visitaba por la noche. Que la besaba. Y la acariciaba. ¡No estaba loca!

—Será nuestro secreto —musitó abrazándola, acercando sus cuerpos hasta que ni siquiera el aire los separaba—. Nadie debe enterarse de lo mucho que te quiero. Nadie debe saber que vivo y muero por ti —reiteró desesperado sin dejar de besarla, acariciarla, amarla—. Nadie… —«debe saber que un día te haré mi esposa».

Porque si el capitán se enteraba, no le dejaría volver a verla, a acariciarla, a besarla. Y si eso sucedía… solo la muerte podría librarle de la desesperación.

Sola en su cama horas después, cuando el sol comenzaba a ganar su batalla contra la noche, Alicia rememoró la conversación que habían mantenido. Lucas era sincero, de eso no le cabía duda alguna, pero ¿por qué ese empeño en ocultarse? Oh, por supuesto entendía que nadie debía saber los besos que compartían… pero Lucas no se refería solo a eso. Estaba empeñado en mantenerlo todo en secreto, en no mostrar ante nadie sus sentimientos. De hecho, parecía aterrorizado de que alguien se enterara.

No. Alguien no. El capitán.

«Sé que el viejo jamás permitirá un compromiso entre nosotros, y lo entiendo.»

—Oh, Lucas… que equivocado estás. No lo conoces en absoluto —protestó entristecida.

21

Besos que vienen riendo, luego llorando se van,
y en ellos se va la vida, que nunca más volverá.

MIGUEL DE UNAMUNO

7 de junio de 1916

—Confío en ti, no se te ocurra defraudarme —le advirtió Biel a la vez que le tendía un billetero—. Un caballero jamás sale de casa con los bolsillos vacíos.

Lucas observó perplejo al capitán para a continuación mirar la fina cartera de piel y luego otra vez al anciano.

—Adelante, cógelo —le instó Biel—. Gástalo en alguna cafetería, en planos de barcos o cuadernos de esos que tanto te gustan.

—Gra… gracias. Se lo devolveré…

—¡Atolondrado marinero! ¿Qué parte no has entendido? No quiero que me lo devuelvas, sino que lo gastes —afirmó sacudiendo la fina cartera. Lucas la tomó a la vez que asentía con la cabeza, asombrado—. Ahora vete, antes de que sea más tarde.

—Sí, capitán. Yo… No le decepcionaré —musitó Lucas saliendo del despacho.

Bajó las escaleras ensimismado, mirando el billetero como si fuera el mayor tesoro del mundo, no por lo que contenía, sino por lo que significaba. El viejo comenzaba a confiar en él.

—Lucas, ¿qué ha pasado? —En el mismo momento en que pisó el salón, Isembard se acercó a él, preocupado al verle tan abstraído—. ¿El capitán ha cambiado de opinión?

Lucas negó con la cabeza a modo de respuesta.

—¿Sigue decidido a dejarnos salir solos, sin el señor Abad?

Lucas asintió sin dejar de mirar fijamente lo que tenía en las manos.

—¿Ha restringido el horario? —Lucas volvió a negar—. ¿Te ha amenazado de alguna manera? —preguntó por fin Isembard, intranquilo. Si el capitán pensaba mantener los términos de su salida, no encontraba otro motivo para que el joven se mostrara tan aturdido.

—Me ha dado… dinero —Lucas le enseñó el billetero—. Dice que ningún caballero sale a la calle con los bolsillos vacíos.

—Y tiene razón —murmuró Isembard levantando la mirada hacia la galería superior. Allí, junto a la barandilla, estaba el capitán, quien, sin dejar de mirarles fijamente, asintió con la cabeza para luego desaparecer—. Guarda eso, Lucas. Es hora de visitar el museo de historia.

—Sí… —Guardó con meticuloso cuidado el billetero en el bolsillo interior de su chaqueta.

—La red está lista y el cebo echado —susurró Enoc cuando maestro y alumno salieron de la casa.

—Espero que su hombre sea tan sigiloso y observador como me ha asegurado —masculló Biel golpeándose los zapatos con el bastón.

—No tengo duda alguna. Si Lucas intenta reunirse con su fulana, nos la traerá.

—Y entonces nos libraremos de ella. Es necesario, imprescindible —masculló Biel antes de entrar en el despacho, cerrar con un sonoro portazo y, a continuación, golpear con fuerza su escritorio con el bastón.

Había hecho lo correcto, lo necesario. Entonces, ¿por qué se sentía tan mal? Porque la mirada de su nieto al recibir el dinero había sido sincera en su asombro. Tan sincera como su promesa de no decepcionarle. Maldito muchacho, ¡No tenía que haber sido tan noble! Solo tenía que haber cogido el dinero y haber echado a correr, entonces él se sentiría bien en lugar de tener el corazón desgarrado.

—Es maravilloso que el capitán te haya dejado ir al museo acompañado solo por Isembard, eso es porque confía en ti —afirmó Alicia, retirándole un mechón de la frente con una suave caricia.

—Incluso me ha dado dinero —murmuró Lucas, tumbado en la cama junto a ella, a la vez que cerraba los ojos y se estremecía emitiendo un quedo gemido.

Alicia no pudo menos que sonreír. ¿Quién hubiera imaginado que Lucas fuera tan sensible a sus caricias? Continuó acariciándole, deslizando lentamente las yemas de los dedos por sus pómulos para luego delinear sus gruesos labios, descender por su cuello y posar la mano sobre la porción de su torso que la camisa, apenas abierta, le permitía tocar.

En respuesta, Lucas la acurrucó más contra él y comenzó a desabrocharle los botones superiores del camisón a la vez que recorría con lánguidos besos sus mejillas, la punta de su nariz, la comisura de sus labios…

—¿En qué te lo has gastado? —inquirió Alicia deteniendo el avance de la mano de Lucas, que amenazaba con colarse bajo el escote del camisón.

—¿En qué he gastado qué? —musitó este totalmente absorto en lamer ese punto del cuello femenino en el que el pulso latía cada vez más acelerado.

—El dinero… Oh, para. No puedo concentrarme. —Le asió el pelo, dando un ligero tirón. Apenas era medianoche, no podía dejar que se le fuera de las manos tan pronto, aunque reconocía que era culpa suya por haber empezado a acariciarle. Pero, le gustaba tanto sentir como temblaba bajo sus dedos. Y eso por no hablar de sus besos…

—Me gusta que no puedas concentrarte por mi culpa. —La besó de nuevo antes de apartarse obediente—. ¿Qué quieres saber? —inquirió tumbándose de lado, con un codo hincado en la almohada y la cabeza apoyada en la mano.

—No lo sé —murmuró aturdida, sintiendo un extraño frío al verse desposeída de sus caricias—. Ah, sí. Dime, ¿cuántas cosas te has comprado? —susurró juguetona. Era la primera vez en mucho tiempo que Lucas salía sin vigilancia, y con dinero. Tenía que haber disfrutado muchísimo gastándolo. Seguro que había comprado revistas técnicas, planos de motores, libros sobre barcos… todo eso que tanto le apasionaba.

—No he comprado nada.

—¿No? —Lo miró sorprendida.

—No. Lo he guardado todo.

—¿Por qué? —inquirió perpleja.

—Anna está a punto de salir. Apenas faltan dos meses para que se cumpla su estancia, necesito dinero para cuando regrese…

—¿Qué vas a hacer cuando ella vuelva? —musitó acariciándole la frente para borrar las arrugas de preocupación que se habían dibujado al hablar de su amiga.

—No lo sé. El capitán pagó el alquiler de la casa hasta agosto, pero eso no basta, tiene que comer, comprar flores para luego venderlas en caso de que tenga fuerzas para trabajar, tal vez necesite seguir con el tratamiento en casa… Necesito dinero, mucho. ¡Y el capitán no me deja trabajar para conseguirlo! —Sacudió la cabeza frustrado—. Ni siquiera sé si Anna está lo suficientemente bien para salir de allí. Necesito hablar con ella —musitó desesperado.

—Lo harás, no te preocupes por eso. En cuanto el capitán se ausente buscaremos la manera de que la llames por teléfono —le aseguró entristecida. Todo sería mucho más fácil si Lucas se aviniera a contarle al capitán lo que pasaba con Anna, pero seguía negándose en rotundo.

—Se me agota el tiempo, y no puedo hacer nada. Soy un completo inútil…

—Shh. No digas eso, no es verdad —musitó besándole en los labios para distraerle.

—No lo entiendes, es mi responsabilidad…

—Sí lo entiendo, calla y bésame —le silenció con un nuevo beso. Esta vez la distracción sí dio resultado.

—¿Qué has hecho esta mañana? ¿Has paseado con Marc? —preguntó Lucas tiempo después, cuando Alicia volvió a detener el tímido avance de sus manos y sus labios.

—Mmm… Sí, hemos recorrido el jardín mientras estabas fuera. Me ha invitado a ir mañana a la ópera, estoy pensando qué contestarle —dijo ladina, encantada de verle celoso.

—Le dirás que no —masculló enfurruñado. Lo único malo de la visita al museo era que Marc había estado toda la mañana con Alicia, sin que él pudiera vigilarlos—. ¿Ha intentado besarte? —inquirió centrando una furiosa mirada en el techo.

—Sí. Pero yo no le he dejado.

—Lo mataré… —musitó cruzándose de brazos a la vez que apretaba los dientes.

—Le he dado un bofetón, mostrándome muy disgustada —le informó Alicia, logrando que la mirara fijamente—. Y luego le he dicho que no volviera a intentarlo o me quejaría al capitán.

—¿Y él qué ha dicho? —Arqueó una ceja. Dudaba que esa amenaza surgiera efecto, Marc contaba con la aprobación del viejo, al contrario que él.

—Ha prometido que no volvería a hacerlo. —Al menos hasta que estuvieran casados, pero eso, por supuesto, no se lo iba a decir a Lucas.

—¿Y tú le crees?

—Por supuesto.

—Eres una ingenua. Es imposible que no vuelva a intentarlo. Ningún hombre que te haya probado puede dejar de besarte —aseveró—. Debes tener mucho cuidado con él. Volverá a intentarlo, y si lo hace… Le haré una cara nueva.

—No seas obtuso, Marc no está interesado en mí ni en mis besos —replicó ella, secretamente halagada por su reacción.

—Tú eres la obtusa. Nadie en su sano juicio podría mantenerse apartado de ti. Yo no podría.

—Porque tú me quieres —musitó Alicia encantada, besándole la frente—. Pero Marc, no. No tiene interés alguno en mi persona, besarme o no, es solo un proceso más de su cortejo.

—No puedes hablar en serio. —Alicia asintió con la cabeza, divertida por la incredulidad reflejada en sus palabras—. Si no te quiere… ¿¡Por qué puñetas quiere casarse contigo!?

—Por la herencia.

—¿Qué herencia?

—La del capitán. Al no tener herederos directos, puede ignorar la legítima. —Lucas la miró confuso—. ¿No sabes lo que es? Es la parte que la ley dispone para los hijos y sus descendientes legales —apuntó, consciente de que Lucas, al ser el bastardo de Oriol, no tenía cabida en dicha ley.

—¿Y las esposas? —inquirió él perplejo.

—Las mujeres nunca tienen derecho a nada —masculló Alicia—. Pero en este caso, al no haber herederos directos, el capitán puede disponer de su herencia como desee… y ha destinado una tercera parte para Marc, y el resto, será un usufructo para mi madre y para mí que gestionará el juez Pastrana. Cuando yo me case, parte de ese usufructo pasará a mi marido. Y Marc está empeñado en serlo él, para controlar sin impedimentos la naviera.

—¿Cómo sabes todo eso? —inquirió Lucas asombrado. ¡Marc no solo era repugnante, sino también idiota! ¿Cómo podía no estar enamorado de Alicia? El dinero no era nada comparado con ella…

—Me lo explicó Pastrana cuando Marc empezó a… interesarse por mí. —Lucas la miró aturdido, y Alicia no pudo por menos que echarse a reír—. El capitán intuyó que me pretendía por culpa de la herencia y quiso que tuviera toda la información antes de dejarme llevar por mi «loca cabecita de jovencita romántica» y aceptarle a él o a cualquier otro pretendiente.

—¿Has tenido muchos pretendientes?

—Algunos. Todo el mundo sabe que soy como una hija para el capitán, e intuyen que mi herencia será muy jugosa. Puede decirse que soy un buen reclamo para los cazadores de dotes: una jovencita rica que como además está tullida no tiene muchas opciones para elegir —murmuró tocándose la pierna atrofiada.

—¡No eres ninguna tullida! —exclamó Lucas furioso—. Eres perfecta. Toda tú. Sin excepciones —afirmó rotundo cerniéndose sobre ella—. Eres preciosa, la mujer más hermosa del mundo —aseveró adorándola con la mirada—. No hay nada en ti que no sea sublime…

—Solo tú piensas así —murmuró Alicia acercándose para besarle—. El resto del mundo me ve como una manera fácil de conseguir mucho dinero.

—Son estúpi… —se detuvo antes de acabar la frase, mirándola aterrado—. ¡Puñeta! —jadeó bajando de la cama.

—¿Lucas? ¿Qué te pasa?

—Llevo desde que llegué aquí diciéndole al capitán que me deje trabajar porque necesito dinero —musitó angustiado recorriendo la estancia.

—¿Y?

—Si el viejo se entera de que estamos juntos va a pensar que es mentira, que no te quiero, que solo lo digo para conseguir tu dinero… ¡Y no es verdad! —gimió atormentado golpeando la pared con los puños—. No me dejará volver a verte. Me alejará de ti. ¡Y con razón! Yo tampoco me fiaría de un tipo como yo. ¡Oh, Dios! Sabía que eras una señorita de buena familia, inteligente, con educación… ¡Pero no pensaba que serías rica! ¿Por qué tienes que heredar? ¿Qué voy a poder ofrecerte yo, que no tengo nada?

—¡Basta! Deja de decir tonterías.

Lucas, negó con la cabeza, sin atreverse a mirarla, y cayó de rodillas en el suelo, la cara enterrada entre las manos, todo él estremeciéndose con temblores incontrolables.

—Lucas, vuelve a la cama. Habla conmigo… —Su única respuesta fue volver a negar con la cabeza—. Lucas, por favor, ven. Vas a conseguir que me muera de preocupación, ¿es eso lo que quieres? —le recriminó, deseando que la regañina le hiciera reaccionar. ¿Cómo podía un hombre ser tan fuerte y a la vez tan vulnerable?

Lucas apartó por fin las manos de su rostro y, dócil como un niño asustado, caminó hasta la cama para tumbarse junto a Alicia.

—¿Qué voy a hacer ahora? —musitó mirándola preocupado, dejándose abrazar.

—Nada. No tienes que hacer nada.

—Quiero ofrecerte la luna y solo tengo barro en las manos…

—No quiero la luna, Lucas. Te quiero a ti.

—Me tienes, pero…

—Pero nada. Deja de preocuparte por lo que pueda pasar mañana, no tiene sentido.

—Pero...

—No hables más y bésame.

Y eso hizo. La besó como si no existiera un mañana. Como si esa noche fuera eterna. Besó sus labios con reverente suavidad que pronto se transformó en tórrida pasión. Recorrió con los dedos la sedosa piel de su cuello, delineó las líneas de su clavícula y deslizó la mano sobre el camisón hasta la lisa tersura de su vientre. Se perdió en las curvas de sus caderas y continuó bajando, para acariciar con meticulosa dedicación los flácidos músculos de su pierna enferma por encima del suave algodón que la cubría.

—No, Lucas... No me toques la pierna, es aberrante.

—No lo es. Es deliciosa y blandita, como tú —replicó él besándola sin apartar la mano—. Forma parte de ti, y tú eres perfecta.

—No lo soy...

—No me lleves la contraria, yo soy el hombre y tú la mujer, y las mujeres no entienden de estas cosas —afirmó sin dejar de acariciarla.

Y Alicia no pudo menos que reírse ante sus palabras. Aunque la risa no duró mucho tiempo, pues Lucas había llegado al final del camisón, y podía sentir las yemas de sus dedos sobre la piel desnuda. Deslizándose despacio por su tobillo, ascendiendo por su pantorrilla...

—Lucas, no. Para. Eso no es correcto —jadeó sin fuerzas. Y él, ¡maldito fuera!, le hizo caso.

Abandonó sus labios en mor del cuello y mientras lamía ese punto que parecía volverle tan loco como a ella misma, posó de nuevo la mano sobre su vientre y con enervante lentitud escaló los montes de sus pechos para luego deslizar los dedos bajo el escote de su camisón.

En esa ocasión, Alicia no le detuvo, pues estaba segura de que si lo hacía, se detendría, y eso era lo último que deseaba en ese preciso instante.

—Es tarde... debes marcharte —susurró Alicia horas después. El cuerpo estremecido de anhelante placer, los labios hinchados por los besos y los ojos fijos en el hombre que estaba junto a ella.

—No quiero irme —protestó Lucas abrazándola con sumo cuidado, evitando en todo momento pegarse a ella para que no pudiera descubrir esa parte de su cuerpo que se alzaba impaciente. Porque, si Alicia llegaba a enterarse de lo duro que estaba, se enfadaría por su falta de recato. Pero no podía evitarlo. Jamás había estado más excitado en toda su vida. Ni tampoco más feliz. La tenía entre sus brazos, la había besado y había tenido el privilegio de poder acariciar sus dulces pechos…

—Pero debes marcharte, está a punto de amanecer —le instó besándole y acercándose a él, hasta que sus cuerpos estuvieron pegados.

Necesitaba averiguar si aquello que había notado hacía un instante era lo que ella pensaba. Sí lo era, tal y como comprobó antes de que él se asustara apartándose de nuevo.

Sonrió orgullosa. Puede que Lucas se hubiera mostrado en exceso prudente al no bajar más allá de sus pechos tras haber sido regañado la primera vez. Puede que se hubiera limitado a acariciarla con reverente cuidado mientras la besaba. Pero eso… eso tan duro que durante un solo instante se había frotado contra su pierna, decía sin lugar a dudas lo mucho que le excitaba besarla. Lo mucho que la deseaba.

—Tienes razón… debo irme —balbució Lucas besándola de nuevo.

—Sí… Vete —aceptó Alicia enredando los dedos en su pelo para acercarle más a ella.

Así continuaron hasta que el amanecer les indicó exactamente lo tarde, o lo pronto que era, y Lucas tuvo que echar a correr para no llegar demasiado tarde a sus clases con el señor Abad.

22

Que dos y dos sean necesariamente cuatro, es una opinión que muchos
compartimos. Pero si alguien sinceramente piensa otra cosa,
que lo diga. Aquí no nos asombramos de nada.

ANTONIO MACHADO

13 de junio de 1916

—Voy a soltarte.

—No, espera un poco… No estoy segura de poder hacerlo
—musitó Alicia abrazándose con fuerza al cuello de Lucas mientras
miraba aterrorizada el duro suelo del gabinete. Ese que el capitán
había mandado forrar con las alfombras turcas más mullidas.

—Claro que puedes. Estás de pie por ti misma, yo apenas te sos-
tengo —afirmó Lucas abriendo las manos con las que sujetaba su
cintura.

—¡No me sueltes! —exclamó con un deje de histeria en la voz.

—Alicia, aunque te soltara no te caerías, estás enganchada con
tanta fuerza a mi cuello que vas a acabar por rompérmelo… —Frotó
su nariz contra la de ella para a continuación darle un casto beso en
la mejilla.

Frente a ellos, Addaia emitió una pícara risita, mientras que
Isembard, fiel a su costumbre, carraspeó con fuerza.

—Lo siento… —musitó Alicia sin aflojar su agarre.

—¿Preparada?

—¡No!

—Vamos a ello… —Y apartó las manos de su cintura—. Ya está,
tranquila —susurró en su oído a la vez que le acariciaba el pelo con
la nariz—. Sigues de pie tal y como te dije que harías. ¿Ves como
siempre tengo razón?

—No seas petulante —dijo ella entre dientes, haciéndole reír.

—Ahora vas a soltarme muy despacio —murmuró Lucas, mirando a Isembard. Este se apresuró a colocarse tras Alicia para sostenerla en caso de que perdiera el equilibrio.

—No lo haré. No puedes obligarme. No tienes derecho a…

—Shh. Pon esa espalda bien recta —le ordenó con cariño no exento de severidad mientras llevaba la mano a la nuca para tomar los engarfiados dedos de Alicia—. No tengas miedo, tu pierna izquierda es muy fuerte, puedes sostenerte en ella —murmuró obligándola a soltarse.

—Te odio —siseó ella aferrándose con fuerza a su fornido antebrazo izquierdo.

—Yo también te quiero —susurró Lucas—. Ahora dame la otra mano… vamos, tienes que apartarte y echar a andar. Lo prometiste.

—Las promesas están para romperlas.

—Las tuyas no —afirmó inflexible—. Te sueltas o te suelto… —Llevó la mano que le quedaba libre a la nuca mientras Isembard y Addaia los observaban en un expectante silencio.

—Te aborrezco. —Alicia le soltó con rapidez el cuello para acto seguido engarfiar los dedos alrededor de su antebrazo derecho.

—Muy bien… ahora voy a dar un paso atrás. —Se apartó de ella apenas unos centímetros.

Todos contuvieron la respiración, atentos a la joven que se mantenía de pie en mitad del gabinete, sus manos firmemente ancladas a los antebrazos de un hombre que parecía iba a conseguir lo imposible.

—No mires el suelo, mírame a mí. —Alicia negó con la cabeza—. Tengo unos ojos muy bonitos, ¿de verdad que no quieres mirarme? No sabes lo que te estás perdiendo —bromeó Lucas manteniendo los brazos en un firme ángulo recto para que se sostuviera en ellos.

—No seas tan presumido —le regañó alzando la cabeza y centrando sus ojos en los de él.

—Estás de pie.

Alicia respiró profundamente y miró las manos de Lucas. Era cierto. No la estaba sujetando, era ella quien se sostenía apoyada en sus antebrazos. Sonrió.

—Estoy de pie. Yo sola.

—Sí, y vas a andar —afirmó él dando un paso atrás, haciendo que ella se inclinara hacia delante.

—¡Lucas!

—Voy a dar otro paso más… debes dar uno hacia delante si no quieres caerte.

—¡No te atreverás! —Sí, se atrevió. Y Alicia dio su primer paso.

—¡Lo he hecho…! —exclamó conteniendo apenas una risita histérica.

—Claro que sí.

Y entonces Alicia hizo lo impensable, dio otro paso. Y Lucas sonrió y caminó hacia atrás. Y ella lo siguió. Y su pierna enferma falló y se abalanzó sobre él. Y entonces él la tomó por la cintura y la alzó por encima de su cabeza. Su mejilla acariciando el blandito vientre femenino mientras giraba en mitad del gabinete al ritmo de la risa feliz de su dama.

Hasta que sucedió lo inevitable. Entre giro y giro olvidaron que no estaban solos, y, sin apenas darse cuenta, Lucas fue deslizándola por su cuerpo hasta que sus rostros quedaron a la misma altura y sus labios se juntaron.

—¡Lucas, por Dios, esto es inadmisible! —tronó Isembard tras ellos.

Alicia apartó la cara, avergonzada, casi tanto como Lucas, quien se apresuró a sentarla con cariñoso cuidado en la silla de ruedas.

—No ha sido para tanto, Isem… —murmuró turbado. ¡Como podía ser tan estúpido! ¿De verdad acababa de besarla delante de Isem y Adda? ¡Pues sí que guardaba bien el secreto!

—¿No? Lucas, ha sido para mucho. Regresemos al estudio, a ver si un poco de geografía te enfría el ánimo —masculló Isembard despidiéndose de Addaia y Alicia.

—No hagas una montaña de un grano de arena —se quejó Lucas una vez estuvieron en el estudio—. No ha pasado nada.

—¿Nada? Los caballeros no besan a las señoritas en presencia de nadie —le reprendió airado—, ¡esperan a estar a solas con ellas para robarles besos!

—Ya… yo no pienso robar nada a nadie.

—¡Por Dios, Lucas, tengo ojos en la cara!

—¿A qué te refieres? —requirió, mirándole asustado.

—A que como no tengas un poco más de cuidado, el día menos pensado el capitán, Marc o el señor Abad te van a pillar besando a Alicia en el jardín, el corredor, el descansillo de las escaleras… y no van a hacerse los despistados, como hago yo.

—Yo no… —Sí, la había besado en todos esos sitios, y en muchos más. Pero se suponía que nadie los había visto. Y en ese «nadie» se incluía Isembard—. ¡Puñeta!

—Nunca mejor dicho, Lucas. ¡Puñeta! Y ahora, abre el libro por la página doce.

18 de junio de 1916

—La clase ha terminado, puedes irte. Yo voy a entretenerme colocando las postales —explicó Isembard señalando las tarjetas que había comprado esa misma mañana durante la visita al museo Martorell.

Lucas miró el reloj, percatándose de que era más tarde de lo habitual.

—Te espero en la sala de estar, Adda y Alicia ya estarán allí —dijo abandonando el estudio.

Recorrió la galería presuroso y, al dejar atrás las puertas de la biblioteca, se encontró de cara con una desagradable sorpresa: Marc estaba frente a las escaleras. Y, si no fuera porque era del todo imposible, Lucas hubiera jurado que estaba esperándole.

—Buenas tardes —masculló al pasar junto a él.

—No creas ni por un momento que no sé lo que pretendes, mendigo —murmuró Marc en respuesta.

Lucas se detuvo, girándose lentamente para encararle.

—¿Perdona? Creo que te he oído mal… —siseó desafiante.

—No te hagas el imbécil —le espetó Marc en voz muy baja—. Sé lo que quieres conseguir, y no te lo permitiré.

—Y, ¿qué es eso que quiero? —inquirió Lucas amenazante.

—Lo mismo que yo, por supuesto. El dinero del capitán y la compañía Agramunt. Tus métodos para conseguirlo difieren de los míos en la forma, que no en la conclusión.

Lucas negó con la cabeza y continuó caminando hacia las escaleras. No merecía la pena responder a ese zoquete.

—Quieres meterte entre las piernas de Alicia y hacerle un mocoso —musitó Marc en ese momento—. ¿Crees que el capitán te dejará casarte con la tullida si la preñas? Solo eres un bastardo…

—¡Hijo de puta! —gritó Lucas abalanzándose sobre él y estrellándole contra la pared de la biblioteca para luego golpearle—. Maldito cabrón, no te atrevas a hablar así de Alicia.

—¡Lucas! —lo llamó Isembard, abandonando el estudio alertado por el alboroto.

—¡Qué demonios sucede aquí! ¡Separaos! —tronó Biel al salir de su despacho y ver a su nieto golpeando a Marc—. ¡Lucas! ¡Apártate ahora mismo! —bramó furioso levantando el bastón al comprobar que Lucas no tenía la intención de separarse de Marc cuando este ni siquiera estaba intentando defenderse.

Enoc lo detuvo en el momento en el que iba a descargar el golpe en la pared, decidido a sobresaltar a su nieto con el ruido y así detenerle.

—Déjemelo a mí, capitán —agarró al joven por la muñeca y le retorció el brazo, llevándoselo a la espalda en una dolorosa postura, a la vez que le rodeaba la garganta con la mano libre—. Tranquilo, chico… —susurró tirando de él y apartándole de Marc.

—¡Suélteme! —jadeó Lucas sin apenas respiración.

—Cuando te calmes. —Enoc no liberó su presa—. No metas más la pata —musitó para que solo Lucas pudiera oírle—. Marc está buscando una excusa para ponerte en evidencia y acabas de dársela, imbécil.

—Se lo advertí, tío, no es más que un perro rabioso que ataca sin ningún motivo. Antes de que se dé cuenta estará mordiendo a Alicia o a la tía Jana… —exclamó Marc limpiándose con gestos exagerados la sangre que le brotaba de la nariz.

—Está mintiendo, Lucas jamás pegaría a nadie sin un buen motivo —rebatió Isembard, encarándose a Marc.

—¿Me está llamando mentiroso, maestrucho?

—Marc, ¡basta! —exclamó Biel golpeando la pared con el bastón—. Señor Abad, suelte a mi nieto, y tú, halacabuyas insolente, no te atrevas a levantar un solo dedo —le ordenó colérico a Lucas—. Cómo osas pelearte en mi casa, como si fueras un… un… ¡matón del puerto! —espetó. La voz temblándole por la furia apenas contenida.

—¿Y qué otra cosa esperaba de él, tío? Al fin y al cabo, eso es lo que es. Ni siquiera me ha dado tiempo a defenderme, me lo he encontrado de cara al subir las escaleras y, sin mediar palabra me ha atacado, como el cobarde que es.

Lucas abrió la boca para protestar, pero la cerró al darse cuenta de que daba igual lo que dijera. Marc había hablado en todo momento en susurros, nadie podía haber oído nada, salvo a él mismo y a sus gritos. Le había tendido una trampa en la que había caído de lleno y no tenía manera de demostrarlo. No iba a entrar en su juego de acusaciones, solo conseguiría que le humillara más todavía.

Negó con la cabeza y, apretando con fuerza los puños, se giró para ir a su cuarto.

—¡Lucas! No se te ocurra marcharte sin darme una explicación y excusarte con Marc.

—¿Para qué? Usted jamás me creerá —escupió herido—. Y en cuanto a él —señaló a Marc con desprecio—. Antes me corto la lengua que pedirle perdón.

—¡A mi despacho! ¡Los dos! ¡Ahora! —ordenó Biel perdida la paciencia.

—Capitán, tal vez debería esperar a que se calmen los ánimos —sugirió Isembard, consciente de que bastaba solo una chispa para que nieto y abuelo explotaran.

—¡Métase en sus puñeteros asuntos, señor del Closs! —estalló Biel entrando en el despacho.

Marc le siguió esbozando una taimada sonrisa.

—No pierdas la calma ahí dentro, Lucas. Es lo que está buscando —le advirtió Enoc antes de empujarle para después cerrar la puerta, dejándole solo con el viejo y su maldito sobrino.

—¿Qué ha pasado ahí fuera? —siseó Biel golpeando el bastón contra el escritorio.

—No lo sé, capitán, Lucas se abalanzó sobre mí sin ningún motivo y comenzó a golpearme —explicó de nuevo Marc.

—¿Lucas? —inquirió Biel estrechando los ojos.

Conocía bien a ambos hombres, y sabía de sobra que su nieto jamás atacaría sin un motivo. Bueno o malo, pero un motivo al fin y al cabo. De la misma manera que sabía que Marc jamás permitiría que le golpearan sin contraatacar a su vez… y eso era justo lo que había hecho en la galería. Permanecer pasivo mientras Lucas le golpeaba frenético.

—Ya lo ha oído, capitán —respondió Lucas altanero—, tropecé y me fui de bruces contra su querido sobrino, no tengo ni la menor idea de cómo acabaron mis puños en su cara. Casualidad, imagino —declaró con una burlona sonrisa que no ocultaba el dolor en su mirada.

—¿Esa es la explicación que vas a darme? —masculló Biel perplejo; con su actitud se estaba inculpando más aún.

—¿Creería otra?

—Prueba a ver —le retó Biel.

—Sí, inténtalo, me gustaría escuchar el cuento… —apuntó Marc sarcástico.

—Silencio —siseó Biel sin apartar la mirada de su nieto—. Adelante, Lucas, quiero escuchar tu versión.

—Ya se lo he dicho, tropecé y caí contra Marc. Adelante, castígueme —murmuró al recordar que el viejo había alzado el bastón. Abrió los brazos en cruz y giró sobre sus talones—. Ahí tiene el bastón, vamos, úselo, está deseando descargarlo en mi espalda desde que me ha visto atacar a su adorado sobrino. Cuanto antes acabemos con esta estúpida farsa, mejor. Es la hora del chocolate y tengo hambre —declaró desafiante.

—Entiendo —masculló Biel, parte de la furia olvidada al intuir lo que había pasado. Observó a Marc, y la mirada ufana de este le confirmó sus sospechas. No sabía como lo había hecho, pero sin duda era el instigador de esa pelea—. ¿Quieres que te castigue, grumete? —murmuró acercándose a Lucas con el bastón en la mano.

Este entornó los ojos, enfadado al escuchar el apodo. ¡Él ya no era grumete, era marinero!—. Te complaceré. Enciérrate en tu habitación y no salgas hasta mañana. Y, durante ese tiempo, medita en todas las opciones que tenías para evitar la pelea, aunque esta fuera provocada. Puedes retirarte.

Lucas miró perplejo a su abuelo. ¿Le estaba diciendo que sabía que Marc le había provocado? ¡Entonces por qué le castigaba impidiéndole ver a Alicia!

—A qué esperas, lárgate de una vez —le instó Biel—. Le diré a la señora Muriel que te suba algo de cena. No sería conveniente que murieras de hambre —comentó sentándose de nuevo tras su escritorio.

—¡Capitán! —exclamó Marc indignado al ver que Lucas abandonaba el despacho sin más reproche que una ligera bronca y ¡una cena en la cama!—. ¿Eso es todo? No…

—No voy a tolerar ni una sola pelea más en esta casa —le interrumpió Biel centrando su mirada en él—. ¡Ni una sola más! ¿Has entendido?

—Le recuerdo, tío, que yo no he golpeado a nadie —replicó Marc ofendido.

—No, por supuesto que no. Pero te las has apañado para provocar a mi nieto hasta que le ha cegado la rabia. No lo vuelvas a hacer. No lo toleraré. Si quieres luchar con él por el afecto de Alicia, hazlo de la manera adecuada. No soporto a los tramposos —afirmó severo.

—Has cambiado, Marc. Ya no te reconozco —murmuró Enoc desde la puerta de la sala de fumar cuando Marc atravesó el vestíbulo.

—¿No? Es una lástima —declaró burlón, encogiéndose de hombros.

—¿Qué necesidad tenías de provocarle para que te pegara?

—¿Cómo sabes que le he provocado?

—Te conozco.

—Acabas de decir que no…

—¡Déjate de chuflas! —le increpó Enoc acercándose a él—. No puedes continuar jugando sucio, haciendo trampas a quien nada te ha hecho, despreciando a las personas que antes te importaban… Tú no eres así.

—Por supuesto que soy así —replicó Marc—. Acéptalo.

—Me da asco ver en lo que te has convertido.

—¿Acaso el viejo me ha dado otra opción? —espetó Marc, mostrando al fin su rabia.

—El capitán no te ha hecho nada.

—Me crió para ser su heredero. Todo iba a ser para mí. La naviera, los barcos, la casa… —se interrumpió antes de decir lo que ninguno de los dos quería escuchar—. ¡Todo! Hasta que la tullida le convenció para cambiar el testamento y me dejó solo las migajas.

—La señorita Alicia no tuvo nada que ver en eso.

—Oh, por supuesto que no. Solo fue un golpe de suerte que enfermara quedándose lisiada y el capitán se obsesionara con protegerla a toda costa, a ella y a la puta de su madre. Aunque eso incluyera darles a ellas lo que me pertenece a mí por derecho. Pero, ya ves, no soy tan malvado como crees, lo acepté, y decidí cortejarla para conseguir de otra manera lo que siempre había sido mío. ¡Y cuando casi la tengo, aparece ese bastardo asqueroso para arrebatarme lo que tanto me ha costado conseguir! Dime, Enoc, ¿qué demonios quieres que haga ahora?

—Quiero que vuelvas a ser el que eras.

—¿Y qué conseguiré a cambio? —inquirió encarándose a él, los rostros a un suspiro de distancia, sus miradas enfrentadas, sus labios apretados en sendas muecas de rabia—. Dime, Enoc, si me olvido de todo, si vuelvo a ser el de antes, ¿volveré a tener lo que una vez fue mío?

—Nunca debió suceder.

—Entonces, querido amigo, no me queda otra opción que conseguir todo lo que tiene el capitán para con ello obtener lo que deseo. Y si para lograrlo tengo que seducir a la tullida y dejarla preñada, no dudes que lo haré —afirmó dando media vuelta para irse.

—¡Marc! —le llamó Enoc—. Aun si consigues ser el dueño de la naviera, nada cambiará.

—Oh, sí. Lo cambiará todo. Dejarás de trabajar aquí como si fueras un mozo de los recados —dijo con desprecio—, y volverás a ser el primer oficial del *Luz del Alba*, mi barco.

—No dejé de serlo porque el capitán me lo ordenara. Fue mi decisión.

—Lo sé. Maldito seas por ello —replicó Marc abandonando la casa.

—¡Lucas! Por fin, ¿qué ha pasado esta tarde? ¿Por qué te has peleado con Marc? —inquirió Alicia preocupada, deslizándose hacia él en el mismo momento en el que entró en la habitación.

—Deberías estar en la cama, es demasiado tarde para que estés dando vueltas. No es bueno que te fatigues —la regañó Lucas tomándola en brazos para acostarla sobre las sábanas.

—Déjate de tonterías y cuéntame que ha pasado —le increpó molesta, moviéndose para dejarle hueco a la vez que daba unas palmaditas sobre el colchón, indicándole que se sentara a su lado. Desde que Adda se había ido de la lengua y le había contado que Doc le había prohibido fatigarse, Lucas la trataba como si fuera una frágil muñeca, ¡y no lo era!—. El capitán ha estado toda la cena mascullando que iba a colgaros a ti y a Marc del palo mayor, que os iba a pasar por la quilla y que os… ¡Tu mano! —exclamó al ver sus hinchados nudillos—. ¡Por Dios, Lucas! ¿Qué te ha pasado?

—Nada, mi mano se encontró con la jeta de Marc —masculló enfadado.

—Entonces… ¿Es cierto? ¿Te has peleado a golpes?

—¿Acaso hay otra forma de pelearse? —inquirió burlón.

—¡Por supuesto que sí! Puedes pelearte con palabras, con hechos, con ironías… Nunca con los puños. Aunque tengas la razón, en el momento en que usas la fuerza, la pierdes.

—Anna siempre me decía lo mismo.

—Ya lo ves. Anna y yo tenemos razón. —Se aproximó y le enmarcó la cara con las manos—. No quiero que vuelvas a pelearte nunca más. Si lo haces, me enfadaré mucho.

Lucas asintió y, aprovechando la coyuntura, enredó los dedos en su precioso pelo rizado y la besó.

—¡Hablo en serio! —Se apartó enfadada.

—Yo también —se quejó él cerniéndose sobre ella para volver a besarla.

—¡Lucas! Compórtate.

—No quiero —protestó a la vez que comenzaba a desabrocharle la parte superior del camisón. ¿Por qué se empeñaría en cerrárselo hasta el cuello? ¡Con lo difícil que era bregar con esos botoncitos tan diminutos!

—Lucas…

—Está bien… —rezongó enfurruñado, tumbándose de espaldas.

—¿Por qué has pegado a Marc? —Le miró con severidad, sentada de nuevo.

—Se lo merecía.

—¿Por qué?

—En el tiempo que he estado encerrado en la habitación he estado dándole vueltas al plazo que acordé con el viejo. Solo quedan dos semanas para que se cumpla —comentó él, cambiando de tema. Alicia puso los ojos en blanco, estaba claro que no quería hablar del asunto, pero ya lo averiguaría, o mejor dicho, ya se encargaría Adda de interrogar a Isembard y contarle lo que descubriera—. Pero no lo ha mencionado en ninguna de las ocasiones en las que nos hemos reunido. ¿Sabes si le ha dicho a tu madre qué piensa hacer conmigo cuando acabe el mes?

—Mamá no me ha comentado nada. Si quieres puedo preguntarle al capitán…

—No. Déjalo. —La atrajo hacia él, haciendo que se tumbara a su lado, con la cabeza reposando sobre su hombro—. Estoy hecho un lío, ya no sé lo que quiero —murmuró enredando los dedos en su pelo y acariciando los sedosos mechones—. No quiero irme de aquí, pero tampoco puedo quedarme. Echo de menos la libertad de poder elegir lo que quiero hacer, pero a la vez, lo único que quiero hacer es estar aquí, contigo. Es una locura, Alix, quiero y no quiero. Quiero regresar a mi casa, con Anna, pero a la vez quiero seguir aquí, estudiando con Isembard y el señor Abad. Quiero estar solo, sin nadie que me vigile, pero no quiero dejar de escuchar los refunfuños de la señora Muriel, las palabras alentadoras de la señora Jana, la charla errática de Etor… No quiero discutir con el viejo, pero tampoco quiero que deje de lanzarme pullas. Me gusta reñir con él, ver quién gana en nuestras absurdas peleas. A veces, me asombro al darme cuenta de que hago cosas para que me mire con esa sonrisa torcida que tiene mientras me llama marinero… Y me molesta mucho cuando se enfada y me baja de categoría convirtiéndome en grumete. Me da mucha rabia, y, sin embargo, no debería importarme. ¿Me estoy volviendo loco? —musitó fijando su mirada en ella.

—No. Estás cogiéndole cariño al capitán —le respondió en voz baja, recorriéndole el rostro con lánguidos besos que él se ocupó de transformar en tórridos cuando se adueñó de sus labios.

—¿Qué voy a hacer? —preguntó tiempo después, con las manos de Alicia sujetando firmemente las suyas tras haberlas apartado de donde aún no podían estar. Inspiró profundamente e hizo caso omiso a aquello que palpitaba anhelante bajo sus pantalones. Paciencia, eso era todo lo que precisaba, pues sabía que antes de que le ordenara retirarse a su dormitorio, le permitiría acariciar lo que ocultaba su camisón. Quizá incluso le dejara descender más allá de su liso vientre y acariciar sus piernas desnudas, y tal vez subir hasta…

—Estoy segura de que el capitán quiere que te quedes y sigas estudiando —afirmó Alicia pensativa mientras Lucas se tragaba el gemido de frustración que sus fantasías habían provocado—. Tal vez esté dejando pasar el tiempo mientras espera que tú le digas algo…

—Ese no es el estilo del viejo. Él coge el toro por los cuernos antes incluso de que haya salido a la plaza. No. Tiene algo planeado y me enteraré cuando él lo crea conveniente, no antes. Cuando menos me lo espere me llamará al despacho y me propondrá un nuevo trato.

—¿Lo aceptarás?

—Depende de lo que me ofrezca… o mejor dicho de lo que me permita —masculló irónico—. Necesito dinero, y para conseguirlo necesito trabajar. Y no creo que el trato incluya dejarme estar fuera de esta casa todos los días desde el amanecer hasta el anochecer.

—No te daría tiempo a estudiar, y ni él ni tú queréis eso. —«Ni yo tampoco».

—Lo sé, pero necesito dinero, y lo necesito ya. Tengo todo lo que me da cuando salgo con Isembard, pero no es suficiente… —Estrechó los ojos y se levantó de un salto de la cama—. A no ser que…

Se interrumpió y comenzó a pasear por el cuarto mascullando cifras y operaciones, la mirada fija en números invisibles que solo él podía ver.

—¿Lucas?

—Espera… Estoy calculando.

Alicia lo miró paciente, asombrada de cuánto había cambiado desde que lo vio por primera vez en la cama y herido. Había pasado de estar asustado, enfadado con todos y a la defensiva para mostrarse seguro, afable, razonable —a veces—, y decidido. Le observó pasear por el cuarto, la espalda bien recta y la cabeza alzada, pasándose una y mil veces los dedos por el oscuro cabello mientras murmuraba variables, probabilidades y riesgos… Hasta que de repente se detuvo con una enorme sonrisa en los labios, se lanzó sobre la cama y procedió a contarle entre besos el audaz plan que había imaginado.

—¡No puedes hacer eso! —jadeó Alicia cuando acabó de hablar.

—¡Claro que sí! Es la solución perfecta.

—Si el capitán se entera de lo que vas a hacer te… ¡Pasará por la quilla! —afirmó sin saber bien a qué se refería Biel cuando lo había mencionado, pero, por la sonrisa del señor Abad y los ojos como platos de su madre, intuía que era algo muy desagradable.

—Ah, pero no se va a enterar.

—Isembard…

—No le va a contar nada. Está de mi parte.

—No hasta ese extremo. Isem nunca te dejará ir a… esos sitios horrendos.

—No son tan malos como piensas —replicó Lucas divertido al ver su cara asustada.

—¡Sí lo son!

—Créeme, no lo son. Los conozco bien, me crié cerca de uno de ellos. Solo hay que saber parar a tiempo —refutó él besándole la punta de la nariz.

—Lucas, te lo prohíbo terminantemente.

—Vamos, Alicia, no dramatices.

—¡No dramatizo!

—Podré conseguir suficiente dinero para cuidar de Anna durante tres o cuatro meses…

—También puedes perderlo todo.

—Eso no pasará. —Ella negó con la cabeza, angustiada—. Piénsalo, ¡tres meses! Tendré tiempo para esperar a que el viejo me diga qué quiere hacer conmigo, y si no puedo aceptar lo que me proponga, podré buscar otra solución porque Anna tendrá lo suficiente para mantenerse mientras tanto. Confía en mí, princesa, sé lo que me hago —susurró besándola.

—No, Lucas. No lo sabes —musitó aceptando sus besos.

—¿Qué…? —Alicia abrió los ojos con perezosa somnolencia, solo para descubrir que era noche cerrada y que, por segunda vez en ese mes, Lucas se había vuelto a quedar dormido en su cama. De noche. ¡Oh, Dios! Eso no era correcto. Nada correcto. Pero sí muy agradable.

Estaba tras ella, estrechándola con fuerza entre sus brazos, mientras ahogados gemidos escapaban de entre sus labios.

Alicia abrió los ojos totalmente despierta. No eran gemidos. Eran sollozos.

—Lucas… —Encendió la luz de la lamparita y se giró entre sus brazos para quedar enfrentada a él. Sus ojos se movían erráticos bajo sus párpados mientras abría y cerraba la boca, como si quisiera gritar pero no tuviera aire para hacerlo—. ¿Qué te pasa?

—Me hace daño…

—¿Quién? —inquirió acariciándole la cara preocupada. Quizá hablándole a través de sus pesadillas consiguiera averiguar qué era lo que le aterrorizaba.

—El hombre sin dientes… Me aplasta. Me duele. Me escapo y me atrapa. Se lo clavo y no me suelta. Me hunde. No puedo respirar.

Me ahogo en sangre… ¡Y él me mira y se ríe! —jadeó Lucas cada vez más frenético.

—Está bien, no te preocupes, Lucas. Estoy aquí, contigo. Haré que se vaya…

—¡No! —gritó aterrorizado empujándola a la vez que abría los ojos. Ojos que no podían ver. Desenfocados. Turbios. Perdidos—. Vete, si te encuentran… Oriol no debe saber que estás conmigo. Vete antes de que te vean… No puedes hacer que se vayan.

—Sí puedo. Traeré al capitán, él se ocupará de Oriol y de… el hombre sin dientes —afirmó Alicia, intentando algo en lo que llevaba unas noches pensando.

—¿El abuelo? —preguntó Lucas dejando de respirar—. ¿Crees que vendrá? ¿Por mí?

—Sí.

—Pero… No puede saberlo. El abuelo no debe saber lo que he hecho —jadeó asustado acurrucándose contra el cabecero de la cama.

—Y no lo va a saber porque no se lo diremos. Solo le diremos que les pegue con el bastón…

—En las manos. ¿Golpeará al hombre sin dientes en las manos? —inquirió esperanzado resbalando de nuevo hasta quedar doblado sobre el colchón, la respiración más calmada, los ojos cerrados.

—Sí, ¿no oyes el bastón golpeando en la galería? Ya viene.

—Le pegará fuerte —musitó confiado—. Le romperá los dedos y me soltará. —Dejó caer la cabeza en la almohada, relajado—. Y las olas me empujarán hasta la playa y podré respirar… y Anna me llevará a casa. Y él dejará de mirarme y reírse.

—Ya estás en casa.

—Sí. Contigo —susurró abrazándola con fuerza, como si quisiera retenerla a su lado para siempre—. ¿Crees que el abuelo me dejará traer aquí a Anna? —preguntó en voz apenas audible. La pesadilla vencida, el olvido llamando al sueño—. Si estuvierais las dos, conmigo, todo estaría bien.

23

El modo de dar una vez en el clavo
es dar cien veces en la herradura.
MIGUEL DE UNAMUNO

22 de junio de 1916

—Creo que estamos cometiendo una grave equivocación, Lucas, y eso por no mencionar que estamos infringiendo las normas más elementales del trato entre caballeros —murmuró Isembard al dejar atrás el cuartel de las Atarazanas—. El capitán ha depositado su confianza en nosotros y ¿cómo se lo pagamos? Escabulléndonos como ladrones en vez de ir a la exposición como convinimos.

—No estamos infringiendo nada —masculló Lucas molesto. Apenas había dormido esa noche por los remordimientos derivados de lo que iba a hacer, no necesitaba que Isembard se lo recordara—. Solo estamos dando un ligero rodeo, luego iremos a la exposición.

—¿Ligero? ¡No insultes mi inteligencia! —Isembard negó en silencio. Estaba a punto de saltarse todas las reglas del capitán por ayudar a su alumno, y cada vez veía menos claro que lo que Lucas tenía pensado fuera inteligente—. No deberíamos entrar en el Raval, es peligroso

—No hay de qué preocuparse, durante el día solo es un barrio normal y corriente —«más o menos».

—Si es así, ¿qué hacemos aquí? No creo que encuentres abierto ninguno de esos sitios…

—Por supuesto que sí, solo hay que saber dónde encontrarlos. Y yo lo sé. Tómatelo como una aventura, Isem, no solo de libros vive el hombre.

—No debí dejar que me convencieras… —Miró a su alrededor con cautela—. No solo no te va a servir de nada, sino que vas a perderlo todo. Tendremos suerte si solo perdemos el dinero y no la vida —musitó apartándose de un borracho que vomitaba apoyado en una pared.

—No seas exagerado —replicó Lucas doblando una esquina y

zambulléndose en lo que parecía un mercado al aire libre—. No te separes de mí, Isem, y vigila tu dinero, la mitad de los niños de aquí son carteristas.

—Debo de estar loco. —Isembard se cerró la chaqueta, a pesar del calor que hacía, para asegurar todo lo posible su cartera—. Volvamos a casa, o mejor aún, vayamos a la exposición tal y como hemos dicho que haríamos y... —Se detuvo a media frase petrificado ante la escena que se mostraba ante él.

Estaban en una calle larga y estrecha en la que una multitud de niños desarrapados, ancianas vestidas de negro y hombres y mujeres de todas las edades y nacionalidades se mezclaban en una algarabía de voces y prisas alrededor de un sinfín de puestos callejeros. Mesas con pescado atestado de moscas; salchichas, pollos y entrañas sobre tablas sucias en el suelo, ropas usadas sobre mantas, verduras colocadas unas sobre otras en un vergel de colores entre la suciedad... Todo lo que uno podía imaginar se vendía allí. La sombra de los edificios aliviaba el calor producido por la muchedumbre mientras niños descalzos jugaban a la rayuela y hombres en distintos estados de embriaguez apostaban los pocos reales que tenían en mesas atiborradas de vasos sucios y botellas vacías.

—Dos del cadete y es *pá usté, señó.*

Isembard observó perplejo al niño, de apenas seis años, que le tiraba sin ningún respeto de la chaqueta a la vez que le enseñaba un libreto amarillento.

—Lo siento, no entiendo lo que me quieres decir —musitó palpándose la chaqueta para asegurarse de que la cartera seguía allí.

—Le va *vení bié* —insistió el crío metiéndole el panfleto en el bolsillo—. Suelte las del cadete —le enseñó la palma de la mano, tan mugrienta, que Isembard dudó de que el pilluelo supiera lo que era el jabón—. No se haga el *longuis, señó, tié usté de sobra pá dá...*

—Isem, ¿qué haces? No te despistes, tenemos prisa —le llamó Lucas acercándose a él.

—No sé lo que quiere —explicó mirando al pequeño con cariño empañado en lástima. En sus infantiles ojos brillaba una inteligencia sagaz, dura, altiva, similar a la que brillaba en los de Lucas. Sabiduría de niño viejo aprendida a base de miedo, hambre y golpes.

Lucas hizo un gesto hacia el pillastre y escuchó con atención su reclamación.

—Dice que le debes dos pesetas. ¿Le has comprado algo?

—Oh, sí —le dio a Lucas las cuarteadas páginas y sacó un par de monedas para entregárselas al pequeño, no sin antes advertirle de que las gastara bien—. ¿Por qué llama cadetes a las pesetas?

—Por el grabado, es Alfonso XIII de niño, vestido de uniforme militar —explicó Lucas abriendo con impaciencia la revistucha para luego devolvérsela—. Te ha timado, no vale ni un real —murmuró tomándole del codo.

Isembard miró la revista *Guía Nocturna de Barcelona. La Luna*, y según lo que ponía en la portada valía una peseta, aunque estaba tan vieja y manoseada que, efectivamente, no valdría ni cincuenta céntimos.

—¿Qué tipo de publicación es esta?

—Una guía para… Da igual. No te pares o acabarán sacándote todo lo que llevas encima. Eres demasiado blando —masculló Lucas tirando de él para que se apresurara.

Isembard asintió a la vez que leía las páginas interiores de la guía.

—Solo hay propaganda de casas de una peseta, dos, tres, y cinco. ¿A qué se refiere?

—A burdeles. Es lo que cuestan las putas, los más baratos son los peores.

Isembard le miró como si estuviera loco.

—¿Cómo va a existir una guía de burdeles? Eso es totalmente indecoroso.

—Es una guía nocturna, ¿qué esperabas?

—También hay una verdulería. Se publicita diciendo que hablan francés —comentó perplejo.

—La Maison Meublée «Verdura», no es una verdulería, es una casa de licencia, y de las caras. Sus putas hablan francés. No te entretengas —le instó impaciente doblando la esquina.

Isembard asintió, siguiéndole por las estrechas callejuelas a la vez que echaba discretas ojeadas a los papeles que aún tenía en la mano.

—Este instituto médico se anuncia en la guía —musitó al llegar a la calle Conde del Asalto.

—En realidad es una casa de lavajes —indicó el joven girando de nuevo en el laberinto de calles—. Un sitio donde van las mujeres para… ya sabes, hacerse irrigaciones. —Isembard se detuvo mirándolo confuso—. También venden gomas higiénicas para no pillar la sífilis y polvos mataladillas.

—Estás muy bien informado.

—Me crié aquí. —Lucas se encogió de hombros a la vez que señalaba un burdel que había frente a ellos—. Más exactamente allí, en Las Tres Sirenas. Es de los de una peseta, no entres nunca a no ser que quieras perder la polla.

—¿Ahí es donde piensas…?

—No, puñeta. En Las Tres Sirenas solo hay putas, la casa de apuestas está en el tercer piso —indicó entrando en el portal que colindaba con la casa de licencia.

Isembard observó el oscuro y estrecho pasaje, remiso a internarse en él. Olía a orines y alcohol, y si la vista no le engañaba, cosa harto probable dada la oscuridad reinante, había alguien manteniendo relaciones carnales con otro alguien contra la pared. Unas relaciones muy carnales y muy ruidosas.

—¿A qué esperas? ¡Vamos! —escuchó la voz de su alumno desde las escaleras que se intuían al fondo.

—No debí dejar que me convenciera… —musitó entrando al fin en la boca del lobo.

23 de junio de 1916

Lucas abrió los ojos al saludo del amanecer y una satisfecha sonrisa iluminó su semblante. Presentía que ese iba a ser un buen día. Un día grandioso. Marc partía esa misma mañana a un nuevo viaje, ¡ojalá se perdiera para siempre!, y él volvía a tener a Alicia en exclusiva. Se estiró para desentumecer sus músculos, aún dormidos debido a la temprana hora, y, mientras lo hacía, pensó en el dinero que estaba guardado a buen recaudo bajo una tabla suelta del armario.

Había ganado. Por supuesto. Aunque a última hora de la mañana había perdido un par de manos pero, como siempre decía Anna, una retirada a tiempo es una victoria. Y él había sabido cuándo retirarse. Lástima que no les hubiera dado tiempo a visitar la exposición. Ya lo harían en otra ocasión. Lo importante era que había conseguido lo suficiente para mantener a Anna durante al menos un par de semanas. Siempre y cuando no tuviera que comprar muchas medicinas, de lo contrario… El puñetero dinero era como la arena de la playa, por mucho que intentara aferrarlo entre los dedos, siempre acababa escapando. Apoyó ambas manos en los azulejos, dejando que el agua cayera sobre su nuca. Antes o después tendría que regresar a la casa de apuestas, y dudaba mucho que Isem se mostrara de acuerdo.

Sacudió la cabeza, frustrado, ya pensaría en eso más tarde. En ese momento no podía perder más tiempo. No, si quería llegar a tiempo a la clase con el señor Abad.

Υ

—Capitán... —Se detuvo al entrar en el despacho y ver a su abuelo sentado tras el escritorio, algo que no solía suceder nunca durante las clases.

—¡Halacabuyas ingrato! ¡Cómo se te ocurre mentirme para ir a una casa de apuestas! —le recriminó Biel levantándose a la vez que golpeaba la mesa con el bastón.

—Cómo sabe que... —Lucas dio un paso hacia atrás, asustado y confundido por la reacción del anciano.

—¡Lo sé y basta!

Lucas le miró perplejo mientras pensaba en cómo podía haberse enterado. Era imposible que Isembard o Alicia se lo hubieran contado, era sus amigos, confiaba en ellos. Y nadie más lo sabía, a no ser que... Apretó los puños, furioso.

—¡Me ha estado vigilando todo este tiempo!

—¡Y menos mal que lo he hecho! Zafio mentiroso. ¿Para eso querías el dinero? ¡Para gastártelo en apuestas! —escupió con desprecio.

—¡No me lo he gastado! ¡He ganado!

—¡Has perdido! En el momento en el que un hombre se rebaja a mentir para ir a apostar en un tugurio de mala muerte, pierde. Pierde su honor, su integridad y la confianza y el respeto que los demás han depositado en él. Que yo había depositado en ti —susurró Biel decepcionado—. No puedes hacerte una idea de hasta qué punto me has defraudado.

Lucas cerró los ojos, herido. Podía hacer frente a sus gritos y pullas, pero escuchar la decepción en su voz era mil veces peor que sentir las rocas rompiéndole la espalda. Le desgarraba por dentro hasta un punto que jamás hubiera imaginado.

—Necesito dinero —murmuró desesperado—. Le he pedido mil veces que me deje trabajar y no me lo ha permitido. ¡No me ha dejado otra opción!

—Necesitas dinero —masculló Biel burlón—. ¡Para qué! ¿Qué es lo que te falta? ¿Qué es lo que no te he dado? Te he cobijado cuando estabas medio muerto. Te he proporcionado estudios cuando no sabías nada. Te he acogido en mi casa, con mi familia, y ¿cómo me lo pagas? ¡Mintiéndome!

—¡Nunca le he pedido nada! —arguyó Lucas, obviando la última afirmación de su abuelo.

—Nada excepto dinero.

—¡Nada excepto libertad para poder trabajar! Nunca le he pedido dinero, ¡jamás!

—Y aun así te lo he dado —repuso Biel—. Y cuando lo has tenido en tu poder, lo primero que has hecho ha sido apostarlo como un vulgar rufián. ¿Para eso lo querías con tanto ahínco? ¿Para jugártelo a las cartas?

—¡No! —Se mesó el pelo, acorralado—. Necesitaba conseguir más… y no se me ocurrió otra manera.

—¡Para qué!

—No es de su incumbencia —replicó Lucas, la mirada fija en los furiosos ojos de su abuelo.

—Bien —bufó Biel al comprender que no iba a conseguir sacarle nada más. En ese aspecto su nieto era tan hermético como él mismo—. ¿Quieres trabajar? Trabajo tendrás. —Se sentó de nuevo tras el escritorio—. Dentro de dos días embarcarás en el *Tierra Umbría* como carbonero. Será un viaje corto, no más de dos semanas. Percibirás el mismo salario que tus compañeros, no pienses que por ser mi nieto vas a recibir un trato especial.

Lucas lo miró atónito. ¿De verdad estaba ofreciéndole trabajo? ¿Por qué ahora?

—A tu regreso me dirás qué prefieres: seguir en esta casa, a mis órdenes y haciendo lo que se espera de ti o dejarte la vida cargando carbón en un barco —finalizó Biel, desafiándole con la mirada—. Puedes retirarte.

Lucas sonrió abatido. No le estaba ofreciendo trabajo. Le estaba dando un ultimátum.

—No me deja ninguna opción —musitó pesaroso.

—No te equivoques, grumete. Te las estoy dando todas. Te ofrezco trabajo en mis barcos o la oportunidad de labrarte un futuro estudiando. Puedes quedarte o largarte. Nadie te obligará a permanecer en mi casa cuando regreses. Pero si decides quedarte, será bajo mis condiciones.

—Y sus condiciones no incluyen la libertad para trabajar —negó con la cabeza, derrotado—. No puedo quedarme, lo lamento.

—Entiendo. —Biel le miró pensativo—. Dime, si no tuvieras esa imperiosa necesidad de conseguir dinero… ¿Te quedarías? ¿Aunque nada ni nadie te obligara?

—Sin dudarlo ni un instante —afirmó Lucas con afligida sinceridad—. Me gustaría tener la oportunidad de demostrarle cuánto se equivoca conmigo, aunque imagino que tras mi desafortunada visita a las casas de apuestas, eso ya es imposible —masculló negando con la cabeza—. Aunque no me crea, me gusta estar aquí.

—Entonces, ¿por qué tanto empeño en levar anclas?

—Tengo responsabilidades que no puedo eludir. Necesito trabajar.

—No. Lo que necesitas es dinero —le interrumpió Biel enfadado, poniéndose en pie de nuevo—. Quieres trabajar. Yo quiero que sigas formándote. Lleguemos a un acuerdo. Trabajarás para mí. En mis barcos. Dos semanas al mes, pero cobrarás el salario de treinta días. —Lucas estrechó los ojos, intrigado—. No te hagas ilusiones, grumete, los días que no estés en alta mar, estarás en esta casa, continuando con tus estudios.

Lucas frunció el ceño, pensativo. Nada cambiaría, continuaría preso allí, pero tendría dinero para Anna y podría estar con Alicia. La libertad no era necesaria bajo esas condiciones.

—Encerrado de nuevo… —susurró asintiendo con la cabeza—. De acuerdo.

—No estarás encerrado. Por supuesto, deberás cumplir un horario, al igual que cualquiera de mis empleados. Y, como ellos, tendrás una tarde libre a la semana. ¿Estás de acuerdo? —inquirió tendiéndole la mano.

Lucas esbozó una media sonrisa y estiró el brazo, pero se detuvo antes de zanjar el compromiso con un apretón de manos.

—¿Cuál será mi salario?

—Te aseguro que mis carboneros ganan mucho más en quince días que un estibador en un mes —replicó Biel ufano.

—Hemos acabado por hoy —dijo Enoc malhumorado a la vez que recogía los papeles que había repartidos sobre la mesa de la sala de mapas—. Espero que mañana estés más centrado; si no es así, no te molestes en presentarte aquí. No me gusta perder el tiempo.

—Solo me he despistado un instante… —Lucas le miró molesto.

—No, tu cabeza no ha estado en ningún momento en lo que tenía que estar. Esto es importante y debes prestar atención —dijo dando un fuerte golpe sobre la mesa—. Vas a embarcar en menos de cuarenta y ocho horas, y para entonces necesitas saber exactamente cada cargo de la tripulación y cuáles son sus funciones.

—Qué tontería…

—¿Tontería? No te equivoques, Lucas, es de suma importancia estar al corriente de quién es quién en un barco. Es imprescindible saber ante quién tienes que arrastrarte y a quién debes hacer la pelota para conseguir según qué cosas.

—No pienso hacerle la pelota a nadie —espetó Lucas perplejo.

—Oh, por supuesto que la harás, a no ser que quieras pasarte todo el viaje encerrado en la sala de calderas y comiendo sobras. Vas a aprender a estar calladito cuando te hable un superior, a decir «sí, señor» antes incluso de que se te ordene algo, y, por supuesto, te vas a convertir en un experto lameculos.

—Antes muerto.

—Estupendo. Le diré al capitán que vaya preparando tu ataúd. —Enoc le tendió varias hojas manuscritas—. Para mañana quiero que sepas cuáles son exactamente las funciones de cada cargo de la tripulación. También te preguntaré a quién crees que debes lamerle el culo y de qué manera vas a hacerlo, y más te vale no equivocarte en las respuestas —le advirtió abriendo la puerta—. Lárgate.

Lucas tomó los papeles de mala gana y salió de la estancia, atravesando el despacho cual locomotora sin frenos, sin siquiera reparar en la presencia del capitán.

—¿Qué le ha dicho a mi nieto para que salga echando humo? —inquirió Biel.

—Que tenía que aprender a lamerle el culo a sus superiores en el barco —explicó Enoc entrando en el despacho.

—¿Y por qué, en nombre de todos los santos, le ha dicho eso?

—Para enfurecerle.

—Intuyo que lo ha conseguido.

—Así es. Y no creo que olvide fácilmente el agravio. Cuando esté en el *Tierra Umbría* y alguno de los marineros se burle de él o le provoque por ser su nieto, recordará que debe hacerle la pelota y montará en cólera, de seguro organizará una buena bronca. Calculo que un par de peleas serán suficientes para que demuestre que con él no se juega.

—Bien pensado. Cuanto antes se manifieste su mal genio, antes le dejarán tranquilo.

—Se va a llevar una sorpresa cuando vea que su trabajo no va a ser cebar carbón en las salas de calderas —comentó Enoc divertido.

—Me temo que está equivocado, señor Abad. El trabajo de Lucas será exactamente ese.

Enoc estrechó los ojos, confuso.

—Pensé que el jefe de máquinas estaba de acuerdo en tomarlo bajo su tutela. En el mensaje el capitán Sarriá indicaba que…

—Recuerdo lo que ponía en esa carta, señor Abad. Y también sé perfectamente cómo son los capitanes y jefes de máquinas de mis barcos. Lucas va a tener que demostrar su valía empezando desde muy abajo, ascender con premura solo dependerá de cuánto se esfuerce.

—Entiendo. ¿Acompañaré a Lucas en este viaje?

—Sí, y también lo hará el señor del Closs, no voy a permitir que mi nieto se duerma en los laureles con sus estudios.

—Con los turnos de carbonero apenas va a tener tiempo de descansar —musitó Enoc arqueando una ceja.

—Es joven, no necesita descansar demasiado. La pereza hace débiles a los hombres.

—Informaré al maestro para que esté preparado.

—Hágalo… y, una última cosa. —Biel se interrumpió, pensativo, mientras encendía su pipa—. Cuando arriben a Port Saíd quiero que lleve a Lucas al Kehribar y le consiga la mejor de sus mujeres, háblelo con Sevval, ella le indicará la más indicada.

—¿Quiere que lo lleve a un burdel? —Enoc lo miró atónito. El capitán no era amigo de tales sitios, aceptaba que sus hombres los visitaran, pero Lucas no era uno de sus marineros, sino su nieto.

—Sí, al mejor de todos. Quiero que le ponga en bandeja a las mujeres más hermosas y experimentadas. Quiero que mi nieto grite hasta quedarse sin voz mientras le exprimen la polla hasta que no le quede nada en los huevos —aseveró Biel con cierta rabia en la voz—. Quiero que experimente el placer más sublime, para que cuando regrese a Barcelona tenga bien claro que esa zorra a la que tanto se empeña en proteger y mantener es solo una fulana más. Una mujerzuela por la que no merece la pena dejarse la espalda cargando carbón.

—Entiendo. Pero ¿qué pasa con Alicia? Se le romperá el corazón si se entera de…

—No tiene por qué enterarse. De la misma manera que no tiene por qué pasar nada. Lucas sabe a lo que se arriesga y actuará en consecuencia —afirmó dudoso Biel, contradiciendo sus anteriores palabras—. Nos movemos en aguas turbias, señor Abad. Mi nieto parece encariñado con mi pupila, al igual que ella con él. Pero ¿hasta dónde llega ese cariño? No debemos olvidar que lleva encerrado aquí más de dos meses, sin más compañía femenina que mi esposa, la señora Muriel y Alicia. Es normal que se sienta fascinado por la única mujer de su edad que hay en la casa. Y, tampoco debemos olvidar que, a pesar de ese embelesamiento, no ha dudado en mentir para conseguir dinero para su puta. No. Lucas es joven, sus deseos son los que corresponden a su edad y estos se basan en gran medida en los dictados de su polla. Eso es lo que debemos controlar y atajar. Saquémosle a esa mujerzuela de la cabeza y luego centrémonos en ver como prospera su amistad con Alicia —sentenció con rotundidad a la vez que daba un fuerte golpe al escritorio con el bastón—. Y ya puede Lucas andarse con cuidado con lo que hace. No voy consentir que haga daño a mi niña.

Υ

—¿A cuántas mujeres has besado? —murmuró Alicia desabrochándole la camisa del pijama.

—¿A qué viene esa pregunta? —susurró Lucas, el rostro hundido en el cuello femenino mientras sus dedos acariciaban reverentes la suave piel que el escote del camisón no ocultaba.

—Oh, vamos, contéstame —le instó ella empujándole para que se tumbara de espaldas—. ¿A cuántas? —reiteró jugando con los dedos sobre el torso de él antes de seguir desabotonándole la camisa.

—Solo a ti…

—Hablo en serio, dime a cuántas. Te prometo que no me voy a enfadar —afirmó divertida rozándole con los dedos el ombligo para ascender lentamente por la hilera de vello que partía en dos su vientre antes de abrirse en abanico en el torso. Un tenue gemido escapó de los labios masculinos a la vez que los músculos que ella iba tocando se tensaban y ondulaban—. Lucas…

—Solo te he besado a ti, a nadie más —repitió mirándola con cierto embarazo.

—Oh… —Alicia lo observó incrédula, era imposible que un hombre como él no hubiera besado a más chicas. O tal vez no. Una entusiasmada sonrisa se dibujó en su semblante—. ¡Vaya! Esta maravillosa sorpresa se merece un premio…

Se cernió sobre él y le atrapó el labio inferior entre los dientes para luego calmarlo con húmedas caricias. A continuación le deslizó la lengua por el cuello, delineándole la clavícula hasta llegar a las erguidas tetillas que, por supuesto, se apresuró a lamer. Y mientras le lamía y succionaba, su mano, más traviesa que nunca, se deslizó sobre la tela del pantalón, atravesando por primera vez la frontera que la cinturilla de este suponía. Lucas cerró los ojos, estremeciéndose bajo la atrevida caricia a la vez que se aferraba con fuerza a las sábanas. Y Alicia no pudo dejar de pensar que ese magnífico hombre del que se había enamorado era una continua contradicción. Osado cuando era él quien iniciaba las caricias y, sin embargo, tímido, casi acobardado de hacer cualquier movimiento, cuando las recibía. Como si le extasiaran tanto que fuera incapaz de reaccionar.

—¿Alguna vez has… ya sabes? —le preguntó con voz pícara mientras deslizaba con lentitud la mano sobre su masculina cadera para acabar sumergiendo los dedos entre sus piernas, alejados eso sí de aquella parte que se alzaba imponente en su ingle—. ¿Lucas? —le llamó divertida al ver que no respondía, quizá porque su agitada respiración se lo impedía.

—¿Qué es lo que sé? —inquirió desorientado abriendo apenas los ojos, los dedos engarfiados en las sábanas mientras luchaba por no comportarse como un animal en celo y no tumbarla sobre la cama y besarla y saborearla y devorarla…

—No te hagas el tonto, ya sabes a lo que me refiero —le regañó mordiéndole con suavidad el pequeño pezón que se erguía sobre el vello oscuro y rizado de su torso.

—No lo sé —jadeó cerrando de nuevo los ojos a la vez que arqueaba la espalda.

—¿Alguna vez has… tenido relaciones con alguien? —preguntó observándole con atención, fascinada con cada una de sus reacciones. Probó a recorrer con los dedos el interior de uno de sus muslos, y él separó las piernas y elevó las caderas a la vez que un trémulo suspiro abandonaba sus labios. ¿Cómo reaccionaría si fuera su piel y no la tela del pantalón lo que tocara? Estuvo tentada de comprobarlo, pero se detuvo alarmada. ¡Una señorita jamás haría eso! Aunque, lo cierto era que una señorita tampoco haría ninguna de las cosas que ella hacía.

—¿Relaciones? —gimió Lucas cuando ella apartó la mano y pudo pensar de nuevo.

—Sí, ya sabes. ¿Has tenido relaciones… carnales? —susurró en voz tan baja que apenas la escuchó.

Lucas tragó saliva e inspiró, profundamente turbado.

—Nunca me he acostado con nadie —afirmó mirándola con atención.

—Yo tampoco —confesó ella frotándole la nariz con la suya—. ¿Sabes cómo se hace? —le preguntó con sincera inocencia.

—Tengo una idea, sí —musitó asustado por la dirección que estaba tomando la conversación—. Lo he visto hacer bastantes veces…

—¿Lo has visto? Oh, claro, tu madre y su… trabajo. Qué tonta soy —musitó avergonzada—. Lo siento muchísimo, estoy preocupada por… *eso*, y no pienso con claridad.

—¿Qué es lo que te preocupa? —Lucas se cernió sobre ella, interrumpiendo su azorada charla.

—Pues… *eso*. Yo no sé cómo se hace. Una vez vi unos perros en la calle —susurró sonrojándose violentamente—. Pero los perros no son personas y si tú no lo has hecho y yo no lo he hecho, quizá no lo hagamos bien y… —se detuvo al percatarse de que Lucas la observaba con un extraño brillo en la mirada—. ¡No se te ocurra sacar conclusiones que no son! —protestó al darse cuenta de lo que quizá estaba pensando él—. No estoy insinuando que vayamos a hacer nada —le advirtió muy seria.

—Claro que no. —Lucas desabrochó los botones del camisón a la vez que la besaba por el cuello.

—Los hombres tendéis a pensar lo que no es —gimió cerrando los ojos. ¿Qué diantre pasaba con ella para que todo su ser ardiera cuando la besaba?—. Tenéis una imaginación muy procaz… Y no quiero que haya malentendidos.

—No los habrá —afirmó deslizando los dedos bajo la tela y acariciando sus maravillosos pechos. Solo cuando ella no le tocaba era capaz de actuar, y no pensaba perder la oportunidad.

Recorrió su rostro con lánguidos besos, mordisqueó con cariñosa ternura su cuello y descendió hasta el valle entre sus pechos a la vez que jugaba con los dedos sobre los erguidos y sonrosados pezones. Se deleitó en el sabor de su piel, en el aroma que emanaba de ella y mientras lo hacía, se permitió acercarse y rozar con extrema timidez, casi esperando un rechazo, su tensa erección contra la femenina curva de sus caderas.

Alicia sonrió orgullosa al percatarse de que le había excitado hasta el punto de hacerle perder la remisa mesura que siempre le caracterizaba. Oh, sí, era muy osado cuando sabía que ella le detendría, pero cuando le daba alas era en exceso asustadizo. Era hora de acabar con eso. Se giró hasta quedar enfrentada a él y, sin pensarlo un segundo, le envolvió la cintura con la pierna sana.

La reacción de Lucas no se hizo esperar. Exhaló un desesperado jadeo y a continuación tomó en su boca uno de los firmes pezones femeninos. Lo lamió extasiado para luego apresarlo entre sus dientes mientras lo azotaba con la punta de la lengua. Cuando por fin lo succionó, Alicia emitió un alentador gemido que le instó a dedicar la misma atención al otro. Jugó con ambos con dedos, lengua, labios y dientes hasta que estuvieron tan duros y mojados que cada roce se convertía en una placentera tortura para ella. Y también para él.

Con la respiración agitada y las manos temblorosas, desabrochó con impaciente rapidez los botones del camisón que le impedían adorar aquel maravilloso cuerpo con el que cada noche soñaba. Descendió con los labios por cada centímetro de piel que quedaba libre de la malvada tela, y mientras lo hacía, se permitió por vez primera dar rienda suelta a su lujuria y frotar, con extremo cuidado no carente de respeto, su endurecido pene contra ella. Se detuvo al llegar a la estrecha cintura y devoró con ansioso placer el incitante ombligo para luego deslizar la lengua por la suave concavidad de su vientre… y en ese momento ella le apresó el pelo con ambas manos, tirando de él.

—No… —suspiró, deteniéndole.

Una sola palabra apenas susurrada bastó para que se quedara inmóvil y luchara contra el impetuoso deseo que le dominaba. Y, cuando consiguió vencerlo, ascendió de nuevo hasta sus jugosos labios a la vez que se colocaba sobre ella, entre sus piernas. Las telas que aún los cubrían separaban sus sexos anhelantes.

Le enmarcó el rostro entre sus manos y comenzó a mecerse sobre ella, adorando con su pene aquel secreto lugar que era el origen de todo placer. De él. De ella.

Alicia abrió mucho los ojos al sentir que todo el fuego que la recorría parecía centrarse en ese único punto. Sus pezones palpitaron al ritmo que Lucas imprimía en el vértice entre sus piernas, su sexo se abrió para él bajo la ropa, humedeciéndose, hinchándose, quemándola… Envolvió con lánguido ímpetu las caderas de él con la pierna sana y ancló con escasa fuerza el talón en las nalgas masculinas.

Lucas no necesitó más. Recorrió con una mano el tentador cuerpo femenino y al llegar al muslo lisiado, aferró el camisón y lo fue arrugando en su puño hasta que quedó desnudo.

—No, Lucas, no quiero que… —comenzó a protestar Alicia cuando sintió la primera caricia sobre la piel de su pierna enferma.

Lucas silenció sus palabras con un beso y siguió meciéndose a la vez que acariciaba aquella parte de su cuerpo de la que ella se avergonzaba y que siempre le había impedido tocar. Y así continuó hasta que los jadeos y estremecimientos que los recorrían a ambos le indicaron que estaban llegando al punto de no retorno. En ese momento posó la mano en el lugar en el que sus cuerpos se juntaban y presionó. Notó, incluso a través de la tela que los separaba, el clítoris erguido y palpitante, y lo acarició con tenaz reverencia.

Alicia estalló. Y él con ella.

Acunó su pene contra la cálida humedad hasta que el desmedido caudal de placer le dejó sin fuerzas, sin cordura y sin aliento.

—Déjame quedarme esta noche… —suplicó tiempo después, abrazado a ella, anclado a ella—. Quiero amanecer contigo.

—Lo dices como si nunca te hubieras quedado… —le regañó divertida.

—No quiero despertarme a tu lado porque me he quedado dormido sin pretenderlo… Quiero que me dejes pasar la noche contigo sin que medie ninguna excusa para ello. Quiero quedarme sabiendo que tú quieres que me quede, que lo deseas tanto como yo. Que lo necesitas tanto como yo.

—Quédate esta noche, amaneceremos juntos.

Lucas cerró los ojos y un suspiro agradecido escapó de sus labios.

Esperó en silencio hasta que la pausada respiración de Alicia le indicó que estaba profundamente dormida y luego encendió la lamparita y la observó embelesado mientras le acariciaba el pelo. No iba a dejar de mirarla en toda la noche. Estaba decidido a grabar su rostro en el interior de sus párpados, para poder verla cada vez que los cerrara cuando estuviera en el barco, lejos de ella. Iba a ser una agonía estar separados. Ambos lo sabían, por eso no habían querido hablar sobre ello. Esa iba a ser su última noche juntos durante más tiempo del que cualquiera de los dos podía soportar. Pero iban a tener que soportarlo. Como fuera.

No sabía cómo lo iba a conseguir, solo de pensarlo se le rompía el corazón.

La abrazó con fuerza, besándole la frente. Y ella se removió, abrazándole a la vez que abría los ojos y le miraba adormilada para luego morderle con fuerza el hombro.

—Lucas —musitó somnolienta—. Cuando regreses quiero que sigas siendo tan inexperto como yo. Si me entero de que has hecho *eso* con otra, me enfadaré. Mucho.

24

No necesitamos continentes nuevos, sino personas nuevas.

JULIO VERNE, *Veinte mil leguas de viaje submarino*

25 de junio de 1916

— $\mathcal{Y}$ergue esa espalda y da media vuelta, carbonero —siseó Enoc en voz baja situándose a su lado—. Si sigues despidiéndote de Alicia con esa cara de absoluto sufrimiento acabarás por convertirte en el bufón del viaje —le increpó dándole un disimulado empujón.

Lucas aferró con fuerza su petate y, tras echar una última mirada al muelle y a las personas, a Alicia, que desde allí le despedían, giró sobre sus talones y siguió a Enoc a través de la cubierta principal del *Tierra Umbría*. Pasó junto a aguerridos marineros vestidos de faena que no se molestaron en ocultar sus despectivos comentarios, todos los cuales versaban sobre la presencia en el barco del señoritingo nieto del capitán Agra.

—¿Saben que soy el nieto bastardo del capitán? —preguntó perplejo a Enoc.

—Sí.

—¿Cómo pueden saberlo?

—El capitán cursó tu contrato a nombre de Lucas Agramunt, cuando lo entregué al oficial administrativo este me preguntó si tenías alguna relación con el capitán Agra, y yo le dije que sí —respondió Enoc encogiéndose de hombros.

—¿Por qué hizo eso? —jadeó Lucas mirando a su alrededor; cada vez eran más los marineros que se detenían para mirarle. La jugada del capitán iba a darle muchos problemas—. ¡Mi apellido es Bassols! No tiene derecho a cambiarlo a su antojo. Además, se supone que nadie debería saber que soy el bastardo de Oriol —gimió turbado. ¿A qué demonios estaba jugando el viejo?

—Lucas Agramunt Bassols, ese es tu nombre a partir de ahora, acostúmbrate a él —dijo Enoc por toda respuesta.

Lucas negó con la cabeza, dispuesto a seguir discutiendo, pero tuvo que interrumpirse debido a la llegada de uno de los oficiales, o al menos eso supuso al ver su uniforme.

—Menudo pipiolo me ha traído, señor Abad —comentó el hombre entrado en años, de barba cana, calva brillante y manos grasientas, las cuales se limpiaba, con escaso resultado, en un trapo aún más grasiento—. ¿Cree que servirá para algo?

—Hará su trabajo, señor Zulueta —replicó Enoc sin pararse.

—Si usted lo dice… —El hombre miró a Lucas de arriba abajo—. Cámbiate de ropa cuando bajes al infierno, nietecito del capitán, no me gustaría que se manchara tu pulcro traje —le dijo con desprecio a Lucas—. El turno del novato comienza en una hora, procure que no llegue demasiado pronto, señor Abad, no me hago responsable de lo que le pueda pasar en el entrepuente si se encuentra con mis chicos —indicó sacudiendo la cabeza a modo de despedida.

—¿A qué ha venido eso? —inquirió Isembard observando sorprendido al anciano.

—Es una advertencia —explicó Enoc dirigiéndose a Lucas—. La tripulación de máquinas no suele aceptar a los nuevos sin protestar, más aún si estos vienen recomendados. Te conviene esperar a que la sirena del turno haya sonado y todos los operarios de las calderas estén inmersos en su trabajo. Es la única manera de que no te estén esperando en el entrepuente.

—¿Me está diciendo que debo llegar tarde mi primer día de trabajo? —Lucas le observó perplejo—. Me ganaré una bronca.

—Mejor una bronca que una paliza. —Enoc se encogió de hombros y sacó un maltrecho cigarrillo del bolsillo de su chaleco—. Por cierto, el señor Zulueta es el segundo oficial del infierno, te interesa lamerle bien el culo si no quieres que tus turnos se junten unos con otros.

—¿Lamerle el…? ¿El infierno? ¡De qué diantres está hablando, señor Abad! —explotó Isembard mirando alternativamente a su furioso alumno y al burlón hombre.

—El infierno es como llaman los marineros a la sala de calderas. Con respecto a lo otro, Lucas sabe de lo que hablo —comentó Enoc abriendo la puerta de uno de los camarotes de la cubierta de oficiales.

Lucas entró tras él conteniendo un bufido y, al girarse para cerrar, se entretuvo un instante en contemplar la escena que se desarrollaba ante él. A pesar de que aún estaba amaneciendo, el barco era un hervidero de actividad. Los marineros recorrían las cubiertas esquivándose unos a otros con premura no exenta de cuidado mientras sobre sus cabezas se balanceaban palés cargados con todo tipo de mercancías. Enormes grúas los trasladaban desde los vagones estacionados en el muelle hasta las cubiertas, donde eran trasladados por otras más pequeñas hasta las bodegas. Y por encima de esa vorágine de actividad imparable, la enorme chimenea que se elevaba en el centro del barco escupía humo. Un humo denso y negro que se estiraba formando una senda enlutada en el claro cielo de ese amanecer.

Aún aferrado al picaporte, Lucas observó a un grupo de hombres que se afanaban junto a la escotilla de proa sin dejar de lanzarle desdeñosas miradas. Torció la boca en un gesto de desagrado y su mirada voló sobre las cubiertas, las grúas y el agua, hasta más allá de la zona de carga y descarga del muelle, donde, junto a un elegante y lujoso automóvil, una joven vestida de blanco permanecía inmóvil. El corazón se le atenazó en el pecho al imaginarse el rostro de Alicia. Estaría sonriendo, con sus rubios rizos volando alborotados por la brisa marina y sus ojos cálidos entristecidos por la distancia que les separaba.

—Deja de perder el tiempo, Lucas —le llamó Enoc desde el interior del camarote.

Lucas asintió una sola vez, grabándose en la retina la imagen de Alicia despidiéndole, y acto seguido, giró sobre sus talones y entró en el que sería su hogar durante dos semanas.

—Quizá deberíamos ocupar una de las dependencias de la bodega de la tripulación —comentaba Isembard en ese momento—. Tener un camarote de oficiales solo hará que los marineros tomen más inquina a Lucas…

—El capitán fue claro al respecto, no quiere que Lucas deje los estudios durante el viaje, y en la bodega no hay camarotes, sino compartimentos con literas, separados por una pared de metal de la sala de máquinas. Es casi imposible dormir allí con las vibraciones y los ruidos de las máquinas y el agua, menos aún estudiar. Aunque si a Lucas le apetece compartir espacio con una veintena de marinos ofendidos que piensan que tiene enchufe, puedo intentar cambiarle —comentó Enoc burlón.

—No, está bien así —murmuró Lucas observando con atención la estancia.

No era muy amplia y el suelo parecía mecerse bajo sus pies… y así sería cuando el barco zarpara. Contaba con un alargado aparador con un lavabo de loza incrustado, frente a este una mesa y dos bancos corridos, y tras estos, dos parejas de literas, enfrentadas y ancladas a las paredes, entre las que había un estrecho pasillo en el que se ubicaba un arcón que hacía las veces de armario. Lucas frunció el ceño al darse cuenta de que allí no tendría ningún tipo de intimidad. Instantes después sus labios esbozaron una despectiva sonrisa, por lo visto bastaban solo dos meses para acostumbrarse a la buena vida. Antes de vivir en la casa del capitán jamás se le había pasado por la cabeza tener un lugar donde dormir él solo, claro que antes vivía con Anna, y ella estaba acostumbrada a sus pesadillas. Miró a los hombres que compartirían el camarote con él. ¿Cómo reaccionarían cuando averiguaran que sus noches no eran en absoluto tranquilas? Ojalá pudiera hacer algo para evitar descubrirse.

Vació el petate en el arcón y salió a cubierta buscando los aseos de oficiales. Una vez los encontró se lavó la cara, la nuca y el torso con agua fría, más le valía estar bien despierto cuando empezara su turno. Cuando regresó al camarote, Isembard ocupaba la litera que había sobre la suya y el señor Abad la que la enfrentaba. Se sentó en uno de los bancos corridos, pensativo, y un instante después se levantó y comenzó a desnudarse. Cambió el traje azul que tanto le gustaba a Alicia por una amplia camisa gris y unos pantalones negros, se caló una gorra y tras abrocharse las botas se dirigió a la puerta.

—Aún no ha sonado la sirena —le advirtió Enoc.

—No quiero llegar tarde —replicó Lucas desafiante antes de abandonar el camarote. Enoc no pudo por menos que sonreír.

—Se va a buscar problemas —musitó Isembard preocupado.

—Al contrario, va a solucionarlos…

—Son más de las siete y todavía no ha regresado —Isembard entró preocupado en el camarote—. Debería ir a comprobar si está bien, señor Abad.

—¿No ha ido usted a hacer eso? —replicó Enoc burlón, tumbado en su litera. Era divertido ver como el recto profesor se inquietaba por su alumno como una mamá gallina.

—No me han dejado ir más allá de las cubiertas… dicen que las entrañas del barco no son lugar para un pipiolo como yo —musitó enfurruñado sentándose en el banco corrido—. No me gustan los marineros de este barco, señor Abad.

—Son hombres rudos, hechos a sí mismos, y no aguantan las estupideces de nadie…

—¡Estupideces! Lucas ha salido de este camarote de madrugada, ¡lleva más de doce horas desaparecido!

—Su turno es de diez horas con un intermedio de una para comer —indicó Enoc por enésima vez, armándose de paciencia—. En realidad solo se está retrasando una hora. Es muy probable que se haya entretenido en el comedor de tripulación con sus compañeros.

—Unos compañeros que, si no he entendido mal, quieren darle una paliza.

—Lucas sabrá apañárselas, siempre lo ha hecho. Y, de todas maneras, la tripulación sabe hasta dónde puede llegar, no le harán mucho daño. No, si quieren seguir a bien con el capitán.

Isembard abrió la boca para replicar y, en ese momento, la puerta del camarote se abrió y Lucas regresó por fin. Tenía el pelo alborotado, la ropa manchada de hollín y carbón, los nudillos despellejados, un ojo morado y una fea herida en el pómulo izquierdo.

—¡Lucas, por Dios! ¿Qué te ha pasado? —exclamó Isembard acercándose a él.

—Es difícil no mancharse cuando estás cebando las calderas —musitó el joven quitándose la ropa y las botas.

—¡No me refiero a tu ropa, sino a tu cara!

—¿Mi cara? —Lucas le miró confundido a la vez que se inclinaba sobre el lavabo. En el momento en que el agua tocó su pómulo comprendió a qué se refería—. Ah, lo dices por la herida. Tuve un intercambio de opiniones antes de entrar en el infierno. Uno de los marineros llevaba un anillo —explicó con indiferencia—. No es nada, no necesita puntos —aclaró haciendo una mueca mientras se frotaba la cara con una toalla empapada en agua jabonosa.

—¿Un intercambio de opiniones? Pero estás hecho un desastre. Espero que hayas informado de la agresión al capitán Sarriá —comentó Isembard observando petrificado la amalgama de cicatrices que le recorría la espalda. Parecían antiguas. ¿Quién había sido el malnacido que le había hecho eso?

—No, ¿por qué iba a hacerlo? Ya está solucionado —afirmó Lucas, descartando la toalla sucia y usando otra para asearse el pecho y los brazos.

—El señor del Closs estaba preocupado por tu tardanza, Lucas —comentó Enoc observándole con satisfecha admiración. El esquelético muchacho al que había salvado tres meses atrás se había convertido en un hombre de recios músculos.

—Me entretuve jugando una partida con mis compañeros en el comedor —explicó poniéndose un pantalón limpio para a continuación sentarse en uno de los bancos.

—¿Con los mismos compañeros con los que te has peleado? —farfulló Isembard sin entender qué diantres estaba pasando ahí.

—Eh… sí. Pero eso fue antes de empezar a trabajar, cuando llegué al infierno de madrugada. Ellos me dijeron lo que pensaban de mí, yo les di mi opinión… Ahora ya está todo arreglado, y además, les he ganado a las cartas. En la cena tendré un par de postres extras. —Tomó un cuaderno y comenzó a dibujar—. En la sala había diez calderas alimentadas por cincuenta y cinco hogares de carbón. ¿Te imaginas la potencia que consiguen? Es impresionante, Isem. ¿Cuántas toneladas de carbón utilizarán cada día?

Isembard observó impresionado a Lucas mientras este dibujaba y hacía cálculos en su cuaderno, al menos hasta que sus ojos comenzaron a cerrarse y su cabeza a caer.

—Vete a la cama, mañana continuarás…

—Quiero dibujarlo todo antes de que se me olvide —rechazó Lucas sacudiendo la cabeza.

—No se te va a olvidar, marinero, y si ese fuera el caso, mañana volverás al infierno y podrás verlo de nuevo. —Enoc, menos considerado que Isembard, le arrebató el cuaderno de las manos y aferrándole por la nuca lo empujó a la cama.

Lucas protestó unos segundos, justo el tiempo que tardó en quedarse dormido.

—Está derrotado —musitó Isembard tapándole con una áspera manta—. Esos turnos de diez horas son inhumanos. Una aberración.

—Es lo que hay, señor del Closs.

—Deberíamos tomar ejemplo de Estados Unidos, allí está instaurada la jornada de ocho horas desde el siglo pasado.

—Sus buenas huelgas les costó —dijo Enoc liándose un cigarrillo—. No se preocupe por Lucas, ya no es un niño. Mañana estará más descansado. ¿Qué le parece si damos una vuelta por cubierta y luego nos acercamos al comedor a por la cena? Cogeremos algo para Lucas.

—¿Ha visto esas cicatrices que tiene en la espalda? —inquirió Isembard antes de abandonar el camarote.

—Las vi cuando llegó a la casa. Si alguna vez averiguo quién se las hizo… lo mataré.

—No me extraña que Lucas esté fascinado por los motores de este barco, tal y como lo expone el jefe de máquinas, hasta yo me siento atraído —comentó Isembard al regresar de la cena, parándose frente al camarote—. Debería acoger a Lucas en la sala de máquinas, estaría mucho mejor que en esas calderas infernales.

—Lo hará cuando lo considere oportuno, señor del Closs, no lo dude —afirmó Enoc en tono conspirador abriendo la puerta.

Al entrar en el camarote, Isembard dejó la cena de Lucas en la mesa mientras que Enoc se sentó en un banco y procedió a liarse un cigarrillo.

El tabaco se le cayó de las manos al escuchar un sollozo proveniente de las literas.

Se levantó de inmediato y se dirigió hacia allí seguido por Isembard.

—Una pesadilla —masculló este último al ver la manta en el suelo y a Lucas doblado sobre el catre, con la espalda apoyada en la pared mientras se cubría con los brazos la cabeza.

Como si quisiera hacerse lo más pequeño posible.

Como si se estuviera escudando de un agresor imaginario.

—Lucas… despierta. —Enoc se inclinó sobre él, tocándole el hombro.

La reacción del joven no se hizo esperar. Saltó de la litera, gruñendo como un animal acorralado, y la emprendió a golpes con él. Enoc no tuvo más remedio que defenderse. Y no fue fácil. Desorientado por el miedo Lucas atacaba todo lo que se le ponía por delante, ya fueran sus compañeros, las paredes o los postes de las literas. La única manera que Enoc encontró para detenerle fue torcerle un brazo a la espalda y tumbarle de cara al suelo, colocándose encima de él mientras le aferraba la garganta con la mano libre.

Fue peor el remedio que la enfermedad, pues Lucas comenzó a estremecerse con fuerza a la vez que pedía a gritos que le soltara, que no le hiciera nada, que le dejara tranquilo.

—¡Maldita sea, no voy a hacerte nada! —exclamó Enoc apartándose lo suficiente para que sus cuerpos no se tocaran, pero sin soltarle—. Despierta de una jodida vez.

—Lucas… abre los ojos y mírame —le ordenó Isembard tumbándose frente a él en el suelo—. Soy Isem, estás conmigo y el señor Abad, en tu camarote.

Lucas parpadeó, intentando enfocar la mirada en la cara conocida de su profesor.

—¿Dónde está Alicia? —jadeó mirando nervioso a su alrededor, sin dejar de intentar zafarse del hombre que le sujetaba.

—Tranquilízate, Lucas —siseó Enoc en su oído—. Estás entre amigos.

—¿Dónde está Alicia? —volvió a gemir desesperado a la vez que golpeaba el suelo con el puño que tenía libre.

—Alicia está en casa, en Barcelona.

—¿Y el abuelo?

—El capitán está con ella. Nadie va a hacerles nada.

—El abuelo tiene un bastón… Alicia dijo que le rompería los dedos al hombre sin dientes —musitó confundido, quedándose inmóvil.

—Le romperá la cabeza si es necesario —afirmó Enoc sin soltarle.

—Sí que lo hará… —Lucas sacudió la cabeza, comenzando a separar pesadilla de realidad—. Suéltame.

—¿Estás despierto?

—Sí.

—¿Dónde estás?

—En el *Tierra Umbría*. En el camarote…

Enoc le soltó por fin, dejándole espacio para que se levantara.

—¿Qué demonios estabas soñando?

—Nada. Yo… Necesito que me dé el aire —farfulló Lucas abandonando el camarote.

Isembard intercambió una preocupada mirada con Enoc y, tras coger una chaqueta del arcón, se apresuró a seguirle.

No fue difícil encontrarlo, su espalda desnuda y sudorosa brillaba bajo la luz de la luna mientras, inclinado sobre la baranda de proa, vomitaba por la borda. Isembard aguardó en silencio hasta que terminó, y entonces se acercó y lo cubrió con la chaqueta.

—¿Estás bien?

Lucas asintió con la cabeza, inclinado sobre la baranda con los brazos y las manos colgando fuera del barco.

—¿Seguro? —Isembard intentó verle la cara.

—Sí —masculló Lucas girándose para que no pudiera verle.

—Estás temblando.

—Es una noche fría.

—No lo es. —Lucas se encogió de hombros, remiso a mirarle—. Hoy ha sido un día de muchas emociones —comentó Isembard dándole en cierto modo una excusa para que se explicara. Pero él se limitó a asentir con la cabeza una sola vez. La mirada perdida en algún punto del oscuro horizonte—. ¿Qué te ha pasado ahí dentro? —Lucas negó con la cabeza—. Cuéntamelo, te sentirás mejor.

—Echo de menos a Alicia —musitó en voz baja antes de incorporarse y echar a andar—. Regresa al camarote, Isem, voy a pasear un rato. Solo —le despachó sin mirarle.

Isembard no se movió del sitio. Aguardó hasta que Lucas cambió de cubierta, desapareciendo de su vista. Luego olisqueó el aire y se giró hacia una esquina en sombras.

—No es correcto espiar a la gente, menos aún si son amigos —murmuró.

—No. No lo es, pero a veces es necesario —replicó Enoc saliendo de su escondite, la punta del cigarrillo brillando entre sus dedos—. Regrese a la cueva, profesor, yo cuidaré de nuestro chico —dijo deslizándose como una sombra en la oscuridad en pos del joven.

Lo encontró poco después, sentado sobre unos cabos enrollados, con los brazos envolviendo sus piernas y la cabeza hundida entre las rodillas. Esperó en silencio, sin hacerse notar, hasta que los sollozos ahogados dieron paso a una respiración pausada, y en ese momento, se sentó en el suelo frente a él, acomodándose contra una pared, y se dispuso a vigilar su sueño.

30 de junio de 1916

—Me gusta el chaval —comentó el señor Zulueta—. Tenía usted razón, ingeniero Martí. Es un buen trabajador, tiene una curiosidad sin límites y muchas ganas de aprender. Está pendiente de cada bufido de las calderas, estoy seguro de que si le dejara, las destriparía para ver cómo son por dentro —fijó la mirada en su superior—. Es una pena que desperdicie su talento cebando carbón…

1 de julio de 1916

—Lucas, preséntate en la sala de máquinas.

Lucas se detuvo un instante para mirar extrañado al oficial Zulueta. ¿Para qué querrían a un carbonero en la sala de máquinas? Quizá tendrían escoria de la que deshacerse. Miró a su alrededor buscando una carretilla y cuando la localizó asintió con la cabeza y continuó haciendo girar la llave inglesa sobre uno de los tubos que salían del hogar de carbón.

—¡Acaso no me has oído, marinero! —gritó el oficial al ver que no se movía—. ¡Es que no tienes boca para hablar, o lo que te faltan son modales para dirigirte a un superior!

—Sí, señor. Lo lamento, señor —se apresuró a contestar Lucas, frunciendo el ceño al darse cuenta de que había olvidado hacerlo antes. Por fin entendía a qué se refería el señor Abad con lo de lamer el culo. No era que tuviera que hacerle la pelota a nadie, sino que siempre debía estar presto a contestar y, estaba hasta las narices del «sí, señor» y del «no, señor». No le extrañaba que Etor se hubiera vuelto loco cuando era marino y que por eso jamás dejara de decir esas palabras—. Disculpe, señor, pero el separador se ha obturado y no permite la salida de las cenizas al contenedor, estoy intentando arreglarlo…

—No te pagamos para arreglar nada, sino por obedecer, y creo que mi orden está clara.

—Sí, señor, pero… —Lucas se interrumpió—. Voy ahora mismo, señor. —Se apartó del hogar, dirigiéndose presuroso a la salida.

—Arréglate un poco antes de presentarte ante el jefe de máquinas, que no se diga que uno de mis chicos no sabe cómo utilizar el jabón —le advirtió lanzándole una toalla—. Y, Lucas, no quiero escuchar ni una sola recriminación de labios de los otros oficiales sobre tu trabajo en la sala de máquinas, eres uno de mis hombres y debes dejar el pabellón bien alto.

—No la escuchará, señor —afirmó cogiendo al vuelo la toalla.

Tomó la camisa limpia que había dejado a buen recaudo y se dirigió a toda prisa a la sala de máquinas, parándose antes en los aseos para lavarse con rapidez y cambiarse la camiseta sin mangas, más negra que blanca, por la camisa. No fuera a ser que al ingeniero se le ocurriera quejarse al oficial Zulueta porque se había presentado en camiseta interior… ¡Como si no supiera el calor que hacía en el infierno!

—Ingeniero Martí —saludó al entrar en la sala de máquinas—, el oficial Zulueta me ha ordenado que…

—Póngase un mono de trabajo y acompáñeme —le ordenó el hombre mayor de frente prominente y enmarañado bigote.

Lucas asintió, acordándose a tiempo de decir el consabido «sí, señor» en voz alta, y, sin perder un segundo, se puso el mono azul sobre la ropa y le siguió por las metálicas entrañas del barco en las que las dos enormes máquinas de vapor trabajaban en paralelo, ocupando casi todo el espacio y dejando un estrecho corredor entre ellas.

—¿Sabe qué es lo que mueve este mercante? —le preguntó el ingeniero deteniéndose junto a un montante que era casi tan alto como él.

—Dos máquinas de vapor, señor.

—¿De veras? No me había dado cuenta. —Lo miró de arriba abajo con una ceja arqueada—. ¡Por el amor de Dios, marinero! ¿Eso es todo lo que puede decirme sobre este prodigio de la ingeniería? —le increpó enfadado dando media vuelta—. Regrese al infierno, no estoy dispuesto a perder el tiempo con inútiles.

—Señor, son dos máquinas de vapor de cuatro cilindros, uno de alta presión, otro de presión intermedia y dos de baja presión; tienen triple expansión y son de tipo invertido —se apresuró a decir Lucas yendo tras él—. Permiten la inversión de giro del eje de la hélice y…

—Parece que sabe algo más de lo que ha dado a entender en un principio —le interrumpió satisfecho, por lo visto solo hacía falta un pequeño susto para sacar al muchacho de su atolondramiento—. Acompáñeme. —Se internó por el corredor de servicio hasta la escalera metálica que daba acceso a las entrañas de una de las máquinas—. ¿Qué ve? —preguntó subiendo a la estrecha plataforma.

—Los… los soportes del cigüeñal —musitó Lucas mirando fascinado lo que le rodeaba, olvidándose de todo, excepto de la maquinaria que tenía ante él—. ¡Es enorme! Mucho más grande de lo que pensaba. Y esas deben de ser las dos excéntricas del cilindro delantero de baja presión…

—Señor Anglet —llamó a uno de los operarios—, dele al novato un equipo. A partir de este momento esas herramientas son responsabilidad suya, señor Agramunt, si alguna se rompe o se pierde, se le descontará del sueldo. Las quiero ver siempre tan brillantes como el coño de una recién casada, ¿me ha entendido? —Lucas asintió con la cabeza—. No le he oído.

—Sí, señor. Entendido, señor. Estarán siempre brillantes —balbució observando fascinado las herramientas encajadas en el cinturón. ¿Iba a permitirle trabajar allí? ¿Con esas máquinas? No podía tener tanta suerte…

—Bien. Sígame… Y, señor Agramunt, no soy amigo de repetirme, así que le aconsejo que preste mucha atención a todo lo que digo. Solo lo escuchará una vez.

—¡Me han dividido los turnos! —exclamó Lucas mucho más tarde, entrando excitado en el camarote—. A partir de ahora voy a trabajar de siete a doce en la sala de calderas y de una a siete en la sala de máquinas, pero si como rápido puedo ir allí antes de la una —explicó paseándose nervioso por la estancia—. ¿Te lo puedes creer, Isem?

—No me parece un buen trato, vas a trabajar una hora más que antes —comentó este, divertido al verle tan entusiasmado.

—Ojalá pudiera ser más tiempo. No te puedes hacer una idea de cómo es, Isem. Cada máquina tiene ocho metros de altura, y todo encaja a la perfección. Los pistones se mueven con la misma precisión que un reloj suizo y las turbinas… —les explicó con palabras y gestos antes de detenerse un segundo para tomar un cuaderno—. ¿Sabes cuánto ocupan las bancadas? ¡Casi veinte metros!

Enoc e Isembard se miraron sonrientes mientras Lucas explicaba exaltado todo lo que había visto a la vez que dibujaba en las cada vez más escasas hojas en blanco del cuaderno.

—El jefe de máquinas ha comentado con uno de los mecánicos que los talleres en los que se montaron las máquinas han sido comprados por el capitán Agra… ¿Se refiere a mi abuelo? —inquirió esbozando con cuidado los álabes del estator de la turbina.

Enoc sonrió al escuchar a Lucas referirse al capitán como «abuelo» sin darse cuenta, por lo visto el muchacho le tenía más cariño a Biel del que se empeñaba en mostrar.

—Sí. El capitán los compró hace poco más de una semana. Quiere extender los horizontes de la empresa construyendo motores para barcos y locomotoras.

—El futuro está en los coches —musitó Lucas sin apartar la vista del papel.

—¿Perdón?

—Los motores para barcos y locomotoras son un buen negocio, pero muy limitado. El futuro está en los motores de combustión para los coches. Cada vez más gente quiere tener uno, y quien consiga abaratar los costes y hacerlos accesibles para el común de las personas se hará de oro. Las máquinas de vapor tienen los días contados, son demasiado grandes y costosas. Hace diez años, en Estados Unidos, EHV fabricó un motor de combustión interna de tres cilindros y doble expansión para un automóvil, pero falló el consumo de combustible. Era excesivo. Es necesario afinarlos un poco más, y, cuando se consiga… El futuro estará en nuestras manos.

—¿En serio? —murmuró Enoc sentándose junto a él mientras miraba con una ceja enarcada al profesor. Por lo visto a Lucas no solo le apasionaban los motores, también parecía saber cómo iba a ser el futuro… y mucho temía que no andaba nada desencaminado.

5 julio de 1916

—Dejad eso. —Enoc fue a la mesa donde Isembard instruía a Lucas, tomó los libros y los guardó en el aparador—. Mañana es el primer día libre de Lucas, vamos a disfrutar de la noche. —Se dirigió al arcón y lo abrió risueño—. Poneos guapos, pipiolos, al sitio al que vamos no admiten zarrapastrosos —les indicó refiriéndose a la costumbre que todos ellos habían adquirido de estar en el camarote vestidos solamente con los pantalones y la camiseta interior. En su descargo cabe decir que allí dentro hacía un calor infernal.

—Prefiero quedarme aquí, estoy cansado. Además, ya sabes que no bebo, y tampoco me hace especial ilusión pasar la noche en un tugurio. —Lucas tomó de nuevo los libros. Sabía a qué dedicaban el tiempo y a qué tipo de lugares iban los marineros cuando libraban, y se negaba a caer en eso. Bastante lo había sufrido ya de niño.

—No te quito la razón —Isembard echó una anhelante mirada por la escotilla—, pero llevamos diez días encerrados en el barco, no nos vendría mal pasear por un sitio que no se moviera bajo nuestros pies.

—¡Amén a eso! —exclamó Enoc—. Además, hazme caso muchacho, el sitio al que os voy a llevar no tiene nada que ver con un tugurio. Vamos, vístete.

Tiempo después los tres hombres caminaban por las calles de Port Saíd, su andar tambaleante los identificaba como marineros recién desembarcados. Tras ellos quedaba el puerto y los enormes acorazados que en él fondeaban.

—No puedo creer que me esté mareando —comentó Isembard sacudiendo la cabeza.

—Apenas dos semanas en el mar y ya no sabe andar en tierra —se burló Enoc esquivando a un hombre de mirada perdida y desordenada barba—. No os separéis de mí —les advirtió—, las calles están tomadas por los refugiados y, aunque no son peligrosos, no conviene que os encontréis solos frente a un grupo de ellos.

Lucas e Isembard asintieron a la vez que aceleraban sus pasos. Aunque parecía haberse librado de lo peor de la guerra, Egipto era un protectorado británico, y Port Saíd, el puerto de entrada al canal de Suez, estaba abarrotado de refugiados sirios que huían del ataque turco. A pesar de la tranquilidad reinante en sus calles, Enoc era consciente de que el inmenso canal actuaba de trinchera para el país, de la misma manera que este se saltaba los acuerdos de la Convención de Constantinopla permitiendo el acceso a los barcos aliados y negándoselo a las potencias centrales. En definitiva era un polvorín a punto de explotar, de ahí que el *Tierra Umbría* solo atracara una noche, zarpando sin demora esa misma madrugada.

Dejaron atrás el canal y siguieron a Enoc a través de calles que formaban una ordenada cuadrícula, delimitadas por edificios con artesanales balcones de madera. Hasta que por fin se detuvieron frente a uno. No era el más bonito ni tampoco el más moderno, pero los tupidos cortinajes rojos que tapaban las ventanas le daban un aire de decadente sensualidad que no dejaba lugar a dudas sobre lo que ocurría en su interior.

—Kehribar Inciler —murmuró Isembard leyendo el letrero que había sobre la puerta.

—Perlas de ámbar —tradujo Enoc.

—Qué tontería, no existen perlas de ámbar. —Lucas observó intrigado la serie de golpecitos que Enoc daba en la puerta, como si fuera una contraseña.

—Por supuesto que existen, están entre las piernas de las mujeres —afirmó Enoc dándole una conspiradora palmada en la espalda en el mismo momento en que las puertas se abrían.

El Kehribar resultó ser, tal y como Lucas se había temido, un burdel. Uno de los caros. No de los de cinco pesetas. Más bien de los de cien... o incluso más. Las tupidas telas rojas que desde el exterior había tomado por cortinas no lo eran. O tal vez sí, solo que en lugar de cubrir las ventanas, revestían la totalidad de las paredes de la sala en la que se encontraban. Bajo sus pies descalzos, pues les habían instado a dejar los zapatos en la antesala, podía sentir la esponjosa suavidad de las alfombras. Mujeres apenas vestidas reposaban indolentes sobre mullidos cojines de todas las tonalidades del arcoíris. Exuberantes plantas formaban un pasillo alrededor de un estrecho estanque de aguas claras en el que hombres semidesnudos y de cuerpos depilados retozaban juguetones con los pies de las personas sentadas en la orilla. Sobre soportes de marfil en forma de concha se quemaba un extraño incienso del que emanaba un aroma de envolvente sensualidad que se mezclaba con la incitante música tocada por una orquesta de mujeres tan semidesnudas como sus compañeras.

Isembard, inmóvil junto a Lucas, carraspeó avergonzado a la vez que se apresuraba a cerrarse la chaqueta a pesar del calor reinante.

—Este lugar es un burdel —manifestó incómodo tirando de los bordes de la prenda.

—Eso parece —corroboró Lucas mirando a su alrededor.

Puede que fuera el lugar más suntuoso en el que había estado nunca, pero no era más que un prostíbulo, similar en esencia, que no en lujo, a todos aquellos que había conocido. Ahogó un bostezo a la vez que se estiraba con disimulo; era su noche libre, pero había trabajado duramente todo el día. Estaba molido.

Enoc miró de reojo a sus compañeros. No cabía duda de que al maestro le habían impresionado considerable, y visiblemente, todos esos cuerpos femeninos semidesnudos. Sin embargo, el nieto del capitán parecía aburrido. Sevval sabría cómo animarle, pensó al ver a la dueña del local acercándose a él. Se saludaron con amistosa cortesía y, tras presentarle a sus acompañantes, se retiró con ella a un rincón. Ni los mojigatos oídos del maestro, ni mucho menos los suspicaces de Lucas debían escuchar su conversación, pues el muchacho bien podía entenderles, y eso no le convenía en absoluto.

—Así que quieres una acompañante especial para el nieto del capitán Agra. Dulce pero lujuriosa, de apariencia frágil y virginal pero ducha en las artes del sexo. Quieres que le haga perder la razón pero que a la vez impida que se encapriche con ella —murmuró golpeándose los labios con sus estilizados dedos—. No es fácil lo que pides. Tampoco barato.

—El precio no será un problema.

Sevval dirigió una mirada calculadora al joven que precisaba tan complicado trabajo. No parecía fascinado con ninguna de sus chicas, de hecho, casi parecía a punto de dormirse.

—¿Algún requisito físico?

—Rubia, pelo rizado, ojos castaños y pechos pequeños —dijo Enoc describiendo a Alicia.

—Haré lo que pueda. —Sevval desvió la mirada a Isembard—. Y el hombre que le acompaña, ¿algún gusto en particular?

—Voluptuosa, pechos grandes y buen culo.

—Eso es fácil. ¿Y tú? ¿Qué será esta vez, un impetuoso gavilán o un sumiso cordero?

—Ninguno. Estoy de servicio —bromeó Enoc.

—Es una lástima, Ishaq podría hacerte olvidar —murmuró señalando a uno de los hombres, el más fornido de todos, que apoyado indolente en el borde del estanque le observaba con aire depredador.

—En otra ocasión.

—Como me visitas tan a menudo… —protestó haciendo un mohín antes de llamar la atención de una morena para luego dirigir la mirada a Isembard—. Kaamla llevará al mayor al *Paraíso*. Y creo tener a la hurí adecuada para el joven. Por cierto —dijo bajando la voz—, el *Luz del Alba* está atracado en Port Fuad.

—Entiendo. —Enoc miró inquisitivo a su alrededor antes de dirigirse al lugar donde sus amigos le esperaban acompañados de Kaamla.

Lucas observó divertido a Isembard; el maestro, de normal sereno y seguro, se mostraba en extremo inquieto. Con ambas manos metidas en los bolsillos y la frente sudorosa, su mirada recorría la sala de un lado a otro sin detenerse en ningún punto fijo, excepto cuando caía en los prominentes senos apenas cubiertos de la morena que, colgada de él, le hablaba susurrante al oído.

—¿Estás seguro de que no la entiendes? —le preguntó Isembard por enésima vez dando un paso atrás, intentando apartarse de ella.

—Habla un galimatías incomprensible, mezcla de turco, árabe y ruso, apenas comprendo una palabra de cada diez que dice.

—Intenta decirle que hace mucho calor y que le agradecería que se apartara un poco.

—¿Por qué iba a hacer eso? —se burló Enoc llegando hasta ellos—. Disfrute de la noche, señor del Closs, estoy seguro de que bajo toda esa atildada rectitud hay un hombre apasionado. —Isembard negó con la cabeza, aturullado—. ¿De verdad no siente curiosidad por ver su perla de ámbar? —inquirió divertido—. Vaya preciosidad —murmuró señalando con la mirada a una joven que caminaba hacia ellos—. ¿Qué te parece, Lucas?

—Muy bonita —murmuró este, su mirada fija en la fuente que había en el centro del estanque. Toda la sala estaba iluminada por lámparas de aceite y velas aromáticas, lo que significaba que allí no había electricidad. ¿Qué tipo de mecanismo usarían para conseguir que el agua se elevara hasta esa altura?

—Marinero, no estarás pensando en motores, ¿verdad? —inquirió Enoc al percatarse de qué era lo que llamaba la atención de su amigo.

—Eh, no. En absoluto.

—Bien, el paraíso nos espera. —Enoc esperó hasta que la rubia llegó a ellos y luego se dirigió hacia una puerta oculta por densos cortinajes púrpura.

La nueva sala era más grande. También más íntima. Conservaba la estética de la anterior, pero la iluminación era más tenue y la música apenas se escuchaba. En el ambiente reinaba un coro de gemidos y jadeos procedentes de las puertas situadas en la pared y de las extrañas carpas de seda rosada que parecían caer del techo derramándose en el suelo cual mosquiteras en exceso tupidas. Mosquiteras tras las que se vislumbraban siluetas entrelazadas. Y no de insectos precisamente.

Enoc atravesó la sala, sus pies hundiéndose en las mullidas alfombras, para detenerse frente a una de las pocas puertas que estaban abiertas y sentarse con las piernas cruzadas sobre varios cojines, haciéndoles un gesto para que le acompañaran.

Lucas se dejó caer sin dudarlo un instante, a esas horas normalmente ya estaba dormido, y el cansancio pesaba sobre sus hombros. La joven rubia se acomodó con gracilidad a su lado, mientras que Isembard se entretuvo un instante en mirar confuso a su alrededor antes de sentarse bajo una de las carpas cuyos cortinajes estaban descorridos. La voluptuosa morena se apresuró a sentarse sobre su regazo, causándole gran conmoción.

—Señorita, le rogaría que se sentara en… en el suelo —farfulló tomándola en brazos y depositándola sobre unos cojines, con cui-

dado eso sí, de no tocar ninguna zona desnuda de su cuerpo, cosa
harto complicada—. Esto no es nada decoroso.

Lucas estalló en carcajadas al escucharle, a la vez que Enoc, ocultando una sonrisa, alzaba la mano, llamando la atención de una mujer que se acercó a ellos portando una bandeja de frutas que además
contenía tres vasos y una botella de porcelana. Sirvió la bebida, acer-
cándosela a cada uno de los hombres, y luego se retiró.

Isembard tomo el vaso y se lo bebió de un trago. Un segundo
después lo escupió entre toses, casi ahogándose, momento en que la
morena aprovechó para volver a colocarse sobre su regazo y comenzar a acariciarle por debajo de la camisa… y de los pantalones.

Lucas sonrió, acercándose la bebida a la nariz. La olió y acto seguido la dejó a un lado para coger unas cuantas uvas y llevárselas a
la boca. Un instante después, era su acompañante quien trataba de
alimentarle. Frunció el ceño, había imaginado que la muchacha se
decantaría por el señor Abad, pero por lo visto él tampoco se iba a li-
brar de las atenciones de las damas. ¡Vaya fastidio!

Enoc miró divertido a Isembard mientras daba un cuidadoso
trago a la bebida. El maestro seguía empeñado en explicarle a la morena que eso que ella le hacía no era adecuado. Y en verdad que no
lo era. Aunque sí debía ser muy agradable a tenor de su cada vez
más abultada entrepierna.

—Puedo comer yo solo, gracias —dijo en ese momento Lucas
con glacial cortesía.

Lucas, sentado de espaldas al acorralado maestro, apartaba enfurruñado una de las manos de la grácil rubia que intentaba con
escaso éxito seducirle. La muchacha sonrió con fingida timidez y
luego se llevó a su propia boca las uvas que aún sostenía entre los
dedos. Las absorbió una a una con voluptuosa lentitud y libidinoso
deleite, formando con sus jugosos labios un acariciante mohín. Un
lascivo despliegue de sensualidad desperdiciado, pensó Enoc al observar cómo Lucas bostezaba para a continuación tumbarse sobre
los cojines usando uno de sus brazos a modo de almohada. La joven aprovechó para yacer lánguidamente a su lado y recorrerle
con laxas caricias el torso en dirección descendente. La detuvo con
un solo gesto. Ni siquiera pronunció palabra alguna, se limitó a
negar con la cabeza una única vez. Un gesto rotundo, de fiereza
contenida y desalentadora frialdad.

Enoc suspiró frustrado. Nada estaba saliendo como el capitán o
él mismo habían pensado. Se suponía que Lucas tenía que caer en la
trampa como cualquier hombre de su edad, y en lugar de eso se
mostraba huraño, molesto. Como si estuviera reprimiendo la cólera

que bullía en su interior. Y tal vez era eso lo que estaba haciendo.

—¡Por Dios! ¿Cuántas manos tienes, mujer? —jadeó en ese momento Isembard apartando por enésima vez a Kaamla de su abultada entrepierna.

La mujer sonrió lasciva y, sin darle opción a replicar, tiró de las cortinas de la carpa, encerrándoles bajo la seda rosada.

—No puedo hacer esto —le escucharon jadear—, mis afectos están comprometidos… Tengo ciertas expectativas de futuro con… Ahhh…

Silencio. Denso. Lúbrico.

Un silencio que se rompió repentinamente por un frustrado gruñido.

—Lo siento, pero no. —La voz del maestro más severa que nunca. Las cortinas descorriéndose de nuevo, e Isembard levantándose a la vez que se abrochaba el pantalón para después alzar el brazo y señalar con firmeza la salida—. Le ruego que se busque otra presa y me deje a mí tranquilo.

—Y tú deberías hacer lo mismo, bonita. No pierdas el tiempo conmigo, no soy un buen cliente —manifestó Lucas en turco a la rubia. Ella le susurró algo, Lucas negó una sola vez, y tras esto, la joven se levantó y abandonó la estancia acompañada por la morena.

—¿La tuya sí hablaba turco? —inquirió Isembard ofendido, si Kammla hubiera entendido sus palabras se hubieran ahorrado esa bochornosa escena—. ¿Qué le has dicho?

—Le he pedido que me dejara tranquilo y ella me ha dicho que el mal de amores se cura con el tiempo. —En realidad le había dicho que la dejara follarle hasta que se olvidara de todo, pero si le traducía eso a Isembard corría el riesgo de que le diera una apoplejía.

Enoc estalló en carcajadas al escuchar la dulce traducción que Lucas había hecho, y a continuación les propuso dar una vuelta por la ciudad para luego regresar al barco. Ya que no iban a disfrutar de las mujeres, no tenía sentido continuar allí.

Ambos aceptaron entusiasmados.

Isembard, porque estaba deseando abandonar ese lugar para volver a tener la conciencia tranquila y los ánimos calmados.

Lucas, porque los burdeles, ya fueran tan lujosos como palacios o tan pobres como establos, le traían malos recuerdos.

Enoc entregó a la mujer que les había servido una generosa cantidad de dinero. Que sus compañeros y él mismo no hubieran querido disfrutar de los servicios de Sevval no era óbice para no pagarle, y enfiló hacia la salida seguido de Isembard y Lucas.

—Si no eres capaz de complacer a una puta, ¿cómo pretendes follarte a una tullida? —masculló alguien junto a Lucas al cruzar la sala. Este se giró enfurecido al reconocer la voz.

—No —le detuvo Enoc centrando su mirada en Marc—. Sevval no permite peleas en el Kehribar.

—No te preocupes por eso, Enoc —replicó Marc dirigiendo la mirada hacia Ishaq, quien en ese momento abandonaba el estanque—. No es mi intención perder el tiempo con fútiles peleas, prefiero aprovecharlo usando lo que tan estúpidamente has rechazado.

Y, dicho esto, se dirigió a una de las puertas abiertas.

—Vámonos —les instó Enoc a sus compañeros, no sin antes comprobar enfurecido que Ishaq desaparecía por la misma puerta que Marc—. No ha sido una buena idea salir esta noche.

7 de julio de 1916

Isembard se despertó al escuchar los gemidos aterrados que provenían de la litera inferior. Abrió los ojos y vio que había luz gracias a la lámpara que Enoc había encendido.

—¿Otra pesadilla?

—Eso parece —masculló este observando con atención a Lucas.

Estaba en la cama, encogido sobre sí mismo mientras parecía luchar por respirar. Tenía los ojos cerrados y, como de costumbre, golpeaba la espalda contra la pared mientras pataleaba y daba puñetazos al aire. Como si estuviera luchando porque alguien, quien fuera, le soltara.

—No pasa una sola noche sin que le visiten sus fantasmas —comentó Isembard—, da igual lo cansado que se encuentre o dónde esté —dijo refiriéndose a las veces que le habían encontrado durmiendo al raso en cubierta—. Cada maldita noche alguien le aterroriza en sueños.

—Y cuando se despierta lo hace llamando a Alicia… y en ocasiones, al capitán —musitó Enoc antes de inclinarse sobre Lucas y sujetarle los brazos, sabedor de cuál sería su reacción cuando intentara despertarle—. Lucas, muchacho, despierta…

25

El alma que hablar puede con los ojos
también puede besar con la mirada.
GUSTAVO ADOLFO BÉCQUER

9 de julio de 1916

El ingeniero Martí observó divertido al marinero que miraba continuamente el reloj anclado sobre la puerta. En lugar de mostrarse fascinado con las máquinas de vapor y sus mecanismos, tal y como siempre hacía, parecía en extremo distraído, casi soñador. Se detenía en los lugares más insospechados sin ningún motivo y permanecía inmóvil, con la mirada perdida, hasta que alguien le llamaba la atención. Debía reconocer que en los últimos días se comportaba de manera extraña, y era bien cierto que cuanto más cerca estaban de Barcelona, más abstraído parecía. Hasta ese mismo momento, en que nada quedaba del hombre curioso y parecía un cúmulo de nervios a punto de explotar. Sonrió, reconociendo los síntomas de la enfermedad que sufría: añoranza, impaciencia, embelesamiento. No cabía duda, estaba enamorado y anhelaba ver a su amada. Un grave inconveniente para un marinero.

Compuso una mueca severa en su cara.

—Señor Agramunt, ¿se encuentra enfermo? —exclamó con voz potente desde su atalaya sobre una de las escalerillas.

—No, señor —repuso de inmediato Lucas, sobresaltado.

—Explíqueme entonces el motivo de que lleve parado más de un minuto. ¿No tiene nada que hacer?

—No, señor… Sí, señor —se apresuró a corregirse—, tengo algo que hacer.

—¿Y por qué no lo hace? ¿Tal vez debo cubrir el reloj para que haga su trabajo? —le espetó con fingida furia—. Le advierto que de ser así, lo cubriré con la piel de su espalda.

—No me parece que eso vaya a ser necesario, señor —replicó Lucas altivo, con las manos apoyadas en las caderas y sin moverse del sitio.

El ingeniero enarcó una ceja. ¿El nieto del capitán se las estaba jugando? No lo consentiría.

—¿Me está desafiando, señor Agramunt? —inquirió con voz tensa, aguantando la sonrisa que pugnaba por escapar de sus labios. El muchacho era idéntico a su abuelo.

—Nada más lejos de mi intención —respondió Lucas con irónico respeto antes de añadir—: señor.

—Tiene un segundo para ponerse en marcha, de lo contrario aumentaré su turno tres horas más.

Lucas le miró con los ojos abiertos como platos, gritó un apurado «Sí, señor» y a continuación voló sobre la bancada en dirección a un grupo de mecánicos que, observándole divertidos, se afanaban en sellar una fuga.

El *Tierra Umbría* estaba haciendo maniobras de aproximación para atracar en el puerto de Barcelona, faltaba apenas una hora para que terminara su turno y, cuando eso sucediera, su trabajo habría finalizado. Podría desembarcar. Y ver a Alicia. Y tocarla. Y besarla, en la mejilla, eso sí. ¡No iba a permitir que un ingeniero gruñón le retuviera tres horas más en ese barco! ¡Moriría si lo hacía!

Alicia observó inquieta a los marineros que desembarcaban, esperando ver a Lucas entre la multitud de cabezas cubiertas con gorras. A su lado, Jana la miraba sonriente y casi conspiradora, como mujer enamorada entendía la nerviosa impaciencia de su hija. Junto a ellas, Biel, parapetado en su férrea voluntad, observaba con mirada impasible el *Tierra Umbría*. De repente una sonrisa se dibujó bajo su denso mostacho y en sus ojos brilló un orgullo alborozado que no se molestó en ocultar.

—¡Lucas! —gritó en ese mismo momento Alicia—. Ahí está, mamá. Oh, no nos ve, capitán, llámale por favor, seguro que oye tu voz mejor que la mía —solicitó antes de volver a gritar el nombre del joven.

Biel arqueó una ceja, dudaba de que Lucas escuchara otra cosa que no fuera la voz de Alicia. Y, tal y como pensaba, su nieto desvió la mirada y echó a correr hacia ellos a la vez que una entusiasmada sonrisa se dibujaba en su semblante.

Apenas consiguió detener su loca carrera antes de chocar contra su abuelo.

—Capitán, señora Jana —saludó nervioso—. Alicia —suspiró acercándose a ella y depositando un educado beso en su mejilla que quizá duró un poco más de lo apropiado—. No sabes cuánto te he echado de menos. Gracias a Dios que estás aquí —susurró en voz baja antes de que un inoportuno carraspeo de Isembard le llamara la atención, obligándole a apartarse.

Enoc e Isembard cargaron los petates en el landaulet a la vez que respondían las preguntas que Jana y Biel hacían. Y mientras tanto, Lucas y Alicia, con las manos unidas en un saludo interminable, se miraban en silencio intercambiando palabras que nadie más que ellos podía escuchar, pues eran sus corazones quienes las pronunciaban.

Biel observaba a los jóvenes con una ceja enarcada mientras Jana, anticipándose a los pensamientos de su marido, le apretaba con fuerza la mano, instándole a guardar silencio y permitirles ese momento de comunión entre ambos. El anciano, fiel a su carácter, aguantó apenas unos minutos antes de ordenar que montaran en el automóvil. No era cuestión de perder el tiempo en el puerto, menos aún con ese par de tortolitos haciéndose ojos tiernos a la vista de todo el mundo. Dejó al maestro en su apartamento y, en un arranque de generosidad, dispensó a los recién desembarcados de las clases matutinas del día siguiente, no así de las de la tarde.

Tiempo después, sentado a la cabecera de la mesa, observó las monerías con que los dos jóvenes se agasajaban. Porque era eso y no otra cosa lo que estaban haciendo. Su nieto, en contra de lo esperado, no se había molestado en abrir la boca para contar nada del viaje, de cómo le había ido en su trabajo, si le gustaba, si no le gustaba, o, lo que todavía era más increíble, de las extraordinarias máquinas de vapor del *Tierra Umbría*. Nada. Ni una palabra. De hecho lo poco que sabían era gracias al señor Abad porque, el muchacho enamorado de las máquinas, el terco insolente que le había obligado a dejarle trabajar, se había limitado a susurrar tonterías mientras miraba atontado a Alicia. Y su niña, tan curiosa siempre, en lugar de preguntar por cosas importantes, como por ejemplo el puñetero viaje, había mantenido una ñoña sonrisita en los labios mientras susurraba frases ininteligibles, al menos para un viejo de oídos gastados como él. ¡Por todos los demonios! Esos dos mocosos no estaban manteniendo una conversación, sino un diálogo de besugos. No debería haber mandado al maestro a su casa, seguro que sus carraspeos hubieran evitado esa… esa… ¡Majadería! Se inclinó con la firme intención de poner fin a tanto embelesamiento con un buen golpe de bastón en la mesa. Y en el momento en el que tomó el bastón para hacerlo, sintió la mano de Jana sobre la suya.

—Déjalos tranquilos… —protestó la mujer con una pícara sonrisa en los labios.

—No es correcto que susurren en la mesa —se ofendió.

—Estamos en familia, haz la vista gorda.

Biel bufó contrariado y miró a Enoc, quien fingiéndose ajeno a todo, centraba toda su sonriente atención en el plato que tenía delante. ¡Cómo si unas cuantas naranjas fueran más importantes que informarle sobre lo que había pasado durante el viaje! En cuanto acabara la cena pensaba tener una conversación, seria y extensa, con su antiguo oficial. Tomó enfadado un melocotón del frutero y, sin apartar la mirada de los tortolitos, comenzó a pelarlo.

A punto estuvo de rebanarse un dedo cuando, sin previo aviso, Lucas asió la mano de Alicia y comenzó a acariciarle el interior de la muñeca con el pulgar a la vez que bajaba la voz más todavía, diciéndole quién sabía qué cursiladas. Sonrió ufano cuando vio que su cabal pupila asía con su mano libre la del joven, seguramente decidida a apartársela y de paso, a regañarle por comportarse con tan poco decoro en la mesa.

Su sonrisa se convirtió en pasmosa incredulidad cuando comprobó que no. Que su enamoriscada niña no le apartaba la mano. Ni le regañaba. Ni se mostraba molesta, sino que muy al contrario, envolvía entre sus delicados dedos la mano morena y curtida de su nieto. Y, no contenta con eso, se inclinaba hacia él, acercando su rostro al del joven. ¡Y lo peor de todo era que Lucas la imitaba! ¡Por Dios, si parecían a punto de besarse!

—Capitán… —le reclamó Jana en voz baja al percatarse de cómo fruncía el ceño.

—¿Pero tú estás viendo lo que yo? —Biel estrechó los ojos—. ¡Tienen las cabezas tan juntas que como se acerquen un poco más van a chocar!

—No están haciendo nada inconveniente.

—Pero lo harán —gruñó agorero.

—Hacerse carantoñas no es malo —susurró Jana divertida.

—Eres demasiado moderna —siseó enfurruñado.

—Y tú eres un anticuado.

—Señor Abad, borre ahora mismo esa sonrisa de su cara —exclamó Biel centrando parte de su furia en el hombre que desgajaba con parsimonia una naranja.

Lucas y Alicia se separaron de inmediato al escuchar su exabrupto, en tanto que Enoc se apresuró a meterse un gajo en la boca para evitar estallar en unas carcajadas que de seguro le depararían una buena bronca.

Biel asintió satisfecho al ver que había contenido con presteza el motín y, en vista del deplorable estado del melocotón que había estado pelando, lo dejó aparte y tomó otro.

—Y bien, marinero, ¿qué te ha parecido la vida en el *Tierra Umbría*?

—Estupenda —musitó Lucas.

—¿Estupenda? —repitió Biel asombrado mientras se afanaba en rebanar la jugosa carne que rodeaba el hueso de su fruta—. La vida en un barco no es estupenda, es dura, fatigosa y solitaria.

—Sí...

Biel levantó la vista y el cuchillo, esta vez sí, le cortó la yema del pulgar. Ahogó un improperio a la vez que soltaba la fruta. Lucas volvía a mirar embelesado a Alicia. Y Alicia a Lucas. Y ambos volvían a estar demasiado cerca uno del otro. ¡Maldición!

—¿Qué me dices de los motores? —inquirió, tocando un tema que seguro apartaría a su nieto de tal enajenación.

—Eran dos. De vapor. Grandes —contestó este en voz cada vez más baja sin separar apenas los labios. Y sin apartar la mirada de la muchacha que le observaba hechizada.

—Ciertamente —murmuró Enoc antes de meterse con rapidez otro gajo en la boca. Y bien que hizo, porque Biel le miró inquisitivo, buscando la sonrisa que le había prohibido esbozar.

—Esto es inaudito... —Descartó el melocotón manchado de sangre para tomar otro.

—Y tanto. Vas a acabar con todos los melocotones sin haberte comido ninguno, o peor aún, acabarás cortándote un dedo. Haz el favor de tener cuidado —le reprendió Jana divertida.

—¿Me regañas a mí y a ellos no les dices nada? —siseó señalando a los dos jóvenes, quienes en ese mismo instante habían vuelto a tomarse de las manos y se acercaban lenta pero inexorablemente el uno al otro—. No puedo creer que te pongas de su parte.

—Déjalos tranquilos —suspiró armándose de paciencia—. Han pasado muchos días separados.

—Se están comportando como... como...

—Como lo hacíamos nosotros cuando pasábamos tiempo sin vernos —finalizó Jana.

—Es diferente, nosotros éramos adultos.

—Mayor motivo aún para permitirles solazarse un poco. Si nosotros siendo adultos no conseguíamos mantener nuestras manos apartadas, ¿cómo quieres que lo hagan ellos que están en la flor de la juventud? —argumentó, no sin razón.

Biel abrió la boca para replicar y volvió a cerrarla. Aunque por nada del mundo pensaba reconocerlo, le gustaba que sus dos niños estuvieran tan atontados uno con el otro. Era agradable observarlos, incluso poniéndose cursi, cosa que él no era, casi podía escuchar el coro de rechonchos Cupidos inundando el ambiente con su música almibarada. Frunció el ceño ante ese pensamiento. Mejor sería que dejara las alegorías poéticas a su esposa, pues las suyas, más que poéticas eran patéticas. Centró su atención en la fruta que tenía en la mano, decidido a pelarla sin más incidentes.

Instantes después acabó sucumbiendo a la curiosidad y levantó la vista.

Entrecerró los ojos para ver mejor.

¿Su nieto estaba besando a su pupila en la mejilla o en la comisura de los labios?

Arqueó una ceja.

En la comisura de los labios.

Decididamente.

¡Frente a sus propias narices!

—¡Se acabó! —explotó poniéndose en pie a la vez que golpeaba la mesa con el bastón. Lucas y Alicia se separaron asustados. Enoc, sin poder contenerse, se echó a reír. Jana carraspeó, sonoramente ofendida por la falta de modales de su marido—. La cena. Se acabó la cena —se apresuró a explicar, no fuera a ser que su esposa volviera a tacharle de anticuado, cosa que era. ¡Y a mucha honra!—. Es muy tarde. Levad anclas del comedor —ordenó con su voz de capitán severo—. Tú, pillastre —señaló a Lucas—, mañana te espero en mi despacho a las siete en punto.

—¡Pero si le has dado la mañana libre! —protestó enfadada Alicia en el mismo momento que Lucas abría la boca furioso para replicar exactamente con las mismas palabras.

—Dos semanas fuera de esta casa y te has vuelto un perezoso —tronó Biel mirando a su nieto—. El hombre que partió hace quince días no era un vago al que le molestara madrugar.

—¡No me molesta madrugar!

—Perfecto. Nos veremos a las siete, puedes retirarte. En cuanto a ti, señorita —dirigió una airada mirada a Alicia—, no son horas para que estés en danza por la casa. Doc te aconsejó descansar, y eso vas a hacer. A tu cuarto.

—¡No puede ordenarle que se vaya a dormir, es pronto! —protestó Lucas enfadado, quitándole las palabras de la boca a Alicia.

Biel los miró a ambos con una ceja arqueada.

—¿A qué viene esta absurda costumbre de discutir el uno los asuntos del otro?

—No tan absurda como comportarte cual basilisco y ordenarnos que nos vayamos del comedor —espetó Jana fingiéndose enfadada.

—Totalmente de acuerdo, mamá —apuntó Alicia—. Apenas ha anochecido.

—Eso es porque estamos en verano —se defendió Biel—. Son casi las —miró el reloj que había sobre una ornamentada consola—… las diez de la noche.

—Ni que fuéramos niños de teta —bufó Lucas tomando la mano de Alicia.

—Tarde no es —dijo Enoc echando más leña al fuego.

—¿No será tu avanzada edad la que te hace estar adormilado? —comentó Jana.

—¡Eh, no es tan viejo! —saltó Lucas. ¡Su abuelo no era ningún anciano!

Esto dio paso a un mordaz comentario de Jana, al cual siguió una burlona aclaración de Enoc, quien se lo estaba pasando en grande. Alicia, por supuesto, se puso de parte de Lucas, y también defendió al capitán.

Biel recorrió con la mirada los rostros risueños de aquellos que conformaban su familia. Cuanto más acicateaban Jana y Enoc, con más énfasis le defendían Lucas y Alicia.

Una gozosa sonrisa se dibujó bajo su poblado mostacho.

—¡Silencio en cubierta! —tronó consiguiendo que todos se callaran—. Alicia, Jana, con vuestro permiso, este anciano achacoso se retira —sacudió la cabeza a modo de despedida—. Lucas, a las ocho en mi despacho —ordenó, ampliando la hora de la cita—. Señor Abad, acompáñeme.

—Mi nieto es una caja de sorpresas —comentó Biel en la sala de fumar, dando una chupada a la pipa tras haber escuchado el resumen del viaje—. No voy a negar que deseaba que Lucas no se sintiera tentado por las chicas de Sevval, pues sería mentir. Pero eso echa por tierra nuestros planes de desenredarle del hechizo de su zorra. ¿Le habló de ella durante el viaje? —inquirió estrechando los ojos.

—No, capitán, no la mencionó en ningún momento. Y, si me permite un consejo, no intente tentarle de nuevo, me da en la nariz que siente cierta aversión por los burdeles.

—Entiendo. —Biel lo meditó un instante—. Debería haberlo imaginado. Se crió en uno. Su fulana tiene que ser una profesional independiente… nada de burdeles. Puede retirarse, es tarde y estará cansado.

—Hay algo más, capitán. —Enoc apagó su cigarro pensativo. Remiso a seguir hablando.

—Desembuche, lleva demasiados años conmigo para saber que no me asusto fácilmente.

—Lucas tiene pesadillas —afirmó levantando la mirada y centrándola en Biel.

—Ya dio muestras de ello cuando llegó aquí. —Biel se irguió en la silla, intrigado por el tono de voz de su antiguo oficial—. Es algo normal en un joven que cambia de forma radical su rutina. Y no cabe duda de que la vida en un barco es un cambio muy brusco.

—Tiene pesadillas cada noche, capitán. Pesadillas en las que se pelea con alguien, en las que incluso deja de respirar, y de las que se despierta aterrado llamando a la señorita Alicia… y también a usted.

—¿Ha averiguado qué le atormenta? —Biel estrechó los ojos, preocupado y a la vez furioso. ¡Cómo se atrevía una pesadilla a torturar a su nieto!

—Se niega a hablar de ello. Cada vez que Isembard o yo intentábamos sacar el tema, se encerraba en un obstinado silencio que se tornaba violento si insistíamos. Creo que se avergüenza.

—Es lógico, a nadie, y a mi nieto menos que nadie, le gusta mostrarse vulnerable.

—No —masculló Enoc frunciendo los labios—. En mi opinión no se avergüenza de tener pesadillas, sino de lo que revive en ellas. Fuera lo que fuera, lo dejó marcado.

—Cree que sueña con… vivencias pasadas.

—No lo creo, señor, estoy seguro. Con algo que le pasó de niño. —Biel arqueó una ceja, instándole a seguir hablando—. ¿Recuerda la pesadilla que tuvo la noche que lo ató? —el anciano asintió en silencio—. En aquella ocasión gritó algo sobre un hombre sin dientes. —Biel volvió a asentir, recordando aquella escena en particular. Había sido espantosa—. Ha vuelto a mencionarlo. No siempre, pero sí cuando más aterradoras parecían sus pesadillas. Ningún adulto llama a su agresor «el hombre sin dientes», es un apelativo que solo usaría un niño. Y… los gritos más espantosos que he oído nunca, los escuché de la boca de Lucas cuando me tumbé sobre él para inmovilizarle durante la primera pesadilla que tuvo en el barco.

Biel apretó los dientes con fuerza. Con la misma que sus manos se cerraron sobre la empuñadura del bastón.

—Averiguaremos qué le pasó —afirmó al fin, en un tono tan amenazante que hasta el mismo miedo se habría asustado—. Y cuando lo descubramos, me traerá a ese bastardo desdentado y lo mataré con mis propias manos.

—Así se hará, capitán. —«Pero no sin que antes yo le haya arrancado la piel a tiras».

Y

Alicia se subió por enésima vez el escote del descocado camisón y acto seguido volvió a bajárselo para luego posar la palma de la mano sobre la piel expuesta. Era tan extraño no sentir la batista sobre la garganta… y eso por no mencionar los tirantes de seda labrada que se caían continuamente en vez de quedarse quietos sobre sus hombros. La hacían parecer tan… sensual. Suspiró sonrojada por sus disolutos pensamientos y se recostó con estudiada languidez. Esa noche iba a ser atrevida. Estaba decidida. Echó un vistazo a la prenda que la cubría desde el comienzo de los pechos hasta un poco por encima de las rodillas y volvió a suspirar. ¡Parecía una combinación en vez de un camisón! ¡Era demasiado corta! Tomó la sábana para taparse, pero la soltó antes de hacerlo. Cuando Lucas la miraba no parecía ver la fealdad de su pierna tullida. Era una pena ocultar la que estaba sana, más ahora que poco a poco se había tonificado y era casi bonita. Además, cuando había ido a la corsetería con su madre y con Adda para proveerse de ropa interior, a ninguna de las dos le había parecido mal que comprara ese camisón, al fin y al cabo era verano y hacía mucho calor. Y nadie iba a vérselo puesto. Frunció el ceño, no le gustaba mentir a su madre. Pero, se sentía tan… atractiva. Posó una trémula mano sobre su estómago para calmar las mariposas que parecían haberse adueñado de este y, en ese momento, Lucas entró en la habitación.

Y se quedó sin respiración.

Tal vez sus pulmones dejaron de funcionar porque toda su sangre había descendido en picado para acumularse en la zona intermedia de su cuerpo.

Alicia sonrió al percatarse de su abultada reacción. Y, sintiéndose absolutamente perversa, se sentó con extrema lentitud y permitió que uno de los tirantes resbalara por su brazo.

Lucas tragó saliva, la miró de arriba abajo, se detuvo un largo instante en sus piernas desnudas, volvió a tragar y su mirada subió hasta la porción de piel que el amplio escote del camisoncito no ocultaba. Y se detuvo allí. Los ojos fijos en su… respiración.

—Estás muy guapa —musitó con voz ronca.

—Ven aquí…

Lucas cerró los ojos para liberarse del hechizo, y como eso no funcionó, pues sus pechos parecían haberse quedado grabados en sus retinas, sacudió la cabeza. Esta vez sí consiguió despejarse la mente. Más o menos. ¿Por qué tenía que respirar así? Era imposible que se concentrara en nada que no fuera el suave vaivén de su... respiración.

Caminó con lentitud hasta la cama y se sentó en el borde.

—Has... —Apartó la mirada de aquel lugar tan tentador—. ¿Has continuado con tus ejercicios? —preguntó interesado señalando sus piernas y dejando la mirada fija en ellas. No había querido mencionarlo durante la cena, pues ella se negaba a contarle a nadie que poco a poco iba consiguiendo caminar.

Alicia frunció el ceño, remisa a confesarle que había roto la promesa que le había hecho. Se mordió el labio inferior, pensativa, y, al percatarse de que la mirada de Lucas volaba hacia su boca, sonrió maliciosa, se inclinó hacia él y, tomándole por la nuca, le besó.

Lucas se estremeció a la vez que la saboreaba. Y, cuando ambos se apartaron tras quedarse sin aire, sacudió la cabeza y volvió a preguntar. Y ella respondió de la misma manera.

—No vas a conseguir que me olvide de esto —musitó contra su boca a la vez que enredaba los dedos en su precioso pelo rubio.

—¿Estás seguro de eso? —inquirió Alicia comenzando a desabrocharle los botones de la camisa del pijama.

Lucas volvió a estremecerse.

—No. Sí, estoy seguro —se apresuró a corregirse mientras sentía como su piel hormigueaba bajo los dedos de Alicia—. Es importante, Alix —musitó con voz ronca asiéndole las manos, pero sin detener sus avances—. ¿Has intentado andar mientras he estado fuera?

—Sabes que solo puedo hacerlo si estás conmigo... —le deslizó la camisa por los hombros, dejando su torso al descubierto.

—Alix, me prometiste...

Y Alicia hizo lo único que le apetecía hacer, volver a callarle con un beso. Y no contenta con eso, arañó con suavidad una de sus planas tetillas.

Lucas soltó un improperio a la vez que un temblor incontrolable hacia presa de su cuerpo. Y ella le reprendió de la única manera que podía hacerlo, mordiéndole el labio inferior y tirando con suavidad de él, aunque, como en el fondo era una buena chica, lo soltó rápidamente para succionárselo con cariño.

—Hablaremos... luego —acertó a decir Lucas mientras sus ojos se entornaban por el placer y su cuerpo caía subyugado ante las caricias de su dama.

Alicia sonrió ladina y procedió a hacer todo aquello con lo que había soñado durante quince largos días. Depositó sutiles besos en su mandíbula, descendió dando ligeros mordiscos por su garganta, lamió la oquedad de su clavícula y, cuando lo sintió temblar, recorrió por fin su torso hasta localizar sus diminutas tetillas y probarlas. Con los dientes.

Lucas exhaló un silencioso jadeo a la vez que todo su cuerpo se tensaba.

Alicia, sintiéndose poderosa por su reacción, deslizó una tímida mano por la velluda línea que dividía en dos el estómago masculino. Y no se detuvo allí.

Lucas cerró los ojos a la vez que contenía la respiración. Sabía lo que iba a pasar a continuación, ya habían jugado ese juego otras noches, pero no por eso era menos excitante y embriagador. Separó un poco las piernas y se mantuvo inmóvil mientras los dedos de Alicia danzaban sobre la cinturilla del pantalón para luego bajar lentamente, siempre sobre la tela, por su cadera y acariciarle el lugar donde esta se juntaba con la pierna. Se aferró con fuerza a la sábana para no moverse cuando sintió la primera caricia en el interior de sus muslos.

Alicia le observó enfurruñada por su extrema contención… ¿Cuán difícil sería hacerle saltar? Sonrió y, sintiéndose más atrevida que nunca, decidió averiguarlo.

Lucas abrió los ojos como platos cuando la caricia, en lugar de dirigirse como siempre a zonas seguras, ascendió entre sus piernas para terminar posada… *ahí*.

Alicia gimió agitada al sentir contra la palma, incluso a través del suave algodón, la cálida rigidez de Lucas. Presionó intrigada, y él jadeó con fuerza, arqueándose. Se retiró asustada… y un segundo después, cuando él pareció calmarse, volvió a posar los dedos *ahí*. Frunció el ceño disgustada cuando Lucas volvió a hacer gala de su contención. Se lamió los labios y, antes de darse tiempo a pensarlo, meció la mano sobre aquello que tanto la excitaba.

Lucas se cimbreó estremecido hasta que solo sus pies y cabeza tocaron el colchón. Acto seguido, se giró sobre sí mismo y, totalmente perdido el control, tumbó a Alicia de espaldas a la vez que colocaba su mano sobre la de ella y le enseñaba a moverse como más necesitaba.

Alicia sonrió e hizo lo único que deseaba hacer: esforzarse en aprender.

Lucas, azuzado por un placer como jamás había sentido, se meció sobre la mano que le apresaba robándole el control, hasta que, exhalando un ahogado rugido, cayó tembloroso.

Vencido.

Alicia le observó jadear casi sin respiración. Los labios entreabiertos y los ojos cerrados. La frente perlada en sudor y el cuerpo laxo. Tan hermoso y fiero. Tan vulnerable. Por ella. Por sus caricias. Por sus besos. Y en ese momento, todo el calor que había empezado a brotar de su cuerpo con los primeros besos pareció fundirse en un solo punto: su corazón.

—Cuéntame… ¿Cómo es viajar en barco? —inquirió recostándose sobre él, ávida de volver a sentir su calor.

Lucas arqueó una ceja.

—¿Ahora sí quieres hablar? —preguntó cerniéndose sobre ella a la vez que le bajaba los tirantes del camisón con extrema lentitud—. ¿O solo pretendes distraerme para que no me tome la revancha?

Alicia abrió la boca para protestar por tan indigna acusación, y volvió a cerrarla al sentir que le bajaba el camisón, dejando sus pechos al descubierto.

Tomó uno en la boca, acariciando con dientes y lengua el pezón, y cuando estuvo tan duro como deseaba, devoró el otro. Y mientras lo hacía, atrapó entre sus piernas la de Alicia, y deslizó una mano por la enferma. Alicia, fiel a su costumbre, le tomó por la muñeca para detenerle, y él, igualmente fiel a la suya, la ignoró y continuó descendiendo. No mucho, pues el camisón era más corto de lo habitual. Coló los dedos bajo la batista y comenzó un ascenso tan excitante como deseado. Por él. Y también por ella, aunque no quisiera reconocerlo.

Recorrió con ardientes besos el valle entre sus pechos y ascendió de nuevo hasta su boca, donde se ocupó de silenciar sus protestas de la mejor manera que sabía: besándola. Hasta que sus dedos se tropezaron con algo que no esperaba. Se apartó apenas de sus labios, mirándola perplejo.

—Son la última moda… —musitó ruborizada.

—¿Pantaloncitos? —Deslizó los dedos por el encaje.

—Culote…

—Me encantan —murmuró jugando con las yemas sobre la íntima prenda.

Alicia sonrió entusiasmada… al menos hasta que él se acercó *demasiado* a aquel lugar entre sus piernas que estaba ardiendo.

—¡Lucas!

Él sonrió ladino y continuó recorriendo aquella delicia para los sentidos, luego la miró con intensidad y, sin pedir un permiso que sabía no le concedería, coló los dedos bajo el pantaloncito.

—¡Lucas! —La besó, pero ella se apartó alterada—. Espera… Eso no es…

Volvió a silenciarla con un ósculo tan abrumador que la dejó sin respiración. Y mientras lo hacía sus yemas continuaron viajando hacia dónde nunca habían estado.

—Lucas... por favor. —Alicia se aferró a sus hombros al sentirle sobre su pubis, tan cerca de donde no debía estar y a la vez tan lejos de donde deseaba que estuviera.

Lucas se detuvo ante su silencioso ruego. Sus labios esbozando una ladina sonrisa en tanto que sus ojos mostraban una obediencia sin límites, asegurándole sin palabras que fueran cuales fueran sus deseos, los acataría sin reproches.

—No te detengas...

Tiempo después, saciados ya uno del otro, encontraron fuerzas para hablar. Lucas explicó su viaje, explayándose en las prodigiosas máquinas y contándole avergonzado la visita al burdel. Alicia, que hasta ese momento le había escuchado divertida, frunció el ceño mirándole con seriedad no exenta de agresividad.

—¿Hay algo que debas contarme?

—Sí. Que te echaba tanto de menos que me dolía —afirmó él, encantado con los furibundos celos que brillaban en su mirada.

—No me refiero a eso —protestó enfurruñada—. ¿Sigues siendo... inexperto?

—¿Confías en mí?

Alicia le miró entornando los ojos y a la postre una serena sonrisa se dibujó en su semblante.

—Sí.

Volvieron a besarse, como mil veces antes, y fue una suerte que lo hicieran, porque gracias al silencio pudieron percibir los pasos que recorrían la galería acompañados del rítmico golpeteo del bastón.

—Chist, el capitán —susurró Lucas repentinamente alerta.

Escuchó con atención como este se detuvo frente a la puerta del dormitorio. Luego, el silencio, durante tanto tiempo que creyó haberse vuelto sordo, hasta que por fin los pasos se alejaron de nuevo.

—Maldito chivato —masculló enfadado. Alicia le miró intrigada—. Seguro que el señor Abad le ha contado que he tenido algunas pesadillas en el barco —explicó sentándose.

—¿Algunas... o muchas? —inquirió ella arqueando una ceja. Por experiencia sabía que las tenía cada noche, aunque, desde que había tomado la determinación de mencionarle al capitán, estas finalizaban casi al momento de empezar. En el instante en el que le convencía a través de sus sueños de que su abuelo estaba con él, armado con el bastón y dispuesto a protegerle de quien le atacaba, Lucas parecía tranquilizarse. Solo que esa no era la solución para acabar con ellas, solo las hacía más leves. Y eso siempre y cuando ella estuviera a su lado. Si no llegaba a tiempo junto a él, o si estaba solo, como en el barco, no había modo de detenerlas y entonces…

—¿Qué más da si ocurren a menudo o solo de vez en cuando? No es asunto de nadie —bufó Lucas.

—Lo es de todos aquellos que te quieren y se preocupan por ti —le regañó, ¿cómo podía ser tan obtuso? Lucas se encogió de hombros, enfurruñado—. Deberías contarle al capitán lo que te atormenta. Si se ha acercado a tu cuarto a estas horas es porque estará preocupado.

—¿Tú también vas a empezar con eso, Alix? —espetó él saltando de la cama.

—¿Quién más te ha dicho que…?

—El señor Abad… Isem… se han pasado todo el viaje dándome la murga para que les contara mis pesadillas. Y no voy a hacerlo. Son solo mías. De nadie más —afirmó enfadado paseando por el dormitorio.

—Está bien, vuelve a la cama —suspiró rindiéndose, le conocía demasiado bien como para saber que no iba a ceder en eso. Lucas negó con la cabeza, enojado—. No seas tonto, ¿no quieres amanecer conmigo?

La miró a la vez que una socarrona sonrisa se dibujaba en sus labios.

—¿Qué poder tienes, mujer, que caigo de rodillas a tus pies aunque no quiera hacerlo? —se rindió tumbándose a su lado.

—Oh, soy una bruja piruja, pero no se lo digas a nadie —replicó divertida, arrancándole una carcajada que se apresuró a silenciar con un beso.

Un beso que dio paso a muchos más que dieron paso a tiernas caricias que pronto se tornaron atrevidas…

—Dime… ¿Qué ha sucedido en la casa durante estas dos semanas? —preguntó él tiempo después, sin apenas resuello. Alicia había pasado de tímida aprendiz a audaz experta en el curso de esa larga noche. Claro que él tampoco se había quedado atrás.

—Nada fuera de lo habitual. —Alicia se acurrucó contra él, acariciándole el estómago—. Mamá y yo hemos salido de compras para preparar la fiesta de cumpleaños del capitán…

Lucas asintió adormilado sin prestar apenas atención. Quedaban poco más de un par de horas para el amanecer y sus ojos se cerraban vencidos por el sueño.

Y

Lucas atravesó corriendo la galería interior. ¡Se había quedado dormido! Como no era suficiente con que el capitán le echara la bronca del siglo por el inocente beso que le había dado a Alicia durante la cena, ahora también le ponía en bandeja su cabeza llegando tarde.

¡Perra suerte!

Pues no iba a consentirlo. No se dejaría avasallar. Si el viejo quería discutir, discutirían.

Una ufana sonrisa se dibujó en sus labios. Estaba deseándolo; mal que le pesara echaba de menos los duelos verbales con el anciano.

Abrió la puerta del despacho y entró decidido.

—El ingeniero Martí me ha dado excelentes referencias sobre tu trabajo —comentó Biel en el momento en que cruzó el umbral—. Estoy muy orgulloso de ti, marinero. ¿O tal vez debería llamarte ayudante del jefe de máquinas?

Lucas parpadeó sorprendido y, cuando por fin el significado de las palabras caló en su aturdida mente, se hinchó como un pavo. Uno con el rostro muy sonrojado.

—¿Ha hablado con él? —Tomó asiento, mirándole expectante—. ¿Qué le ha dicho?

—¿Acaso esperas cumplidos, grumete? —gruñó Biel, fingiéndose enfadado.

Lucas se echó hacia atrás en la silla, herido.

—Claro que no —masculló—. Y no soy un grumete. Soy el ayudante del jefe de máquinas, no lo olvide, capitán.

—Ya veo que el viaje no ha conseguido contener tu insolencia. —Biel lo miró de arriba abajo—. Bien. Eso me gusta. No dejes que nadie te dome… Ayudante —apostilló divertido encendiendo la pipa—. He hablado con el jefe de máquinas hace un instante y me ha indicado que sería interesante orientar tus estudios hacia…

La mirada de Lucas voló al teléfono situado en el extremo de la mesa. Si el viejo había hablado con el ingeniero hacía poco, solo podía haberlo hecho gracias a ese artefacto. Sus dedos hormiguearon por las ganas de levantar el alargado auricular y llamar a Anna. Ojalá el capitán abandonara pronto la casa para ir al puerto a hablar con el capitán Sarriá sobre el viaje… Incluso pudiera ser que lo hiciera ese mismo día. Sí, seguro que lo hacía. El viejo no tenía por costumbre dejar los asuntos importantes para más tarde. Frunció el ceño, pensativo. Tendría que convencer a Alicia e Isembard para que le cubrieran y poder hablar con Anna, de seguro estaría intranquila tras tanto tiempo sin recibir noticias. Tenía que decirle que había conseguido algo de dinero, que no se preocupara por nada pues él se estaba ocupando de todo.

Biel dejó de hablar al percatarse de que su nieto no solo no le estaba haciendo caso, sino que además tenía la mirada fija en el teléfono. ¡La maldita zorra volvía a inmiscuirse en el futuro de su chico!

—Debes deshacerte de todos los vínculos que te unen a tu pasado —dijo alzando la voz a la vez que apartaba el teléfono con un golpe de bastón—. Ya no eres un vulgar estibador, sino un miembro de la familia Agramunt, y tienes responsabilidades con tu apellido que debes cumplir y respetar.

Lucas dio un respingo cuando el teléfono saltó sobre la mesa y luego centró una enfurecida mirada en su abuelo.

—No soy ningún miembro de su familia... y hablando de eso, ¡cómo se le ocurre poner en mi contrato un apellido que no es el mío! Toda la tripulación ha supuesto que yo tenía algo que ver con usted, y por si no lo recuerda, ¡es el puñetero dueño de la naviera!

—Llevar el apellido Agramunt es un honor, deberías estar agradecido —bufó Biel ofendido.

—¡Agradecido! ¿Se hace una idea de todas las complicaciones que me ha acarreado?

—No han debido de ser tantas si has llegado a convertirte en uno de los ayudantes del jefe de máquinas.

—En el único ayudante —especificó Lucas quisquilloso. Los demás eran mecánicos, con una categoría superior a la suya, por supuesto, ¡pero solo él había conseguido que le nombraran ayudante!—. Pero eso no tiene nada que ver. ¡El primer día tuve que pelearme con la mitad de los carboneros del *Tierra Umbría* para hacerme respetar!

—¿Ganaste la pelea?

—¡Claro que sí! —bufó Lucas, ofendido por la duda.

—Entonces no eran tantos ni tan fieros como pretendes hacerme creer —desestimó Biel—. Deja de quejarte como una niña. Llevarás el apellido que te corresponde, y no otro. —Lucas abrió la boca para replicar, pero un contundente golpe de bastón refrenó su lengua—. ¡Basta de tonterías! Retírate a desayunar, y no te demores, en un par de horas llegará el sastre para hacerte un traje adecuado.

—¿Un traje adecuado para qué?

—¡Acaso no me has escuchado antes! —explotó Biel, consciente de que no lo había hecho pues estaba abstraído mirando el maldito teléfono por culpa de la zorra que le tenía sorbido el seso—. En unas semanas se celebrará mi fiesta de cumpleaños, y tú acudirás, tal y como te corresponde.

—No pienso ir, no se me ha perdido nada allí. —Lucas abrió los ojos como platos. ¿Asistir a una fiesta? ¿Allí? ¿Rodeado de millonetis pomposos y damas cotillas? ¡Ni loco!

—Por supuesto que irás, y serás presentado como mi nieto.

—No puede hacer eso —jadeó estupefacto. ¿Un sucio estibador codeándose con la flor y nata de la sociedad? ¡Se convertiría en el hazmerreír de la fiesta!

—¡Claro que puedo, y lo haré!

Lucas le miró atónito, ¿qué había hecho mal para que el viejo quisiera ridiculizarle delante de todo el mundo?

—No soy su mono de feria, capitán.

—¡Cómo te atreves! —tronó Biel furioso.

—¡No! ¡Cómo se atreve usted! ¿Qué hará, ponerme un collar de perro y pasearme por el salón para que todo el mundo pueda ver lo bien educado que está su bastardo? ¿Tal vez quiere que realice algún truquito? Ya sabe: levanta la patita, baja la patita, suma esto, resta lo otro, recita el abecedario… Seguro que todo el mundo se mostrará encantado con el espectáculo. Ninguna fiesta es divertida si no hay un imbécil sobre el que murmurar y reírse. Ya me estoy imaginando lo que dirán sus amigos: Oh, qué bastardo tan inteligente, si hasta sabe leer… y lo han vestido de lechuguino como si fuera un caballero. ¡Qué mono! Démosle unas galletitas por portarse tan bien y ser tan gracioso —entonó con voz de falsete—. No, capitán. Si quiere un payaso para entretener a sus amigos, ¡búsquese a otro!

—¡Basta! No eres ningún payaso, ¡y tampoco eres un bastardo!

—¿Ah, no? Puñetas, fíjese si soy imbécil que pensaba que los hijos de las putas siempre eran bastardos.

—¡No te permito que hables así! ¡No hay bastardos en mi familia!

—¿No? Pues siento mucho comunicarle que sí tiene bastardos. Yo. Y no pienso ser el hazmerreír de su fiesta.

—¡Maldito insolente! He dicho que no hay bastardos en mi familia. ¡Y no los hay!

—Siga repitiéndolo, viejo, tal vez algún día sea cierto —espetó Lucas saliendo del despacho.

Biel observó enfurecido la puerta, hasta que, con un airado ademán descolgó el teléfono e hizo girar la manivela que lo hacía funcionar.

—Quiero hablar con el juez Pastrana.

26

> El porvenir no me inquieta;
> lo que es duro a veces es el presente.
> JULIO VERNE

17 de julio de 1916

—El corazón es el órgano principal del aparato circulatorio, su cometido es impulsar la sangre por todo el cuerpo, y lo logra con dos movimientos: sístole y diástole. —Isembard se giró tras haber dibujado en la pizarra dicho órgano—. Ya estamos… —masculló entre dientes al percatarse de que su alumno se balanceaba sobre la silla, mirando distraído el jardín a través de los ventanales—. ¡Lucas, presta atención!

Lucas dejó que las patas de la silla volvieran a posarse en el suelo y observó contrariado la pizarra, solo para volver a mirar por la ventana un segundo después. Alicia estaba en el jardín, con Marc, quien había regresado de su último viaje. Con la de barcos que se hundían por la guerra, y el del maldito sobrino del capitán siempre llegaba a puerto. ¡Perra suerte!

—Lucas, ¡el corazón! —exclamó Isembard perdida la paciencia.

—¡Puñetas, Isem! ¿Qué más da cómo funcione? Lo importante es que lo haga —protestó.

—Creí que te interesaban las máquinas. —Lucas enarcó una ceja, intrigado—. Pues el corazón es la más importante que tienes en el cuerpo…

Lucas negó con la cabeza a la vez que ponía los ojos en blanco. Isembard estuvo tentado de darle un capón por borrico. De hecho, no lo hizo porque en ese momento Enoc entró en el estudio para decirles que se requería la presencia de ambos en la sala de estar.

—¿Por qué? —Lucas lo miró receloso.

—El capitán quiere presentarte a unos amigos —lo miró de arriba abajo—. Son personas importantes, adecéntate un poco.

Lucas volvió a poner los ojos en blanco a la vez que salía del estudio. ¡No entendía a esos millonetis! No era normal tener que vestirse con chaqueta con el calor que hacía. Se puso una de las más ligeras que tenía y, sin esperar a su maestro, se apresuró a ir a la sala, donde se encontró con su abuelo y otros tres hombres. Y nadie más. No estaba Enoc. Tampoco Marc, algo extraño, pues la apariencia de los amigos del capitán hablaba de poder. Un poder de rancio abolengo, de dinero antiguo, de apellidos ilustres. Y ese tipo de personas y la influencia que pudiera obtener de ellas, atraía a Marc como la mierda a las moscas.

Lucas se removió inquieto, algo se traía entre manos el viejo, y mucho se temía que fuera lo que fuera, iba a meterle en ello. ¡Maldito fuera! Su mirada vagó más allá de las ventanas, hasta el jardín, donde se encontró con la de Alicia. Una sonrisa iluminó su rostro. La misma que iluminó el de ella. La misma que también esbozó uno de los amigos del capitán al percatarse de cómo se buscaban los dos jóvenes a pesar de la distancia que los separaba.

—Este debe de ser el hijo de… El muchacho del que nos ha hablado, capitán —comentó un elegante hombre de mirada penetrante. Lucas lo miró enojado, consciente de que se había corregido para no decir de quién era hijo—. No cabe duda de que eres idéntico a tu padre, que en paz descanse, su mismo físico, sus mismos ojos, su mismo pelo…

—Puede que en el físico sea similar a Oriol, Dios le tenga en su gloria —le interrumpió Biel molesto—. Pero lo que hay dentro de la cabeza de mi nieto —enfatizó la palabra *nieto*— es cien por cien Agramunt. El carácter osado e indomable, el arrojo, la inteligencia…

—¿También el mal genio, capitán? —intervino Doc observando divertido a su amigo.

—También —afirmó Biel orgulloso—. Agramunt hasta la médula, así es mi nieto, un hombre a tener muy en cuenta.

Lucas observó perplejo a su abuelo, ¿qué mosca le había picado para ensalzarle de esa manera? Y, lo que era más importante, ¿quiénes eran esos tres hombres y por qué les había revelado la relación que les unía? ¿Acaso se había vuelto loco?

—¿No me recuerdas, Lucas? —dijo en ese momento uno de ellos.

—Por supuesto que sí, doctor del Closs —saludó sacudiendo la cabeza.

—Tío, qué agradable sorpresa, no me comentó que pensaba visitar al capitán —saludó Isembard, entrando en ese momento en la sala.

—No hubiera sido una sorpresa de habértelo dicho —comentó

Doc observando a su sobrino—. Te ha sentado bien salir de Barcelona, por fin has puesto algo de carne sobre ese cuerpo flacucho.

—Isembard carraspeó abochornado—. Ya que Biel no parece dispuesto a hacer los honores, permitidme que los haga yo. Juez Pastrana —dijo señalando al anciano de rasgos aguileños situado a su derecha—, señor Garriga i Nogués —señaló al que había intentado no referirse a Lucas como nieto de Biel—. Lucas Agramunt, el esquivo nieto del capitán, y mi sobrino, Isembard del Closs, uno de los mejores maestros del país.

—¡Tío! —siseó Isembard ruborizado, en tanto que Lucas, apretando los dientes al ser mencionado por el que no era su apellido, los observaba desafiante.

—Guarda un parecido inquietante con tu difunto hijo… y por ende con tu difunta esposa, Biel —susurró en ese momento el que había sido presentado como juez—. Nadie puede poner en duda su sangre Bassols. ¿Es ese el apellido que utilizas, Bassols? —Lucas asintió renuente—. Pero no es el de tu madre, ¿me equivoco?

—No lo es —masculló Lucas inquieto, metiéndose las manos en los bolsillos.

—¿Por qué lo usas entonces?

—¿Y a usted qué carajo le importa? —espetó Lucas sin poder contenerse. Ni él mismo sabía por qué Oriol le había registrado con ese apellido.

—Todo un Agramunt, no cabe duda —musitó el juez esbozando una taimada sonrisa que pronto se contagió al doctor y al capitán, no así al señor Garriga.

—Contesta a la pregunta, muchacho. ¿Por qué usas Bassols? —exigió taladrándole con sus penetrantes ojos. Lucas se limitó a cruzarse de brazos y devolverle la mirada—. Me gusta tu… nieto, Biel —dijo a la postre, aceptando al fin la relación consanguínea.

—Ya te dije que te gustaría —comentó Doc—. El capitán nos ha contado que habéis regresado hace poco de viaje. ¿Se ha mareado mucho mi sobrino?

Y con esta pregunta, aparentemente irrelevante, pero que tenía por función relajar los ánimos del encendido muchacho, dio comienzo un extraño interrogatorio cuyo propósito no era averiguar cosas, sino ahondar en el carácter del joven. Carácter que surgió con toda su fuerza cuando Lucas, harto de tantas preguntas le puso fin con una cortante despedida.

—¡Lucas, por Dios! ?No podías haber sido un poco más comedido? —siseó Isembard siguiéndole al jardín, donde Alicia, todavía acompañada por Marc, le esperaba impaciente. De hecho, no era la única persona inquieta allí, pues Marc sabía quiénes eran las personas a las que acababa de ser presentado Lucas.

—¡Qué les zurzan! Son unos puñeteros cotillas.

—¡No seas obtuso! Mi tío es uno de los médicos más reputados de Barcelona, el juez Pastrana hace y deshace la ley a su antojo y el señor Garriga es el presidente de la Asociación de Banqueros de Barcelona. Esos cotillas, como tú los llamas, son, junto con el capitán, cuatro de los personajes más influyentes de la ciudad en estos momentos… ¡Y los has desafiado!

—¡Y qué más me da! —exclamó Lucas enfadado—. No tengo nada que ver con ellos… ni ellos conmigo. ¡Y no pienso ser el mono de feria con el que divertirse cuando se aburren!

—¡Por Dios, usa esa cabeza que Dios te ha dado y razona un poco! —exclamó Isembard, frustrado. ¿Acaso no se daba cuenta de que acababa de conocer a tres hombres que podían conseguir cualquier cosa?

—¿Ya has demostrado cuán patán puedes llegar a ser? —los interrumpió Marc—. No sé por qué se molesta mi tío en presentarte a nadie, solo consigues ponerlo en ridículo —dijo dirigiéndose a la casa.

—Lucas, no —lo detuvo Alicia tomándole de la mano cuando hizo intención de ir tras él—. Solo quiere provocarte, ignóralo.

—Algún día me lo encontraré a solas… y más le valdrá correr, porque me las va a pagar todas juntas —masculló inclinándose para darle un casto beso en la mejilla y, aprovechando que solo Isembard les acompañaba, se desvió un poco para rozar con sus labios los de ella.

El fuerte carraspeo del maestro se escuchó hasta en la Conchinchina.

—¿Qué pretende el viejo? —inquirió Marc entrando como una exhalación en el dormitorio de Enoc, situado en la zona de servicio de la planta superior.

—¿Qué haces aquí? —Enoc se levantó sobresaltado de la cama. El libro que estaba leyendo cayó olvidado sobre el colchón—. ¡Estás loco! Si alguien te ha visto… —Tomó una camisa para cubrir su torso desnudo a la vez que se dirigía a la puerta y comprobaba que no hubiera nadie en el pasillo—. Lárgate ahora mismo.

—¡Contéstame! —Marc cerró la puerta y, cerniéndose sobre Enoc, apoyó ambas manos contra la madera, imposibilitando su apertura—. ¿Por qué el viejo se ha reunido con el bastardo y a mí me ha dejado fuera? —siseó pegado a él, su cálido aliento bañando la nuca de su antiguo amigo—. ¿Por qué ha sido presentado al juez y al banquero?

Enoc contuvo la respiración y cerró los ojos, decidido a no mirar las manos de largos y fuertes dedos que estaban tan cerca de su rostro. Decidido a no respirar el conocido olor a mar y almizcle que emanaba del capitán del *Luz del Alba*.

—¡Maldito seas, dímelo! —jadeó Marc golpeando la puerta con los puños a la vez que su cuerpo parecía fundirse con el de Enoc.

—No estaba en la sala con ellos, no puedo saber lo que pretende el capitán —susurró usando toda su fuerza de voluntad para empujar el fornido pecho que se pegaba a su espalda y zafarse de la prisión de piel y músculos en la que estaba atrapado.

—¡Tú sabes todo lo que piensa el capitán! Pero no me lo quieres decir. Eres su perro faldero, siempre lo has sido. Sin importarte nada ni nadie, solo él —escupió Marc apartándose unos pasos ahora que estaban cara a cara—. Algún día seré dueño de todo, Enoc. Y cuando ese día llegue…

Dejó la advertencia en el aire, abandonando por fin la estancia.

Enoc cerró la puerta y, apoyando la espalda en la pared, se dejó resbalar hasta quedar sentado en el suelo.

—Es un asunto peliagudo este en el que te estás metiendo, Biel —comentó el banquero dando una larga calada a su puro—. Si le presentas en la fiesta como tu nieto, el rumor correrá por toda Barcelona en menos de veinticuatro horas, más aún tras haberle obligado a usar tu apellido durante el viaje en el *Tierra Umbría*.

—Tal vez es eso lo que este zorro astuto quiere —dijo Doc repantigándose en una de las butacas de la sala de fumar.

Biel, en respuesta, esbozó una taimada sonrisa.

—¿Vas a legitimarlo? —indagó Pastrana, intuyendo la respuesta. Biel asintió despacio—. Arreglaré los papeles y modificaré lo que hablamos del registro. ¿Cuándo lo harás?

—Aún no lo sé. Antes necesito solucionar varias cuestiones, y no es tarea que pueda tomar a la ligera. Debo asegurar el futuro de Jana y Alicia, y también está la herencia de Marc. Le he educado para que dirigiera la compañía, y él ha dedicado toda su vida a mis barcos, pero al legitimar a Lucas, este se convertirá en mi principal heredero… Y tampoco sé si mi nieto está preparado para dirigir la naviera. O, peor aún, si lo estará algún día. Solo le interesan las máquinas. ¡Es capaz de olvidarse de todo por destripar un puñetero motor! —masculló irritado.

—Complicado dilema tienes encima, Biel —comentó Pastrana—. Pero quizá haya una solución para eso… Déjame pensarlo unos días.

—Y, con respecto a las mujeres —apuntó pensativo el banquero—, Marc lleva tiempo pretendiendo a Alicia, cásalos. Así tendrás un problema menos.

—No creo que Alicia esté de acuerdo con esa solución. —Biel esbozó una artera sonrisa.

—Coincido contigo, viejo —comentó Doc divertido—, he visto cómo se miraban los tortolitos a través de las ventanas… Suenan campanas de boda. Y no con Marc.

—Dios lo quiera, matasanos, una boda entre esos dos me evitaría muchos quebraderos de cabeza.

Lucas, sentado junto a Alicia en una de las cómodas butacas de la sala de día, observó a través de la puerta abierta que daba al vestíbulo como Biel acompañaba a sus preeminentes amigos, para luego llamar a Enoc y pedirle que los llevara en el landaulet a sus casas.

Esperó hasta que abandonaron la mansión y luego, sin meditarlo un instante, se dirigió a la sala de fumar para abordar al capitán.

—¡Cómo se atreve! —siseó cerrando la puerta—. ¡Le dije que no era su mono de feria!

—¿Aún sigues con eso, grumete? —replicó Biel irritado. A pesar de haber transcurrido una semana desde la discusión, su nieto seguía mostrándose huraño. Y, por extraño que pudiera ser, eso, más que molestarle, le dolía.

—Le advertí que no estaba dispuesto a que me usara como divertimento para sus amigos. ¡Y eso es exactamente lo que ha hecho! —exclamó indignado—. No soy su payaso, capitán.

—¡Por supuesto que no! Eres mi empleado. Y si yo digo que saltes, ¡saltas! —gritó furioso golpeando el bastón contra la pared. Le acababa de presentar a los hombres más importantes de la ciudad, ¡y en lugar de agradecérselo les ofendía!

Lucas apretó los puños ante la furia del capitán, pero no dio un paso atrás.

—Cierto, se me había olvidado que soy su empleado —dijo con voz gélida—, y creo recordar que acordamos que tendría una tarde libre a la semana. La semana ya ha pasado, ¿cuándo podré salir sin que nadie me vigile?

—¡Hoy mismo si quieres! Será un respiro no verte la cara —escupió Biel furioso.

Lucas dio un paso atrás mirándole perplejo y, un instante después, una resplandeciente sonrisa comenzó a dibujarse en su rostro.

—Con su permiso. —Giró sobre sus pies y abandonó la sala.

—¿Adónde crees que vas? —Biel le miró casi asustado.

Pero Lucas no alcanzó a escucharle. Ya estaba subiendo las escaleras. Entró como una exhalación en su dormitorio, se guardó en el bolsillo parte del dinero que había ganado y regresó a la carrera a la planta baja. Se detuvo un instante en la sala de día, donde, ante un asombrado Isembard, besó a Alicia para luego susurrarle al oído que iba a ver a Anna, que volvería antes de la noche y que no se olvidara de hacer sus ejercicios en el gabinete. Y tras esto, sin que nadie acertara a detenerle, salió de la casa.

—Etor —llamó a gritos Biel al gigantón, maldiciendo por haber mandado a Enoc lejos de la mansión—. Vaya tras mi nieto. ¡No lo pierda de vista!

Pero, apenas diez minutos después, el inmenso hombretón regresó.

—Es escurridizo y rápido como una anguila, señor. No he podido seguirle, no, señor. Culebreaba por las calles como alma que lleva el diablo, y se me ha despistado al doblar una esquina. Ya sabe que yo no corro mucho, señor.

—¡Maldita sea! —El grito de Biel se escuchó en toda la casa, seguido del fuerte portazo que dio al abandonar el despacho y acompañado del frenético golpear del bastón por las escaleras—. Señor del Closs, dígame ahora mismo adónde ha ido mi nieto —le increpó.

—No lo sé, capitán, pero si lo supiera no se lo diría. Un hombre tiene derecho a disfrutar de su libertad como mejor le parezca.

—Insolente maestrucho —siseó Biel aferrando con tanta fuerza el bastón que los nudillos se le pusieron blancos.

—Estará bien, Biel —musitó Jana abrazándole por la espalda y recostando su cabeza contra el hombro tembloroso.

—Ni siquiera ha comido —murmuró Biel, sorprendiendo a todos por la vulnerable preocupación que se marcaba en su voz—. Va a estar fuera toda la tarde y no ha comido. Tal vez ni siquiera haya cogido dinero, un caballero jamás debe salir con los bolsillos vacíos…

—No le pasará nada, capitán. Confía en él.

—No es de él de quien desconfío, si no de su... —se interrumpió antes de decir una palabra que ninguna señorita bien educada debería escuchar.

—Condenado muchacho, ¿qué entiende por una tarde libre? Ya ha pasado la hora de cenar y no ha regresado —masculló Biel sentado en la sala de día sin apartar la mirada del reloj de péndulo que había sobre la consola.

—Estará a punto de llegar —intentó apaciguarle Jana, mirando preocupada la puerta del vestíbulo—. Por favor, intenta contener tu genio, Alicia ya está lo suficientemente inquieta como para que tú la alteres más.

Biel observó a su pupila, quien, al igual que Enoc, vigilaba con impaciente preocupación el exterior apenas iluminado por la luz de las farolas.

—Lleva perdido desde el mediodía con solo un par de tostadas en el estómago —musitó.

—Seguro que ha comido algo —afirmó Jana fingiendo una tranquilidad que no sentía. Era demasiado tarde, incluso para Lucas.

—Halacabuyas insolente y despreocupado, abandonar así la casa, sin comer, con lo puesto, seguro que ni siquiera lleva dinero en los bolsillos. Es un inconsciente...

Jana posó una de sus delicadas manos sobre el brazo de su marido intentando transmitirle una seguridad que no sentía, y en ese momento, escucharon el grito de Alicia.

—¡Ya le veo! —exclamó con nerviosa felicidad, segura de que Lucas por fin había conseguido ver a Anna. ¡Estaba deseando que le contara qué tal estaba su amiga!—. Algo le pasa —musitó al percatarse de su caminar derrotado. Mantenía la cabeza baja, los hombros hundidos y las manos metidas en los bolsillos de los pantalones con la chaqueta colgada de uno de sus codos. Cada paso que daba parecía costarle un gran esfuerzo, como si estuviera a punto de caerse.

No, de derrumbarse.

Un instante después sonó el timbre y tras este, los pasos apresurados de la señora Muriel en el vestíbulo.

—Llega tarde a la cena, señorito Lucas —dijo la cariñosa voz de la mujer regañándole, luego un incómodo silencio—. ¿Qué le ha pasado? ¿Se encuentra bien? Está muy pálido, ¿quiere que le prepare un café bien cargado?

—No se preocupe. ¿Está cenando la familia?

—Le están esperando en la sala de día.

Biel se levantó de su butaca al escuchar una inefable desesperación en la voz de su nieto. Y tuvo que apoyarse en el respaldo de esa misma butaca cuando Lucas entró en la sala. Ya no era el muchacho entusiasmado que había abandonado la casa ese mediodía. Era un fantasma. Sus manos temblaban escondidas en los bolsillos mientras se tambaleaba sobre sus pies. Todo color había abandonado su rostro, y sus ojos… Esos ojos vivos y desafiantes eran un inacabable pozo de desesperación. Observó como levantaba por fin la mirada del suelo, fijándola en un punto indefinido al fondo de la sala antes de hablar. O de intentarlo, pues hubo de tragar saliva varias veces antes de conseguir hacerlo.

—Capitán, señora Jana, Alicia, señor Abad —saludó sin mirarlos—. Discúlpenme por favor, estoy muy cansado —musitó sin apenas voz—. Con su permiso me retiro a mi cuarto —susurró bajando de nuevo la vista al suelo, como si le costara mantener erguida la cabeza.

—Lucas… ¿Va todo bien? —inquirió Biel mirándole intranquilo.

Lucas cerró con fuerza los ojos al escuchar la preocupada pregunta del capitán. Abrió la boca y un quedo gemido escapó de entre sus labios antes de que volviera a cerrarla a la vez que giraba la cabeza, hurtando la mirada a todos los presentes. Inspiró profundamente antes de conseguir reunir la entereza necesaria para enfrentar la mirada de su abuelo.

—No. Nada va bien. Cenen sin mí por favor —pronunció cada palabra con cuidado, sin apenas separar los labios, como si temiera que lo que estaba atravesándole el corazón pudiera escapar de su garganta—. ¿Podríamos hablar tras la cena? —Miró avergonzado a Biel.

—Subamos ahora mismo a mi despacho —aceptó este yendo hacia él.

Lucas dio un paso atrás, cerrando de nuevo los ojos a la vez que negaba con la cabeza.

—Tras la cena, por favor… —suplicó cuando volvió a abrirlos.

—Como quieras.

Lucas agradeció con un gesto de cabeza, giró sobre sus talones y abandonó la sala. Todos pudieron escuchar como sus pasos, lentos hasta entonces, se convertían en una desesperada carrera al subir las escaleras.

—Qué demonios le ha hecho esa zorra a mi nieto… —masculló Biel en voz baja.

Υ

Lucas, cayó de rodillas en el mismo instante en el que cerró la puerta de su habitación. Meciéndose sobre sus talones, se abrazó el cuerpo con ambas manos a la vez que jadeaba en busca de aire. Y cuando vio que eso no era suficiente para liberar su pecho del yugo que lo oprimía, cerró con llave la puertaventana para después correr las tupidas cortinas aislándose de la mirada de la luna. Hizo lo mismo con la puerta que daba al interior de la casa. Comprobó que nadie pudiera acceder a su dormitorio y permaneció inmóvil en forzado silencio hasta que sintió su pecho contraerse falto de respiración. Desesperado al pensar que alguien pudiera oírle, entró en el armario, cerró la puerta tras de sí y, derrumbándose en el suelo, cerró los ojos a la vez que sus labios se abrían en un grito desesperado. Apenas tuvo tiempo de esconder el rostro entre las manos para así sofocar el dolor, la rabia y la frustración que acompañaron a ese primer grito… y a muchos otros más.

27

*No pido riquezas, ni esperanzas, ni amor, ni
un amigo que me comprenda; todo lo que pido
es el cielo sobre mí y un camino a mis pies.*

Robert Louis Stevenson

*B*iel esperó impaciente a que la señora Muriel sirviera el postre, y cuando lo hizo, se levantó de su silla y abandonó el comedor. Lucas había dicho tras la cena. Bien, pues él ya había cenado. Aunque no hubiera probado bocado.

Subió raudo las escaleras, marcando con un fuerte bastonazo cada uno de sus pasos, y se dirigió a la habitación de su nieto. No intentó abrir la puerta, en lugar de eso, la golpeó con la empuñadura del bastón y luego se dirigió al despacho.

Minutos después Lucas entró allí. No se había cambiado de ropa, tenía los ojos enrojecidos y se tambaleaba a cada paso. Se situó frente al escritorio y se quedó inmóvil, mirando al suelo.

—Necesito dinero —susurró tras inspirar profundamente.

—¿Cuánto y para qué? —Biel lo observó con suma atención. Era la primera vez que le pedía dinero y, aunque sabía lo mucho que le debía haber costado dar ese paso, no se lo iba a dar. No pensaba cometer con él los mismos errores que había cometido con Oriol. No pagaría sus deudas. Ni sus putas.

—Mucho. Más de lo que nunca podré devolverle —susurró respondiendo la primera pregunta.

—¿Para qué lo necesitas? —reiteró Biel.

Lucas bajó la mirada, sintiéndose más humillado que nunca, pero ¿qué otra opción tenía?

—Tengo… tengo una amiga a la que le debo mucho más que la vida —musitó centrando sus pupilas azules en su abuelo—. Ella… no está bien. Necesito el dinero para curarla.

—¿Está enferma? —Lucas asintió a la vez que un destello de esperanza se reflejaba en su mirada. Su abuelo no parecía disgus-

tado por su petición—. El préstamo que le pediste a Marcel...
¿Fue para ella?

—Sí. Anna enfermó y tuve que...

—Y ahora vuelves a pedirlo. Porque está enferma. —Lucas sintió que el corazón se le paraba en el pecho al escuchar el tono cortante de su abuelo—. Imagino que los marineros del *Tierra Umbría* ya han corrido la voz entre las putas del Raval —masculló entre dientes—. ¿Sabe tu *amiga* que eres mi nieto? —Lucas asintió despacio. Biel respondió con una despectiva sonrisa—. Si no te conociera, pensaría que estás tratando de engañarme para soplarme el dinero. Pero te conozco, sé que nunca te rebajarías a esta... pantomima. Por lo tanto, solo puedo aplaudir la inteligencia de tu *amiga*. —Lucas dio un respingo al escuchar el desdén en la voz de su abuelo—. No te daré dinero para ella.

—Morirá si no pago el tratamiento —jadeó desesperado.

—No te creas lo que dicen las putas, nunca es cierto. Me apuesto la cabeza a que cuando no le des el dinero se limitará a darte la patada y buscarse a otro que sí se lo dé. Pierde cuidado, seguro que no se morirá.

—Anna no es una puta.

—Claro que lo es. Y una muy lista si es capaz de engañarte de esa manera. Te prohíbo volver a verla.

—Ana no es una puta —insistió—. ¡Y usted no puede prohibirme nada! —exclamó con la respiración agitada, reaccionando al fin.

—Por supuesto que puedo. No volverás a verla. Y no hay más que hablar —siseó Biel poniéndose en pie.

—Por supuesto que no hay más que hablar —rugió Lucas. Toda la rabia que había estado conteniendo desbordándose en cada respiración, en cada gesto, en cada latido de su herido corazón.

Giró sobre sus talones y abandonó el despacho. Biel, alertado por la airada mirada que le había lanzado, salió tras él, solo para ver desde la barandilla de la galería cómo bajaba las escaleras a la carrera y atravesaba el salón en dirección al vestíbulo.

—¿Adónde crees que vas? —gritó ofuscado, llamando la atención de los que estaban en el comedor, quienes se apresuraron a salir—. ¡No se te ocurra abandonar esta casa!

Lucas ignoró los gritos de su abuelo y la llamada de Alicia, y continuó su huida.

—Sé lo que está pasando por tu cabeza, polizón —tronó Biel con desprecio—. Vas a pedir otro préstamo para tu puta, y piensas que yo volveré a pagarlo. Desde ya te digo que no lo haré. Es más, señor

Abad, haga correr la voz de que no asumiré ningún préstamo que pida mi nieto. Nadie se atreverá a dejarte dinero, Lucas, porque sabrán que no vas a poder devolverlo.

Lucas se detuvo frente a la puerta del vestíbulo, y girándose lentamente, alzó la cabeza hasta cruzar su mirada con la de Biel.

—Hay alguien que sí me lo dará —dijo con desesperado fatalismo antes de abrir la puerta.

—¡Si sales por esa puerta no se te ocurra volver! ¡Me has entendido! No vuelvas nunca.

—Aunque quisiera ya no podría… —musitó Lucas abandonando la casa.

—¡Capitán! —gritó en ese momento Alicia—. ¿Cómo puedes decirle eso? ¡No regresará nunca! ¡Dile que vuelva! Mamá, haz algo —imploró llorosa deslizándose con rapidez a la salida.

—¡Alicia! —la detuvo Biel con su voz en tanto Jana se acercaba a ella corriendo—. No se te ocurra llorar por él, no se merece tus lágrimas.

—¡No lloro por él, sino por ti! ¡Acabas de darle la espalda a tu nieto!

—No sabes lo que ha pasado, cariño, no juzgues al capitán —la amonestó Jana con afecto no exento de severidad a la vez que la abrazaba.

—No es difícil saberlo, solo hace falta escuchar —protestó Alicia zafándose de su madre—. Lucas le ha pedido ayuda al capitán, y él se la ha negado.

—No puedes siquiera imaginar la clase de ayuda que me ha pedido —se defendió Biel.

—Te ha pedido dinero para Anna —replicó Alicia atando cabos—. Por fin se ha atrevido a contarte que existe y tú le has dado la espalda sin escucharle.

—¿Sabes quién es Anna? —inquirió perplejo. Alicia asintió, pero antes de que pudiera hablar, Biel la silenció con un herido rugido al comprender que Lucas la había puesto en su contra—. ¡Basta! Señor Abad, súbala a su cuarto. Y, a ti, Alicia, no se te ocurra abandonarlo hasta que te dé permiso.

—¡No puedes hacer eso!

—¡No quiero oír ni una sola queja más! —tronó Biel metiéndose de nuevo en el despacho.

—Obedece, cariño —la instó su madre cuando intentó protestar de nuevo—. Quizá estés equivocada. No sabemos qué ha pasado, y poner furioso al capitán nunca es la solución. Dale tiempo a que se calme, y razonará, ya lo verás. Yo me encargaré de ello.

—Pero Lucas se ha ido…

—No le pasará nada, señorita Alicia, sabe cuidarse solo —murmuró Enoc tomándola en brazos—. Haga caso a su madre, mañana el capitán estará más calmado y tal vez podamos hacerle ver las cosas de otra manera.

Alicia asintió, permitiendo que Enoc la llevara a su dormitorio. Era mucho más fácil hacerles creer que estaba de acuerdo y luego, cuando todos se fueran a dormir, entrar en el despacho y llamar a Anna. Ella le ayudaría a aclararlo todo.

28

El precio que tenemos que pagar por el dinero se paga en libertad.

ROBERT LOUIS STEVENSON

Madrugada, 18 julio de 1916

—Así que vuelves a necesitar dinero. ¿Para Anna, tal vez? —musitó Marcel fijando su astuta mirada en Lucas. Este permaneció inmóvil—. ¿Tu querido abuelo no quiere vaciarse los bolsillos? Qué lástima. Es una buena mujer, no merece morir… Y eso es justo lo que pasará si la sacas de la casa de curación —apuntó ladino.

Lucas dio un respingo al comprender que Marcel estaba al tanto de lo que le ocurría a Anna. Sacudió la cabeza enfadado consigo mismo, debería haber recordado hasta qué punto eran largos sus tentáculos. Al fin y al cabo llevaba toda la vida sintiéndolos enroscarse en su garganta.

—Le pagaré lo que me pida —dijo bajando la cabeza, pues sabía que esa muestra de sometimiento le agradaría.

—¿Seguro? La última vez no obtuve los beneficios que esperaba.

—Recibió su dinero. Con intereses.

—Sabes bien que no me interesa el dinero —replicó mordaz—. Entiendo tu angustia, mi querido niño. Pobre Anna, cuánto estará sufriendo. Créeme, lo lamento profundamente, pero, los negocios son los negocios —se desentendió encogiéndose de hombros.

Lucas asintió. Conocía lo suficiente al maldito bastardo como para saber que estaba jugando con él, esperando el momento idóneo para dar el golpe mortal. Y no iba a permitirlo. Ambos sabían que lo que le estaba ofreciendo era lo único que Marcel deseaba. Por tanto, jugó su última carta.

—Gracias por el tiempo que me ha dedicado —dijo dándose la vuelta para irse.

—No obstante —el prestamista alzó la voz y Lucas giró sobre

sus talones, encarándose a él de nuevo—, al contrario de lo que piensas, no soy una mala persona. Intenté protegerte cuando eras un mocoso, bien lo sabes, pero no aceptaste mi protección y pasó lo que pasó… No fue culpa mía, sino tuya. Si no me hubieras rechazado, nada hubiera pasado.

Lucas asintió en silencio. En su boca el sabor de la sangre vertida al morderse la lengua con ferocidad para no emitir palabra alguna. Sí había sido culpa de Marcel. Él fue quien encargó al hombre sin dientes que le domara. Quien exigió a Oriol ese pago y no otro.

—Quizá podamos retomar nuestro viejo acuerdo. —Marcel lo observó sibilino mientras se golpeaba los labios con sus hinchados dedos—. Acepta la protección que te ofrecí cuando eras niño. Quédate a mi lado por propia voluntad, esboza la mejor de tus sonrisas y pliégate a mis deseos y, semana a semana, me haré cargo de los gastos que conlleve el tratamiento de Anna.

Alicia pasó la noche en vela, esperando un regreso que sabía no se produciría. Salió por enésima vez al corredor, y en esta ocasión, entró en el estudio. Ya había amanecido y, aunque aún era temprano, tampoco lo era tanto como para no llamar a Anna. Solo ella podía ayudarla a entender qué había pasado y, cuando lo supiera, se lo contaría al capitán. Estaba segura de que, al contrario de lo que había ocurrido con Lucas, a ella sí la escucharía.

Atravesó la estancia y se detuvo tras la puerta que daba a la galería. Desde el otro lado le llegaba la voz airada del capitán y los calmos susurros de Enoc. Se arriesgó a abrirla apenas y observó a ambos hombres salir del despacho y dirigirse a las escaleras. Esperó hasta que les vio desaparecer y abandonó presurosa el estudio. Intuía que tardarían poco en regresar. Al intentar entrar en el despacho descubrió que estaba cerrado con llave. Regresó a su cuarto, tomó una horquilla y volvió al despacho. Lucas le había contado que los ladrones abrían así las puertas de las casas… no debía de ser muy difícil.

Sí lo era, pensó tiempo después, hurgando desesperada en la cerradura.

—¿Se puede saber qué haces? —rugió de repente el capitán tras ella, furioso—. ¿Esto es lo que te ha enseñado mi nieto? ¿¡A intentar entrar donde no debes?!

—¡No me has dejado otro remedio! —Alicia se encaró a él, enfadada—. ¡No pienso quedarme de brazos cruzados mientras Lucas está perdido Dios sabe dónde!

—¡Te aseguro que el lugar en el que está no ha sido visitado nunca por Dios! No te das cuenta de que está cegado por su... ¡No me hagas hablar, Alicia!

—¡Sí, habla! Por su fulana, eso es lo que ibas a decir, ¿verdad? ¿Por qué piensas que Anna es una dama de la noche? ¿La has visto? ¿Has hablado con ella?

Biel miró estupefacto a su niña. ¿Cómo era posible que conociera esa palabra tan poco apropiada para oídos y labios femeninos?

—¡Por supuesto que no! —exclamó airado.

—Entonces, ¿cómo puedes estar tan seguro?

—Lo sé, y punto.

—Tranquilizaos los dos —les ordenó Jana, quien alertada por los gritos había acudido junto a ellos—. Gritándoos no conseguiréis solucionar nada.

—La señora Jana tiene razón. —Enoc instó al capitán a entrar en el despacho mientras Jana llevaba a Alicia a su dormitorio, donde esperaba convencerla de tener paciencia.

Y en ese preciso momento, cuando los ánimos estaban más alterados, sonó el timbre de la puerta. Biel giró sobre sus pies y se asomó con desespero a la barandilla, al igual que hizo Alicia. Ambos rezando en silencio para que quien entrara fuera aquel al que esperaban.

La señora Muriel atravesó presurosa el salón para, un instante después, reaparecer acompañada por Isembard quien, como cada mañana, había acudido a preparar las clases.

—¡Isem! —gritó Alicia—. Lucas se ha escapado...

—¿No ha regresado? —La miró estupefacto para acto seguido subir a la carrera las escaleras. Alicia ni siquiera esperó a que recuperara el resuello antes de empezar a hablar.

El maestro escuchó con atención el relato de Alicia y los gruñidos del capitán, y cuando ambos terminaron de narrar lo sucedido, meditó un instante sobre el galimatías inconexo que le habían contado, hasta que logró encontrarle sentido.

—¿Has hablado con Anna?

—El capitán no me lo ha permitido —indicó Alicia acusadora.

Biel lo miró estupefacto. ¿Lucas también le había hablado al profesor de su puta? Gruñó herido. Por lo visto la única persona con la que no se había confiado era con él.

—¿Conoces a su amiga? —inquirió, los dientes apretados y las manos fuertemente cerradas sobre la empuñadura del bastón.

—Anna no es lo que usted piensa, capitán —replicó Isembard, al igual que antes hiciera Alicia—. Es la mujer que lo ha cuidado desde que era niño.

—¡Pues sí que le están saliendo caros sus tiernos cuidados! —escupió Biel indignado—. Por culpa del cariño que siente por esa mujer, Lucas pidió un elevado préstamo, que no podía pagar, ¡al peor prestamista de la ciudad! —explicó al fin, decidido a que Alicia y el profesor abrieran de una vez los ojos—. ¡Le ha estado tomando el pelo! Lo abandonó cuando consiguió lo que quería, y en el momento en que ha descubierto que vive en esta casa, ha creído que tiene acceso a mi dinero y le ha pedido más a cambio de sus… servicios. ¡Y el imbécil de mi nieto se ha enfrentado a mí para complacerla!

—¡Estás terriblemente equivocado! —jadeó Alicia, llevándose una mano al pecho al entender por qué el capitán se había comportado así—. Anna está en una casa de curación para enfermos de tuberculosis, por eso Lucas pidió ese dinero, para poder curarla. —Todos los presentes, incluso Isembard, la miraron asombrados—. ¿No lo entiendes, capitán? Anna es toda su vida. Es la única madre que ha conocido, hará lo que sea por ella…

—¿Eso es lo que te ha contado? —inquirió dudoso Biel antes de recuperar su tono enfadado—. ¡No seas ingenua! Es solo una excusa que se ha inventado…

—Comprobémoslo. Déjame llamarla y averiguar qué ha pasado.

Biel asintió con la cabeza, abriendo la puerta del despacho. Si esa era la única manera de abrirle los ojos a su niña, ¡que así fuera!

Alicia tomó con manos nerviosas el teléfono y tras girar un par de veces la manivela le dictó a la operadora el número que hacía tanto tiempo había aprendido de memoria.

—Querría hablar con la señora Doncel —solicitó segundos después a la recepcionista de la casa de curación—. ¿Anna? Soy Alicia. Quizá Lucas le haya hablado de mí —se calló, y todos pudieron escuchar con ininteligible claridad la voz exaltada de una mujer—. No, no está aquí… —La voz brotó del auricular en ráfagas de desesperación que hicieron que el semblante de Alicia se fuera demudando hasta que una cadavérica palidez se adueñó de sus facciones—. ¿Marcel?

En ese momento, Biel le arrancó el teléfono de las manos.

—¿Quién es usted y por qué le habla de esa alimaña a mi pupila? ¿Cómo se atreve?

Anna dio un respingo al escuchar la voz de un hombre a través del auricular en lugar de la de la dulce muchacha de quien su niño estaba enamorado.

—¿Capitán Agra? ¡Cállese y escuche! —alzó la voz para hacerse oír por encima de los gruñidos del hombre, quien, asombrado, se calló—. Busque a mi niño y llévelo con usted, ¡ahora! ¡No pierda más tiempo hablando, pedazo de zoquete! Vaya a por él y enciérrelo. Encadénelo si es preciso pero no permita que se acerque de nuevo a ese perro degenerado —le ordenó con un tono de voz que no admitía réplica—. No sabe lo que es capaz de hacerle. Vaya y búsquelo, métalo en uno de sus barcos y manténgalo alejado hasta que Dios me lleve, solo así conseguiremos que deje de intentar salvarme a costa de su alma. Encuentre a mi niño, capitán, porque si no lo hace, si le pasa algo a mi pequeño, le juro que regresaré de la tumba y le atormentaré el resto de sus días.

Biel parpadeó aturdido. Anna no era como había esperado. Su voz ronca y cascada, al contrario que las de las fulanas profesionales, no evocaba sábanas revueltas. Tampoco su tono era suave y lascivo. Al contrario. Estaba muy enfadada. También aterrada.

—Cuénteme lo que ha pasado —solicitó con voz queda. Escuchó con atención antes de asentir con la cabeza—. No se preocupe, lo traeré de vuelta. —Colgó el auricular—. Señor Abad, prepare el landaulet. Señor del Closs, busque a Etor y bajen al garaje.

—¿Qué ha sucedido? —le preguntó Jana tomándole del brazo cuando comprendió que pensaba marcharse sin dar ninguna explicación.

Biel guardó silencio unos segundos antes de hablar.

—Lucas fue ayer por la tarde a ver a Anna y el director del centro aprovechó su visita para decirle que si la sacaba de allí, en fin… que no duraría mucho.

—No… Pobre Lucas —musitó Alicia asiendo la mano de su madre—. Por eso te pidió dinero, capitán, y por eso se marchó cuando no le escuchaste. Para conseguirlo. Hará cualquier cosa por Anna.

—Eso dice ella —coincidió Biel—. Piensa que el director lo sabe, y cree que quiere aprovecharse de ello —apretó con fuerza el puño del bastón, deseando romperlo sobre la cabeza de alguien, quizá la suya propia—. Si me disculpáis —miró con seriedad a su esposa y su pupila—, tengo un nieto al que encontrar y traer de vuelta.

—¿Crees que Lucas se avendrá a regresar si piensa que está abandonando a su suerte a su… madre?

Biel se quedó inmóvil, al igual que su corazón.

—Me ocuparé de ella cuando encuentre a mi nieto.

—No. Alicia y yo nos ocuparemos de ella. Ahora mismo. Iremos a verla y averiguaremos hasta qué punto está enferma.

—¡No vais a acercaros a una casa de tuberculosos!

—Por supuesto que lo haremos. Acompañadas de Doc. Él nos dirá qué hay de cierto en las palabras del director —indicó Jana antes de dirigirse a Alicia—. ¿Sabes la dirección de la casa de curación?

—Esta asintió, refiriéndosela.

Y Biel no pudo por menos que asombrarse al descubrir no solo lo lejos que estaba ese lugar, sino el tiempo que habría dedicado Lucas en ir y venir hasta allí el día anterior, para estar apenas unos minutos con Anna. Debía de quererla muchísimo. Y él le había mantenido apartado de ella...

—Cuando encuentres a Lucas dirígete allí, capitán, será la única manera de aplacarle... Quizá hasta consigas que te perdone por no haberle escuchado ayer —afirmó Jana girando la manivela del teléfono para un segundo después dar a la operadora el número del doctor—. Fernando, necesito tu ayuda. Ven a buscarme, y no olvides tu maletín.

—¿Hacia dónde, capitán? —preguntó Enoc cuando sus tres acompañantes se hubieron acomodado en el habitáculo del landaulet.

—¿Cree que el *Lobo Tuerto* estará abierto? —inquirió Biel, refiriéndose a la propiedad de Marcel desde la que este acostumbraba a dirigir su imperio.

—Lo dudo. Es demasiado tarde, o tal vez debería decir demasiado pronto —apuntó, consciente de que acababa de comenzar la mañana.

—Vayamos pues a la casa de Lucas, tal vez tengamos suerte y esté allí —dijo Biel, la angustia atenazándole el pecho. Si daba crédito a Anna, y lo daba, el prestamista llevaba años deseando echarle el guante a su nieto. Más aún desde que su última treta para atraparle se viera frustrada gracias a su intervención.

Encontraron la puerta cerrada, Biel la golpeó con su bastón varias veces y, al no obtener respuesta, se apartó haciéndole un gesto a Etor. El gigante se lanzó contra ella, desencajando los goznes, para luego hacerse a un lado, vigilante.

Biel, Isembard y Enoc entraron en la reducida habitación, solo para detenerse atónitos. La estancia estaba destrozada. El suelo estaba plagado de trozos de loza y cristales rotos, seguramente los vasos y platos que había en la vieja alacena, cuyas puertas de madera presentaban marcas de golpes, incluso una de ellas tenía un agujero del tamaño de un puño. Los restos de dos sillas estaban desperdigados junto a las paredes, indicando que habían sido golpeadas contra estas. El relleno del jergón estaba esparcido fuera de este y la cobertura desgarrada en varios puntos. Ni siquiera la vieja cocina de carbón se había salvado de la vorágine destructora, pues presentaba múltiples abolladuras, como si hubiera recibido cientos de patadas. Solo la mesa, ubicada en un extremo de la estancia parecía intacta. Sobre ella, una botella de ron barato y un vaso volcado.

—¿Qué puñetas ha pasado aquí? —musitó Isembard. Que hubiera usado el reniego favorito de Lucas, daba muestra de lo alterado que estaba.

—Quienes hayan hecho esto pagarán caro su atrevimiento. —Biel recorrió con la mirada lo que le rodeaba.

—No creo que su nieto esté en disposición de pagar nada —apuntó Enoc observando con perspicaz atención la estancia.

—Explíquese, señor Abad.

—Aquí no hay nada que robar, y aunque así fuera, ningún ladrón se molestaría en cerrar la puerta con llave tras haber destrozado la casa de esta manera. —Enoc abrió los brazos, señalando lo evidente—. Me da la impresión de que estamos ante un arrebato de furia de Lucas —comentó dirigiéndose a la alacena para hundir el puño en el agujero de una de las puertas—. Su nieto tiene la misma pegada que usted, capitán. No hay puerta que se les resista —dijo con pesarosa ironía comenzando a liarse un cigarrillo—. Lo único que no encaja en este escenario es el ron. Lucas no bebe. ¿Por qué lo habrá comprado?

—Quizá pensó que el alcohol le haría más sencillo lo que fuera que tuviera que hacer… —Isembard observó la botella a la vez que pasaba los dedos por la mesa—. No creo que bebiera mucho —dijo al fin—. Apenas falta el contenido de un vaso y parece estar esparcido en la mesa.

—Si mi nieto hace una promesa, la cumple —afirmó Biel orgulloso para luego golpear la botella con el bastón, lanzándola contra la pared, donde se hizo pedazos—. Maldito seas, Lucas. ¿Dónde demonios te has metido?

Enoc dio una larga calada a su cigarrillo y entornó los párpados a la vez que escrutaba cada detalle que le rodeaba. Se detuvo frente a la maltrecha alacena, concentrado en el agujero de la puerta.

—La primera vez que estuvimos aquí Lucas también desahogó su rabia a puñetazos.

—Contra un árbol —recordó Biel observando el ceño fruncido de su oficial.

—Y luego se echó al mar… Creo que sé dónde puede estar.

Apenas unos minutos después el landaulet atravesó el Dique Este del puerto, dejando atrás las casas de baños antes de detenerse.

—¿Está seguro de que fue aquí donde encontró a mi nieto? —Biel se apeó del coche y observó las rocas de aristas cortantes que había frente a él.

—Nadaba cerca del espigón, en aquella ocasión la mar estaba en calma.

—Hoy está muy picada —susurró Isembard espantado por las furiosas olas que arremetían contra la escollera—. Lucas no está tan loco como para nadar aquí.

—Tal vez se ha dado un buen golpe en la cabeza y se ha vuelto majara —murmuró Etor haciendo visera con la mano—. Esas parecen las ropas con las que salió ayer de casa —señaló un montón de tela pisado por un par de zapatos que había en la playa—, y yo diría que su cabeza es esa que asoma por allí… —indicó, con los ojos convertidos en meras rendijas, un punto lejano que parecía mecerse sobre las olas.

Lucas flotó sobre el agua, ignorando la quemazón que la sal provocaba en su piel. Cerró los ojos y, meciéndose sobre la agitada superficie, se dejó arrullar por el salvaje restallar del mar contra las rocas del espigón. El sonido era similar a aquel que había escuchado hacía diez años. En aquel entonces luchó contra las olas que le azotaban y nadó hasta la extenuación para llegar a la playa. Ahora, sin embargo, solo quería que el mar acabara lo que había comenzado hacía tanto tiempo. Con una brusca sacudida, volvió a hundirse en las tempestuosas aguas. Y estas, como sucediera aquella vez, lo acogieron gustosas entre sus brazos espumosos. Se sumergió más y más, las laceraciones de su espalda, al igual que antaño, ardían al contacto con la sal, solo que en esta ocasión no había heridas sangrantes, sino marcas humillantes. Se estremeció falto de aire, y como entonces, sintió unas manos inertes que le arrastraban hacia las serenas profundidades, solo que en esta ocasión no quería luchar por salir a la superficie. Pero… si no lo hacía, ¿qué sería de Anna?

Pataleó impulsándose hacia la superficie, los pulmones ardiéndole en el pecho.

—¡Qué puñetas estás haciendo! —escuchó la imprecación de Enoc en el mismo momento en el que abrió la boca en busca de aire.

Luego, este le agarró por la barbilla, sujetándole contra su hombro mientras nadaba hacia la playa.

Lucas se dejó hacer, aturdido. ¿Qué hacía el señor Abad ahí? En ese momento comprendió que si él estaba allí, el viejo no podría andar muy lejos. Se quedó inmóvil mientras oteaba la plataforma del espigón. Vislumbró un automóvil, y siguiendo una línea recta desde este, los vio. Estaban en la orilla, junto a las barcas escoradas que esperaban a que las olas se calmaran para salir a faenar.

Un rugido de pura frustración escapó de sus labios. ¿No había sufrido ya bastantes humillaciones? ¿Por qué tenía que estar allí el capitán? Se revolvió enajenado. No iba a permitir que nadie le viera así. Y menos que nadie, su abuelo. Se sumergió de nuevo en las turbias aguas, decidido a escapar como fuera, y Enoc lo aferró por el pelo, llevándolo de nuevo a la superficie.

—¡Maldito imbécil, qué diablos te pasa! —le increpó sin soltarle, echándole bruscamente la cabeza hacia atrás cuando comenzó a revolverse de nuevo—. ¿Quieres que tu abuelo se ahogue? —gritó girándole la cara hacia la playa.

Lucas observó aterrado como el capitán, dejando de lado toda prudencia, se adentraba, bastón en mano, entre las olas. Olas que le zarandeaban sin compasión. Olas que el viejo atravesaba audaz sin apartar la vista de él.

—¿Quieres comprobar si es capaz de ahogarse con tal de llegar hasta ti? —Lucas negó con la cabeza, tan asustado como asombrado por la obstinación de su abuelo—. Porque desde ya te aseguro que nada va a detenerle. Nada, excepto que empieces a nadar sin parar hasta que tus pies toquen la orilla.

Lucas dio un estéril puñetazo a las olas y, zafándose de Enoc, comenzó a bracear.

—Vuelva, capitán. Lucas y el señor Abad ya regresan, y lo hacen bien rápido, sí, señor, ya le dije que el chico tiene alma de anguila —dijo Etor desde la orilla, el agua rozándole la cadera.

—Regrese, capitán… —le llamó Isembard, agarrándose con fuerza al gigante calvo, pues aunque ninguno de los dos sabía nadar, Etor con su poderosa masa aguantaba casi sin moverse las sacudidas del mar.

Biel, sorteando las olas que le golpeaban el estómago, se detuvo al fin. Observó con atención a los dos hombres que nadaban hacia él y, emitiendo un quedo suspiro, regresó a la orilla, donde los esperó impaciente mientras rumiaba todo lo que le iba a hacer a su díscolo nieto. En primer lugar le arengaría sobre los peligros del mar, y luego le gritaría largo y tendido por haber huido de esa manera, sin molestarse en discutir con él y obligarle a escuchar su historia. Sí. Eso haría. Lucas tenía que entender que él también era humano, que podía cometer errores y mostrarse terco, y que cuando eso pasara, era su obligación de nieto gritarle hasta que escuchara. Y luego volvería a regañarle por haberse lanzado al mar estando este picado, y Lucas se defendería, y ambos gritarían, y todo volvería a su cauce.

Como debía ser.

Se quedó en blanco cuando Lucas y Enoc se acercaron y pudo ver de cerca a su nieto. Estaba desnudo, a excepción de las ronchas y verdugones que cubrían su cuerpo desde los muslos hasta el cuello; tenía abrasiones en las muñecas y los nudillos destrozados.

—¿¡Qué puñetas está haciendo aquí a estas horas, en la playa y a remojo!? —le gritó Lucas agachándose para recoger la ropa que había dejado en la arena.

Biel observó su espalda, las nuevas marcas tensándose sobre las antiguas mientras se ponía la camisa y los pantalones.

—¿Qué demonios está mirando? —le increpó Lucas. Biel solo pudo negar con la cabeza—. ¡Deje de mirarme! ¿¡Me ha oído!? Deje de mirarme de una puñetera vez… —acabó musitando mientras se alejaba avergonzado.

—Alicia y Jana están con Anna, en la casa de curación. —Lucas se detuvo, girándose lentamente para mirar a su abuelo—. Doc las acompaña. Él curará a tu amiga. —Biel fijó su mirada en los insondables pozos de desesperación que eran los ojos de Lucas antes de que este los cerrara aliviado—. No pierdas más tiempo y ponte los zapatos. Nos esperan un par de horas de viaje hasta que lleguemos allí —le ordenó con severa calma.

Lucas asintió en silencio, hundió los pies en los zapatos e hincó una rodilla para anudar los cordones del izquierdo. Una gota de agua salada cayó sobre sus manos, luego otra, y otra más, hasta que se derrumbó en la arena con el cuerpo estremecido por sollozos incontenibles.

—Espérennos en el coche —ordenó Biel a sus compañeros, colocándose frente a Lucas y ocultándole en parte con su cuerpo—. Mi nieto ha tragado agua y debe expulsarla —dijo a modo de explicación antes de inclinarse sobre el joven y apoyar una trémula mano sobre su hombro—. No tengas prisa, Lucas. Tómate todo el tiempo que necesites, no es bueno tener tanta agua dentro… hay que sacarla fuera.

29

El amor es un misterio. Todo en él son fenómenos a cual más inexplicable;
todo en él es ilógico, todo en él es vaguedad y absurdo.

GUSTAVO ADOLFO BÉCQUER

*L*ucas, sentado en el borde del asiento del landaulet, irguió la espalda cuando las empinadas callejuelas del pueblo quedaron atrás y comenzaron a ascender la falda de la montaña. Sintió un nudo en el estómago al vislumbrar los rojos tejados de la casa a través de las ramas de los árboles. Instantes después el automóvil abandonó la carretera, internándose en el camino de tierra pisada que atravesaba la inmensa pradera en la que estaba la casa de curación. En el momento en que el vehículo se detuvo, asió con tanta fuerza la manivela de la puerta que sus destrozados nudillos perdieron todo color. No prestó atención a las paredes pulcramente encaladas, a las primorosas flores que adornaban las ventanas o a las cantarinas fuentes de límpida agua. Se quedó inmóvil, con la mirada fija en las tres mujeres y el hombre que estaban en un banco del jardín.

Biel, en el otro extremo del asiento, observó asustado la cadavérica inmovilidad de su nieto. Había imaginado que echaría a correr incluso antes de que el landaulet se detuviera, pero no había sido así. Muy al contrario, si hacía caso de lo que su instinto le decía, el muchacho estaba petrificado de vergüenza y no se atrevía a abrir la puerta.

—Lucas… —le llamó Isembard, sentado entre ambos mientras que Enoc y Etor se mantenían inmóviles en la caja delantera, tras el volante.

Lucas se limitó a asentir con la cabeza, la mirada fija en un punto del jardín. Y Biel, tras golpearse los zapatos con la punta del bastón, tomó una decisión.

Se apeó del coche, lo rodeó colocándose junto a la puerta a la que se aferraba su nieto y dirigió la mirada hacia el punto que parecía aterrorizarle… solo para sumirse en un confundido asombro.

La mujer que en esos momentos caminaba hacia ellos acompañada por Jana, Alicia y Doc no era como la había imaginado.

En absoluto.

Era una anciana diminuta que caminaba apoyándose en una sencilla muleta mientras le observaba con una mirada tan fiera que, si fuera un hombre más débil, se habría echado a temblar. Estaba tan delgada y parecía tan frágil que bastaría un soplo de aire para derribarla, siempre y cuando dicho soplo de aire tuviera los redaños suficientes como para intentarlo, algo que, sinceramente, ponía en duda.

Anna se detuvo frente al hombre que parecía proteger la puerta tras la que se escondía su pequeño. Era un anciano recio y alto, de intensos ojos negros enmarcados por pobladas cejas blancas que la observaban con cierta sorpresa.

—Capitán Agra, imagino —le saludó irguiendo la espalda cual reina—. La próxima vez que mi pequeño quiera decirle algo, le aconsejo que gruña menos y escuche más. Nos ahorrará a ambos muchos disgustos —dijo para luego situarse frente a la puerta, ignorándole—. Lucas, sal de ahí ahora mismo.

Y Lucas, por fin bajó del coche.

—Anna…

—¿Qué has hecho? —le interrumpió ella, los dedos de su mano derecha engarfiados con fuerza en el travesaño de la muleta.

—No he hecho nada… —se interrumpió al recibir un fuerte bofetón.

—¿Qué te he dicho siempre sobre las mentiras?

—Que tienen las patas muy cortas —masculló Lucas. La mirada baja, los hombros hundidos y las manos metidas en los bolsillos del arrugado pantalón.

—¿Qué te dije ayer que hicieras?

—Anna, no puedes pedirme que me olvide de ti, que te deje morir… —Otro bofetón.

—Por supuesto que puedo. Te he criado y tienes que obedecerme —siseó la anciana con tal ferocidad que hasta Biel dio un paso atrás—. ¿Cuántas veces te he dicho que no te permito que te endeudes por mí? —Lucas se quedó callado, y por eso recibió otro bofetón—. ¡Cuántas!

—¡Miles! —estalló por fin—. ¡Y me da lo mismo, nunca te obedeceré! ¡No voy a permitir que te pase nada!

—¡Cabeza de chorlito! ¡Tanta inteligencia desperdiciada por culpa de tu estúpida terquedad! —Le aferró el pelo con sus largos y arrugados dedos y tiró con fuerza, obligándole a inclinarse hasta que sus cabezas quedaron a la misma altura—. No volverás a hacerlo. No volverás a humillarte por mí —susurró Anna en voz tan baja, que solo Biel que estaba junto a ellos pudo escucharla.

—Haré lo que sea necesario. No dejaré que te pase nada. ¡Nunca!

—Pequeño, no te das cuenta de que no puedes evitarlo, no luches contra el destino, perderás —sentenció Anna soltándole el pelo para acariciarle la cara—. No soy importante, tú sí.

—¡Claro que eres importante! ¡Lo eres todo para mí! —susurró Lucas con extrema sinceridad enmarcándole el rostro con ambas manos, las abrasiones de sus muñecas claramente visibles.

—¿Otra vez mintiendo, Lucas? —Le miró con aquellos ojos que siempre parecían ver en lo más profundo de su alma para luego señalar a la joven que, sentada en su silla de ruedas, los observaba emocionada—. No me queda vida, mi niño, y la tuya apenas está empezando, aprovéchala. La felicidad está al alcance de tus manos, pero tienes que darte prisa y aferrarla con fuerza antes de que se te escape. No puedes perder el tiempo conmigo, ¿no ves que no merezco la pena? Tu futuro no va a esperarte eternamente. Deja que regrese a mi casa y vuelve a tu mundo.

—¡No! —siseó Lucas con ferocidad cayendo de rodillas para abrazarse a la diminuta mujer—. Buscaré otro trabajo, ahora soy más listo y puedo ganar más dinero, pagaré a los mejores médicos. Cuidaré de ti, ya lo verás. Te pondrás bien y volveremos a pasear por el puerto. Te enseñaré cómo funcionan los motores. Soy el ayudante del jefe de máquinas de un barco, ¿no quieres verme vestido con el mono de mecánico? —sollozó con la cara oculta en la cintura de la anciana.

—Mi niño, mi pequeño… ¿qué voy a hacer contigo?

—Solo quererle como ha hecho hasta ahora —susurró Biel acercándose a ellos para poner su recia mano sobre la cabeza de Lucas—. Yo me ocuparé del resto.

Lucas terminó de asearse y, aunque no se sentía limpio, se vistió de nuevo y bajó cabizbajo a la sala de estar, donde estaban esperándole. No debería estar allí, pero Anna no le había dejado otra opción, le había enredado hasta hacerle prometer que regresaría a la mansión con su abuelo, y acto seguido le había exigido el cumplimiento de la promesa para luego darse media vuelta y entrar con la espalda muy erguida en la casa de curación. Había intentado seguirla, pero ella se había retirado al pabellón de las mujeres y los guardias no le habían permitido el paso. Y en ese momento, su abuelo le había hecho una oferta que no pudo rechazar. Regresaría con ellos esa noche, hablarían con Doc sobre la salud de Anna, y a la mañana siguiente, con soluciones en las manos, volverían a por ella.

Entró en la sala, Jana y Alicia, sentadas cerca de la chimenea, lo miraron compasivas mientras que el capitán y Doc, con semblante severo, permanecían de pie tras ellas.

—Siéntate, Lucas, Doc tiene bastantes cosas que decirte —apuntó Biel tomando asiento a su vez.

Doc esperó hasta que el joven se sentó, muy cerca de la silla de ruedas de Alicia, y luego comenzó a hablar con voz templada.

—Anna deberá permanecer bajo cuidados médicos si quieres que siga viva, tal vez le quede un año, seguramente menos. Si regresa a su casa, no durará ni dos meses —le dijo sin rodeos—. Aunque el estadio más fuerte de la enfermedad ya ha pasado, la tuberculosis la ha atacado con fuerza, destrozando sus órganos internos. No son solo sus pulmones los que están afectados. Tiene la vejiga tan deteriorada y contraída que apenas tiene capacidad para retener y expulsar la orina, lo que hace que esta retorne a los riñones, infectándolos. ¿Entiendes lo que digo? —Lucas asintió en silencio—. Debe continuar ingresada. Puede quedarse donde ha estado, los cuidados han sido los correctos, aunque podrían mejorarse. Si me admites un consejo, hay una casa de curación en las afueras, cerca del manicomio, donde estaría bien atendida, y en la que asisto a los enfermos cada viernes. Me encargaría de que la trataran como a una reina, y al estar cerca, podrías verla tan a menudo cómo quisieras. Y, ella también podría hacer alguna escapada y visitarte aquí…

—Sé a cuál se refiere. Fui a visitarla para informarme cuando… —Lucas negó con la cabeza—. Es demasiado cara. No puedo pagarla.

—Eso no será problema, tenemos una deuda pendiente con tu amiga que jamás podremos pagar —afirmó Biel apoyando una mano en el hombro de Lucas—. Haz las gestiones, Doc. Y tú, marinero, vete a la cama, ha sido un día complicado y necesitas descansar.

Lucas asintió en silencio y abandonó el salón. Pero esa noche no descansó. Tampoco las siguientes.

30 julio de 1916

Alicia, recostada en la cama, esbozó, con esfuerzo, su sonrisa más afable y fijó la mirada en la puerta. En pocos minutos Lucas entraría allí y el odioso ritual de las últimas noches volvería a repetirse.

Y ella no tenía ni idea de cómo detenerlo. De cómo impedirlo.

Escuchó sus pasos arrastrándose por el corredor e intentó ampliar la curva de sus labios. No sirvió de nada, pues la alegría que tanto se había esforzado en fingir se apagó al percatarse de que, de nuevo, él permanecía vacilante tras la puerta sin atreverse a entrar y, cuando por fin lo hizo, no se limitó a abrirla como siempre había hecho, sino que la golpeó tan suavemente que si no hubiera estado atenta, no habría escuchado la llamada.

—Estoy despierta… pasa.

—Solo te entretendré un instante —murmuró Lucas remiso, deteniéndose bajo el umbral, la mirada fija en el suelo, los hombros hundidos y la camisa del pijama abrochada hasta la garganta—. Tengo que estudiar. Voy muy atrasado —mintió para luego atravesar la habitación y depositar un rápido y casi asustado beso en la frente femenina—. ¿Mañana nos vemos en el desayuno? —preguntó sin voz, retrocediendo hasta que su espalda tocó la puerta.

—Claro que sí —aceptó Alicia fingiendo una sonrisa que Lucas no vio, pues no había levantado la mirada del suelo en ningún momento.

Esperó hasta que dejó de escuchar sus pasos en el corredor y luego se trasladó a la silla de ruedas y se deslizó hasta la puerta que daba a la galería. La entreabrió lo suficiente para ver a Lucas recorriéndola sigiloso en dirección a la biblioteca. Allí permanecería encerrado, rodeado de libros que no podía concentrarse en leer, hasta que el cansancio estuviera a punto de vencerle. Entonces bajaría al jardín para recorrerlo una y otra vez mientras ella observaba su desesperación desde el corredor, sin poder hacer nada por ayudarle. Y no era porque no lo hubiera intentado.

Había intentado hablar con él la misma noche de su regreso, cuando todos se habían retirado a dormir y él no había acudido a visitarla. Se había deslizado en silencio hasta su dormitorio y al entrar lo había encontrado desnudo, mirándose al espejo con una mueca tal de repugnancia en el rostro que la había hecho estremecer. Había murmurado su nombre y él se había girado aterrado antes de saltar tras la cama, escondiéndose de su mirada, mientras le gritaba que saliera de allí. Que no le mirara. Aunque eso era imposible. Ya lo había hecho, y jamás olvidaría las marcas que recorrían su cuerpo.

Desde entonces, Lucas había acudido cada noche a su habitación para darle un desesperado beso de buenas noches antes de retirarse cabizbajo.

Doce días con sus noches en los que había mantenido una forzada sonrisa en los labios mientras le veía apartarse de ella, y de todos. Doce días asistiendo a su avergonzado silencio y sus miradas bajas. Doce días viendo como se encerraba en su cuarto, aislándose de todo, excepto de las clases que Biel le había obligado a retomar al ver como se encerraba más y más en sí mismo. Ni las severas reprimendas de Anna, ni las discusiones en las que intentaba hacerle entrar el capitán conseguían que abandonara su abatido mutismo.

—Alicia, regresa a la cama y duerme —la sobresaltó la voz de Biel.

—Capitán. ¿Qué… por qué no estás durmiendo? —le preguntó asustada intentando con todas sus fuerzas no mirar hacia la biblioteca y descubrir a Lucas.

—¿Crees que estoy sordo o ciego? —le preguntó con cariño Biel—. Le oigo pasear por la casa como un alma en pena. ¿Cuántas noches lleva sin dormir? ¿Once, doce? ¿Crees que no sé que solo se permite dar pequeñas cabezadas cuando está en el estudio? Y ni siquiera entonces duerme más de unos pocos minutos sin despertarse aterrorizado. El señor del Closs es un buen amigo para mi nieto, y sabe cuándo no debe callarse sus secretos —dijo a modo de explicación—. Esto no puede seguir así. No voy a permitirlo. Duérmete, Alicia, yo velaré su sueño.

Biel abrió con sigilo la puerta de la biblioteca y observó a su nieto. Estaba frente a un ventanal. De pie. Como si temiera sentarse y caer dormido. Tenía la cabeza apoyada en el cristal y se abrazaba el estómago mientras se mecía sobre los pies.

Sacudió la cabeza, asustado. Lo estaba perdiendo, y no sabía cómo llegar hasta él.

—Lucas —le llamó y él se giró lentamente, mirándole con los ojos vacíos—. Es muy tarde, ve a tu cuarto y duérmete —le ordenó usando su voz de capitán de navío.

—No tengo sueño —contestó él y volvió a mirar por la ventana.

—Sí lo tienes, pero te da miedo dormir —musitó Biel acercándose a él—. El miedo es libre, Lucas. De hecho, es lo único verdaderamente libre de este mundo. Nos ataca a todos por igual, jóvenes y viejos, ricos y pobres. No te hace más débil, al contrario, si lo afrontas, te hace fuerte.

—No le tengo miedo a nada —replicó Lucas a la defensiva—. Pero tiene razón, capitán, estoy algo cansado. Con su permiso.

Biel salió tras él, pero se detuvo para seguirle con la mirada hasta que desapareció en su habitación. Suspiró frustrado y se dirigió a la suya propia. Entró en la antesala del dormitorio y, tras comprobar que la puerta se mantenía totalmente abierta, se acomodó en uno de los sillones. Un instante después su esposa se sentó junto a él.

—Mis oídos escuchan tan bien como los tuyos —afirmó antes de cogerle la mano y apoyar la cabeza en su hombro.

30

Todos los seres humanos tienen recuerdos que solo contarían a sus mejores
amigos; tienen otros que solo se contarían a sí mismos en el mayor
de los secretos. Pero además, hay cosas que uno ni siquiera
se atreve a contarse a sí mismo.

FIÓDOR MIJÁILOVICH DOSTOYEVSKI, *Memorias del subsuelo*

—*T*en cuidado, Lucas, no querrás que se derrame una sola
gota. —La voz de su madre, su amenaza.

Aferra la pesada bandeja y recorre la sala sirviendo las mesas.
Esquiva manos que le quieren tocar, pies que le quieren hacer la
zancadilla y labios que le quieren besar mientras las botellas oscilan
a punto de caerse.

—Ven aquí, Lucas. Mi amigo quiere conocerte —la voz de
Oriol. Su mirada fría—. Le debo un favor y tú vas a ayudarme a pagarlo. No te preocupes, él te dirá cómo hacerlo, no será complicado
solo tienes que quedarte muy quietecito.

La bandeja cae al suelo, las botellas se rompen. Oriol sonríe y lo
agarra. Lo tira al suelo de un bofetón. Su ebrio amigo ríe a carcajadas. No tiene dientes.

Un joven Marcel está sentado cerca, lo observa y niega con la cabeza. «Te lo advertí —parecen susurrar sus labios—. Conmigo hubiera sido todo mucho más fácil.»

Lleva tiempo ofreciéndole protección a cambio de caricias indeseadas. Lucas siempre lo ha rechazado. Ahora se arrepiente. El prestamista lo habría salvado si lo considerara suyo. Ahora no hará
nada, excepto esperar su turno y pagar a su padre.

Se revuelve en el suelo. Alguien le rompe los pantalones.

Oriol se ríe.

—No seas tan escrupuloso, pórtate bien y será rápido, ni siquiera te vas a enterar —susurra.

Lucas le escupe. Poco más puede hacer.

—Eres un mal hijo. ¿No vas a ayudarme a pagar las deudas?

Un peso sobre él, asfixiándole. Una rodilla separándole las piernas. Dedos recorriéndole el trasero. El aliento del borracho en su nuca.

Estira los brazos buscando algo con lo que defenderse y encuentra una de las botellas rotas. La empuña alzando la mano con desesperación.

Un alarido. Sangre cayendo sobre su cara.

La presión sobre él cesa. El borracho se ha apartado. Un tajo abre su rostro desde la ceja hasta la comisura de su desdentada boca. Una boca que le amenaza mientras Oriol hace restallar el cinturón sobre su espalda.

Rueda por el suelo y echa a correr. Salta la barra y entra en la cocina. La mujer que hay allí, una puta vieja que cada mañana le da a escondidas mendrugos de pan, le tiende un cuchillo y le señala la puerta.

—No dejes que te cojan.

Corre hacia el puerto. Hacia el mar. Allí será libre.

Hace frío, el viento sopla con fuerza, las olas se levantan por encima del espigón haciéndole trastabillar. Sigue corriendo. La cara mojada por el mar, por las lágrimas. Sus pies desnudos tropiezan. Cae.

Y entonces lo siente.

Su fétido aliento en la nuca.

Sus dedos tirándole del pelo.

El hombre sin dientes le ha atrapado.

Y Lucas se vuelve cuchillo en mano.

Se lo clava una y cien veces en el estómago, ante la atónita mirada de Oriol.

Pero el hombre no le suelta, sus dedos están engarfiados en su pelo. Y Lucas le hunde de nuevo la afilada hoja. La piel se abre, la sangre resbala por su muñeca, las tripas caen sobre su mano. Las olas se estrellan contra ellos. Los empujan contra las rocas.

Y él no le suelta.

Y Oriol los mira molesto.

—¿Te das cuenta de que la estás organizando? Esto no entraba en el plan, ¿cómo le voy a explicar a Marcel que has matado a su hombre? Se va a enfadar y no es lo que se dice compasivo —masculla arrugando la frente—. Se suponía que tenía que hacerte pasar un mal rato, aterrorizarte un poco, y luego, cuando Marcel interviniera convirtiéndose en tu salvador, tú caerías en sus brazos voluntariamente. Lo has estropeado todo —sisea disgustado—. No pienso cargar con el muerto —suelta y se acerca a ellos.

Lucas le mira aterrorizado mientras intenta escapar de los dedos que se enredan en su pelo, mientras clava el cuchillo en las tripas vacías del hombre sin dientes.

—Le diré que os perdí la pista en el puerto —afirma Oriol indiferente, dándole un fuerte empujón que le saca de la plataforma del espigón.

Y Lucas cae al agua. El hombre sin dientes aún aferrado a él.

Suelta el cuchillo y patalea hasta escapar. Nada hacia la superficie. Las olas lo empujan contra la escollera. Le desuellan la espalda en cada golpe. Un último esfuerzo. Aire, por fin. Y una mano se aferra a su pie, hundiéndole de nuevo. Y a través del agua que vuelve a cubrirle ve a Oriol. Oriol que le mira y se ríe.

Lucas patalea, sin aire, sin fuerzas, sin esperanzas.

Los dedos del hombre sin dientes se aflojan en su tobillo.

Las olas lo empujan contra el espigón, donde Oriol le espera riéndose.

Y Lucas nada hacia la playa.

Alicia escuchó el casi inaudible gemido y saltó a la silla de ruedas. Atravesó el corredor hasta la habitación de Lucas e intentó abrir la puertaventana. Estaba cerrada desde dentro. La golpeó mientras escuchaba los quedos gemidos. Nadie acudió a abrir. Se dirigió al estudio para salir desde allí a la galería. Recorrió el corto trayecto hasta el dormitorio e intentó girar el pomo de la puerta, este no se movió. También estaba cerrada desde el interior.

Olvidándose de todo decoro, pegó el oído a la madera. Lo escuchó gemir en un tono muy bajo y de repente: el silencio. Un silencio tenso, opresivo, carente por completo de sonidos. Y tras este, el estertor agónico de alguien que intenta respirar y no lo consigue.

—¡Mamá, capitán! —gritó con todas sus fuerzas mientras se deslizaba por la galería tan rápido como sus brazos se lo permitían—. Lucas se está ahogando…

Biel salió al instante al pasillo, su mirada voló hasta la puerta cerrada de su nieto. Ningún sonido escapaba tras ella. Miró a su pupila. ¿Cómo había oído ella algo que él no había conseguido escuchar?

—Se ha encerrado. He intentado entrar y no puedo… y se está ahogando —gimió desesperada, dándole la respuesta a su pregunta.

—Jana, avisa al señor Abad —ordenó bastón en mano dirigiéndose al dormitorio de Lucas.

Al llegar allí comprobó que, efectivamente, la puerta estaba atrancada y que por los sonidos del interior, parecía que su nieto se estuviera asfixiando. En silencio, sin articular más palabras que los jadeos agonizantes propios de los moribundos.

Golpeó la puerta, exigiendo con potente voz que esta fuera abierta, pero solo le contestó un escalofriante grito. Luego, el silencio. Y tras este, un resuello aterrador.

—Apártese, capitán —La voz de Enoc. Serena. Imperturbable.

Una fuerte patada contra la cerradura, y esta saltó, abriéndose la puerta.

Biel se precipitó dentro, con Alicia, Jana y Enoc tras él.

—Dios santo…

Lucas estaba estirado sobre la cama, los ojos ciegos fijos en el techo y la boca abierta en un mudo grito mientras su pecho se estremecía en busca de un aire que no conseguía inhalar. El cuerpo tan arqueado que su espalda ni siquiera tocaba el colchón mientras sus dedos arañaban el cabecero con desespero, intentando quizá aferrarse a la pulida superficie. Mantenía las piernas juntas y extendidas, y las sacudía sin apenas fuerzas, como si unas garras invisibles de las que no podía deshacerse tiraran de sus pies. De repente se quedó inmóvil, sus ojos se cerraron y todo su cuerpo cayó laxo, sin vida. Y al instante siguiente un gemido desgarrado y la lucha comenzó de nuevo con renovado y aterrador ímpetu.

Alicia apartó al capitán de su camino, se deslizó hasta la cama y tomó el rostro de Lucas con ambas manos.

—Estoy aquí, contigo —susurró pegando su cara a la de él, aterrorizada. Nunca le había visto así, siempre conseguía detener sus pesadillas antes de llegar a ese punto—. Nadie te va a hacer nada. No lo permitiré.

Lucas la miró sin ver e, intentando aferrarse al cabecero, continuó debatiéndose contra las sábanas enredadas en sus pies.

—El capitán está aquí —exclamó Alicia, y él se detuvo un instante—. Tu abuelo ha venido. ¿No oyes el bastón? —Lucas volvió a quedarse inmóvil y giró apenas la cabeza, escuchando—. Está en el cuarto, con nosotros, y va a romperle los dedos al hombre sin dientes.

Y Biel hizo lo único que se le ocurrió hacer. Elevó el bastón sobre su cabeza y lo descargó con fuerza sobre el lecho, junto a los pies de su nieto.

Lucas encogió las piernas en un espasmo y al instante siguiente gateó con rapidez sobre la cama hasta quedar acurrucado contra el cabecero, todo su cuerpo convulsionándose mientras se aferraba trastornado al borde de la pulida madera.

—Lucas, tranquilo. No pasa nada —susurró Alicia posando una mano sobre las de él. Lucas se soltó al instante, asiéndose a sus dedos—. El capitán está aquí, contigo, va a protegerte, no dejará que te pase nada…

Lucas giró lentamente la cabeza y dirigió hacia el anciano una aterrorizada mirada llena de vergüenza. La mirada de un niño asustado. De un hombre atrapado en horribles pesadillas.

—No me eche de casa, capitán. No lo haga —suplicó asustado aferrándose a las manos de Alicia—. No fue culpa mía, se lo prometo. Se tumbó sobre mí y lo intentó, pero no le dejé hacerlo. ¡Lo juro! ¿Tú me crees, Alicia? —La miró suplicante y ella asintió con la cabeza—. Le clavé la botella en la cara y eché a correr. Pero me siguió. Le clavé el cuchillo pero no se moría. Mire, capitán… las tripas, las tengo en mis manos —le tendió sus manos vacías a la vez que se encogía más y más sobre sí mismo—, lo intenté, pero no se moría… ¡No quería morirse! —Se calló de repente, acobardado—. ¿Me va a echar de casa porque lo he matado?

—Claro que no, Lucas. Nadie te va a echar de tu casa —afirmó Biel acercándose a él despacio, temiendo que se asustara aún más e intentara escapar.

Lucas miró a Alicia y reculó hacia el otro extremo de la cama, alejándose del capitán, para que este centrara su atención en él y no en ella. Tenía que protegerla. No podía dejar que se enfadara con Alicia cuando ella solo había querido ayudarle.

—¿Me va a empujar? —musitó con voz infantil. Biel negó con la cabeza, deteniendo su avance—. Ahora soy listo, no voy a decir nada —susurró conspirador bajando de la cama y retrocediendo de espaldas, sin apartar la vista de su abuelo—. Marcel no tiene por qué enterarse de que el hombre sin dientes no quiere morirse. —Biel asintió en silencio y Lucas pareció tranquilizarse un poco—. Dígale a Oriol que no me tire al agua…

—No te tirará, te lo prometo —le aseguró Biel tendiéndole la mano.

Lucas detuvo su huida y estrechó los ojos, atento a la mano de su abuelo.

—¿Le dirá que no se ría?

—Nadie se reirá de ti —aseveró Biel dando otro paso hacia su nieto.

—¡Oriol sí lo hará! —gritó Lucas tapándose la cabeza con los brazos—. Me empujará y me ahogaré. ¡Mírelo! Me mira y se ríe. Se ríe y se ríe. Dígale que no se ría, capitán… —susurró resbalando hasta el suelo.

Alicia, consciente de que no podía acceder con la silla de ruedas hasta donde Lucas se encontraba, saltó sobre el lecho y culebreó para llegar al otro extremo de la habitación.

Biel la detuvo con un gesto y recorrió el estrecho pasillo entre la cama y la pared para llegar hasta su nieto. Y luego, hizo lo que nunca antes había hecho: se arrodilló renqueante usando la pared como apoyo y envolvió al asustado muchacho entre sus fuertes brazos sin importarle que este intentara apartarse de él.

—Me ocuparé de todo, no tengas miedo —afirmó sin permitir que Lucas escapara de su abrazo—. Nadie va a volver a reírse de ti ni a hacerte daño, no lo voy a consentir.

—¿Ni siquiera Marcel?

—Ni siquiera él. No volverá a acercarse a ti, yo me encargaré de eso. No vas a volver a tener pesadillas, ¿me escuchas? Se acabaron. Nadie te va a atacar mientras duermes. Yo vigilaré tus sueños, y si alguien se acerca le golpearé con el bastón.

—Anna me defendía con su muleta… —musitó Lucas tembloroso.

—Yo soy más fuerte que ella. Cuando pego hago más daño —afirmó un poco celoso.

—Le ha roto los dedos al hombre sin dientes…

—Sí. Lo hice. Ya no podrá agarrarte nunca más.

—¿Hará que Oriol deje de reírse? Ahora ya soy listo, no debería reírse de mí.

—No lo volverá a hacer, le romperé la boca con el bastón si lo hace.

Lucas volvió a estremecerse y, acurrucándose contra el recio cuerpo del capitán, estalló en silenciosos sollozos.

Biel lo sostuvo entre sus brazos, mostrando una paciencia que jamás había tenido. Esperó hasta que dejó de temblar y su respiración se volvió pausada. Y en ese momento, consciente del dolor artrítico que le atormentaba las rodillas y de que le iba a ser imposible levantarse con Lucas en brazos, le hizo un gesto a su antiguo oficial.

Enoc se acercó silencioso hasta ellos y en el instante en que intentó coger a Lucas, este despertó sobresaltado y apartándose bruscamente, miró a su alrededor confundido.

—¿Qué puñetas hacéis todos aquí? —gimió poniéndose en pie.

—Has tenido una pesadilla… —susurró Alicia.

Lucas la miró sobrecogido al comprender que no todo había sido parte de la pesadilla. Se tambaleó como si le hubiesen golpeado y un gruñido que era casi un gemido abandonó sus labios antes de que pudiera silenciarlo y erguirse de nuevo.

—Fuera de mi cuarto… —siseó herido—. ¡Largaos todos! ¡El espectáculo se ha terminado! —exclamó saltando sobre la cama para dirigirse a las puertas cristaleras que daban al exterior.

—Señor Abad, Jana, Alicia, por favor, retírense a dormir… —ordenó Biel aún sentado en el suelo. Todos obedecieron, excepto Alicia que se trasladó a su silla para ir en pos de Lucas. Lo encontró aferrado a la balaustrada del corredor. Respiraba agitado, meciéndose adelante y atrás a la vez que negaba con la cabeza.

—Creí que seguía en la pesadilla, por eso dije… esas cosas —susurró cuando la sintió tras él—. ¿Qué pensará el capitán de mí? ¿Qué piensas tú de mí? —inquirió estremeciéndose.

—Que eres el hombre más valiente que he conocido nunca —susurró ella con cariño—. Era necesario que lo soltaras, Lucas, no podías seguir guardándotelo dentro —intentó tomarle la mano, pero él se apartó con brusquedad, regresando de nuevo al dormitorio.

—Vuelve a la cama, Alicia —le ordenó antes de cerrar con un fuerte portazo que hizo temblar los cristales. Cuando se giró comprobó agradecido que todos habían salido de la habitación. Todos, menos su abuelo, quien sentado en el suelo le observaba con atención—. Váyase, capitán —le pidió cuando vio que el anciano no tenía intención de moverse.

—No puedo —replicó Biel permitiendo por primera vez que le viera vulnerable—. No llevo bastón por gusto, sino porque mis rodillas fallan. Hasta que no me ayudes a levantarme no vas a poder deshacerte de mí. —Le tendió la mano, desafiante.

Lucas tragó el nudo que tenía en la garganta, y acercándose a él le sujetó con fuerza por el antebrazo, los dedos de su abuelo se engarfiaron con fuerza en el suyo mientras tiraba de él para levantarle. Esperó hasta que tomó el bastón con la mano libre y luego intentó soltarse.

Biel no se lo permitió.

—No volverás a huir ni a esconderte —le advirtió sujetándole con dedos férreos.

—Yo no huyo ni me escondo —escupió Lucas intentando soltarse, sin conseguirlo.

—Me alegra oír eso, porque todavía tenemos una conversación pendiente. ¿Qué ocurrió la noche que te escapaste de aquí?

—¡Suélteme! —gimió Lucas empalideciendo mientras forcejeaba para escapar de las garras de su abuelo.

—Acabas de decir que no huyes ni te escondes. ¿Qué eres, un mentiroso o un cobarde?

—Un cobarde —musitó bajando la mirada—. Un maldito cobarde.

—Ningún cobarde volvería a nadar cerca del espigón en el que estuvieron a punto de ahogarle. Y tú lo has hecho —replicó Biel apretándole el brazo con sus fuertes dedos—. ¿Qué ocurrió esa noche, Lucas? Vomítalo de una vez y acaba con el miedo.

Lucas giró la cabeza, su mirada azul fija en las puertas cristaleras que daban al corredor.

—¿Cuántos años tenías cuando Oriol intentó ahogarte? —Biel cambió la pregunta al comprender que si quería saber tendría que ir poco a poco.

—Iba a cumplir diez.

—¿Dónde estaba Anna esa noche? —inquirió; por lo poco que conocía a la mujer, estaba seguro de que hubiera dado su vida por protegerle de aquello.

Lucas se encogió de hombros.

—Aún no la conocía. Me encontró a la mañana siguiente, en la playa. Me arrastró hasta su casa.

—¿A la Barceloneta? —Lucas asintió—. Tenías que ser un niño muy enclenque para que pudiera llevarte…

—No sé cómo lo consiguió. Estaba muy delgado, pero era casi tan alto como ella —le contó, tambaleándose. Biel lo empujó hasta la cama, donde ambos se sentaron—. Me curó las heridas y yo no hice más que gruñirle.

—Es el carácter de los Agramunt —le defendió Biel.

—Anna tiene peor genio que usted, se lo aseguro —murmuró Lucas frotándose las rasposas mejillas.

Biel sonrió y continuó haciendo preguntas sin importancia aparente que Lucas se apresuraba a responder.

—… Enfermó. La vi empeorar día a día, hasta que no podía levantarse de la cama sin perder la respiración. Fue entonces cuando le pedí dinero a Marcel, sabía que él me lo daría aunque no se lo pudiera devolver… —se detuvo para corregirse—. Me lo dio porque sabía que no se lo iba a devolver. Tenía que pagarle de otra… manera. Y entonces apareció usted y pagó mi deuda. No pensaba volver a pedirle prestado nunca más. —Lucas centró la mirada en los oscuros ojos de su abuelo—. Se lo juro.

—Te creo.

—Pero cuando el director me dijo que Anna moriría si la sacaba de allí…

—Debí escucharte cuando intentaste decírmelo.

—Y yo debí quedarme y hacerme escuchar en vez de salir huyendo. Soy un cobarde.

—No lo eres.

—Sí lo soy. Acudí a Marcel e hice un trato con él. Está obsesionado conmigo desde que vivía en Las Tres Sirenas. Intentó enredarme en sus jueguecitos cuando era un niño, y no le sentó bien que le rechazara. Me costó muchas palizas —confesó flexionando las rodillas y envolviéndose estas con los brazos—. La noche que escapé de aquí no lo rechacé.

Biel silenció el rugido que pugnaba por escapar de sus labios. Marcel había estado presente durante toda la conversación. Al igual que Oriol. Ambos habían convertido la infancia de su nieto en una pesadilla. Una pesadilla que se repetía cada noche. Apretó con firmeza el hombro de Lucas, instándole a continuar.

—Acepté cada uno de sus juegos sin protestar —murmuró mostrándole las marcas de abrasiones que aún enrojecían sus muñecas—. Ese era el trato. Si yo no protestaba él se ocuparía de Anna. Acepté los azotes en silencio, pero luego él me soltó y me dijo que me doblara sobre una mesa. Que separara las piernas. Sentí su aliento en la nuca y la pesadilla se hizo real otra vez. Así que le golpeé y hui. A pesar de que necesitaba que pagara el tratamiento de Anna. Mi miedo pudo haberle costado la vida... sí soy un cobarde.

—No lo eres, Lucas. Nadie, ni siquiera yo, habría aguantado lo que tú aguantaste.

Lucas negó con la cabeza y luego escondió el rostro entre sus rodillas.

—Ahora que lo sabe todo... ¿Quiere que me vaya de su casa? —preguntó en voz baja.

Esta vez el rugido sí escapó de la boca de Biel, quien aferró con brusquedad a su nieto por el cabello, obligándole a levantar la cabeza.

—Eres mi nieto y estoy orgulloso del niño que eras y del hombre en el que te has convertido. Y nada va a cambiar eso nunca. ¡Me has escuchado bien, marinero, o necesitas que te lo diga más claro! —exclamó furioso.

Lucas lo miró perplejo y acto seguido le abrazó con fuerza.

Y Biel le abrazó a su vez, amenazándole con terribles castigos si volvía a dudar de su valentía o de cualquier otra cosa que él decidiera. Era su abuelo y su deber como nieto era obedecerle y creerle en todo. Y no había más que hablar.

Tiempo después, permitió que sus brazos soltaran el cuerpo laxo de su nieto y lo tumbó despacio en la cama. Permaneció unos minutos mirándole, hasta que se convenció de que estaba completamente dormido. Se levantó renqueante para abrir la puertaventana y que la brisa del amanecer refrescara la habitación.

Y en ese momento se encontró con los preocupados ojos de Alicia.

—¿Has estado en el corredor todo este tiempo? —inquirió perplejo.

—¿Cómo está Lucas? —fue la respuesta de la muchacha.

Biel se hizo a un lado y Alicia se deslizó al interior de la habitación. Retiró con cariño un mechón de pelo que había caído sobre los ojos de Lucas y perfiló con ternura las líneas tensas de su frente hasta que estas desaparecieron. Luego posó la palma de la mano sobre su mejilla rasposa a la vez que le daba un afectuoso beso en la sien.

Biel observó asombrado como su nieto, completamente dormido, se removió hasta que su cabeza reposó contra la de Alicia. Contempló en silencio como se mecía contra la mano que le acariciaba el rostro mientras movía inquieto los brazos, buscando algo. Algo que encontró en el mismo momento en que Alicia le dio la mano y los dedos de ambos se entrelazaron.

Arqueó una ceja al percatarse de que lo que sucedía en el corazón de ambos jóvenes era mucho más profundo de lo que había pensado. Sonrió complacido. Iba a tener que vigilarles con suma atención.

Esperó un instante, hasta que Alicia cerró los ojos y su respiración se acompasó con la de Lucas, y luego abandonó la habitación para dirigirse a la suya. Allí encontró a Jana despierta y esperándole.

—Más tarde te contaré lo que ha sucedido, pero ahora, por favor, ve con Lucas, le he dejado con Alicia. —Entró en el vestidor para cambiarse—. No debes quitarles la vista de encima —advirtió asomando la cabeza.

—No seas ingenuo, capitán, llevo semanas sin quitarles la vista de encima, y aun así, estoy segura de que encontrarán sus rincones igual que nosotros encontrábamos los nuestros —afirmó ella—. Deberías preocuparte menos de vigilarles y más de buscar una solución.

Biel enarcó una ceja, no cabía duda de que su esposa tenía razón. Acabó de vestirse y se dirigió a la sala de mapas, donde, tal como imaginaba, encontró a Enoc. Ambos hombres conversaron unos instantes en voz baja.

—Ocúpese de ello, señor Abad. No me importa a quién tenga que recurrir ni cuánto deba pagar. Simplemente, resuélvalo.

—No será necesario recurrir a nadie, capitán. Pero sí deberá tener paciencia, ahora estará alerta, esperando su reacción. Debemos dejar que se relaje. Y luego… será un inmenso placer cumplir sus órdenes.

31

5 de agosto de 1916

Alicia se detuvo ante el dormitorio de Lucas e inspiró profundamente, decidida a tomar las riendas. No estaba dispuesta a seguir aceptando que él le diera un tímido beso de buenas noches para luego verle marchar. Ya iba siendo hora de retomar las antiguas costumbres.

Poco a poco Lucas estaba volviendo a ser el que era, había dejado de encerrarse en la biblioteca e intentaba dormir por las noches, aunque ella sabía que las pesadillas seguían apareciendo, solo que lograba vencerlas por sí mismo. O tal vez con la ayuda de los bastonazos que el capitán daba al recorrer la casa cada noche. Durante el día intentaba comportarse con cierta normalidad, y casi lo habría conseguido, de no ser porque evitaba mirarles a ella y al capitán cuando se los encontraba. Y por eso, tanto Alicia como el capitán se habían ocupado de coincidir con él a cada instante. No le iban a permitir encerrarse en sí mismo de nuevo.

El capitán atacaba la repentina timidez de Lucas de la única manera que sabía, regañándole por tonterías hasta que este estallaba y todo volvía a la rutina. Pero ella no podía hacer lo mismo. No se le daba bien sacar a la gente de sus casillas, y menos aún a Lucas. Pero sí podía utilizar otras artimañas. Y eso iba a hacer en ese mismo instante.

Entró en la habitación y, a pesar de hacerlo en silencio, Lucas saltó de la cama.

—Alicia… —se incorporó sobresaltado, mirándola nervioso.

Su inquietud se aquietó al ver el pudoroso camisón que la cubría desde los pies hasta el cuello, los botoncitos bien cerrados impidiendo que se mostrara ni un resquicio de piel. Respiró tranquilo y se tapó con las sábanas para intentar guardar el decoro como haría un caballero. No le iba a dar motivos a Alicia para alejarse de él. Y en ese momento se le ocurrió que tal vez ella no le había esperado en su alcoba porque no quería que fuera a darle el beso de buenas noches. Quizá estaba allí para pedirle que no volviera a visitarla nunca más. Sintió que el corazón se le desgarraba dentro del pecho, pues vivía cada día esperando ese efímero momento.

—Iba a ir ahora a desearte buenas noches —dijo, mirándola a los ojos por primera vez en muchos días, rezando por que ella no se sintiera demasiado asqueada en su presencia y le dejara seguir visitándola esos breves instantes.

—Ya lo sé, pero me parece muy injusto que siempre seas tú quien acuda a mí. Si hombres y mujeres somos iguales, también yo debería poder venir cuando quisiera, ¿no crees? —arguyó con fingido enfado, decidida a no dejarse vencer por la angustia que veía en los ojos de Lucas. Lo último que este necesitaba era a una mujer tímida y llorosa que le siguiera el juego—. ¿Por qué siempre tiene que ser el hombre quien seduzca a la mujer? Tengo el mismo derecho que tú a hacerlo. ¿No lo ves así?

Lucas parpadeó un par de veces y luego asintió renuente con la cabeza. ¿Seducirle? ¿Alicia quería seducirle? ¿Por qué? ¿Acaso no se acordaba de todo lo que había pasado?

—Bueno… —farfulló mirándola confuso.

—Me alegro de que lo veas igual que yo. —Se acercó a la cama—. No seas abusón y déjame un hueco —le ordenó dándole una palmadita en el estómago.

Lucas parpadeó asombrado y, al sentir una nueva palmadita, esta vez en la cadera, se deslizó presuroso hasta el otro extremo del colchón.

Alicia se subió a la cama, acomodándose en el mismo lugar en el que él había estado. Y si el camisón se le subió más de la cuenta, dejando un poco demasiado a la vista sus esbeltas piernas, en fin, sí fue culpa suya, pero no iba a hacer nada por evitarlo. Al fin y al cabo la función tranquilizadora de la prenda ya se había cumplido pues Lucas no la había echado. Por tanto, no tenía sentido seguir fingiendo un pudor que no venía a cuento. Comenzó a desabrocharse con sensual pereza los pequeños botoncitos.

—¿Qué estás haciendo? —inquirió él casi sin voz. Se apartó más aún y, pegando la espalda al cabecero, encogió las piernas hasta pegarlas a su pecho.

—Ya te lo he dicho: seducirte.

—No puedo, Alicia… esta noche no. Tal vez nunca —murmuró rodeándose los tobillos con los brazos—. No puedo acercarme a ti. Ni siquiera puedo mirarte sin sentir esta vergüenza que me devora por dentro. —Su voz llegó apagada cuando ocultó la cara entre las rodillas.

—¿Qué es lo que te avergüenza? —Alicia se inclinó sobre él para retirarle con dedos cariñosos el pelo que le ocultaba el rostro.

—Por favor, Alix, no te hagas la tonta, no te pega —masculló apartándose con brusquedad de sus caricias—. Lo sabes todo, puñeta, lo vomité delante de ti esa mañana. Las marcas que viste aquella noche… ya sabes lo que significan.

—¿Eso es lo que te avergüenza? Solo son unas pocas ronchas que desaparecerán con el tiempo, si es que no han desaparecido ya —comentó, ignorando el resto de la frase mientras le acariciaba la espalda.

Lucas apartó por fin la cabeza de sus rodillas para mirarla confundido.

—¿De verdad no lo entiendes? —susurró atónito.

—Por supuesto que lo entiendo, Lucas. Sé tanto como tú de marcas. Soy una experta en dejarse vencer por ellas —aseveró repentinamente seria, señalándole su pierna atrofiada—. Puedo enseñarte a pasar desapercibido en mitad de una fiesta, a ocultarte de todos para que no vean tus taras, a mantenerte apartado y vivir encerrado con tu sola compañía. Lo hice durante todo un año y aprendí cada truco para evitar que nadie supiera lo mucho que me avergonzaba de mí misma. ¿Y sabes qué? Fue una pérdida de tiempo. La autocompasión no sirve para nada. Las marcas van a seguir ahí. Visibles en mi caso, invisibles en el tuyo, pero siempre presentes. La fuerza con que te ataquen solo depende del poder que tú les des —afirmó inclinándose sobre él para besarle en el lugar donde cuello y hombro se unen, aunque fue un beso extraño que duró quizá demasiado tiempo.

—¿Qué haces? —Frunció el ceño, pero no se apartó cuando ella se deslizó hacia su nuca para repetir el extraño beso.

—Te estoy dejando nuevas marcas. Levanta un poco la cabeza y baja las piernas, me molestan —le ordenó empujándole sin ningún cuidado—. Vamos, no seas niño. Prometo no ponerte las manos encima.

Y Lucas se acomodó contra el cabecero elevando la cabeza y estirando las piernas.

Y Alicia se apañó para recorrerle el cuello sin ponerle las manos encima en ningún momento… no así otras partes de su anatomía, pues era muy complicado recorrer todo su cuello sin tumbarse casi sobre él.

—Listo. Ya tienes marcas nuevas. Mañana, cuando te entre esa absurda vergüenza, acuérdate de cómo tienes el cuello y ya verás cómo se te pasa rápido —comentó admirando su obra—. No te enfades, pero tal vez tengas que ponerte un pañuelo, ya sabes, de esos que a veces usa Isembard con un nudo enorme.

Lucas abrió los ojos como platos y, sin molestarse en ocultar la leve reacción que su cuerpo había tenido bajo sus besos, saltó de la cama para mirarse en el espejo.

—¡Estás loca! —exclamó al ver el collar de chupetones que le recorría el cuello—. Si el abuelo ve esto, ¡me mata!

—Sí, vas a tener que estar muy pendiente de llevar bien cerrada la camisa. Y tal vez si te pusieras un pañuelo —reiteró.

—Estamos en pleno verano, no voy a llevar pañuelo, ¡me asaré! —gruñó enfadado.

—Deberías estar contento —replicó ella alzando ofendida la barbilla.

—¿Por qué?

—Porque te he dado otras marcas de las que preocuparte. Anda, vuelve a la cama y deja de gruñir. Es demasiado tarde para discutir —emitió un enorme bostezo antes de tumbarse.

—¿Vas a dormir aquí? ¿Conmigo?

—Sí, ya te he dicho que estoy harta de que siempre seas tú quien venga a mí. Es hora de que yo invada tu cama. Vamos, no seas mojigato, no te tocaré, palabrita de niña buena.

Lucas la miró atónito unos segundos y luego, encogiéndose de hombros, apagó la lamparita y se tumbó en el extremo más alejado de ella. Era imposible luchar con Alicia cuando se mostraba terca.

Alicia sonrió cuando la cama se combó bajo el peso de Lucas. Tal y como siempre decía su madre, aún no había nacido el Agramunt que pudiera resistirse a las argucias de las Aloss. Esperó unos minutos para que él se confiara, y luego culebreó sobre el colchón hasta llegar a su lado. Se colocó de lado reposando la cabeza sobre el hombro masculino, el vientre pegado a la cadera de él y su pierna sana sobre las de él.

Lucas se quedó inmóvil, la respiración agitada y los dedos engarfiados en las sábanas que le cubrían. Escuchó un suave bufido, y un instante después la mano de Alicia le recorrió el estómago para luego cerrarse sobre su muñeca y tirar de ella hasta que la colocó allí donde tantas noches había descansado: sobre la cintura femenina.

Alicia esperó hasta que estuvo segura de que no se apartaría, y luego le soltó y deslizó los dedos sobre el ancho tórax masculino. Desabrochó lentamente un par de botones y coló la mano bajo el pijama para jugar con su torso, como tantas y tantas noches había hecho.

Lucas se mantuvo en silencio, con los ojos fijos en el techo mientras ella enredaba los dedos en el vello de su pecho. Lentamente, casi atemorizado, giró la cabeza y depositó un suave beso en su sien, luego hundió la nariz en su pelo e inhalando profundamente, se llenó con su aroma. Ella se acurrucó más contra él, liberándole el brazo que había atrapado bajo su cuerpo, y Lucas lo elevó despacio, hasta que encontró un sedoso mechón de pelo rubio y enredó los dedos en él.

—Eres tan blandita. Hueles tan bien —musitó inclinándose sobre ella a la vez que la atraía hacia él—. Te quiero tanto…

—Pues ya es hora de que lo demuestres, ¿no crees? —le desafió arañándole una tetilla.

Todo el cuerpo de Lucas se tensó de deseo… y de aprensión.

—Tengo miedo… —confesó.

—No debes tenerlo, no voy a hacerte nada que no te haya hecho antes —le advirtió coqueta mordiéndole el labio inferior para luego succionarlo—. ¿Crees que no estarás a la altura? —inquirió muy seria mientras le desabrochaba el resto de botones de la camisa para poder acariciarle a su antojo.

—No lo estaré, lo sé —murmuró avergonzado.

—Oh, entonces será cuestión de no tentar a la suerte, ir poco a poco y detenerme en el momento adecuado —afirmó mordiéndole el hombro.

Lucas cerró los ojos, dejando que ella hiciera lo que quisiera con él. Y Alicia cumplió sus palabras al pie de la letra. Fue poco a poco y se detuvo en el momento adecuado. O en el más inadecuado. Al menos para Lucas.

—Mmm… yo creo que sí estás a la altura de mis expectativas, pero como soy una chica buena que siempre cumple sus promesas te dejaré tranquilo. —Apartó la mano de aquello que estaba a punto de explotar y se giró hasta quedar tumbada de lado, de espaldas a él—. Buenas noches —murmuró con una diabólica sonrisa en los labios.

Lucas abrió los ojos, atormentado al darse cuenta de que ella estaba hablando en serio. Se quedó unos instantes inmóvil y luego se acopló a la espalda femenina con un gemido desesperado.

—No voy a poder dormir. Estoy ardiendo —musitó rozándole

la nuca con los dientes para a continuación calmarla con un lánguido beso.

—Qué contrariedad. Quizá debería hacer algo para refrescarte, al fin y al cabo ha sido por mi culpa —se meció contra él a la vez que deslizaba una mano hasta el lugar de Lucas que más incendiado estaba.

—Hazlo, por favor… —jadeó él.

—Pero, no me parece justo que sea yo quien tenga que hacer todo el trabajo —protestó desafiante, apartándose.

Y Lucas, tomando por fin la iniciativa, deslizó el brazo izquierdo bajo el cuerpo de Alicia y comenzó a acariciarle los pechos.

—Creo que aún tienes una mano libre —comentó ella deslizando la punta de los dedos bajo la cinturilla del pantalón, pero sin adentrarse lo suficiente como para tocarle donde más deseaban ambos—. No pienso esforzarme si tú no lo haces.

Y, con un gemido desgarrado, Lucas aferró el recatado camisón que tanto le había tranquilizado y comenzó a arrugarlo en su puño hasta que quedó remangado sobre los pálidos muslos de Alicia. Tras esto, aún temeroso de que ella pudiera apartarle, acarició con extrema delicadeza sus piernas, se entretuvo en ese delicioso hueco que había tras las rodillas y continuó ascendiendo hasta tocar con las yemas de los dedos la suave piel del interior de los muslos, donde se detuvo perplejo.

—¿Y los pantaloncitos? —preguntó ascendiendo solo un poco más.

—Culote, Lucas, se llaman culote —le reprendió divertida estirando los dedos para acariciarle el bajo vientre, recordándole que hasta que él no se afanara un poco, ella no iba a hacer nada más.

—Como sea —jadeó él impaciente, toda su atención en la mano que lo torturaba—. ¿Dónde están?

—Búscalos… —Descendió por su vientre, rozando con las yemas la rígida erección.

Lucas, incapaz de permanecer quieto, se meció contra esos dedos maliciosos, mientras utilizaba los suyos para buscar la prenda que debería proteger a Alicia de sus avances. Ascendió por el interior de sus muslos, y ella lo envolvió entre sus dedos. Acarició con extremo cuidado el lugar donde pierna y cadera se unen, y ella lo soltó con un bufido. Deslizó los dedos por el pubis hasta encontrar el pequeño triangulo de vello, y ella le ciñó la erección. Se atrevió a descender un poco más, hasta el vértice entre sus piernas en donde se ocultaba su clítoris palpitante. Y ella comenzó a mover la mano arriba y abajo en una lenta cadencia que le dejó sin respiración.

—No están... —gimió hundiendo el rostro en el hombro de Alicia para morderlo con exquisita ternura—. No te has puesto nada.

—Oh, vaya. Qué despistada soy... —Aumentó el ritmo de sus caricias a la vez que le estrechaba con más fuerza, arrancándole un apasionado gruñido.

—¿Despistada? No, señora mía. Eres una manipuladora —la acusó tumbándola de espaldas. Todo miedo olvidado—. Lo has hecho a propósito. Quieres que pierda la cordura...

—¿Tú crees? —preguntó ella, toda inocencia, arqueando la espalda, lo que dio como resultado que sus pechos asomaran casi por completo tras el cada vez más abierto escote del camisón, pues esa misma tarde se había ocupado de abrir los ojales para que los botones escaparan fácilmente—. Qué extraño, siempre he pensado que soy una señorita dulce y bien educada.

—Eso también... —Lucas se colocó entre sus muslos separados antes de hundir el rostro en el valle entre sus pechos—. Un día de estos me las vas a pagar todas juntas. Te voy a hacer todo lo que nunca has imaginado —gimió acunando contra ella su erección—. Eso si no muero antes por la frustración... Odio tus malditos camisones.

—A mí tampoco me gusta nada tu pijama. —Alicia enganchó los pulgares en la cinturilla del pantalón y tiró de este para deshacerse de la molesta tela que los separaba.

—¡Alicia, no! —La detuvo apartándole las manos con un jadeante gruñido para luego volver a colocarse la ropa. ¿Acaso no se daba cuenta de que toda contención tenía un límite? Y él estaba a punto de rebasar el suyo—. Compórtate...

—No seas anticuado —replicó divertida volviendo a bajarle los pantalones.

—No soy anticuado —replicó con esquiva serenidad—. No te haré el amor bajo el techo de mi abuelo sin su consentimiento. Aunque él no lo sepa, voy a respetarle y complacerle en eso, ya que no lo hago en todo lo demás.

—¿Le vas a pedir permiso para acostarte conmigo? —le miró perpleja.

—¡Claro que no! ¿Estás loca! Me desollaría vivo. Voy a pedirle tu mano.

—Pues date prisa en hacerlo... —exigió elevando las caderas para frotarse contra él.

—¡Y tanto que me daré prisa! —gimió meciéndose sobre ella de nuevo.

No fue hasta mucho más tarde, tras muchos besos, caricias y arrumacos, que Lucas se dio cuenta de lo que sus labios traidores habían dicho. ¿De verdad le había dicho que pediría su mano al abuelo? Y… ¿Ella le había metido prisa? La abrazó pensativo, enredando entre sus dedos un sedoso mechón rizado.

—¿Qué se te está pasando por la cabeza? —musitó ella al sentirle jugar con su pelo. Aunque no pudiera verle el rostro debido a la oscuridad reinante, le conocía lo suficiente como para intuir que estaba preocupado.

—Hoy ha venido el sastre —contestó remiso a ilusionarse por palabras dichas en un instante de pasión. Seguro que ella no decía en serio que se diera prisa en pedir su mano. ¿O sí?

—¿Ya ha terminado tu traje?

—Sí, y parezco un lechuguino —masculló enfurruñado—. ¿Qué crees que ocurrirá en la fiesta?

—Que estarás tan guapo que todas las mujeres te mirarán depredadoras y a mí no me quedará más remedio que afilarme las uñas para pelearme con ellas —afirmó divertida.

—Alicia, hablo en serio.

—Yo también. —Lucas resopló despectivo—. Está bien. ¿Quieres que te cuente lo que va a pasar? —claudicó—. La casa se llenará de personas importantes que se dividirán en tres grupos, las que vienen a hacerle la pelota al capitán, las que son amigas del capitán y las que están recelosas de que un simple marinero haya conseguido convertirse en millonario, tenga más poder que ellos y se haya casado con una mujer veinte años más joven y de la alta sociedad.

—Vaya… —silbó Lucas.

—Sí, al capitán no le gustan nada estas fiestas, pero sabe que son necesarias. Tiene que dejar que todos los recelosos comprueben que sigue siendo igual de fuerte, a la vez que permite acercarse a los pelotas para ver qué puede conseguir de ellos. Ya sabes. —Se encogió de hombros y Lucas asintió con la cabeza, aunque no, no sabía—. Todos se comportarán con extrema educación mientras se miran por el rabillo del ojo. Las lenguas viperinas susurrarán y extenderán rumores, las espaldas crujirán de tanto doblarse ante el capitán y mi madre, y los amigos del capitán disfrutarán de la jornada burlándose de los pelotas y los recelosos.

—Me parece que no me apetece en absoluto ir a la fiesta —murmuró Lucas.

—Ah, pero tienes que ir. ¿No estarás pensando en dejarme sola con esa jauría de lobos, verdad? —fingió un estremecimiento. Lucas sonrió divertido—. En el momento en el que aparezcas en la fiesta todas las miradas se volverán hacia ti —dijo con seriedad—. El rumor de que eres el nieto del capitán corre veloz, y tienes que estar preparado para lo que eso supone. Todo el mundo querrá verte y hablar contigo. Te mirarán de arriba abajo mientras murmuran que te pareces a Oriol, se preguntarán si tienes su carácter o el del capitán. Los recelosos se apartarán de ti mientras susurran cosas horribles y los pelotas se acercarán complacientes para conseguir tus favores. No hagas caso a unos ni a otros, mantente cerca del capitán y de sus amigos. No te separes de Isembard, él sabrá cuáles son los maledicentes y te apartará de ellos para que no saques a pasear tu mal genio... o tus puños —apuntó severa.

—No creo que vaya a saber comportarme —murmuró Lucas preocupado.

—Te aseguro que sí sabrás. Si yo he podido ignorar sus miradas y murmullos, y sonreír como si no pasara nada, tú también podrás hacerlo.

—No pueden susurrar sobre ti —susurró confundido—. Eres perfecta.

—No lo soy —le tomó una mano y la llevó hasta su pierna atrofiada—. A la alta sociedad no le gusta que uno de sus miembros sea defectuoso.

—¡No digas tonterías, a ti no te pasa nada malo! —se incorporó enfadado y le enmarcó el rostro con las manos—. Si a alguien se le ocurre mirarte mal, lo mataré —siseó con ferocidad—. Como alguno de esos estúpidos pomposos haga algo que...

Alicia le silenció con un beso.

—Shh, el capitán se acerca por la galería —dijo sin despegar los labios de los de él.

Lucas se quedó muy quieto, escuchando los firmes golpes del bastón contra el suelo. Golpes que se detuvieron frente a su puerta un instante para luego alejarse hacia el estudio. Momento en el que saltó de la cama y ocultó la silla de ruedas tras el enorme espejo basculante para luego volver a tumbarse, colocando a Alicia tras él y tapándola con las sábanas. Y ella se acurrucó contra su espalda con total tranquilidad, como si no pasara nada, como si el capitán no estuviera a punto de descubrirles.

Instantes después, Lucas oyó el inconfundible golpear del bastón en el corredor. Con el corazón a punto de estallarle en el pecho, escuchó al anciano detenerse frente a su puertaventana abierta y rezó para que la oscuridad les protegiera y también para que su abuelo no cambiara el ritual de cada noche. Observó entre sus pestañas entrecerradas como la punta del bastón abría una rendija en las cortinas y, durante unos segundos, el rostro del anciano se perfiló entre estas, luego volvieron a cerrarse y los bastonazos se alejaron por el corredor. Respiró de nuevo a la vez que se giraba para decirle a Alicia que no podía volver a pasar la noche con él. Era demasiado arriesgado.

En ese instante descubrió que estaba dormida.

¡Cómo había podido dormirse en un momento así!

La acunó entre sus brazos, apoyando la cabeza de rizos dorados sobre su hombro. Se estremeció de placer al sentirse envuelto por su dulce aroma, y poco a poco sus ojos se fueron cerrando.

Poco después el golpeteo del bastón recorrió la galería de regreso. Al escucharlo, un quedo suspiro escapó de los labios de Lucas a la vez que se dejaba llevar por el sueño, seguro de que sus pesadillas no se atreverían a visitarle si su abuelo estaba de guardia.

Alicia esperó hasta que la respiración de Lucas se volvió pausada y esbozó una pícara sonrisa. ¿Así que quería pedirle al capitán permiso para casarse con ella? Pensaba encargarse muy a conciencia de que su resolución no flaqueara, y de que se diera prisa.

32

Dos ideas que al par brotan, dos besos que a un tiempo estallan,
dos ecos que se confunden, eso son nuestras dos almas.

GUSTAVO ADOLFO BÉCQUER

12 de agosto de 1916

—*E*l registro está falsificado y ni el más sagaz de los abogados podrá encontrar tacha en él. Solo resta que los testigos firmen la demanda. —Pastrana se estiró sobre una de las butacas del despacho de Biel, tendiéndole varios documentos—. Y, con respecto a Marc, he modificado el testamento, creo que esto es lo que querías.

Biel asintió en silencio mientras leía los papeles.

—¿Cuándo se lo vas a decir a Lucas? —inquirió Doc apagando su puro en el cenicero.

—El lunes por la tarde, cuando todo quede registrado en el juzgado y él no pueda hacer nada para cambiarlo.

—¿Estás insinuando que no sabe nada? —murmuró Garriga mirándole perplejo.

—Toda precaución es poca con Lucas, es terco como una mula y orgulloso como un Agramunt —explicó Enoc al banquero sin ocultar la diversión en su voz.

—Me gustan los muchachos orgullosos —replicó Biel desplazando los documentos al borde de la mesa—. Señores…

—Un banquero, un doctor, un juez y un antiguo oficial de barcos, buena panda de testigos has buscado, viejo —apuntó Pastrana cuando todos rubricaron los papeles—. Nadie se atreverá a poner en duda a Lucas.

—Por cierto, ¿dónde está tu nieto? No lo he visto en el salón con el resto de petimetres —comentó Garriga.

—Lleva todo el día escondido, nervioso como un marinero que pisa cubierta por primera vez —gruñó Biel guardando la demanda—. Menos mal que a mi esposa se le ha ocurrido invitar a Anna a la fiesta, aunque esta se ha negado a pisar el salón. Imagino que a estas horas Lucas estará con ella en la cocina, recibiendo un merecido rapapolvo.

—Haría bien en temer más sus regañinas que a los invitados —bromeó Doc. Conocía el fiero carácter de la anciana tras haberla tratado cada viernes.

—Y tanto que sí. —Biel esbozó una taimada sonrisa—. Vayamos al salón, caballeros, los invitados estarán impacientes de conseguir nuevos rumores, y es nuestro deber ofrecérselos.

—¿Has visto ya a Alicia? —le preguntó Anna, sentados ambos a la mesa de la cocina.

—No —gruñó Lucas enfadado—. No me ha dejado, dice que quiere sorprenderme. Pero me he enterado por Adda que va a llevar un vestido de un tal Fortuny.

—Sí, algo me ha comentado la señora Jana, un Delphos.

—¿Sabes cómo es? —inquirió interesado.

—Sí, pero no te lo voy a decir. Si Alicia quiere darte una sorpresa, no voy a ser yo quien se la estropee. Si quieres saber lo hermosa que está, tendrás que echarle valor e ir al salón.

—No entiendo por qué tengo que asistir a la fiesta —masculló Lucas tirando de la corbata por enésima vez esa tarde.

—Estate quieto, estás destrozando el nudo —le regañó Anna golpeándole con los nudillos.

—Me aprieta, no puedo respirar.

—No te aprieta, son las agallas que te faltan. Cualquiera diría que crie a un cobarde.

—No soy un cobarde, es solo que no sé por qué tengo que ir a esa estúpida fiesta — rezongó Lucas metiendo las manos en los bolsillos para no llevárselas al cuello y quitarse la maldita soga que le estaba asfixiando.

Anna negó pesarosa al verse incapaz de tranquilizar a su niño. Alzó la cabeza para seguir regañándole y su mirada se detuvo en el umbral de la puerta antes de volar hacia su pequeño, que volvía a tirar de la corbata enfurruñado.

Inclinó la cabeza a modo de saludo antes de continuar hablando.

—Cuanto más tardes en ir al salón más expectación despertarás.

—No soy un mono de feria… o tal vez sí —masculló estrellando los puños en la mesa—. ¡Mírame! Parezco un lechuguino. Todos se van a reír de mí. Haré el ridículo. Avergonzaré al capitán, y ya no estará orgulloso de mí —musitó dando voz a sus miedos a la vez que hundía la cabeza entre las manos.

—No digas tonterías, ese zorro te adora —estrechó los ojos para luego esbozar una maliciosa sonrisa—. Está bien, quédate conmigo. Pero luego no me vengas llorando si Alicia, aburrida de esperarte, encuentra un apuesto galán con el que estar en la fiesta. —Lucas levantó con brusquedad la cabeza—. He visto a Marc en el jardín, es bien guapo el condenado… y la mira con ojos tiernos. No me extrañaría nada que la invitara a dar un paseo por el jardín.

—¡Marc no va a pasear con Alicia por ninguna parte! —Lucas se levantó airado y abandonó la cocina como una exhalación, esquivando al hombre que estaba junto a la puerta sin percatarse siquiera de quién era.

—Es usted una verdadera arpía, señora mía —saludó Biel inclinando la cabeza.

—Y usted es un zoquete de mucho cuidado —replicó Anna yendo hacia él—. ¿Cuándo va a darle a mi niño un empujoncito?

—¿Un empujoncito? —inquirió confundido Biel.

—No se haga el tonto, viejo zorro, o corre el riesgo de salir escaldado —le advirtió—. Cuando un hombre y una mujer se miran como Lucas y Alicia lo hacen, solo puede haber un resultado. Y no es necesario un anillo en el dedo para que se dé ese resultado —afirmó—. Búsquese las mañas, capitán, y haga que nuestro pequeño hinque de una vez la rodilla ante Alicia. Si espera demasiado, celebrará una boda mucho más apresurada de lo que dictan sus estúpidas normas.

Biel arqueó una ceja y dirigió la mirada al salón. Lucas estaba al pie de la silla de Alicia, devorándola con la mirada. Y lo malo era que Alicia lo miraba con idéntica intensidad. Ambos jóvenes estaban tan pendientes el uno del otro, que no se daban cuenta de que todos los ojos del salón estaban centrados en ellos… tal y como les pasó el día que Lucas regresó de su viaje en el *Tierra Umbría* y acabaron besándose en la mesa del comedor. Abrió mucho los ojos, sacudió la cabeza a modo de despedida y se encaminó hacia donde estaban. Antes de llegar hasta ellos se detuvo un instante para conversar con sus amigos, rodeados de la habitual caterva de pelotas y recelosos.

—Menudos tortolitos están hechos —comentó en voz alta interrumpiendo la conversación.

Doc arqueó una ceja y, siguiéndole el juego, le preguntó a quiénes se refería.

—¿Acaso no tiene ojos en la cara, doctor del Closs? —Pastrana señaló a la pareja, apuntándose divertido al juego de extender rumores—. La señorita Alicia está preciosa esta noche, y el hombre que la acompaña… Es su nieto, ¿no es así, capitán Agra?

—Efectivamente. Un muchacho excepcional, del que estoy muy orgulloso —afirmó Biel antes de despedirse del grupo y dirigirse hacia la pareja.

—No debería decirlo, pero estamos entre amigos y no saldrá de aquí —alcanzó a escuchar la voz seria del banquero—. Sé de buena tinta que esta misma noche el joven Agramunt le pedirá permiso al capitán para declararse a su pupila.

—Y le será concedido —apuntó el juez, otorgando veracidad al rumor antes de que el grupo, como por arte de magia, comenzara a dispersarse en pos de oídos a los que susurrar.

El rumor le llegó a Marc en el mismo momento en el que Biel alcanzaba a su nieto y le daba una aprobadora palmadita en la espalda. La copa que sostenía estalló en mil pedazos entre sus dedos.

Lucas, haciendo caso omiso de los desesperados carraspeos de Isembard, se inclinó hacia Alicia para acariciar entre los dedos un mechón de su rizado pelo rubio.

—Tan hermosa… —murmuró perdido en los profundos ojos castaños de ella.

No podía dejar de mirarla. El vestido era una túnica de un azul intenso, plisada y sin mangas. Un cinturón plateado envolvía su cintura, ciñéndole el vestido de tal manera a sus preciosas curvas que Lucas se sentía agradecido de que le hubieran obligado a llevar chaqueta. De lo contrario, Alicia descubriría enfadada cuán impresionado estaba.

Alicia por su parte, tampoco podía dejar de admirar a Lucas. El impecable traje negro hacía que sus hombros aún parecieran más anchos y su cintura más esbelta. La camisa no ocultaba la fortaleza de su torso. Se sintió tentada de desabrocharle los botones, como hacía cada noche, para jugar con el vello que cubría su pecho. Sacudió la cabeza, ruborizada, y se fijó en la elegante corbata. Elevó la mano para aflojársela, consciente de que él no se sentiría cómodo con el nudo tan apretado. Tiró lentamente, Lucas se inclinó más hacia ella y Alicia se lamió los labios cuando la piel de la garganta masculina apareció bajo la tela.

—Alicia, Lucas, ya veo que habéis empezado la fiesta sin mí —la voz del capitán los interrumpió, consiguiendo que Lucas se irguiera bruscamente y Alicia se apresurara a colocar las manos en su regazo. Biel reprimió una sonrisa al escuchar los suspiros aliviados de Isembard y Adda—. Despídete de las damas y del profesor por ahora, marinero, quiero presentarte a algunas personas —le indicó palmeándole la espalda.

Lucas asintió cabizbajo, remiso a alejarse de Alicia.

—No pongas esa cara, nadie te la va a robar —bromeó Biel al ver su gesto.

—Yo no estaría tan seguro —masculló Lucas abriendo y cerrando los puños ante el asombro del capitán—. Está demasiado guapa esta noche.

Biel volvió a palmearle la espalda y lo dirigió por la casa, llevándolo de grupo en grupo y presentándole a todos como su nieto mientras el cuarteto de cuerda que amenizaba la velada tocaba una melodía tras otra. Y Lucas no tuvo más remedio que acostumbrarse a que le miraran de arriba abajo, le hicieran las preguntas y proposiciones más inesperadas y a escuchar los susurros que inevitablemente acompañaban su marcha. Jugó al billar en la sala de juegos, se atufó con el humo de los puros en la sala de fumar, sostuvo platos con pequeñas porciones de comida que no tuvo tiempo de comerse en el comedor y llevó constantemente en la mano una copa, pues en cuanto se deshacía de una, las personas que le rodeaban se empeñaban en darle otra. Y mientras era llevado de un lado para otro, echaba miradas furtivas a Alicia, quien hablaba con Isembard y Addaia en un rincón del salón.

Al pasar de nuevo junto al comedor se disculpó para ir a la cocina y tomar un vaso de agua, nadie en esa fiesta bebía otra cosa que cava, ¡y estaba muerto de sed! Al salir, vio que su abuelo lo estaba esperando junto a las escaleras y, con un suspiro, se dirigió hacia él.

—Es un desperdicio gastar tanto dinero en ella, ningún vestido luce cuando la dama que lo lleva está sentada en una silla de ruedas —escuchó decir a una matrona.

—No sé cómo se ha atrevido a asistir a la fiesta, ¡acompañada por su enfermera! —exclamó otra—, es una vergüenza para la familia...

Lucas se detuvo junto a ellas y siguió la dirección de sus miradas para averiguar quién era el blanco de tan insidiosas palabras. Apretó los puños al comprobar que era Alicia. Y, mientras la contemplaba, se percató de que la alegría que mostraba no brillaba en sus ojos.

Biel se acercó a él, observándole con atención al ver que su gesto se volvía hosco.

—Lucas, acompáñame, quiero presentarte a...

—Más tarde —le interrumpió enfilando hacia el otro extremo del salón, prestando atención por primera vez a las conversaciones que se sucedían a su alrededor.

—… Mira su pelo, no lo lleva a la moda. Aunque vaya en silla de ruedas debería intentar aparentar que es un poco más bonita —murmuró una mujer a pocos metros de Alicia.

—No tiene por qué —respondió en susurros un lechuguino de múltiples papadas—. El capitán le dará una buena dote, cualquier hombre de economía deficiente cerrará los ojos ante su discapacidad y la cortejará.

—Dicen que el nieto del capitán se ha fijado en ella. ¿Te lo han presentado? Comentan que es igual que Oriol. Seguro que tiene gustos perversos y por eso se ha fijado en una tullida.

—Mis gustos no son de su incumbencia, señora —apuntó Lucas parándose ante ella—. Pero, fíjese si los tengo desarrollados que jamás me acercaría a una foca como usted —la miró despectivo antes de dirigirse a su acompañante—. Y usted, séquese el sudor de las papadas, es repugnante.

Biel enarcó una ceja e intentó ocultar la sonrisa que se dibujaba bajo su mostacho. Por lo visto el profesor no había enseñado a su nieto a hacer oídos sordos a las maledicencias. Le subiría el sueldo por ello. Hizo caso omiso a las miradas airadas de sus ofendidos invitados y llegó hasta Lucas, quien, por supuesto, estaba junto a Alicia.

—Eres la dama más hermosa de toda la fiesta —afirmó en voz alta. Alicia se sonrojó violentamente al sentirse el centro de todas las miradas—. Bailemos —le tendió la mano.

—¡Lucas! —susurró azorada—. No vamos a bailar…

—¿Por qué no? La música está sonando.

—Es música de ambiente —siseó pidiéndole con la mirada que se comportara.

—Cualquier música vale para bailar —aseveró él ignorando su silenciosa súplica a la vez que se inclinaba ante ella en una pomposa reverencia que a nadie pasó desapercibida—. Concededme este honor, bella dama.

—No, ni se te ocurra —le advirtió Alicia apoyando ambas manos en los reposabrazos de la silla a la vez que le dirigía una mirada de excitada expectación.

Lucas no se atrevería. No delante de todos. No frente al capitán.

Sí se atrevió.

La envolvió por la cintura con sus fuertes manos y la alzó en el aire, apartándola de la silla, para luego hacerla descender lentamente hasta que sus pies se posaron inseguros en el suelo.

—Lucas, razona —musitó con la respiración agitada—. El capitán se enfadará…

—No te preocupes por él —Lucas miró a su abuelo, desafiante—, le encanta enfadarse conmigo, seré un buen nieto y le daré motivos para ello.

Biel lo observó con absoluto pasmo, y luego asintió con la cabeza, dándole permiso para lo que fuera que pensara hacer. Tras él, Jana le aferró la mano a la vez que musitaba risueña en su oído que los dejara, que eran jóvenes y no les iría mal un poco de diversión.

—Oh, Lucas, estás loco.

—Por ti. Solo por ti —musitó sosteniéndola con seguridad—, agárrate fuerte.

Alicia tragó saliva y, esbozando una radiante sonrisa, se aferró a su cuello.

Lucas la alzó de nuevo en el aire y comenzó a girar con ella entre los brazos, bailando al son de la música del cuarteto de cuerda. Giraron y giraron, y ante la absoluta sorpresa de todos, Alicia se echó a reír. Al principio casi con timidez, después, con una cantarina risa que recorrió cada rincón de la casa. Y mientras se reía, Lucas le susurraba al oído barbaridades sobre los pomposos invitados. Y la risa de Alicia se elevaba más y más, ahíta de felicidad.

Biel y Jana, emocionados, los siguieron por el salón mientras ellos bailaban sin importarles los murmullos que se sucedían a su alrededor, hasta que, de repente, Lucas se detuvo e hizo descender a Alicia en un íntimo abrazo hasta que sus pies tocaron el suelo.

—Demuéstrales a estos estúpidos lo que eres capaz de hacer —susurró tomándola de las manos y apartándolas de su cuello.

—No, Lucas. Espera… —protestó asustada mirándose los pies.

—A mí, Alix. Mírame a mí —reclamó apartándose apenas, sin soltarle las manos.

Y Alicia elevó los ojos, toda su atención centrada en él.

—Yergue la espalda, llevas un vestido precioso, deja que te admire… Estás tan bonita que me duele mirarte —susurró abriendo las manos.

Alicia irguió la espalda y permitió que sus dedos resbalaran de los de Lucas, hasta que solo las yemas se acariciaban. Luego sonrió y se soltó por completo de su agarre.

—Eso es princesa, ven a por mí —la desafió dando un paso atrás.

—No voy a dejar que te escapes —canturreó ella avanzando un titubeante paso.

—¿Y quién te ha dicho que me quiero escapar? Estoy preso de tu hechizo —Retrocedió un poco más, los brazos alzados y tensos, pendiente de cada movimiento de ella.

—Lucas, no seas tan teatral —le regañó divertida sin dejar de seguirle.

—Debe ser esta ropa. Al final me he convertido en un petimetre.

Y Alicia estalló en carcajadas, perdiendo el equilibrio y cayendo en los brazos de Lucas, quien la volvió a elevar en el aire para bailar de nuevo.

Y mientras ellos giraban en mitad del salón, Biel abrazaba a Jana contra su pecho.

—¿Lo has visto, Biel? ¿No me lo he imaginado?

—Lo he visto, querida, ha sido real —afirmó incapaz de desviar la vista de la pareja.

—Sujétame fuerte, capitán, estoy a punto de desmayarme —le pidió aferrándose a él.

—No se te ocurra desmayarte, Jana, o te perderás su baile.

—Tienes razón. Oh, Biel, mi niña. Mi preciosa niña. Brilla tanto como una estrella, mírala…

—La miro, mi amor, la miro. Pero ya no es una niña, sino una mujer —murmuró recorriendo con la vista a todos los presentes en la sala. Algunos murmuraban maliciosos mientras que otros sonreían entusiasmados. Arqueó una ceja, más tarde se encargaría de hacer que los primeros se arrepintieran.

Tiempo después, Alicia, deliciosamente cansada, volvía a estar en su silla mientras Lucas batallaba contra la multitud que reclamaba su atención y le impedía llegar hasta ella. Sonrió divertida. Daba igual de cuántos se deshiciera, al instante siguiente volvía a estar rodeado de personas que le felicitaban, le adulaban, le proponían negocios o, en el caso de las mujeres, le dedicaban lánguidas miradas o atrevidas insinuaciones, a veces, ambas cosas. Le vio poner los ojos en blanco por enésima vez y cuando él dirigió la mirada hacia donde ella estaba, Alicia se llevó una mano a los labios y le sopló un beso. Lucas le sonrió enamorado e intentó ir hacia ella, pero volvieron a detenerle.

—Parece que tu amigo está demasiado entretenido como para hacerte caso —murmuró Marc colocándose tras ella—. Tal vez te apetezca dar un paseo por el jardín mientras él disfruta de la fama rodeado de sus admiradores y… admiradoras.

—No seas malo, Marc —le reprendió ella mientras la empujaba hacia la terraza—. Sabes que a Lucas no le hace gracia tanta atención.

—Cualquiera lo diría —masculló descendiendo la rampa que daba acceso al jardín—. Bonito espectáculo habéis montado en el salón. No sabía que pudieras andar…

—Yo tampoco. Hasta que Lucas no me obligó a intentarlo pensaba que jamás volvería a ponerme en pie.

—¿Te vas a casar con él? —Detuvo la silla junto a un macizo de flores y se colocó frente a ella, inclinándose hasta que solo les separó un suspiro.

—Sí.

—¿Te lo ha pedido ya?

—Aún no.

—Entiendo. —Un destello depredador brilló en sus ojos.

—¿Qué entiendes? —inquirió Alicia, recelosa.

—Que aún tengo una oportunidad para hacerte cambiar de opinión. —«Y conseguir una pequeña tajada de la naviera».

Le envolvió la cara entre las manos y cerniéndose sobre ella tomó posesión de sus labios. Apenas tuvo tiempo de disfrutarlos antes de que alguien le empujara, apartándole.

—¡Hijo de puta, no te acerques a ella! —Lucas se abalanzó sobre él poseído por la rabia.

En esta ocasión, Marc no aceptó los golpes sin devolvérselos.

Ni los gritos de Alicia ni los rugidos del capitán ni las manos de Isembard lograron separar a ambos hombres. Fue necesaria la fuerza combinada de Enoc y Etor para arrancarlos de la pelea.

—¡Suéltame, Etor, puñeta, no ves que aún está vivo! —gritó Lucas intentando escapar del asfixiante abrazo del gigante mientras Enoc se ocupaba de mantener apartado a Marc.

—¡Y así seguirá! —rugió Biel interponiéndose entre ellos—. Señor Abad, lleve a mi sobrino a su casa. Y tú, grumete arrogante y desquiciado, tranquilízate antes de que te tranquilice yo —siseó con el rostro pegado al de Lucas.

—¡La estaba besando! ¡Maldito perro sarnoso! ¡Cómo se atreve a besarla, es mía! —gruñó Lucas intentando soltarse.

—Cierra esa bocaza ahora mismo —le ordenó Biel pegándole la empuñadura del bastón a los labios—. ¿Quieres que todo el mundo se entere?

Lucas abrió la boca para protestar y volvió a cerrarla al comprobar que, en la terraza, una multitud de personas observaban encantadas el espectáculo. Buscó a Alicia, y la encontró inmersa en un pasillo de curiosos. Adda empujaba la silla en dirección a las puertas de la sala de estar. La señora Jana les abría paso.

Cerró los ojos, enfadado al comprender que con su actitud les había dado a los invitados rumores para mucho tiempo. Sacudió la cabeza y le pidió a Etor con voz serena que le soltara.

—Veo que nos entendemos —siseó Biel antes de dirigirse a

quienes estaban tras él—. Doc, Garriga, Pastrana, haced que los mirones entren en la casa, en unos momentos me ocuparé de largarlos con viento fresco. Y tú, estúpido halacabuyas descerebrado, sube a tu cuarto y cámbiate de ropa, quiero verte en el despacho dentro de diez minutos —le advirtió a su nieto—. Etor, ocúpese de que no se entretenga por el camino.

Biel esperó hasta que Lucas y su enorme acompañante desaparecieron de su vista y luego ayudó a sus amigos a desalojar la casa, algo que, dado el mal genio del que hacía gala y que no se molestaba en disimular, lograron en un tiempo récord. Cuando se dirigía a las escaleras se encontró con Jana y Addaia, quienes le indicaron que habían dejado a Alicia guardando reposo en su habitación después de que esta les hubiera insistido en ello. Por lo visto estaba muy disgustada, algo que no le extrañó en absoluto dado el carácter pacífico y poco dado al escándalo de su dulce niña. Asintió, dejando a su esposa y sus amigos al cargo de los pocos rezagados que aún quedaban y subió las escaleras, decidido a hablar muy seriamente con su nieto.

Al llegar a su despacho comprobó irritado que Lucas no le esperaba allí, tal y como le había ordenado, por lo que, suponiendo que Etor le habría dejado en su habitación y por tanto allí seguiría, recorrió la galería en esa dirección… hasta que al pasar frente al estudio oyó gritos. Se detuvo prestando atención. No eran gritos aterrados, sino aterradores, de los que tenían el poder de poner de rodillas a un hombre. Gritos como los que, en ocasiones, Jana usaba contra él. Gritos de alguien muy pero que muy enfadado. Y ese alguien tenía la voz de Alicia. ¿Su dulce y pacífica niña le estaba gritando a alguien? No. A alguien no. A Lucas.

Arqueó una ceja y, sin pensarlo un instante, entró en el estudio para salir al corredor.

—¡Cómo has sido capaz! —exclamó Alicia, erguida en su silla cual reina de hielo—. ¡Cerebro de mosquito! ¡Zoquete! ¡No te has quedado a gusto hasta que le has roto la nariz!

—No le he roto nada… por desgracia —intentó defenderse Lucas.

—¿¡Por qué todo lo tienes que resolver a puñetazos!? ¿Acaso no te ha dado Dios un cerebro para pensar? Oh, no, claro que no, ¡qué estúpida soy! ¡Seguro que cuando repartió la cordura tú estabas ocupado destripando algún estúpido motor!

—Alicia, por favor, tranquilízate —murmuró Lucas acercándose a ella.

—¡Que yo me tranquilice! ¿Cómo te atreves a insinuar que soy yo quien no está tranquila? ¡Acaso no eres consciente del espectáculo que has dado en el jardín! Debería darte vergüenza…

—¡Y me da! —replicó él sin saber qué decir para calmarla.

—¡Pues bien que lo has demostrado! Peleándote con Marc sin mediar motivos…

—¡Eso sí que no! —estalló Lucas—. ¡Tenía motivos de sobra para partirle la cara! ¡Te estaba besando!

—¡¿Y qué?!

—¿Cómo que y qué? ¡No puede besarte! ¡Yo soy el único que tiene derecho a hacerlo!

Biel, apoyado en la pared del estudio, dio un respingo al escuchar a su nieto, por lo visto esos dos habían llegado más lejos de lo que pensaba.

—¿Que solo tú tienes derecho a besarme? ¡Oh, vamos, golpéate el pecho como un gorila! Es lo único que te falta para demostrar lo primitivo que eres —siseó mirándole ofendida—. ¡Solo yo decido a quién beso y por quién me dejo besar!

—¡No! —rugió él al límite de su paciencia—. ¡Solo yo puedo! ¡Eres mía y de nadie más!

Biel no pudo menos que arquear una ceja ante sus palabras. Qué poco conocía su nieto a las mujeres Aloss, no sabía lo que se le venía encima. Casi sintió lástima por él.

—¿Qué yo soy tuya? ¡Habrase visto tamaña desfachatez! ¡Eres un machista!

—¡Si eso significa que no voy a dejar que nadie te toque, pues sí, lo soy, y a mucha honra!

Biel asintió en silencio. ¡Bien dicho! Un hombre tenía que demostrar que era un hombre en todo momento, y no un afeminado de esos que se dejaban pisotear por las mujeres.

—¿Debo entender, pues, que cada vez que alguien tenga la osadía de tocarme, vas a embestirle como un toro de lidia al que se le enseña un capote? —preguntó Alicia en voz baja.

Lucas la miró estrechando los ojos, seguro de que esa pregunta, pronunciada con esa voz tan suave, tenía trampa.

—¿Sí? —respondió dudoso.

—Serás… ¡Animal! Escúchame bien, majadero, la próxima vez que alguien se me acerque más de lo que tú consideras conveniente te guardas las manos en los bolsillos y cuentas hasta diez. Porque como se te ocurra montar el espectáculo que has montando hoy te… ¡Te dejo de hablar una semana! —gritó girando la silla para dirigirse a su habitación.

—¡No va a haber una próxima vez! —bramó Lucas siguiéndola.

413

—¡Por supuesto que la habrá! ¡Pienso besar a todos los hombres que me salgan al paso solo para que aprendas a comportarte como es debido! —le amenazó entrando en el dormitorio.

—¡No te atreverás! —jadeó Lucas paralizado.

—Impídemelo —le desafió antes de cerrar con un fuerte portazo.

—¡Por supuesto que te lo voy a impedir! —afirmó asiendo el pomo para abrir la puerta.

—¡Lucas, al despacho, inmediatamente! —bramó Biel al percatarse de que su nieto no parecía tener reparo alguno en entrar en la alcoba femenina.

Lucas se giró sobresaltado, mirando a su abuelo de arriba abajo. ¿Desde cuándo estaba escuchando? Luego sacudió la cabeza, eso no era importante en esos momentos.

—Alicia acaba de amenazarme con… —comenzó a decir desesperado, seguro de que su abuelo se pondría de su parte y le ordenaría a Alicia que abandonara esa absurda pretensión.

—No cumplirá su ultimátum, tranquilo —le interrumpió Biel—. A mi despacho, ahora.

—¡Usted no la conoce! —exclamó Lucas, debatiéndose entre seguir a Alicia u obedecer a su abuelo—. Es capaz de…

—¡Suelta ese pomo de una maldita vez, grumete! ¿Acaso vas a atreverte a entrar en el cuarto de una dama? —espetó furioso por el descaro de su nieto.

Lucas empalideció al percatarse de hasta qué punto se estaba descubriendo. Se quedó inmóvil y, tras tragar saliva varias veces para deshacer el nudo que se le había formado en la garganta, soltó despacio el pomo.

Y, en ese momento, Biel lo supo.

—¡Santo Dios! ¡A mi despacho, ahora mismo!

Poco después, un apesadumbrado Lucas entró en el despacho, deteniéndose frente al macizo escritorio. Las manos en los bolsillos y la mirada fija en las punteras de sus zapatos.

—¡Mírame a los ojos! —le exigió Biel colocándose tras el mueble, pero sin sentarse.

Lucas elevó la cabeza, obedeciendo a su abuelo. Y así se mantuvieron, en silencio, retándose con la mirada, hasta que, incapaz de soportarlo, Lucas empezó a hablar.

—Su sobrino se toma excesivas libertades con Alicia —afirmó altanero, eligiendo el tema menos peliagudo—, solo me he limitado a ponerle en su sitio.

—¿Enzarzándote en una pelea como un vulgar rufián de

puerto? —Biel le permitió escaquearse, intrigado por los argumentos que Lucas pensaba esgrimir en su defensa—. Bonita manera de poner en su sitio a alguien.

—Se lo merecía. —Lucas apretó los puños que mantenía en los bolsillos—. La ha besado en el jardín.

—Y por lo visto solo tú tienes derecho a hacerlo... —apuntó Biel, indicándole así cuánto había escuchado de la discusión entre ambos.

—¡Exactamente! —Lucas golpeó la mesa con ambas manos—. ¡Solo yo!

—Porque Alicia es tuya...

—Solo mía, de nadie más —gruñó con los dientes apretados.

—Mi sobrino lleva cortejándola más de un año, algo que tú no has hecho. En mi opinión eso le da derecho a... ciertos privilegios.

—¡A ningún privilegio! —Volvió a golpear la mesa—. Y para que lo sepa, yo también la estoy cortejando —aseveró irguiendo la espalda—. Y no lo hago para conseguir la puñetera herencia, sino porque la quiero. ¿Me ha escuchado bien? ¡La quiero! No como su estúpido sobrino. —Recorrió el despacho gesticulando frenético—. ¡Él ni la quiere ni la merece! Yo tampoco la merezco, lo admito, ¡pero la quiero, y emplearé lo que me resta de vida en demostrárselo! ¡Él no lo hará! Le da lo mismo Alicia, solo quiere agradarle a usted y conseguir su tajada. ¡Y usted lo consiente! —le señaló furioso con un dedo, olvidando todas las enseñanzas de Isembard—. ¿Acaso está ciego? ¡Marc solo quiere la puñetera naviera! —sentenció rabioso—. Ese es el motivo, y no otro, por el que pretende a Alicia.

—Y, sin embargo, a ti la naviera te importa un bledo —apuntó Biel sentándose con pasmosa tranquilidad en su butaca.

—¡Marc y usted pueden meterse sus puñeteros barcos por donde el sol nunca brilla! —exclamó exacerbado—. ¡Yo quiero a Alicia!

—Antes de que sigas proclamando tu amor por ella, quizá te interese saber que, en contra de lo que todos pensáis, Alicia no va a heredar ninguna acción de la compañía.

—¡Mejor! Así nadie podrá decir que me he casado con ella por su maldito dinero. ¡No nos hace falta! Tengo buenas manos para trabajar y ahora que soy listo no me faltará empleo. El ingeniero Martí me dijo que cualquier jefe de máquinas me aceptaría en su barco. Así que ya ve, no necesitamos la estúpida herencia para nada —le desafió.

—Así que pretendes volver a embarcar... Interesante. El ingeniero me indicó que no te veía capacitado para permanecer en alta mar, opina que estás demasiado enamorado como para dejar a tu mujer en tierra. —Lucas dio un respingo al escucharle—. Tal vez prefieras trabajar en el taller que compré hace poco más de un mes. Siguiendo las indicaciones del señor Abad y el señor del Closs lo voy a convertir en una fábrica de motores de combustión para automóviles.

—El taller… —musitó Lucas sentándose por fin—. ¿Ya lo ha puesto en marcha?

—No, estoy esperando a que mi heredero tome las riendas y decida cuál va a ser la mecánica a seguir.

—Entiendo —masculló frunciendo el ceño—. No voy a lamerle el culo a Marc para que me deje trabajar en su taller. No lo necesito. Embarcaré y ganaré dinero. Y luego me casaré con Alicia. Y ni usted ni nadie podrá evitarlo —aseveró.

—Marc dirigirá la naviera, aunque no será el propietario. —Biel le tendió unos papeles.

—Hay muchos barcos en el puerto que no son suyos. —Lucas tomó los documentos y continuó hablando—. Puedo embarcar en cualquiera de ellos o pedir trabajo en cualquier otro lado. Ahora soy listo —volvió a repetir, leyendo el encabezado del primero de los documentos—. En La Maquinista siempre están necesitados de mecánicos, puedo conseguir trabajo sin salir de Barcelona y… ¿Qué puñetas es esto? —preguntó prestando atención a lo que leía—. ¿Me ha legitimado? —Miró perplejo a su abuelo.

—Continúa leyendo, grumete —le ordenó Biel encendiendo la pipa.

—Esto no es verdad… —Lucas abrió los ojos de par en par—. Oriol jamás se casó con mi madre. No puede haber un registro de eso en ningún juzgado.

—Debo reconocer, aunque solo lo haré ante ti, que ese dato me ha costado deberle un favor a Pastrana. Cuando se lo vaya a cobrar te informaré para que seas tú quien se lo pague.

—Lo ha firmado Doc… y también el juez, y el banquero. Y el señor Abad.

—Más favores en tu cuenta. Ya puedes inventar un buen motor para poner en sus coches.

Lucas asintió aturdido y, después, dejó a un lado la demanda de legitimidad para leer el otro documento.

33

Obra de modo que merezcas a tu propio juicio y a juicio de los demás
la eternidad, que te hagas insustituible, que no merezcas morir.
MIGUEL DE UNAMUNO

*E*noc rebuscó en los bolsillos de Marc la llave del apartamento y, tras entrar en este, ayudó a su antiguo amigo a llegar hasta la cama. Observó durante un instante su rostro amoratado y se dirigió al aseo. No cabía duda de que el nieto del capitán golpeaba con fuerza cuando algo le enfurecía, y que Marc besara a la que consideraba su novia le había enfurecido bastante. Solo había sido cuestión de suerte que no le rompiera la nariz. De suerte, o de la rapidez con la que Alicia había comenzado a gritar, alertándoles. Vertió agua timolada en un recipiente y se hizo con unos cuantos paños antes de regresar al dormitorio. Marc continuaba en la cama, mirando el techo con ojos vacíos, ni siquiera se había preocupado en desvestirse. Enoc le quitó los zapatos y la chaqueta y comenzó a limpiar la sangre que manchaba su cara con cuidadoso esmero.

—Todo está perdido, Enoc. He visto como el viejo ha mirado a Lucas… ya ha decidido quién será su heredero, y no voy a ser yo —balbució Marc cerrando los ojos, vencido por el desaliento—. Casi me alegro, estoy harto de vivir amargado, de fingir que me siento atraído por quien no me atrae, de convertirme en otro hombre cuando piso tierra. Tenías razón. Aborrezco el monstruo en el que me he convertido. —Abrió los ojos, centrándolos en la curtida faz de su antiguo oficial—. Pero no me pidas que sonría. He pasado toda mi vida trabajando para la naviera y ahora voy a ser dejado de lado por culpa de un mocoso.

—Nadie te va a dejar de lado, Marc —le aclaró Enoc pasándole el paño por la frente con delicada ternura.

—El bastardo asumirá el mando de la compañía. Capitaneará

el mejor de los barcos Agramunt. El *Luz del Alba*, ¡mi barco!

—A Lucas no le interesan los barcos. Ni el mar. De hecho, no creo que haya nada que pueda alejarle de la ciudad… de Alicia.

—El viejo se las apañó para que embarcara en el *Tierra Umbría* y se pusiera bajo la tutela del ingeniero Martí —refutó observando a Enoc con los ojos entornados mientras este le aseaba con húmedas caricias.

—Sí, porque a Lucas le fascinan los motores. De la clase que sean: barcos, coches, fuentes… Tecnología, motores y Alicia. Eso es lo único que le interesa. No te quitará tu barco, Marc —afirmó mirándole compasivo—. Tanta ira, tanto rencor, por nada. Sí, es el heredero —confirmó al fin—, pero no le interesan las rutas marítimas ni los cargamentos, y el capitán lo sabe —se detuvo negando con la cabeza—. No debería decírtelo, pero me duele verte derrotado. Cuando el capitán falte las acciones de la naviera serán divididas en dos paquetes iguales, uno para Lucas y otro para ti, pero tú serás quien la dirija. Es la única condición que impondrá en su testamento, y no creo que a Lucas le importe. Como te digo, no le interesan los barcos, solo las máquinas. Y, además de la casa y su parte de la compañía, Lucas va a heredar un enorme y moderno taller donde podrá jugar a inventar todos los motores que quiera —dijo levantándose de la cama—. Descansa, amigo mío, mañana será un día complicado.

—Enoc… No te vayas. Quédate esta noche. Amanece conmigo.

—¿Por qué lo ha hecho? —preguntó Lucas al terminar de leer el testamento.

—Porque eres mi heredero.

—Pero… ¿Por qué lo soy? ¿Por qué me ha legitimado?

—Porque así lo he decidido —aseveró Biel zanjando la cuestión.

—Entiendo. Antes ha dicho que —tragó saliva—, que está esperando a que su heredero ponga en marcha el taller…

—Así es.

—Y yo soy su heredero.

—Ya lo hemos hablado, pero si quieres te lo repito: sí, lo eres. Sin ninguna duda.

—¿Podré ponerme a trabajar inmediatamente? —preguntó casi temeroso.

—Solo por las mañanas, por las tardes estudiarás. —Biel se incorporó en la silla, alerta ante el tono de su nieto. No sería capaz de…

—Necesito trabajar a jornada completa —replicó Lucas mirándole muy serio.

—¡Por todos los santos! —¡Sí, había sido capaz!—. ¡Jamás he conocido a nadie tan obsesionado con el trabajo como tú! Acabas de convertirte en heredero de una fortuna, ¡no necesitas trabajar!

—¡No quiero su dinero, sino el mío!

—¡Para qué, por el amor de Dios!

—¡Porque no quiero que nadie me mantenga!

—¡Maldito orgullo Agramunt! ¿No podías haber heredado otro rasgo menos marcado de mi carácter? —exclamó Biel echándose a reír—. ¿Sigues empeñado en casarte con mi pupila? —inquirió con una artera sonrisa.

—Sí.

—Imagino que querrás esperar hasta que tu trabajo dé fruto…

—Por supuesto.

—Y aplazarás la boda, pongamos un par de años, hasta que el taller dé beneficios y puedas independizarte…

—¿Un par de años?

—Más o menos, puede que más. El comienzo de un negocio es lento. Y también tienes que tener presente que tu prometida es una Aloss y tú un Agramunt, heredero de una de las navieras más importantes del país, no podéis casaros e iros a vivir a una casucha de la Barceloneta, no sería seguro, cualquiera podría secuestrar a Alicia cuando tú estés ausente. Un apartamento en el piso principal de alguno de los nuevos edificios del paseo de Gracia podría ser aceptable. Así que, añade a esos dos años otros siete u ocho para que tengas tiempo de ahorrar todo el dinero que te va a hacer falta.

—Diez años —murmuró Lucas.

—Y, ten en cuenta que, a pesar de haber estado ciego en lo que a vosotros dos se refería, ya no lo estoy. A partir de esta misma noche apostaré a dos de mis mejores hombres en el corredor, ya sabes, el que da a vuestros cuartos, con la orden de no permitir que nadie, y con esto me refiero a ti, circule por él durante la noche.

—¿Va a vigilar el corredor? —inquirió Lucas tragando saliva al saberse descubierto.

—Dos hombres. Con pistolas. Y con la orden expresa de dispararte si abandonas tu habitación antes de que amanezca —aseveró Biel con rotundidad.

—Entiendo.

—Eso espero.

Lucas se quedó en silencio unos segundos, intentando pensar en todo lo que el capitán había expuesto. Pero solo era capaz de pensar en una cosa.

—Diez años —susurró negando con la cabeza.

—Como mínimo. Una lástima, la verdad. A la señora Jana y a mí nos encantaría tener algún bebé correteando por la casa antes de ese tiempo. Y a Anna no le queda mucho tiempo de vida, estoy seguro de que le encantaría coger en brazos a su nieto. Pero si no puede ser…

—Tengo que pensar en ella —manifestó Lucas mordiéndose el labio—. Y también en Alicia, no va a ser fácil encontrar una casa tan segura como esta. Si algo le pasara…

—Ciertamente. Y, teniendo en cuenta que vas a heredar esta mansión, es una soberana estupidez que quieras mudarte a otro lugar, menos seguro y adecuado para vosotros. Por otro lado, si continúas estudiando por las tardes, como es mi deseo, consideraré oportuno darte una asignación mensual como pago por tu tiempo.

Lucas miró a su abuelo, sorprendido.

—¿Está intentando comprarme?

—En absoluto. Te estoy sobornando.

—A mí nadie me soborna —siseó ofendido.

—Diremos pues que estamos negociando. ¿Te parece bien? —Lucas asintió—. Todo se reduce a lo que ambos deseamos. Tú quieres casarte con Alicia. Yo quiero tener bisnietos. Tú quieres trabajar en el taller. Yo quiero que estudies. Tú quieres ganar dinero. Yo quiero que te hagas rico con los motores que vas a inventar. No debería ser difícil llegar a un acuerdo.

—Mirándolo así…

—No hay otro modo de mirarlo. Además, debes pensar en Alicia, está muy unida a su madre, no creo que quiera alejarse de ella.

—No. Claro que no.

—Y yo me disgustaría mucho si te marcharas.

—¿En serio?

—¿Con quién sino iba a discutir? —argumentó arqueando una ceja.

—Creo que debería hablar con Alicia para ver qué piensa ella.

—No sería mala idea. Estimo que tardaré un par de horas en encontrar a los hombres que van a vigilar el corredor. Aprovecha ese tiempo para convencerla. Puedes retirarte.

Lucas asintió con la cabeza y se dirigió a la puerta, ensimismado en sus pensamientos.

—Marinero —le llamó el capitán—. No se te ocurra decepcionarme. Quiero que se celebre una boda en esta casa dentro de tres meses. Ni un mes antes. ¿Entiendes lo que quiero decir?

—Sí, capitán. No habrá necesidad de apresurarla, me comprometo a ello.

Epílogo

Podrá nublarse el sol eternamente, / Podrá secarse en un instante el mar, /
Podrá romperse el eje de la tierra / como un débil cristal. /
¡Todo sucederá! /
Podrá la muerte / cubrirme con su fúnebre crespón, /
pero jamás en mí podrá apagarse / la llama de tu amor.

GUSTAVO ADOLFO BÉCQUER

12 de noviembre de 1916

*E*sbozando una engreída sonrisa, Lucas observó la chaqueta y los pantalones de los que acababa de despojarse. Al igual que la camisa, estaban colgados en el galán de noche mientras que la odiada corbata yacía olvidada sobre la silla. Había vuelto a vestirse de lechuguino, solo que en esta ocasión, había querido hacerlo.

Y había merecido la pena. Con creces.

La mirada que Alicia le había dedicado al verlo junto al altar había sido tan radiante que le habían temblado las piernas de la emoción.

—¡Puñeta, soy un hombre casado! —exclamó con un deje histérico en la voz antes de echarse a reír eufórico.

Recorrió su dormitorio a grandes zancadas, sujetándose la tripa con ambas manos cuando una manada de elefantes comenzó a bailar flamenco en su estómago. Alicia le había aceptado, y ahora era suya. Suya para amarla, para hacerla feliz, para complacerla, para disfrutarla, para besarla, para saborearla, para acariciarla… Detuvo su errática danza al sentir que esa parte de su anatomía que llevaba más de tres meses agonizando por la falta de atención se alzaba impaciente en su ingle.

—Tranquilízate, majadero, no vayas a estropearlo ahora —se ordenó en voz baja, consciente de que no podía acudir al dormitorio de su recién estrenada esposa de esa guisa. ¡La asustaría!

Alicia era inexperta. Él también, por supuesto. Pero él era el hombre, su deber era tranquilizarla, ¡no aterrorizarla asaltando su dormitorio tan nervioso y excitado como un animal en celo! Inspiró profundamente y luego soltó el aire muy, muy despacio. Repitió el proceso varias veces, hasta que consiguió que aquello retomara sus dimensiones habituales y volviera a pasar desapercibido en el interior de sus pantalones. Más o menos.

—¿A quién quiero engañar? —se preguntó frustrado mirándose en el espejo—. ¡Esto no hay pantalón que lo disimule! ¡No puedo atravesar la galería con la pistola cargada!

Y entonces se le ocurrió.

Abrió la puerta que daba al corredor y asomó apenas la cabeza. Miró a un lado y a otro. No había nadie. Ningún marinero vigilaba que no estuviera donde no debía estar. Sonrió entusiasmado y salió al exterior, de noche, por primera vez en más de tres meses. Recorrió con pasos apresurados la distancia que le separaba del gabinete, ahora reconvertido en alcoba matrimonial, y al llegar allí, se detuvo.

Su esposa —saboreó la palabra— estaba dentro, esperándole.

Asió el pomo de la puerta, y en ese momento se percató de que le temblaba la mano. De hecho, todo él estaba temblando. Tenía que controlarse, no podía abalanzarse sobre ella en ese estado.

Parpadeó aturdido ante ese pensamiento.

¡Ni en ese estado ni en ningún otro! ¡No iba a abalanzarse sobre ella, y punto!

Era un puñetero caballero y se comportaría como tal.

O moriría en el intento.

Cerró los ojos y, apartándose unos pasos, inspiró despacio, intentando calmarse.

No funcionó.

Giró sobre sus pies y se dirigió a la balaustrada. Sacó medio cuerpo fuera y se llenó los pulmones con el gélido aire invernal para luego soltarlo muy despacio. No iba a entrar en el dormitorio marital poseído por el deseo, aunque le costara la vida… o un buen constipado. Se esforzó en dejar la mente en blanco. En apartar de su estúpido cerebro la imagen de Alicia esperándole en la cama. Con uno de sus preciosos camisones. Seguro que era uno de esos escasos de tela que parecían combinaciones. El tirante se le habría deslizado por el brazo, dejando su hombro al descubierto… y el escote sería amplio. Casi podía ver, y saborear, el comienzo de sus níveos pechos. Dio un puñetazo sobre la balaustrada y enfiló de regreso al antiguo gabinete. Se detuvo antes de llegar. Sacudió la cabeza, furioso, giró sobre sus talones y volvió a la barandilla. Permaneció allí hasta que el frío calmó un poco su ardor, y cuando más o menos lo hubo conseguido, se dirigió de nuevo a la puerta, asió el pomo y lo giró despacio.

Alicia sonrió al ver que su recién estrenado marido al fin había encontrado el valor para dejar de pasearse y hacer lo que tenía que hacer: ¡acompañarla en su noche de bodas! Se recostó coqueta en la cama y dejó que el tirante del diminuto y casi transparente camisón que vestía resbalara por su hombro.

Lucas abrió la puerta, y, sin darse un instante para pensar, entró en la habitación.

Se quedó sin respiración y toda la sangre que había conseguido llevar hasta su cerebro a base de pasar frío volvió a descender hasta su... otro cerebro.

—Lucas... ¿Estás bien? —inquirió Alicia, incorporándose preocupada al ver que él palidecía y se tambaleaba a punto de caer.

—No voy a poder hacerlo —musitó apoyando la espalda contra la puerta a la vez que negaba con la cabeza—. No voy a poder. No soy un caballero, solo soy un hombre... ni siquiera eso. Soy una bestia en celo. No voy a poder ir lento. Me abalanzaré sobre ti, te haré daño, lo sé. Estoy demasiado nervioso. Va a ser un desastre. Te arrepentirás de haberte cas...

—¡Lucas, basta! —le interrumpió ella con voz severa—. No vamos a hacer nada esta noche —afirmó colocándose el tirante del camisón.

—¿No? —murmuró él, entre abatido y esperanzado.

—No. Ambos estamos muy cansados, así que vas a tumbarte aquí, a mi lado, y vamos a charlar un poco. Nada más.

Lucas asintió en silencio, mostrándose de acuerdo... y también un poco desilusionado. Se tumbó de espaldas en la cama, junto a Alicia, y ésta se removió contra él, hasta adoptar la postura que tantas y tantas noches, hacía ya más de tres meses, había adoptado. Acurrucada contra él, la cabeza apoyada en su hombro y la mano sobre su torso.

—Ha sido una ceremonia muy bonita, ¿no crees? —le preguntó mientras le desabrochaba despacio los botones de la camisa del pijama.

—Sí lo ha sido. La novia estaba tan hermosa que el novio a punto ha estado de desmayarse al verla —bromeó, aunque no estaba mintiendo.

Alicia sonrió al recordar ese momento. Incluso el capitán, que estaba junto a Lucas, se había apresurado a sujetarle cuando las rodillas parecieron fallarle.

—Las malas lenguas dicen que el novio no prestaba atención al cura —comentó divertida acariciándole el torso.

—Mmm… Sí… —gimió Lucas enredando los dedos en el sedoso cabello de su esposa—. El pobre muchacho estaba tan embelesado mirando a la novia que se le olvidó escuchar.

—Menos mal que el profesor del novio carraspeó cuando se le olvidó responder a la pregunta del cura sobre si quería desposarse con la novia —apuntó raspándole una tetilla con la uña del pulgar.

—No se olvidó… —jadeó Lucas arqueando la espalda—. El pobre tonto no encontraba palabras para expresar lo agradecido que estaba a la novia por aceptar ser su esposa.

—Oh… qué dulce —susurró ella inclinándose un poco más sobre él para poder besarle en el lugar en el que hombro y cuello se unen—. Mmm… Me ha llegado el rumor de que la novia se sintió muy acalorada al ver lo guapo que estaba el novio y saber que esa noche sería suyo.

—¿De veras? —Lucas giró la cabeza y sus labios se encontraron con los de ella. La besó despacio, casi reverente, hasta que ella abrió la boca para él y pudo sumergirse en su delicioso interior—. A mí me han dicho… —se apartó apenas, sus alientos entremezclados—, que el novio se pasó todo el banquete con la chaqueta cerrada y las manos en los bolsillos de los pantalones para disimular el efecto que las miradas de la novia tenían en él.

—¡Qué pícaro! —Deslizó su pierna sana sobre las de Lucas, ascendiendo hasta que tocó esa parte de él que no era posible, ni deseable, sosegar—. Pues yo sé de buena tinta que la novia lleva muchas noches pensando en…

—¿En qué? —jadeó Lucas al sentir la primera caricia sobre su erección.

—En cosas que ni te imaginas —susurró presionando aquello que palpitaba contra su muslo.

—Tengo mucha imaginación…

—¿En serio? Déjame ver si puedo sorprenderte. —Y sin esperar un instante se colocó sobre él y culebreó por su cuerpo hasta que sus labios quedaron a la altura de su ombligo.

Le mordió. Y luego continuó descendiendo. Y Lucas abrió los ojos como platos al comprender que la imaginación de Alicia era mucho más atrevida que la suya.

—Espera… —jadeó enredando los dedos en su pelo cuando ella le quitó los pantalones.

—Tranquilo, solo voy a darte unos pocos besos aquí… —Y señaló el sitio con sus labios.

—Ah, bueno. Si solo vas a hacer eso... por mí está bien. —Cerró los ojos cuando sintió la osada lengua femenina sobre esa parte de su cuerpo que se alzaba impaciente en busca de caricias—. Tal vez... ahh... tal vez debería... mmm... debería ser yo... quien... ya sabes...

—Luego serás tú quien me lo haga a mí... si tienes redaños para intentarlo. Mojigato.

Lucas intentó protestar, ¡no era un mojigato!, pero de sus labios solo escapó un gemido. Volvió a abrirlos, y un espasmo de placer le recorrió antes de que pudiera decir nada. Lo intentó de nuevo, y solo pudo farfullar palabras ininteligibles. Y después... Después se olvidó del motivo por el que quería hablar y se limitó a sentir y amar.

Alicia poseyó cada gemido que exhaló, cada estremecimiento que le recorrió y cuando todo su cuerpo se arqueó sumido en una tensa inmovilidad, lo tomó por completo en su boca y saboreó su explosión de placer hasta que no quedó una sola gota por lamer. Luego se apartó lentamente y se removió hasta recostar la cabeza en el recio hombro de su esposo. En sus labios, una sonrisa tan orgullosa como excitada.

—No cabe duda de que tu imaginación es muy osada —murmuró Lucas hundiendo el rostro en sus rizos rubios.

—¿Crees que ya estás lo suficientemente tranquilo como para cumplir tus deberes maritales? —inquirió con picardía.

—Esposa mía, me has dejado tan agotado, que dudo que me recupere antes de mañana —fingió un bostezo a la vez que la envolvía entre sus brazos.

Alicia arqueó una ceja. Con que esas tenía... Se iba a enterar de lo que valía un peine.

—Esposo mío, te advierto que si estás hablando en serio y piensas posponer hasta mañana lo que tanto necesito, me veré en la obligación de no volver a tranquilizarte nunca más.

—¿Nunca más?

—Nunca más.

—Tal vez no esté tan cansado —musitó divertido cerniéndose sobre ella.

Acarició su rostro con los labios y luego descendió muy despacio por su esbelto cuello hasta encontrarse con la barrera del camisón. Lo atrapó entre los dientes, apartándolo hasta que sus pechos asomaron sobre la tela. Se deleitó en ellos hasta que los gemidos de su esposa llenaron el silencio. Hasta que sus delicados dedos le asieron con fuerza el cabello, instándole a seguir descendiendo. Y aun así, la hizo sufrir un poco más.

—Lucas, por favor…

—Hace mucho tiempo que no te tengo… —Atrapó un inhiesto pezón entre sus dientes y jugó con la lengua sobre él—. Quiero disfrutarte lentamente… —Sopló sobre la sensible piel que acababa de humedecer.

—Lucas, mi amor, ya tendrás tiempo otra noche de ir todo lo despacio que quieras, ahora no es el momento —jadeó Alicia arqueándose excitada a la vez que le tiraba del pelo para que descendiera de una buena vez hacia donde más necesitaba.

—¿Intuyo cierta prisa en tus palabras, esposa mía? —murmuró burlón centrando su atención en el tentador ombligo femenino.

—No, esposo mío. Pero ya que no vas a apresurarte, permíteme que me ponga cómoda. —Y, soltándole el pelo, asió con ambas manos el camisón que aún llevaba puesto y se lo quitó.

—Puñeta —masculló Lucas al verla desnuda por primera vez.

—Adelante, tómate el tiempo que necesites —le desafió, flexionando la pierna sana para mecerla contra la otra.

Lucas contempló exaltado el hipnótico vaivén, los ojos fijos en el triangulo de vello que se insinuaba en cada movimiento y, a la postre, decidió que, efectivamente, no era el momento de ir despacio. Se deshizo de la camisa sin apartar ni un instante la mirada del cuerpo de su esposa. Y, cuando quedó tan desnudo como ella, le sujetó la rodilla para que dejara de torturarle y, exhalando un rugido febril, hundió la cabeza entre sus esbeltas piernas.

Saboreó la pátina de humedad que cubría su exquisita piel, bebió el placer que emanaba de ella y cuando Alicia se removió entre jadeos, la devoró con fruición hasta que explotó contra sus labios. Luego, ascendió lentamente por su cuerpo, adorándolo con devotos besos y ardientes caricias hasta que sus rostros quedaron enfrentados y sus cuerpos alineados.

—No quiero hacerte daño —susurró. La respiración agitada, la frente perlada de sudor, el cuerpo tenso e inmóvil.

—No me lo harás —aseveró Alicia envolviéndole la cadera con su pierna sana.

—Soy muy grande… —Tragó saliva cuando ella acunó su palpitante erección contra su sexo anhelante.

—Sí lo eres. —Se meció contra él a la vez que le sujetaba el rostro entre las manos.

—¿Estás segura? No… no pasa nada si esperamos un poco.

—Lucas, no tengas miedo.

Entró en ella despacio, con reverente cuidado y apasionada entrega. Atento a cada uno de sus gestos, a su respiración, al brillo de sus ojos. Y cuando sintió la última barrera que les separaba, se detuvo.

—Te quiero —murmuró Alicia elevando las caderas, instándole a que continuara.

—No sé qué he hecho para merecerte, pero te juro que jamás te arrepentirás de haberte casado conmigo —manifestó hundiéndose por completo en ella—. Te quiero tanto… Dedicaré mi vida a hacerte feliz, te lo prometo.

—Lucas… Ya soy feliz. No puedo serlo más.

15 de diciembre 1916

Lucas regresó a la mansión Agramunt justo a la hora de la comida, quizá incluso unos minutos más tarde. Como de costumbre, se había retrasado en el taller. Saludó a su esposa con un ardiente beso que despertó las sonrisas del capitán, Enoc y Jana, aunque estos, por supuesto y también como de costumbre, fingieron no percatarse. Luego se dirigieron al comedor, donde Lucas les puso al día de los pocos avances que iba consiguiendo. El inicio del negocio, tal y como había augurado Biel, estaba siendo lento, pero seguro. Les contó sus ideas, y lo mucho que estaba aprendiendo del ingeniero que él mismo había contratado.

Cuando terminaron de comer, las damas se retiraron a sus respectivas alcobas. Lucas, de nuevo como de costumbre, hizo ademán de acompañar a su esposa, pues aún faltaba una hora para que Isembard acudiera para darle clase y llevaba demasiado tiempo —toda la mañana— sin demostrarle a Alicia cuánto la adoraba, pero, al contrario de lo que sucedía siempre, Biel le instó a que le acompañara al despacho y una vez allí, se sentó, indicándole en silencio que hiciera lo mismo y le tendió una página del periódico de esa mañana.

Lucas lo tomó, intrigado por el aire misterioso que parecía envolver las acciones de su abuelo, y leyó el escueto artículo enmarcado en tinta azul. La hoja cayó de sus manos a la vez que su mirada se centraba en el capitán. Este asintió en silencio y se acercó a él.

—Todo ha terminado —manifestó posando la mano sobre el hombro de su nieto.

Lucas apoyó la cabeza contra el recio cuerpo de su abuelo. Sus ojos fuertemente cerrados para que las lágrimas de alivio que intentaban brotar de ellos no surcaran sus mejillas. Olvidado en el suelo, el recorte del periódico.

Barcelona, 16, 10 noche.

En el gobierno civil se ha recibido la noticia del asesinato del ciudadano Marcel Duroc. La comandancia ha dispuesto que un oficial y dos guardias investiguen el suceso.

Extraoficialmente se sabe que el asesinado murió por ahogamiento al encontrárselo un pescador cerca del espigón del Dique Este del puerto, atados los pies a pesadas piedras.

Dícese que el crimen obedece a un ajuste de cuentas, habida cuenta del oficio al que pertenecía el asesinado.

Agradecimientos

*E*sta historia no sería la misma sin Laura Caballero. Es muy probable que Lucas y Anna no tuvieran casa si no fuera por ella. Es más, la mansión Agramunt no existiría de no ser por Laura Caballero y Sara Ivorra. Fijaos si ha sido importante, Laura.

Siempre he dicho que no puedo escribir una historia si no «huelo» el escenario en el que transcurre. Si no sé cómo son sus calles, sus cielos, sus edificios, su olor… Y yo no conocía Barcelona excepto por una vez que la visité como turista despistada hace ya muchos años. Por tanto, cuando decidí escribir *Amanecer contigo,* lo primero que pensé fue que tenía que ir a Barcelona. Y Laura Caballero se ofreció voluntaria para guiarme y acompañarme. Recorrimos la ciudad paso a paso, nada de transporte público o taxis. No. Un pie delante de otro, parándonos en cada cosa que me llamaba la atención, en cada calle, en cada plaza.

Lucas y Anna viven en la Barceloneta porque nos la recorrimos entera, calle a calle, comprobando que lo que yo había imaginado al leer los mapas de la época era factible, no tanto los edificios (muchos de los que están no son los que eran), como las distancias. Hasta el Somorrostro, hasta el Raval Sur, hasta la playa, hasta los antiguos cuarteles de Atarazanas, hasta el puerto… todo eso lo andamos mientras hablábamos de épocas pasadas.

La mansión Agramunt está donde está (el edificio existe realmente, aunque debo reconocer que lo he «tuneado» un poco) porque Laura «lió» a Sara para que nos llevara en coche por cada calle de Horta, y al no encontrar lo que yo buscaba, nos desplazamos a la avenida del Tibidabo. Aparcamos y la recorrimos de arriba abajo (¡menuda cuestecita!), fotografiando mansiones hasta que encontré lo que yo quería (sinceramente, faltó poco para que las volviera locas).

Gracias, Laura, por tener siempre una sonrisa en los labios y no desfallecer nunca.

Gracias, Sara, por no matarme cuando te pregunté: «¿La avenida del Tibidabo está muy lejos? ¿Podemos ir?». (Estábamos en el otro extremo de Barcelona, y *sip*, fuimos).

Noelia Amarillo

Noelia Amarillo nació en Madrid el 31 de octubre de 1972. Creció en Alcorcón (Madrid) y cuando tuvo la oportunidad se mudó a su propia casa, en la que convive en democracia con su marido e hijas y unas cuantas mascotas. En la actualidad trabaja como secretaria en la empresa familiar, disfruta cada segundo del día de su familia y de sus amigas y, aunque parezca mentira, encuentra tiempo libre para continuar haciendo lo que más le gusta: escribir novela romántica.